D0260944

SCHADE

Van John Lescroart verschenen eerder:

Het dertiende jurylid
Keihard bewijs
De kleur van gerechtigheid
Schuldig
Moord op verzoek
Niets dan de waarheid
De hoorzitting
De eed
De woekeraar
Boven de wet
Kwade zaken
Het motief
De Hunt Club
De verdachte
Verraad
Geheimhouding

John Lescroart

Schade

VAN HOLKEMA & WARENDORF
Uitgeverij Unieboek | Het Spectrum bv, Houten – Antwerpen

Oorspronkelijke titel: *Damage*
Vertaling: Kick Rotteveel
Omslagontwerp: Wil Immink
Omslagfoto: Tom Le Goff / Getty Images
Opmaak: ZetSpiegel, Best

ISBN 978 90 475 1752 8 / NUR 332

Oorspronkelijke uitgave: Dutton, a member of Penguin Group (USA), Inc.

www.johnlescroart.com
www.unieboekspectrum.nl

Van Holkema & Warendorf maakt deel uit van Uitgeverij Unieboek | Het Spectrum bv.,
Postbus 97, 3990 DB Houten

Voor Lisa Maris Sawyer, voor altijd en eeuwig

Proloog

Felicia Nuñez zag hem staan, leunend tegen een gebouw aan de overkant van de halte waar ze altijd uit de tram stapte. Terwijl haar hart plotseling zo snel begon te kloppen dat ze het bloed in haar oren voelde bonzen, wendde ze zich af van de tramdeur die opensloeg en ging weer zitten op een van de zijdelings geplaatste banken voorin, vlak bij de bestuurder.

Toen de tram zich weer in beweging zette en hem passeerde, ving ze in haar ooghoeken opnieuw een glimp van hem op.

Of *misschien* was hij het. De gelijkenis was erg groot. Zijn haar leek een beetje anders; langer dan toen ze hem voor het laatst in de rechtszaal had gezien, maar zijn uitstraling – hoe hij daar stond – was hetzelfde. Met de hak van een van zijn laarzen tegen de muur, de sterke witte armen gekruist voor zijn borst.

Ze wist waarom hij daar stond. Hij wachtte. Hij wachtte op haar.

Vroeger zag ze hem overal, zelfs al stond vast dat hij haar niet kon vinden. Ze was opgenomen geweest in een getuigenbeschermingsprogramma. Niemand wist waar ze woonde. Dus in werkelijkheid kon zoiets nooit gebeuren. Maar toch dacht ze al ongeveer twee jaar lang iedere dag dat ze hem ergens zag.

Maar vandaag?

Dit keer was hij het precies. De meeste keren ging het om iemand die haar aan hem deed denken, door het haar, de armen, de lichaamshouding. Maar vandaag was hij het helemaal; niet een verzameling van gelijkenissen waarmee haar fantasie, gevoed door haar angst, het monster samenstelde dat hij was.

Bij de volgende halte stapte ze uit. Ze hoorde hoe de deur zich achter haar sloot, de remblokken zich losmaakten van de wielen, en het schrapende geluid waarmee de tram weer in beweging kwam en haar alleen achterliet bij de stoeprand.

Ze voelde er niet veel voor extra geld uit te geven en ze wist dat ze thuis gratis koffie kon maken, maar misschien stond hij nog op haar te wachten en als hij haar zag zou hij, of kon hij...

Ze wilde er niet aan denken.

Nee. Ze kón er niet aan denken.

Ze liep Starbucks binnen en bestelde een koffie – een halfuur werken bij het schoonmaakbedrijf waar ze zo gelukkig was geweest een baan te vinden, maar ze moest even rustig kunnen zitten om na te denken, en ook om hem voldoende tijd te geven om te vertrekken als hij haar écht stond op te wachten.

Hoe kon hij haar hebben gevonden?

Ze ging voorin zitten bij het raam, zodat ze hem kon zien als hij plotseling zou opduiken tussen de passerende voetgangers.

Ze brandde haar tong aan het eerste slokje en de pijn leek iets in haar los te maken. Ze zette de kartonnen beker neer, knipperde met haar ogen en vocht tegen de golf van emotie die haar plotseling dreigde te overspoelen.

Bastardo! dacht ze. De klootzak had haar leven verpest.

In gedachten was ze opnieuw achttien jaar oud.

De zon prikt in haar ogen als ze het schoolgebouw verlaat waar de familie Curtlee haar naartoe heeft gestuurd om Engels te leren. Twee keer per week krijgt ze daar les en zij betalen alles. Dat hoort bij het contract. Ze is helemaal hierheen gekomen om voor ze te werken, zij hebben gezorgd voor de papieren en helpen haar de taal te leren. Ooit zal ze in aanmerking komen voor het Amerikaanse staatsburgerschap, zodat haar kinderen hier in alle vrijheid kunnen opgroeien en naar school kunnen gaan.

Ze kan het bijna niet geloven, na haar armoedige bestaan in Guatemala, waar haar moeder is gestorven, zodat Felicia op haar zeventiende als wees is achtergebleven. Maar nu is het echt zover. Ze is hier al vijf maanden en ondanks haar aanvankelijke angst voor slavernij en een slechte behandeling is haar niets akeligs overkomen.

Voor de zoon met zijn grijpgrage handen moet ze uitkijken, maar verder zijn de Curtlees precies wat ze lijken te zijn – eerlijke mensen met ontzettend veel geld, die uit de goedheid van hun hart jonge meisjes uit Zuid-Amerika hierheen laten komen om voor hen te werken.

En om de een of andere reden had God ervoor gezorgd dat hun mannetje in Guatemala Felicia had gevonden.

Nu loopt ze hier, de blik omlaag vanwege de zon. Het is een warme avond in augustus en ze draagt een witte katoenen jurk en rode gevlochten sandalen die heerlijk lopen, vooral in de heuvels hier in San Francisco. Ze neemt afscheid van het laatste klasgenootje, draait zich weer om en wandelt verder de heuvel op, naar het park dat ze het Presidio noemen en waar ze doorheen moet om bij het huis te komen.

Als ze halverwege is komt hij tevoorschijn van achter een bosje vóór haar. Hier tussen de bomen is het donkerder dan op straat, maar licht genoeg om te zien dat hij er zelfverzekerd uitziet en glimlacht terwijl hij naar toe loopt.

'Hola,' *zegt ze, met een gemaakt glimlachje, hopend dat hij haar met rust zal laten. Ze wil om hem heen lopen maar hij doet ook een stap opzij en verspert haar de weg.*

'Jij bent erg mooi,' zegt hij. Hij glimlacht nog steeds maar ademt zwaar. Hij knikt omlaag met zijn hoofd en ze ziet dat hij hem uit zijn gulp heeft gehaald.

'No, por favor,' *zegt ze. Ze herhaalt het.* 'Por favor.'

Nog steeds glimlachend, hoewel zijn ogen doods en koud zijn, grijpt hij haar nu snel met beide handen bij haar middel, trekt haar naar zich toe en drukt haar tegen zich aan.

'Niet tegenstribbelen,' zegt hij schor. 'Niks doen. Anders maak ik je dood.'

Als ze probeert zich los te rukken slaat hij haar hard in het gezicht, terwijl hij met zijn andere hand haar jurk blijft vasthouden. Nu grijpt hij haar bij de keel met de hand waarmee hij haar eerst in het gezicht heeft geslagen. Hij buigt zich over haar heen en duwt haar steeds verder omlaag, totdat ze valt. Dan ligt hij boven op haar, nog steeds met zijn hand om haar keel. Hij doet haar benen van elkaar en rijdt tegen haar aan, net zolang totdat hij in haar is en ze begint te schreeuwen, waarna hij een hand op haar mond legt en opnieuw zegt dat hij haar dood maakt. Ze weet zeker dat hij het meent en ondergaat het verder zwijgend.

Dan is het voorbij. Hij staat op, kijkt op haar neer, glimlacht en maakt zijn broek dicht. Hij zegt dat hij vindt dat ze mooie schoenen heeft en dat hij het leuk vindt dat ze die voor hem heeft aangehouden – dat was sexy, zegt hij, dat ze het zó graag wilde dat ze niet eens de tijd heeft genomen ze uit te trekken – en daarna zegt hij dat hij haar nog wel eens ziet en dat ze het misschien een keer opnieuw zullen doen.

Haar koffie was koud geworden. Ze zat hier nu al vijfentwintig minuten. Buiten verschenen dunne mistvlagen.

Als hij op haar had staan wachten dan zou hij het nu wel erg koud moeten hebben. Ze nam zich voor haar jas tot aan de kraag dicht te knopen en helemaal tot de volgende straathoek te lopen om te zien of hij er nog stond. Als dat zo was zou ze doorlopen en zich ergens verstoppen.

Maar toen ze er aankwam was hij weg.

Ze stak de straat over en liep door tot aan de volgende hoek. Toen stak ze opnieuw over en liep vanaf de andere kant terug naar haar huis.

Hij was weg.

Toch dook ze diep weg in haar jas, met gebogen hoofd en de kraag omhoog, terwijl ze schielijk in de portieken keek om zich ervan te vergewissen dat hij zich daarin niet verdekt had opgesteld. Toen ze bij haar portiek was aangekomen controleerde ze of de deur dicht was. Dat bleek het geval.

Ze draaide zich om en keek naar de andere kant van de straat. Het asfalt glom in de regen. Ze zag hoe haar eigen naam, NUÑEZ, duidelijk stond vermeld onder de brievenbussen, bij huisnummer zes. Ze klakte met haar tong.

Niet voorzichtig genoeg.

Eenmaal binnen beklom ze de drie steile trappen totdat ze eindelijk boven was en veilig haar eigen appartement had bereikt – een slaapkamer, een kleine woonkamer en een keuken.

Ze sloot de deur en deed hem op het nachtslot. Ze liep naar het raam aan de voorkant en keek omlaag naar de straat, die glom van de regen. Ze draaide zich om en vroeg zich af of ze die ochtend de deur van haar slaapkamer had dichtgedaan. Ze kon het zich niet precies herinneren.

Ten slotte permitteerde ze zich een flauw glimlachje. Misschien was hij het niet eens geweest. Ze had zich opnieuw laten meeslepen door iets dat heel lang geleden was gebeurd. De paranoia, de herinneringen, het plotselinge herbeleven van de angst – het was haar eerder overkomen en het zou opnieuw gebeuren.

Ze kon er haar leven niet door laten overheersen.

Ze moest eroverheen zien te komen. Misschien zou de tijd haar wonden helen, zodat ze niet langer gebukt hoefde te gaan onder de schaduw van dat ene moment van angst en vertwijfeling. Er waren mensen die iets veel ergers was overkomen en die toch iets van hun leven hadden weten te maken.

Ze slaakte een diepe zucht en liep in drie passen naar haar slaapkamerdeur. Heel voorzichtig duwde ze hem open met haar voet.

Zie je wel, er is niemand, hield ze zichzelf voor. De voordeur was op slot toen ze zojuist was gearriveerd. De deur beneden was ook dicht geweest.

Waarom zou hij van alle vrouwen in de wereld nog steeds juist in háár geïnteresseerd zijn?

Ze was al lang niet meer de schoonheid die ze op haar achttiende was. Ze wilde helemaal niet aantrekkelijk zijn en meestal weerstond ze de verleiding zichzelf op te tutten.

Aantrekkelijk zijn had haar leven verpest.

Ze liep de slaapkamer binnen.

1

Op de ochtend van wat de eerste dag van zijn nieuwe baan zou worden stond een knappe, goedgebouwde man met keurig geknipt haar dat tot iets over zijn oren viel in onderbroek voor de garderobekast in zijn slaapkamer. Hij pakte de bovenste van een flinke verzameling T-shirts die hun eigen plank hadden.

Hij trok het aan, bekeek zichzelf in de spiegel, trok een denkbeeldig buikje in en draaide zich met een zwierige beweging om. De tekst op het T-shirt luidde: VOORTIJDIG ZWANGER: EEN KWESTIE VAN BLIJVEN OF AFDRIJVEN.

'Nee.' Zijn vriendin ging rechtop zitten tegen de hoofdsteun van het bed. 'Beslist niet.'

'Ik vind hem leuk,' zei hij.

'Wes, jij vindt ze allemaal leuk.'

'Klopt. Als je een T-shirt koopt dat je niet leuk vindt ben je niet goed wijs.'

'Maar als je de nieuwe officier van justitie van San Francisco bent en naar je werk gaat met een kledingstuk waarvan je zeker weet dat het verkeerd begrepen zal worden, dan ben je zéker niet goed wijs.'

'Wie zou zoiets nou verkeerd kunnen begrijpen?'

'Iedereen. En om verschillende redenen.'

'Sam.' Wes liep naar de andere kant van de kamer, ging op het bed zitten en legde een hand op haar dij. 'Niemand zal het zien. Ik draag het toch niet zó, met een stropdas eroverheen? En trouwens, als ik een hartaanval krijg en ze mijn overhemd kapot moeten scheuren zodat iemand het ziet, wat dan nog? Het is toch geen opruiende tekst? Godallemachtig, het is maar een woordspeling.'

'Het is niet zomaar een woordspeling. Het heeft een politieke lading.'

'Hoezo?'

'Het betekent dat je een voorstander bent van seks vóór het huwelijk. Dat het huwelijk niet heilig is. Dat je vrouwen niet als gelijkwaardig beschouwt. Kies maar uit. Dat je hoe dan ook een ongevoelig type bent.'

'Nou, dat wisten we toch al?'

'Je kunt er wel om lachen, maar het is echt niet zo lollig. Van nu af aan heeft alles wat je doet een politieke lading, hoe onschuldig het ook lijkt. Besef je dat niet? Ik dacht dat je dat wel had geleerd tijdens de verkiezingsstrijd.'

'Nee. Kennelijk niet. Maar tóch heb ik gewonnen, of niet soms?'

Sam keek hem veelbetekenend aan. 'Wes, je hebt gewonnen van een tegenstander die een week voor de verkiezingen is overleden, met een meerderheid van negentig stemmen op een totaal van driehonderdvijftienduizend.'

'Alsof dat iets is waarvoor ik me zou moeten schamen. Nee, luister. Dat bewijst alleen maar dat God wilde dat ik zou winnen. Anders had Hij Dexter niet zo plotseling tot zich geroepen. Dat is toch vanzelfsprekend? Zo niet kosmisch voorbestemd.'

'Je bent volstrekt hopeloos.'

'Nou, dat hoop ik niet. Dit is pas mijn eerste dag. Ik weet zeker dat ik na verloop van tijd nog veel hopelozer zal worden.' Hij stond op en liep terug naar de garderobekast. 'Maar als je écht denkt dat het wat uitmaakt,' zei hij, 'dan kan ik hem eventueel omwisselen met het T-shirt van morgen.'

'Trek je er morgen ook een aan?'

'Sam, ik draag altijd T-shirts. Ze geven inzicht in mijn geheime persoonlijkheid.'

'Die blijft echt niet lang geheim. De media zullen er meer van willen weten zodra het uitlekt.'

'Mooi. Dat geeft me juist dat extra *je ne sais quoi*. Onvoorspelbaar en onweerstaanbaar. Maar als je wilt ruil ik deze voor de eerste dag wel om met die van morgen.' Hij draaide zich om, pakte het volgende T-shirt van de stapel en liet die aan haar zien: ZWAAR GEDROGEERD IN HET BELANG VAN DE OPENBARE ORDE.

'Veel beter. Nee, écht waar, ik meen het.' Ze liet het hoofd zakken en zuchtte. 'Laat maar zitten,' zei ze. 'Laat maar zitten. Ik bemoei me er niet meer mee.'

'Toe nou, Sam,' zei hij. 'Als je dit allemaal te serieus gaat nemen is de lol eraf.'

Vier dagen later was er weinig lol te beleven.

Het kantoor van Wes Farrell op de tweede verdieping van het Paleis van Justitie leek nog het meest op het hok van een conciërge. Voor de ramen die uitzicht boden op Bryant Street lagen enkele tientallen uitgepakte verhuisdozen opgestapeld. Het comfortabele en stijlvolle meubilair van zijn voorganger was verdwenen. Ondertussen had Farrell een bureau en een paar stoelen laten aanrukken uit een paar kamers verderop in de gang. Zijn basketbalnet had hij meegenomen uit zijn oude kantoor en opgehangen aan de boekenkast.

Cliff en Theresa Curtlee, die op twee klapstoelen tegenover Farrell hadden plaatsgenomen, hadden hem al gefeliciteerd met zijn verkiezingsoverwinning. Nu wisselden ze blikken met elkaar uit. De Curtlees, de eigenaars van de *Courier*, de op één na grootste krant van San Francisco, waren als ondernemers succesvol in uiteenlopende branches – afvalverwerking, sleepdiensten, import en export – en hun geraffineerde samenspel was notoir succesvol. Hun verwachtingen waren hooggespannen, want ze hadden genereus bijgedragen aan zijn campagne. Bovendien had de *Courier* voorafgaand aan de verkiezingen een paar lovende artikelen over hem gepubliceerd en hem ten slotte openlijk gesteund.

Farrell had zijn huiswerk gedaan. Ro, de zoon van de Curtlees, had de afgelopen negen jaar in de gevangenis doorgebracht om een straf van vijfentwintig jaar tot levenslang uit te zitten wegens verkrachting en moord op een van hun dienstmeisjes, Dolores Sandoval. Op de dag voor de verkiezing van Farrell had het Federale Hooggerechtshof geweigerd de beslissing te herzien van het Hof van Beroep voor het 9e Arrondissement, dat had beslist dat de zaak opnieuw moest worden behandeld in San Francisco. Het Hof van Beroep voor het 9e Arrondissement had de veroordeling vernietigd en daarmee de uitspraken van zowel het Hof van Beroep als het Hooggerechtshof van Californië ongedaan gemaakt.

Cliff gaf Theresa het sein om van wal te steken. Door haar gezicht, dat strak stond van de Botox, ging een soort stuiptrekking die je kon aanzien voor een glimlach. Ze schraapte haar keel. 'We wilden je spreken over onze zoon Roland. Maar dat had je misschien al geraden.'

Farrell grinnikte in een poging welwillend over te komen. 'Inderdaad, dat vermoedde ik al.'

'De kwestie is,' kwam Cliff tussenbeide, 'dat hij onschuldig is.'

'Deze hele zaak is een stuitende gerechtelijke dwaling,' voegde Theresa eraan toe, 'en nu iemand anders hier de touwtjes in handen heeft gekregen hopen we dat de tijd die we al in deze toestand hebben gestoken niet voor niets is geweest. Misschien kunnen we samen een manier vinden om tot herstel te komen.'

'Daar heb ik alle begrip voor,' zei Farrell, 'maar ik ben bang dat ik weinig invloed heb op hoe dit zich verder ontwikkelt.'

'Die heb je wél,' zei Theresa. 'Je hoeft hem niet opnieuw te vervolgen. Dat is een beslissing die nu bij justitie ligt.'

'Jawel, maar... Ik hoop dat u begrijpt dat dit moeilijk ligt. Alleen al voor de familie van het slachtoffer zou het...'

De stem van Theresa klonk zacht, bijna troostend. 'Maar ze wás zijn slachtoffer helemaal niet, Wes. Daar gaat het nu juist om. Hij heeft haar helemaal niets gedaan. Misschien kun je dat haar familie duidelijk maken...'

'Welke familie?' Cliff klonk geïrriteerd. 'Dan zou je eerst moeten uitzoeken waar die zich in Guatemala heeft verstopt en daar wens ik je dan veel succes mee. Er ís helemaal geen familie om je druk over te maken. Maak je liever druk over mijn zoon.'

Farrell schraapte zijn keel. 'Ik heb begrepen dat het beroep niet is gebaseerd op het bewijsmateriaal dat in de zaak is aangevoerd.' Farrell refereerde aan de twee andere vrouwen die hadden verklaard door Ro te zijn verkracht.

Farrell wist dat het succesvolle beroep gebaseerd was op het feit dat enkele familieleden van het slachtoffer tijdens de behandeling in de rechtszaak een button hadden gedragen waarop Dolores Sandoval glimlachend stond afgebeeld. Dit, zo had het 9e Arrondissement geoordeeld, had de juryleden doorslaggevend beïnvloed ten nadele van de verdachte. Het was een van de meest krankzinnige vonnissen die Farrell ooit onder ogen had gekregen, zelfs van een rechtbank die berucht was vanwege zijn bizarre uitspraken.

Cliff Curtlee wuifde Farrells bezwaar weg. 'Dat bewijsmateriaal blijft heus niet overeind in een nieuwe rechtszaak. Lees de stukken er maar op na. Die twee andere zogenaamde slachtoffers. Wie zijn dat nou helemaal? Die hadden ze helemaal niet mogen laten getuigen. En Ro geeft toe dat hij seks met dat meisje heeft gehad. Maar zélf wilde ze het óók. Er ís helemaal geen zaak meer. Er was ook helemaal nooit een zaak.'

'Nou...'

Theresa schraapte opnieuw haar keel. 'Maar wat je ook gaat doen – en ik weet zeker dat je de juiste beslissing zult nemen – op zijn minst zou je een borgsom kunnen vaststellen.'

Nu schudde Farrell zijn hoofd. 'Ik wil niet de indruk wekken dat ik niet begaan ben met het lot van jullie zoon, maar dat kan ik écht niet doen. Borgtocht is niet mogelijk als er verzwarende omstandigheden zijn.'

'Aha.' Theresa kon haar gelaatsspieren nauwelijks bewegen en – misschien ter compensatie van haar onvermogen om op die manier haar emoties kenbaar te maken – stak ze haar wijsvinger op. 'Maar dat is nou precies het punt. Er zíjn geen verzwarende omstandigheden.'

Farrell reageerde verbaasd. 'Pardon?'

'Dat is de enige concessie die Sharron Pratt ons heeft willen doen. Na alles wat wij voor háár hebben gedaan.' Cliff koesterde duidelijk geen warme gevoelens voor de voormalige officier van justitie die hun zoon had vervolgd.

Precies op het juiste moment, alsof ze het zo hadden ingestudeerd, pakte Theresa de draad weer op. 'De aanklacht luidde verkrachting en moord, en niet moord in combinatie met verkrachting.'

Farrell realiseerde zich onmiddellijk hoe onlogisch dit was. Als haar zoon het had gedaan, was het domweg moord in combinatie met verkrachting. Maar kennelijk had Sharron Pratt daar geen boodschap aan gehad. 'Dus er was geen sprake van verzwarende omstandigheden,' zei Wes.

Met andere woorden, het was geen zaak waarin borgtocht was uitgesloten.

Theresa produceerde iets dat met enige moeite als een glimlachje kon worden bestempeld. 'Precies. Dus destijds kwam hij in aanmerking voor borgtocht, net als deze keer.'

'En is hij de vorige keer daadwerkelijk op borgtocht vrijgelaten?'

'Nee,' zei Cliff. 'Die fascist Thomasino' – een zeer gerespecteerd rechter bij het Hooggerechtshof – 'heeft de borgtocht tóch afgewezen.'

'Hij was gewoon bevooroordeeld tegenover Ro,' voegde Theresa eraan toe. 'Van het begin af aan. Bij iedere beslissing die hij nam. Dat kan niemand zijn ontgaan.'

'Dus deze keer...'

'Deze keer,' zei Cliff, 'omdat borgtocht immers wettelijk is toegestaan, zouden we graag een persoonlijk beroep op jou willen doen, Wes, om op te treden zodra je het gevoel hebt dat er rechterlijk activisme wordt bedreven. Hou de zaak op zijn minst uit handen van

Thomasino. Misschien zou je zelfs alvast kunnen laten weten dat je geen bezwaar hebt tegen een redelijke borgsom, nog voordat de zaak dient.'

'Dat hoef je natuurlijk niet publiekelijk te doen,' zei Theresa. 'Het gaat om het resultaat.' Op wat minder scherpe toon voegde ze er vervolgens aan toe: 'Nu hij uit de gevangenis is, Wes, zouden we onze jongen gewoon graag bij ons thuis houden.'

Farrell moest er persoonlijk niet aan denken dat een van zijn eigen drie volwassen kinderen langer dan een weekend bij Sam en hem zou komen logeren, maar dit bood hem de kans een antwoord te formuleren dat misschien niet medeplichtig, maar toch in ieder geval coöperatief klonk, en waarmee hij dit nogal ongemakkelijke onderhoud kon afsluiten. 'Ik begrijp volkomen hoe u zich voelt,' zei hij. 'En ik beloof u dat ik de zaak grondig zal doornemen en alles zal doen wat in mijn vermogen ligt om aan uw zorgen tegemoet te komen.'

Al wist hij dat dat bitter weinig zou zijn.

Maar de overtuigingskracht waarmee hij het zei zorgde ervoor dat het overkwam zoals hij hoopte. Theresa trok haar rok strak en stond op. 'Dat is alles wat we van je vragen, Wes. Meer niet.'

Cliff keek Farrell een seconde of twee nogal indringend aan – of was het dreigend? – waarna hij eveneens opstond. 'Het is altijd goed om te weten wie je vrienden zijn,' zei hij. 'En je weet dat nogal wat politici in deze stad veel aan de *Courier* te danken hebben gehad.'

'Nou, uit de verkiezingen is wel gebleken dat ik als politicus niet zoveel voorstel,' zei Wes. 'Maar ik zal zeker mijn best proberen te doen de juiste beslissingen te nemen.'

Theresa schudde zijn uitgestoken hand en knikte zuinigjes. 'Meer vragen we niet van je. Bedankt dat we zoveel van je kostbare tijd in beslag hebben mogen nemen.'

'Het was me een genoegen jullie te ontvangen. Jullie zijn hier altijd welkom.'

Verderop in de gang klopte Farrell op de geopende deur van de kamer van zijn hulpofficier Amanda Jenkins.

Ondanks het feit dat ze elkaar al lang kenden – of misschien juist om die reden – hadden ze een lastige verstandhouding. Misschien was dat domweg te herleiden tot hun achtergrond – Jenkins had altijd bij justitie gewerkt en Farrell was gepokt en gemazeld als strafrechtadvocaat. Meer op het persoonlijke vlak had Farrell met Jenkins de degens gekruist in een sensationele strafzaak die hij glansrijk had gewonnen. Zijn cliënt had vrijspraak gekregen en hij had er zijn reputatie in de stad mee gevestigd.

Vorig jaar had Jenkins zich voor de functie van officier van justitie verkiesbaar willen stellen. Maar uiteindelijk hadden degenen die de dienst uitmaakten hun kaarten gezet op Wes Farrell omdat ze haar toch een beetje te eenzijdig vonden door haar obsessie met vrouwenrechten. En op andere punten was ze niet links genoeg; zo vond ze bijvoorbeeld dat een periode van huisarrest niet het ideale antwoord was op geweldsmisdrijven. Maar onmiddellijk na de overwinning van Farrell hadden dezelfde spelers die de dienst uitmaakten laten weten dat ze Jenkins graag zagen op de tweede positie als belangrijkste hulpofficier – ze had immers ruime ervaring als openbare aanklager, was vertrouwd met de procedures en kende de medewerkers van haver tot gort. Bovendien was ze door haar opvattingen geliefd in feministische kringen. Dit was hun vierde dag in hun respectievelijke nieuwe functies, en nu bezocht hij haar voor het eerst sinds zijn officiële inhuldiging.

Jenkins keek op van de stapels dossiers op haar bureau en ging rechtop zitten. 'Meneer.'

Farrell draaide zich half om, alsof hij keek wie er achter hem stond. 'Ik zie nergens een "meneer", Amanda. Ik ben het maar, Wes. Ik was "Wes" toen we collega's waren in de rechtszaal. En zelfs toen we het tijdens de verkiezing tegen elkaar opnamen. Weet je nog?'

'Ja, meneer.'

'Ja, Wes.'

Ze haalde diep adem. 'Oké. Wes.'

'Goed. Op de plaats rust.' Hij liep de kamer binnen. 'Heb je even? Vind je het goed als ik de deur dichtdoe?'

Jenkins was openbaar aanklager in hart en nieren, altijd in de plooi, afgezien misschien van de korte rokjes die ze doorgaans droeg en die haar verbluffend mooie benen onverbloemd accentueerden. Nu keek ze haar baas met een lichtelijk gekwelde blik aan en haalde haar schouders op, wijzend op het werk dat op haar lag te wachten. Vervolgens leunde ze achterover en vouwde haar handen in haar schoot. Geheel tot zijn dienst. 'Wat is er?'

Farrell deed de deur dicht en trok een stoel bij. 'Ik had zojuist de Curtlees op bezoek. Allebei.'

'Dat is snel,' zei ze. Ze keek hem indringend aan. 'Laat me raden. Ze wilden dat je afziet van verdere vervolging van Ro en als dat er niet inzit, of je hem dan op borgtocht wilt vrijlaten.'

'Heb je soms afluisterapparatuur in mijn kamer laten aanbrengen?'

Jenkins negeerde deze poging tot humor. 'Ik hoop dat je hebt gezegd dat ze kunnen opzouten.'

'Niet met zoveel woorden. Ik heb gezegd dat ik de kwestie zal overwegen en vervolgens zal proberen de juiste beslissing te nemen.'

'Er valt niets te overwegen. Dat zoontje van hen, die Ro, dat is een monster.'

Farrell stak een hand omhoog en wachtte tot ze klaar was met zuchten. 'Ik heb me er al een beetje in verdiept. Aangezien jij die zaak hebt gedaan, dacht ik dat jij me misschien op de hoogte kunt brengen, zodat ik niet alle stukken hoef door te nemen.'

Jenkins, die kookte van woede, keek hem aan en blies opnieuw stoom af. 'Heb je gezien op welke gronden die idioten hem vrij hebben gelaten? De familieleden van het slachtoffer droegen buttons met haar portret erop, dus zou er sprake zijn van schending van de federale constitutionele procedure. Heb je ooit zulke flauwekul gehoord? Zelfs voor het 9e Circuit is dat buiten alle proporties.'

Farrell liet haar uitrazen.

'Ik hoop dat een van die rechters een dochter heeft en dat Ro haar tegenkomt en haar… nee. Nee, dat hoop ik niet. Maar godallemachtig, die jongen hoort achter de tralies te blijven. Wat heb je gezegd? Tegen meneer en mevrouw Curtlee?'

'Eigenlijk helemaal niets. Ik wilde jouw mening horen.'

'Mijn mening.' Ze leunde achterover en sloot haar ogen even. 'Zorg dat hij in de gevangenis blijft en dat hij zo snel mogelijk opnieuw wordt berecht. Het is zo duidelijk als wat. Hij heeft minstens acht vrouwen verkracht, drie van hen in elkaar geslagen en er uiteindelijk ook een vermoord.'

'Acht?'

'Minstens acht, Wes. Minstens. Allemaal dienstmeisjes die door het bedrijf dat al hun personeel rekruteert uit Guatemala of El Salvador zijn gehaald. Allemaal hadden ze hier een werkgerelateerde verblijfsvergunning. Al die meisjes hebben in eerste instantie verklaard te willen getuigen, maar vervolgens zijn er zes omgekocht met elk honderdduizend dollar.'

'Weet je dat zeker?'

'Honderd procent zeker. Ze gaven het ronduit toe. In die mooie staat van ons kun je een slachtoffer van verkrachting niet dwingen te getuigen als ze dat niet wil, zoals je weet. Ze kan gewoon weigeren voor de rechtbank een verklaring af te leggen. En deze vrouwen hebben er allemaal de voorkeur aan gegeven die honderdduizend dollar aan te nemen. Daar konden we niets aan doen.'

'En al deze vrouwen hebben aangifte gedaan van verkrachting door Ro?'

Jenkins' mond vormde een dunne lijn. 'Deze vrouwen *zijn verkracht door Ro,* Wes.'

'Daar twijfel ik ook niet aan.' Farrell, die zijn toon neutraal probeerde te houden, vervolgde: 'Maar ik vroeg of al die vrouwen na afloop ook daadwerkelijk aangifte van verkrachting hebben gedaan.'

Geen antwoord.

'Amanda?'

Haar ogen schoten vuur. 'Ze waren doodsbang voor Ro, Wes. Om maar niet te spreken voor zijn ouders, die absolute macht uitoefenden over hun leven. Bovendien konden ze zich niet voorstellen dat iemand hen zou geloven.'

'Dus ik neem aan dat het antwoord "nee" is. Niemand heeft aangifte gedaan. Klopt dat?'

Jenkins keek Farrell glazig aan. Haar gezicht leek van steen. 'Ik had echt gehoopt dat het gesprek niet deze kant op zou gaan.'

'Welke kant bedoel je?'

'Die van het tolereren van gewelddadige misdrijven vanwege het politieke klimaat.'

Farrell voelde zich uit het lood geslagen door deze kritiek. Hij schudde zijn hoofd, hervond zijn zelfbeheersing en antwoordde: 'Dus als ik je één vraag stel om helder te krijgen of deze vrouwen aangifte hebben gedaan van het feit dat ze zijn verkracht, dan ben ik plotseling de vijand?'

'Ik heb die vrouwen gesproken, Wes. Ik kén ze. Er is geen twijfel mogelijk. Ze zijn verkracht.'

'Goed,' zei Farrell. 'Goed. Laten we daarvan uitgaan.'

'Nu we toch zo openhartig bezig zijn, zullen we er dan ook even van uitgaan dat de Curtlees je nogal stevig gesteund hebben tijdens de verkiezingscampagne? En dat jij je daarom misschien wel verplicht voelt ze een beetje… tegemoet te komen?'

'Dat is gewoon niet waar, Amanda. Ik heb de Curtlees helemaal niets beloofd. Voorzover ik weet zit Ro nog steeds vast en behoort hij ook achter de tralies te blijven totdat hij opnieuw moet voorkomen. Ik ben beslist niet van plan ook maar iets te doen waardoor hij vrijkomt. Zo ligt het, Amanda. En wat je ook van me mag denken, ik neem geen orders aan van de Curtlees of van wie dan ook. Hoogstens af en toe van Sam.' Hij zweeg om even op adem te komen, geschokt dat dit gesprek al zo snel was geëscaleerd. 'Zo werk ik domweg niet, snap je? Daar ben ik eerlijk gezegd te integer voor.'

Ze zweeg geruime tijd en tuitte haar lippen. 'Sinds ik hun kleine lieveling naar de gevangenis heb gestuurd kunnen ze mijn bloed wel drinken. Het is een wonder dat ik nog een toekomst heb bij justitie, na wat ze me allemaal hebben geprobeerd te flikken.'

'Maar toch zit je hier nu maar mooi, als de nummer twee, benoemd door dezelfde kerel die ze hebben gesteund. Dus wie is hier nou de winnaar?'

'Nummer twee is niet hetzelfde als nummer één.'

'Dat is waar. Maar je zit met je loopbaan nou ook niet bepaald op een dood spoor, of wel soms? En je hebt meer jaren voor de boeg op deze planeet dan ik. Dus ik zou de hoop nog maar niet opgeven. En als ik jou was zou ik ook niet kwaad worden op je baas vanwege iets dat hij helemaal niet van plan is te gaan doen.'

Ze liet haar hoofd even hangen. 'Ik kon niet geloven dat je in staat zou zijn ze te weerstaan, of dat je dat zelfs maar zou proberen. Het spijt me. Ik had het bij het verkeerde eind.'

'Voor deze ene keer,' zei Farrell, 'zal ik dat door de vingers zien.'

Tussen twee afspraken door had Farrell de gelegenheid samen met Treya Glitsky, zijn secretaresse, nog wat meer dozen uit te pakken. Treya was een sterke, aantrekkelijke vrouw van gemengde etnische achtergrond – ze was voornamelijk negroïde maar voor een klein deel van Aziatische afkomst. Ze was getrouwd met het hoofd Moordzaken van de politie van San Francisco, Abe Glitsky, en had drie nog thuis wonende kinderen – Raney, die studeerde, en Zachary en Rachel van respectievelijk drie en zes jaar oud.

Farrell zat op de rand van zijn bureau en liet het uitpakken voornamelijk aan Treya over. 'Nee, ik meen het echt,' zei hij. 'Ik hoor hier helemaal niet thuis. Ik ben ongeschikt voor deze baan. Misschien moest ik maar ontslag nemen, voordat ik te veel schade aanricht.'

Treya stopte met het verplaatsen van boeken uit de dozen naar de boekenkast. Ze draaide zich om en keek op haar horloge. 'Dat kon wel eens een record zijn. Als ik het me goed herinner besloot Clarence pas na een week dat hij beter ontslag kon nemen.' Ze bedoelde Clarence Jackman, Farrells directe voorganger en haar vorige baas. 'En uiteindelijk is hij negen jaar gebleven.'

'Dat zal mij niet gebeuren,' zei Farrell. 'Ik heb me alleen maar verkiesbaar gesteld om te voorkomen dat de nazi's hier hun intrek nemen; voornamelijk om Sam en haar vriendinnen een plezier te doen.'

'En de Latijns-Amerikanen, en de homo's.'

'Oké, die ook voor een deel. En vergeet die stemmen van zo'n honderd oudere heteroseksuele mannen niet. Die hebben uiteindelijk de doorslag gegeven.' Farrell zwaaide met zijn benen en trapte tegen de zijkant van zijn bureau. 'Is dat echt waar? Wilde Clarence ook ontslag nemen?'

'De eerste paar maanden wél, minstens één keer per dag. Maar maak je geen zorgen. Jij hebt nog steeds het record. Nog nooit heeft iemand zó snel te kennen gegeven dat hij ermee wilde kappen.'

'Dat is een hele geruststelling. Maar waarom is hij dan niet opgestapt, die Clarence?'

Treya zweeg even. 'Hij is domweg verslaafd geraakt aan de macht.'

'Nee, serieus.'

'Je vroeg het me. En dat is mijn antwoord. Macht.'

Farrell grinnikte. 'Nou, zo ben ik niet. Dat staat heel ver van me af.'

'Nee,' zei Treya, eveneens grinnikend. 'Nee, natuurlijk niet.' Ze bukte zich om een nieuwe stapel boeken te pakken.

'Dat "nee, natuurlijk niet" klonk nogal sarcastisch.'

'Dat zal wel komen door de akoestiek hier.' Terwijl ze de boeken op de plank zette draaide ze zich half naar hem om. 'Wil je misschien dat ík met Amanda praat?'

'Nee. Volgens mij is het opgelost. Ik ga haar niet tegenwerken in die kwestie met Ro Curtlee. Of in welke zaak dan ook. Dat moet haar nu wel duidelijk zijn.'

'Laten we het hopen,' zei Treya.

2

OUR TOWN

Door Sheila Marrenas

Het recht behaalde gisteren in San Francisco een overwinning toen Roland Curtlee, de zoon van de uitgever van deze krant, op borgtocht werd vrijgelaten. De heer Curtlee, wiens veroordeling is herzien en teruggedraaid door Het Hof van Beroep voor het 9e Arrondissement, heeft negen jaar vastgezeten voor de verkrachting van en de moord op Dolores Sandoval, een dienstmeisje van zijn ouders. Gedurende het proces verschenen veel familieleden en sympathisanten van het slachtoffer dagelijks in de rechtbank met buttons waarop het glimlachende gezicht van Sandoval stond afgebeeld. Het was een effectieve en naar het oordeel van de rechtbank illegale methode om sympathie voor het slachtoffer te wekken ten nadele van de heer Curtlee.

Gedurende het proces heeft de heer Curtlee nooit ontkend een seksuele relatie te hebben onderhouden met mevrouw Sandoval. Dit verklaart de DNA-sporen die na haar dood op het lichaam van mevrouw Sandoval zijn aangetroffen. De beschuldigingen dat mevrouw Sandoval een uitgebreid 'balboekje' met aanbidders had zijn echter nooit door de politie nagetrokken.

Hoewel hij na zijn vorige arrestatie volgens de wet in aanmerking kwam voor vrijlating op borgtocht, werd de heer Curtlee dit recht tijdens het proces dat negen jaar geleden plaatsvond ontzegd door rechter Oscar Thomasino, een conservatieve juridische activist wiens beslissing door talloze deskundigen werd bekritiseerd. 'De heer Curtlee,' verklaarde een hoogleraar aan Stanford, 'is het recht op een eerlijk proces in de borgtochtprocedure ontzegd. Hij is het slachtoffer geworden van een bevooroordeelde houding van rechter Thomasino, die hem bij voorbaat schuldig achtte en hem zijn burgerrechten ontzegde.'

In een hoorzitting vandaag in het gerechtsgebouw, heeft rechter Sam Baretto van het Hooggerechtshof de borgsom voor de recent in voorlopige hechtenis teruggezonden heer Curtlee vastgesteld op tien miljoen dollar. Hoewel dit bedrag op het eerste gezicht extreem hoog lijkt, heeft de familie Curtlee er geen overwegende bezwaren tegen: 'Ieder bedrag dat onze onschuldige zoon in staat stelt zijn normale burgerleven weer enigszins op te pakken is voor ons aanvaardbaar,' zo verklaarde de moeder van de heer Curtlee, Theresa, nadat de borgsom was vastgesteld. 'We zien het nieuwe proces met vertrouwen tegemoet en we zijn ervan overtuigd dat het recht ditmaal zal zegevieren en dat Ro straks weer vrij man zal zijn.'

Amanda Jenkins luchtte haar hart tegenover haar lunchpartner en vriend Matt Lewis, die als inspecteur voor justitie werkte. 'Farrell doet net alsof hij zo neutraal is en zich door niets en niemand laat beïnvloeden, maar hij wist verdomd goed dat borgtocht onvermijdelijk was als hij geen enkele druk uitoefende op Baretto. Luister, ik zeg niet dat hij Baretto in de wandelgangen onder druk had moeten zetten of dat hij had moeten dreigen hem de tent uit te werken, maar wij weten allebei dat er genoeg gekozen functionarissen in deze stad zijn die dat wél hadden gedaan. Op zijn minst had Farrell in de rechtszaal aanwezig moeten zijn en had hij namens justitie zijn stem moeten verheffen om die boodschap in niet mis te verstane termen aan Baretto over te brengen. In plaats daarvan ging het tussen de familie Curtlee met al hun geld en macht en een ondergeschikte hulpofficier. Farrell had kunnen weten hoe dat zou aflopen.'

'Maar tóch,' zei Lewis. 'Tien miljoen.'

'Die hoeven ze alleen maar te betalen als Ro de benen neemt, en dat gebeurt natuurlijk nooit. Ze hebben gewoon hun huis in onderpand gegeven. De papieren zijn opgemaakt nog voordat ze het gebouw hadden verlaten.'

'Dus Farrell heeft tegen je gelogen?'

'Op zijn minst heeft hij me opzettelijk misleid. En daar komt bij,' vervolgde Jenkins, 'dat Farrell er niet bij heeft verteld dat het nog wel minstens een paar jaar kan duren voordat Ro opnieuw moet voorkomen. En misschien is dat nog een optimistische schatting.'

'Een paar jáár?'

'Wie zou er nou druk achter zetten?' vroeg ze. 'De advocaten van Ro zitten er niet op te wachten, dat is duidelijk. Ook Farrell zal er niet op aandringen omdat alle familieleden van het slachtoffer buiten beeld zijn. Op die manier kan hij de familie Curtlee tegemoetkomen, zodat zij positieve stukjes over hem kunnen schrijven. Die stomme Sheila Marrenas. Dus driemaal raden wie er overblijft om ervoor te zorgen dat dit stuk schorem binnen de komende tien jaar wordt berecht? Nou, wie weet zijn we met zijn tweeën.'

'Wie is de tweede?'

'Glitsky. Misschien.'

'Nou, als je dan toch een medestander nodig hebt, dan kon je het slechter treffen. Vooral omdat zijn vrouw voor Farrell werkt.'

'Ik weet het niet. Misschien. Wie weet.'

Lewis strekte zijn arm uit en legde zijn hand met de palm naar boven op tafel. Na even te hebben gezwegen plaatste Jenkins haar hand op de zijne. 'Farrell realiseert zich niet hoe slecht deze mensen kunnen zijn,' zei ze. 'Ik heb het over de hele familie Curtlee, niet alleen over Ro, al valt die wel in een bijzondere categorie. Maar ze zijn door en door slecht. De gedachte dat ik het opnieuw tegen ze moet gaan opnemen bezorgt me kippenvel. Misschien Glitsky ook wel, trouwens.

'Kom nou, jullie hebben het de vorige keer toch ook geflikt?'

'Maar we hebben het nauwelijks overleefd.' Als reactie op zijn sceptische blik voegde ze eraan toe: 'Misschien is dat overdreven, maar dan hoogstens een heel klein beetje. Weet je waarom ze me destijds geen moordzaken meer hebben laten doen? Dacht je dat dat kwam omdat ik ze niet goed deed? Nee, dat gebeurde juist omdat ik erin slaagde Ro veroordeeld te krijgen. Ik heb hem zijn vet gegeven en de jaren daarna hebben zijn ouders hun uiterste best gedaan mijn reputatie naar de verdommenis te helpen. Ik dronk te veel. Ik ging met jan en alleman naar bed. Ik hield bewijsmateriaal achter. Uiteindelijk was Pratt gedwongen me terug te trekken "in het belang van het team". Daar heb je vast wel het een en ander over gelezen.'

In een poging de zaken een beetje te relativeren grapte Lewis: 'O, was jíj dat?'

Maar Jenkins lachte niet. 'Glitsky overkwam hetzelfde.'

'Amanda, hij is hoofd van de afdeling Moordzaken en daarvóór was hij plaatsvervangend hoofdcommissaris. Niemand heeft zijn carrière geruïneerd.'

'Het is ze bijna gelukt. Weet je wat hij deed voordat hij benoemd werd tot plaatsvervangend hoofdcommissaris? En dat was nadat hij al hoofd Moordzaken was geweest. Geef je het op? Hoofd Salarisadministratie. Van hoofd Moordzaken tot hoofd Salarisadministratie. Dat is niet bepaald een promotie.'

'Wat is er dan gebeurd? Hoe is hij weer teruggekomen?'

'Frank Batiste werd hoofdcommissaris. Daarom. Die was al jaren dik met Glitsky. Maar zonder Batiste was het afgelopen geweest met Glitsky. Dankzij de Curtlees en dankzij Marrenas, die continu achter de schermen tegen hem ageerden. Ik geloof dat hij zelf niet eens weet hoe ver ze zijn gegaan. Maar een paar van die artikelen zal hij toch wel hebben gelezen. Als hoofd Moordzaken zou Glitsky slordige opsporingspraktijken door de vingers hebben gezien; dat zou de échte reden zijn geweest waarom we hier zo weinig veroordelingen hadden. Hij zou zijn mannen regelmatig opdracht hebben gegeven tot het planten van bewijsmateriaal, zijn mannen zouden de drugs die ze bij aanhoudingen vonden hebben gehouden of verkocht. Je kunt het zo gek niet bedenken. Alles wat God verboden had, had hij gedaan. O, en de mooiste beschuldiging vind ik nog wel dat hij zou hebben deelgenomen aan de hinderlaag waarbij Barry Gerson om het leven kwam.' Gerson was een voormalig hoofd van de afdeling Moordzaken. 'Misschien had Glitsky hem zelfs wel eigenhandig vermoord.'

'Ja, maar dat geloofde geen hond.'

'Maar de *Courier* publiceerde het wél. En hou jezelf maar niet voor de gek. Er waren wel degelijk mensen die het geloofden. Je kunt de mensen álles wijsmaken. Obama is niet geboren in de Verenigde Staten. We zijn nooit op de maan geland.'

'Ja,' zei Lewis, opnieuw glimlachend. 'Die kent iedereen.'

Jenkins bedaarde. 'Nou ja, je begrijpt wat ik bedoel. De Curtlees laten de leugens afdrukken die hun goed uitkomen en daarmee bereiken ze altijd wel een aanzienlijk percentage van de gestoorde fanatici, van wie we er tamelijk veel hebben in deze stad. En zoals je weet, slikken die alles voor zoete koek. Dus zit ik opgescheept met misdaden tegen vrouwen in plaats van moordzaken en heeft Glitsky tien jaar moeten werken om weer op hetzelfde niveau te komen waarop hij functioneerde toen hij Ro destijds arresteerde.' Ze dronk het restje bosbessensap in haar glas op. 'Dus dankzij meneer Farrell en het Hof van Beroep voor het 9e Arrondissement zijn Glitsky en ik opnieuw de enigen die proberen Ro weer voor het gerecht te slepen. Zal ik je eens wat zeggen, Matt? Ik weet niet of ik er nog wel het lef voor heb. Ik vraag me af of de Curtlees niet zullen proberen me fysiek af te stoppen. Of misschien Ro zélf.'

'Maar zoiets hebben ze toch nog nooit eerder gedaan?'

'Je hoeft me heus niet te geloven. Misschien ben ik paranoïde. Maar ik weet waartoe ze in staat zijn, En ik zal je nóg eens wat vertellen.' Ze boog zich over de tafel en fluisterde: 'Ik hoop bijna dat ze iets zullen proberen.'

'Nee zeg, alsjeblieft.'

'Ja, zeker weten. Is het je niet opgevallen dat ik een grotere tas heb? Voor de eerste keer in mijn carrière draag ik een wapen bij me.'

Amanda Jenkins wist niet dat ze behalve Abe Glitsky nóg een medestander had in haar strijd om Ro Curtlee weer achter de tralies te krijgen.

Sam Duncan zat om ongeveer halfnegen aan de keukentafel toen ze de voordeur hoorde opengaan van hun huis aan de rand van Buena Vista Park, en Farrell hoorde praten tegen hun hond, een gele labrador die Gert heette. Zijn stem klonk poeslief en zangerig, heel anders dan zijn normale manier van praten. 'Ik weet het, het was een héél, héél lange dag, schatje, maar je hebt je gewéldig gedragen. Zó goed heb je je gedragen. Je bent een lieve meid. De allerliefste meid. Ja, het is goed, je bent mijn favoriete vrouwtje.'

Man en hond kwamen de keuken binnen. Farrell kwam weer overeind en bleef staan. 'Eerlijk gezegd,' fluisterde hij toen Gert op Sam af rende om haar te begroeten, 'is zij op één na mijn favoriete vrouwtje. Maar ze wordt jaloers als ik dat zeg.' Hij liep de hond achterna en bukte zich om Sam op de wang te kussen. 'Jíj bent mijn échte favoriet.'

Geen antwoord.

'Mijn échte favoriete vrouwtje,' verduidelijkte Wes. 'Gert is nog maar drie jaar oud dus noem ik haar een vrouwtje, wat me best toelaatbaar lijkt, als is ze dan een hond, terwijl jij natuurlijk een volwassen vrouw bent die ik onder geen enkele omstandigheid een vrouwtje zou durven noemen.'

Ze keek naar hem op. 'Ik vind het gewoon ongelofelijk dat jij Ro Curtlee op borgtocht hebt vrijgelaten.'

Farrell, die bezig was zijn jas uit te doen, verstijfde. 'En jij bent mijn favoriete mannetje,' zei hij met een verdraaide stem die bedoeld was als een Sam-imitatie. 'Mijn mensenmannetje, bedoel ik. En hoe was jouw dag, lieveling?' Hij trok zijn jas helemaal uit en legde die over de leuning van een van de keukenstoelen. 'Om precies te zijn ben ík niet degene geweest die Ro Curtlee op borgtocht heeft vrijgelaten. Dat was rechter Baretto.'

'Maar jij had hem moet vertellen dat hij dat niet mocht doen.'

'Dat heb ik ook gedaan. Bij monde van mijn belangrijkste hulpofficier. Maar misschien heb je dat memo nog niet ontvangen.'

'Waarom heb je dat niet zélf gedaan? Waarom ben je niet zélf in de rechtszaal tegen die borgtocht in het geweer gekomen? Je hebt me zelf verteld dat die Baretto geen kloten heeft. Waarom heb je hem niet onder zijn neus gewreven dat jij ervoor zult zorgen dat hij nooit meer een strafzaak krijgt als hij borgtocht zou verlenen?'

'Hoe weet je dat ik dat niet heb gedaan?'

'Heb je dat gedaan dan?'

'Nee.' Farrell deed een stap achteruit. 'Wat dom nou toch. Ik dacht dat Baretto, die tenslotte rechter is bij het Hooggerechtshof, misschien wel zélf zou kunnen beslissen of er al dan niet borgtocht moest worden verleend. En het lijkt erop dat hij dat heeft gedaan. En als je dat zo nodig moet weten, het is niet de beslissing waarop ik had gehoopt.'

'Maar je had hem kunnen tegenhouden. Of op zijn minst had je kunnen proberen hem op andere gedachten te brengen.'

'Eerlijk gezegd denk ik van niet, Sam.'

'Maar dat kun je niet zeker weten, want je hebt het helemaal niet geprobeerd.'

Farrell probeerde wat tijd te rekken door een van de keukenstoelen naar achteren te trekken, hem om te draaien en er schrijlings op te gaan zitten. 'Luister, Sam. Dit is allemaal begonnen met Sharron Pratt, die in haar onmetelijke wijsheid heeft besloten dat Ro moest worden beschuldigd van verkrachting en moord in plaats van moord in combinatie met verkrachting.' Hij stak een hand omhoog. 'Ja ik weet het, als hij het ene heeft gedaan, dan heeft hij het andere feit ook gepleegd. Die aanklacht is volkomen onlogisch, al kon Pratt dat kennelijk niet schelen. Maar daarmee gaf ze de rechter wél de gelegenheid hem op borgtocht vrij te laten. De vorige rechter, Thomasino, heeft geen borgtocht toegekend. Een goede beslissing. Voor de uitspraak van Baretto heb ik minder bewondering. Had ik hem niet op de een of andere manier onder druk kunnen zetten? Jazeker. Maar dat was onethisch geweest en hij zou dat hebben beschouwd als inmenging in een domein waarin hij het voor het zeggen heeft. En ik moet nog vier jaar werken met deze mensen, met deze rechters. Dus het leek me verstandig ze niet meteen al in mijn eerste maand tegen me in het harnas te jagen.'

'Dus nu hebben we een veroordeelde verkrachter die vrij rondloopt?'

'Er zijn er nog veel meer, Sam, het is treurig maar waar. Verkrachting is een misdrijf waar borgtocht op van toepassing is, zoals we in dit geval hebben kunnen constateren. Het is goed waardeloos, maar wat kan ik eraan doen? Ik ben ingehuurd om de wetten te handhaven, niet om ze te herschrijven.'

Sam keek hem strak aan, met een uitdrukking van walging op haar gezicht. 'Ik weet niet hoe die nieuwe baan van officier van justitie gaat uitwerken. Begrijp je wat ik bedoel?'

'Daar begin ik zo langzamerhand een idee van te krijgen,' antwoordde Farrell.

3

Sinds hun jeugd hadden Janice en Kathy altijd goed kunnen samenwerken in de keuken. Vandaag waren ze in het huis van Kathy in Saint Francis Wood, dat een stuk luxueuzer was dan de krappe vierkamerwoning van Janice, twintig blokken verder naar het noorden, in de Avenues. Maar als je de twee vrouwen hoorde praten, nieuwtjes hoorde uitwisselen, grapjes hoorde maken en af en toe zelfs hoorde zingen, moest je wel een heel scherp observator zijn om te merken dat het verschil tussen hun beider huizen en keukens voor Janice nogal moeilijk te verteren was.

Janice Durbin was tenslotte vier jaar ouder. Ze had een betere opleiding, werkte harder en zag er aantrekkelijker uit. Maar toch moest ze af en toe een opwelling van jaloezie onderdrukken als ze opnieuw – zoals vandaag – geconfronteerd werd met de materiële bezittingen van haar zus, zoals de nieuw ingerichte keuken met het kookeiland, de Toscaanse tegels, de enorme Sub-Zero koel-vriescombinatie, het Viking fornuis en de overdaad aan geborsteld staal, waar je maar keek.

In haar somberder momenten, die zich de laatste tijd vaker voordeden, vroeg ze zich wel eens af waarom Kathy dit allemaal had gekregen; wat ze had gedaan om dit allemaal te verdienen. Of had ze alleen maar geluk gehad?

En het ging niet alleen om de spullen. Ook verder leek het leven van Kathy op rolletjes te lopen. Probleemloos en sereen. Niet verwonderlijk. Ze had op het juiste moment in haar leven de juiste beslissing genomen en was getrouwd met Chuck Novio, een fulltime hoogleraar in de Amerikaanse geschiedenis aan de San Francisco State University. Hij was een van de meest getalenteerde mannen die Janice ooit had ontmoet. Kathy had hem weten te strikken zodra hij hier vanuit de oostkust was komen opdagen. Hij was ad rem, lang, goed verzorgd en atletisch. Hij had gevoel voor humor en beschikte over een natuurlijke kracht en een sensitiviteit die leek af te stralen op Kathy en hun keurig opgevoede tweelingdochters Sara en Leslie.

Door deze vergelijking verloor Janice zich soms in zelfmedelijden, een mentale toestand die de inleiding vormde van een van de periodes van zelfhaat die haar af en toe overvielen. Ze was bekend met dit soort zaken en wist hoe die dingen werkten; ze was tenslotte psychiater. En goed beschouwd was ze in het dagelijks leven bepaald niet mislukt. Hetzelfde gold voor haar echtgenoot Michael en hun drie kinderen Jon, Peter en Allie. Maar Michael, die zijn eigen zaak had – een UPS-franchise in Union Street – stond voortdurend bloot aan grote stress, waardoor hij regelmatig veel ouder leek dan eenenveertig jaar. En daar kwam nog bij dat hun drie kinderen nu tegelijkertijd op de middelbare school zaten. Drie tieners thuis, dat bood in het algemeen weinig kans op pais en vree.

Janice stond voor het aanrecht terwijl het koude water langs haar handen in het vergiet met geschilde aardappelen liep. Door het raam keek ze naar Chuck en Michael, die in de late middagzon *touch football* speelden met de jongens. Ze zweeg en zuchtte.

'Janice, is er iets?'

'Nee, niets,' antwoordde ze. 'Er is niets. Maar kijk eens hoe ze daar spelen. Wat groeien die jongens toch snel op, vind je ook niet?'

'Dat is grappig,' zei Kathy terwijl ze naast haar zus kwam staan. 'Jou valt het op hoe snel je zoons opgroeien en mij valt het juist op dat onze mannen zo jong blijven. Eigenlijk zijn het in veel opzichten nog jongens.'

'Dat is waarschijnlijk een gezondere kijk op het gebeuren.'

'Ik weet niet of het gezonder is, maar ik zie het gewoon zo.'

'Het is gezonder, neem dat maar van me aan.' Ze draaide de stromende kraan dicht, legde haar handen op het aanrecht en leunde erop.

Kathy raakte haar arm aan. 'Is er echt niets aan de hand?'

Janice schudde haar hoofd. 'Het is gewoon een hectische week geweest.' Ze haalde haar handen van het aanrecht en ging weer rechtop staan. 'Het spijt me. Ik ben blij dat we hier zijn, even weg uit ons eigen huis. Die etentjes op zondagavond zijn altijd geweldig. Ik wil de sfeer niet verpesten.'

'Dat doe je toch niet.'

'Nou, ik ben ook niet bepaald het zonnetje in huis.' Ze keek weer naar buiten. 'Ik zou al blij moeten zijn dat Michael hier vanavond buiten kan zijn met Chuck en de jongens. De hele afgelopen week stond hij stijf van de stress. En bij ons thuis zitten we zó dicht op elkaar dat de stemming wel eens uit de hand loopt. Dus zijn we allemaal een beetje gespannen.' Ze lachte onzeker. 'Zei ik *een beetje* gespannen? Ik bedoel eigenlijk dat ik nu weet waarom het verstandig is dat we geen vuurwapens in huis hebben.'

'Janice, alsjeblieft.'

'Nou, dat bedoel ik niet letterlijk, natuurlijk.' Janice droogde haar handen af aan een theedoek en gaf die toen aan haar zus. Ze liep naar het kookeiland, schoof een kruk naar achteren voor Kathy en nam vervolgens plaats op een andere. 'Laten we maar zeggen dat het goed is voor ons allemaal dat we even een paar uur in een andere omgeving zijn.'

'Waardoor is Michael dan zo gestrest? Is het zijn werk?'

'Nee, dat gaat allemaal goed. De kerstperiode was beter dan verwacht. Hectisch maar goed.'

'Oké. Wat is het dan? Het is toch hopelijk niks tussen jullie?'

'Nou,' antwoordde Janice met enige aarzeling, 'we hebben het wel eens beter gehad, maar dat is het ook niet. Zegt de naam Ro Curtlee je wat?'

Kathy fronste haar voorhoofd en dacht even diep na. 'Nee, ik geloof het niet. Wie is dat?'

'Herinner je je nog dat Michael zo'n tien jaar geleden is opgeroepen voor jurydienst?'

'Daar staat me vaag nog iets van bij. Maar tien jaar geleden had ik twee koters van twee jaar oud en dat overheerste vrijwel alles. Was Michael toen geen juryvoorzitter?'

'Klopt. En ze hebben Ro schuldig verklaard en naar de gevangenis gestuurd.'

'Oké, ja, nu herinner ik het me weer. En toen kwamen zijn ouders achter jullie aan of zoiets.'

'Precies.' Janice Durbin kon het zich nog herinneren als de dag van gisteren. Toen de kranten de andere juryleden na afloop van het proces hadden geïnterviewd, kwam naar buiten dat Michael een belangrijke rol had gespeeld bij de totstandkoming van de schuldigverklaring. Aanvankelijk was maar de helft van het aantal juryleden voor een veroordeling, maar Michael bleef de discussie gaande houden, totdat de andere zes uiteindelijk overstag gingen en ook schuldig stemden.

Toen dit de familie Curtlee ter ore kwam, namen ze zich voor haar man kapot te maken. En het scheelde niet veel of ze waren erin geslaagd. Hij werkte destijds voor een van de grote advocatenkantoren van San Francisco als hoofd van de afdeling Tekstverwerking, een baan die hem voldoende gelegenheid gaf zich daarnaast aan zijn schilderkunst te wijden. De Curtlees kenden de mensen voor wie hij werkte en Durbin werd plotseling beschuldigd van van alles en nog wat – het stelen van spullen uit het magazijn, het gebruiken van de computers van de zaak voor zijn eigen werk – zodat hij uiteindelijk werd ontslagen. Na een dienstverband van zeven jaar ontving hij geen enkele schadeloosstelling en hij kreeg te horen dat hij blij mocht zijn dat ze geen aanklacht tegen hem indienden.

Na een artikel in de *Courier* waarin Durbin werd neergezet als een hypocriete onruststoker en een dief die Ro Curtlee de gevangenis in had gedreven, wilde geen enkel advocatenkantoor hem meer aannemen en kon hij bijna een jaar lang geen werk vinden. En hij kon het ook niet meer opbrengen weer te gaan schilderen.

Janice zuchtte. 'Ik denk dat dat laatste nog het ergste voor hem was.'

'Dat was een zware tijd,' zei Kathy. 'Ik was het al bijna weer vergeten. Ook van dat schilderen.'

'Nou, Michael is het nog helemaal niet vergeten. Hij heeft het nooit helemaal kunnen verkroppen dat hij dat heeft moeten opgeven.'

'Drie kinderen,' zei Kathy.

'Ik weet het. Maar toch...' Haar lippen vormden een dunne lijn nu ze eraan terugdacht. 'Het is een wonder dat hij uiteindelijk die UPS-franchise heeft gekregen. Waarschijnlijk viel dat buiten de radar van de Curtlees. We dachten in ieder geval dat we voortaan van ze af zouden zijn.'

'Is dat dan niet zo?'

'Misschien. We hopen het. Maar misschien ook niet.'

'Waarom niet?'

'Omdat een paar gestoorde rechters Ro vorige week hebben vrijgelaten in afwachting van een hoger beroep en een andere flutrechter hier in de stad hem op borgtocht heeft vrijgelaten waardoor hij in vrijheid op de nieuwe behandeling van zijn zaak kan wachten. Dus nu loopt hij weer vrolijk rond. Ro, de veroordeelde moordenaar, is zo vrij als een vogeltje. En Michael is bang dat het allemaal weer opnieuw begint, en dat alles wat hij destijds heeft meegemaakt – wat wij destijds hebben meegemaakt – domweg voor niets is geweest. En zoals ik al zei bezorgt die gedachte hem behoorlijk veel stress. Als Ro weer vrij is, dan doet Michaels opstelling als juryvoorzitter er achteraf niet meer toe. Dan was het allemaal één grote, kosmische vergissing.

Buiten op straat nam Michael Durbin de bal over van zijn jongste zoon Peter. Bij het opstellen van de teams had Durbin bijna vanzelfsprekend voor Peter gekozen om het samen met hem op te nemen tegen Chuck en Jon. Beide jongens waren atletisch, maar Jon had iets speciaals en bovendien – hoe hij dat ook probeerde te ontkennen en zelfs te verbergen – een speciale plek in Durbins hart. Hoewel hij van allebei hield en hij probeerde zijn beide zoons gelijk te behandelen, hadden Durbin en zijn eerstgeboren zoon een sterke band en een natuurlijke verstandhouding; en Durbin wist dat dit zijn bijzonder gevoelige jongste zoon zou kunnen kwetsen als hij niet voorzichtig was en zijn instinctieve voorkeur liet blijken.

Het was een levenslange worsteling.

Dus als hij de kans had – zoals in dit geval bij het kiezen van een teamgenoot – deed Durbin zijn uiterste best om zijn jongere zoon vóór te trekken. Hij wist dat Jon intuïtief begreep waarom Durbin dit deed, waarom hij bijna altijd de voorkeur leek te geven aan Peter. Zijn onzekere jongere zoon had deze duidelijke signalen nodig, ter bevestiging van de liefde en loyaliteit van zijn vader. Jon niet. Dat was niet iets waarover hij en zijn vader hoefden te spreken. Ze begrepen elkaar gewoon.

Nu dook Durbin met de bal naar links terwijl zijn zwager Chuck bij de scheidslijn tot vijf begon te tellen en Peter de straat in rende, eerst naar rechts en vervolgens naar links, in een poging de dekking van zijn broer Jon te ontwijken. Toen Durbin zag dat Peter wegrende, gooide hij de bal met een boog naar zijn jongere zoon.

Die hem bijna ving.

Jon sprong met een triomfantelijke kreet omhoog en kwam neer met de bal. Hij schudde Peter met een schijnbeweging van zich af en sprintte de straat in, terwijl hij naar Chuck riep: 'Hou hem tegen, hou hem tegen, hou hem tegen', doelend op Durbin.

Maar Durbin schoot naar rechts, naar links en weer naar rechts en rende om Chuck heen, waarna hij voldoende meters maakte om vóór Jon te komen zodat hij hem kon afstoppen, waardoor Peter in staat was Jon in te halen en hem gelijktijdig met Durbin te bereiken. Hoewel ze *touch football* speelden, sloeg Durbin zijn armen om zijn ge-

liefde zoon en hield hem één, of misschien wel twee seconden lang stevig vast.
Contact.

Alle kinderen hadden zich verzameld in de televisiekamer aan de andere kant van het huis. De volwassenen zaten aan de nu afgeruimde eettafel van huize Novio en dronken frangelico uit cognacglazen.
'Denk je dat hij daar nog steeds mee bezig is?' vroeg Chuck.
'Hij heeft tien jaar in de nor gezeten,' zei Michael. 'Dat is tijd genoeg om te bedenken hoe je wraak kunt nemen op degene die ervoor heeft gezorgd dat je daar terechtgekomen bent.'
Chuck nam een slokje en knikte. 'Maar dat is ook wel erg lang om een wrok te blijven koesteren, denk je niet?'
Michael haalde zijn schouders op. 'Rancune verjaart niet.'
'Ja,' zei Kathy, 'maar wat die Curtlees destijds hebben geflikt deden ze toen het allemaal vers in het geheugen lag, toen Ro net gevangen was genomen. Maar waarom zouden ze zich nog druk maken over wie hem achter de tralies heeft gekregen nu hij weer vrij is? Je bent geen bedreiging meer voor hem.'
Janice keek haar man veelbetekenend aan vanaf de andere kant van de tafel. 'Dat is precies wat ik hem ook heb gezegd.'
Michael verplaatste zijn blik van de ene zus naar de andere. 'En ik hoop dat jullie allebei gelijk hebben. Maar zelfs als dat opgaat voor zijn ouders, dan hebben we ook te maken met Ro zelf.'
Chuck schudde zijn hoofd. 'Het lijkt me onwaarschijnlijk. Het enige wat hij zal doen is zich keurig netjes gedragen in afwachting van zijn nieuwe proces.'
Michael liet de likeur ronddraaien in zijn glas. 'Dat denk ik niet. Hij kan zich niet gedragen. Hij weet helemaal niet hoe dat moet.'
'Michael,' zei zijn vrouw, 'hoe kun je dat nu weten?'
'Dat kan ik weten omdat ik hem tijdens de rechtszitting heb horen getuigen. Ik bedoel, wat denk je van een serieverkrachter die daar doodleuk staat te beweren dat hij gewoon een normale verhouding had met de vrouw die hij heeft vermoord. Het was vrijwillige seks. Wat was eigenlijk het probleem?'
'Misschien was dat ook wel zo,' zei Kathy.
'Beslist niet, dat verzeker ik je. Ze is achttien, komt vers van de boot, is doodsbang, ze woont in zijn huis en is afhankelijk van een verblijfsvergunning die de Curtlees kunnen laten intrekken wanneer ze maar

willen. En dan wil Ro seks met haar? Wat het ook was, vrijwillig was het in ieder geval niet.'

'Maar toch,' zei Chuck, 'hoeft het nog niet per se verkrachting te zijn geweest. Ik bedoel, misschien had ze zelf het gevoel dat ze het moest doen.'

'Maar, Chuck,' zei Kathy, 'dan is het nog steeds verkrachting.'

'Ik bedoel alleen maar dat het dan misschien technisch gesproken geen verkrachting is geweest, als je het puur juridisch bekijkt.'

Michael knikte. 'Ga dat die twee andere dienstmeisjes maar wijsmaken die hebben getuigd. En die vertelden dat Ro per se wilde dat ze hun schoenen aanhielden.'

'Dat is nogal vreemd,' zei Kathy.

'Waarom wilde hij dat ze dat deden?' vroeg Chuck.

Michael schudde zijn hoofd. 'Wie zal het zeggen. Hij is gewoon gestoord. Maar dat hebben ze allebei verklaard.'

'En wat betekent dat?' vroeg Chuck.

'Dat betekent dat Ro echt schuldig is als Dolores Sandoval naakt was en alleen haar schoenen nog aanhad. En dat was het geval. Dus het was geen vrijwillige seks. Het was verkrachting. En toen ze begon te gillen moest hij haar de mond snoeren. Er is geen andere uitleg mogelijk.'

'En die twee andere vrouwen?' vroeg Kathy. 'De twee die een verklaring hebben afgelegd?'

'Wat is daarmee?'

'Ik bedoel, wat heeft hij daarover gezegd, en over hun verklaringen?'

'Hij zei gewoon dat ze logen. Met geen van beiden had hij ooit seks gehad, laat staan dat hij ze had verkracht. Hij was in de val gelokt. Waarom? Wie zal het zeggen. Door wie? Hij had geen idee. Maar veel mensen hadden nu eenmaal vooroordelen tegenover de rijken.'

'Maar,' opperde Chuck, 'mijn punt is dat die Ro jou helemaal geen last gaat bezorgen, Michael. Je hebt toch niets te maken met dat nieuwe proces?'

'Dat klopt. Als het er al komt.'

'En zelfs al zou het niet komen, wat heeft hij dan nog van jou te vrezen?'

Michael knikte. 'Misschien heb je gelijk.'

'Volgens mij héb ik gelijk. Waarom zou hij achter je aan komen? De laatste keer hebben ze je al op je plaats gezet. Je bent nu toch niet bezig hem weer achter de tralies te krijgen? Volgens mij maakt het hem niet eens meer uit of je nog leeft of niet.'

'Als je het mij vraagt heeft Chuck gelijk, Michael,' voegde Janice eraan toe. 'We hoeven ons geen zorgen meer over ze te maken. Ze hebben destijds hun uiterste best gedaan om je kapot te maken en dat is ze niet gelukt.'

'Maar het scheelde niet veel,' zei Michael. 'Het scheelde verdomd weinig.'

4

Bijna drie weken later, op vrijdagmiddag om vijf minuten over vijf, nam het hoofd van de afdeling Moordzaken van de politie van San Francisco de telefoon op, nog voordat het toestel voor de tweede keer overging. Terwijl hij de hoorn naar zijn oor bracht trok hij zijn schrijfblok naar zich toe en greep een pen. 'Glitsky.'

'Inspecteur.' De vrouwenstem klonk mechanisch en emotieloos. 'We hebben een vrouwelijk slachtoffer van een brand die waarschijnlijk is aangestoken in Baker Street nummer vierhonderdtwintig. De dichtstbijzijnde zijstraat is Oak Street. Appartement nummer zes. De brand is onder controle. Er wordt uitgegaan van brandstichting, maar de plaatselijke politie, de districtscommandant, de technische recherche en de ziekenbroeders zijn onderweg.'

'Oké.' Glitsky noteerde de bijzonderheden. 'Ik stuur een team. Baker Street 420, appartement 6.'

'Klopt.'

Glitsky hing op en schoof zijn stoel naar achteren.

Hij was zevenenvijftig, een meter achtentachtig lang en vijfennegentig kilo zwaar. In zijn studietijd had hij, met hetzelfde gewicht, als aanvaller deel uitgemaakt van het footballteam van San Jose State. Hoewel hij blauwe ogen had was zijn huid donker. Hij had een forse en enigszins kromme neus. Zijn vader Nat was Joods en zijn al lang geleden overleden moeder Emma Afro-Amerikaans. Zijn korte afrohaar was nu grotendeels grijs. Dwars over zijn lippen liep een opvallend litteken. Zoals meestal droeg hij ook op deze vrijdag burgerkleren – zwarte schoenen, een donkerblauwe broek met een smalle zwarte riem, een lichtbruin overhemd dat keurig was gestreken en een zwarte stropdas. Niemand had hem er ooit van beschuldigd dat hij zich modieus kleedde.

Op een whiteboard dat pal tegenover zijn stoel aan de muur hing hield hij dagelijks bij met welke zaken de twaalf rechercheurs van zijn afdeling bezig waren. Die dag stond het bord vol. Er was deze winter heel wat afgemoord in San Francisco.

Glitsky liep om zijn bureau heen en voordat hij de deur opende naar de grote ruimte waar de bureaus van zijn rechercheurs stonden, bleef hij even voor het whiteboard staan. Wat er op stond kende hij uit zijn hoofd, maar nu drong het opnieuw tot hem door. Zijn zes teams en zijn individueel werkende rechercheur waren elk bezig met minstens twee moorden. Hij had meer mensen nodig, maar met alle bezuinigingen wist hij dat hij blij mocht zijn dat hij niemand hoefde te ontslaan in opdracht van de debielen, slijmballen en halvegaren die over het geld gingen.

Sinds ze hem had ontmoet, had zijn tweede vrouw Treya vergeefse pogingen ondernomen om iets te doen aan de onbewogen, kille en nogal dreigende blik waarmee hij doorgaans de wereld in keek. Het kon hem niet schelen. Die blik kwam hem in zijn werk goed van pas, al werden kleine kinderen – zelfs zijn eigen kinderen – er soms wat bang van. Glitsky nam het voor lief; het kon tenslotte geen kwaad als kinderen een beetje bang waren voor hun vader. Dat was alleen maar gezond. Glitsky fronste de wenkbrauwen boven zijn priemende blauwe ogen. Als hij diep nadacht, dagdroomde of daadwerkelijk boos keek – wat hij alledrie regelmatig deed – viel het litteken dat dwars over zijn lippen liep extra op.

Net zomin als je van hem kon zeggen dat hij zich modieus kleedde kon je hem buitengewoon aardig noemen.

Toen Glitsky zich eindelijk door de spits naar de plaats van de brand had gewerkt, was de avond al gevallen. Wat niet wilde zeggen dat het er donker was. Met al die rode en blauwe zwaailichten, de schijnwerpers op de helmen van de brandweerlieden en de lampen van de diverse zendwagens die langs de stoep stonden geparkeerd leek het wel alsof er een speelfilm werd opgenomen.

Glitsky parkeerde in het midden van Baker Street naast een van de brandweerwagens. Toen hij uit zijn dienstwagen stapte sloeg de bitterkoude wind hem in het gezicht en rook hij de scherpe brandlucht. Hij liet zijn politielegitimatie zien aan de agent die de toegang tot de plaats delict bewaakte en liep door.

Voor het stoepje naar het drie verdiepingen tellende Victoriaanse huis stond een man met een witte brandweerhelm, de brandweercommandant, te praten met een andere man in burgerkleding.

Glitsky liep naar ze toe en zijn schoenen maakten een klotsend geluid op de nog natte straat. Toen hij bleef staan om zijn zware leren jas dicht te ritsen tegen de kou, viel het hem op dat verscheidene koppels wijkagenten bij hun patrouillewagens stonden te niksen. Hij moest de neiging onderdrukken naar ze toe te lopen om ze weer aan het werk te zetten. Patrouilleren, daar waren ze voor aangenomen. Maar hij wist dat zich dat alleen maar tegen hem zou keren – ijzervreter van Moordzaken die zichzelf veel te serieus neemt behandelt voetvolk als slaven.

Maar door het feit dat deze gedachte bij hem opkwam realiseerde hij zich hoe woedend hij was. Het was vrijdagavond en hij had al lang bij zijn vrouw en kinderen moeten zijn. Hij had geen bezwaar tegen overwerk, daar had hij nooit moeilijk over gedaan, maar wél als de bureaucraten en de politici hem geen keus lieten, als hij onvoldoende personeel of budget had om zijn werk behoorlijk te kunnen doen, zodat hij het zelf moest gaan opknappen. Natuurlijk had hij een al overwerkt rechercheteam met deze zaak kunnen opschepen, maar zoiets deed een echte leider niet. Dat was niet zijn stijl.

Vijftien meter verderop gaf iemand een interview aan een van de televisiezenders, en ook dat had een kluitje toeschouwers aangetrokken. Glitsky zag dat de brand zelf was geblust; de brandweerlieden waren bezig hun slangen op te rollen en de goot schoon te vegen. Glitsky liep verder over de rommel en de glasscherven. Nu hij dichterbij kwam herkende hij de brandweercommandant met de witte helm. Het was Norm Shaklee en de man met wie hij stond te praten was Arnie Becker, de belangrijkste gemeentelijke brandinspecteur.

Hij stopte zijn woede weg op een geheim plekje, trok zijn gezicht in de plooi en groette de mannen, die hij allebei kende, hartelijk.

Becker zei: 'Sturen ze tegenwoordig de leiding op pad als er weer eens iemand is vermoord?'

Glitsky reageerde luchtig. 'Ik heb mezelf op pad gestuurd. Ik was de enige die nog op het bureau aanwezig was.' Hij haalde zijn schouders op. 'Wat doe je eraan? Nou, wat hebben we hier?'

'Een duidelijk geval van brandstichting. Het is gelukkig begonnen op de tweede verdieping en daar komt nog bij dat de buurman in het huis aan de overkant het snel heeft ontdekt en onmiddellijk heeft gebeld. Er is natuurlijk waterschade en dergelijke, maar waarschijnlijk kunnen de bewoners er over een week of wat wel weer in. Een van de zes appartementen ligt volledig in de as.'

'En het slachtoffer?'

'Over haar weten we nog niet al te veel. Het appartement werd gehuurd door een vrouw die Felicia Nuñez heette.'

Even fronste Glitsky zijn wenkbrauwen. 'Ken ik die naam?'

Becker haalde zijn schouders op. 'Het is een veelvoorkomende naam. Hoe dan ook, waarschijnlijk is zij het slachtoffer, maar helemaal zeker kunnen we dat nog niet zeggen, want met wat er van haar over is zal niemand haar kunnen identificeren. We zullen moeten wachten op de gebitsgegevens.' Het gezicht van Becker, die in de loop van zijn carrière alles wel zo'n beetje had gezien, betrok even. 'Ik moet je wel vertellen dat degene die het appartement heeft laten afbranden haar het eerst heeft aangestoken. Het ziet ernaar uit dat ze helemaal of bijna naakt was toen hij wat het ook was op haar genitaliën heeft gegoten en in de fik heeft gestoken. Het vuur heeft zich vandaar verder verspreid.'

'Dus ze is verkracht?'

'Dat lijkt me waarschijnlijk. En ik vermoed dat hij haar eerst heeft vermoord. Maar dat moet de patholoog maar uitzoeken. Dat en hoe hij het precies heeft gedaan. Niemand heeft geschreeuw of geluiden van een worsteling gehoord, en er waren op het bewuste moment mensen aanwezig op de verdieping eronder en aan de overkant. Een verkrachting is misschien helemaal niet meer vast te stellen. Het zou me verbazen als ze nog DNA van haar kunnen afnemen. Daarvoor is ze waarschijnlijk te ernstig verbrand.'

Glitsky slikte om zijn walging te onderdrukken. 'En niemand heeft de dader gezien?'

'Niks. Niemand heeft iets gezien. Mijn mensen zijn bezig met een buurtonderzoek, maar we hebben iedereen in het gebouw al gesproken en die gast heeft geluk gehad of hij is heel voorzichtig geweest. Of allebei. In ieder geval lijkt hij spoorloos verdwenen. Het is waardeloos.'

'Dat kun je wel zeggen.' Hij wendde zich tot Shaklee. 'Zijn mijn mensen van de technische recherche er al?'

De brandweercommandant knikte. 'Ik heb ze naar boven gestuurd. Faro en zijn team. Maar als Arnie gelijk heeft dan hebben ze er een lastige klus aan.'

'Het zal eens een keer meezitten.' Glitsky keek omhoog, naar de zwartgeblakerde gaten van de bovenste verdieping die ooit ramen waren geweest. Ze werden beschenen door elkaar kruisende lichtbundels uit meerdere zaklantaarns. Hij zuchtte diep. 'Vind je het goed als ik naar boven ga?'

De brandweercommandant had volledige zeggenschap over wie de plaats van de brand mocht betreden en daarom vroeg Glitsky uitdrukkelijk om toestemming. Shaklee knikte en wendde zich tot zijn metgezel. 'Als Arnie er geen bezwaar tegen heeft.'

'Nee,' zei Becker. 'Ik loop met je mee.'

5

Abe en Treya Glitsky waren van plan geweest die avond naar een vroege filmvoorstelling te gaan, maar omdat Abe pas om negen uur was thuisgekomen na zijn bezoek aan de plek waar de moord en de brandstichting hadden plaatsgevonden, was dat plan van de baan. Omdat Rita, hun huishoudelijke hulp, toch al laat zou blijven om te babysitten besloten ze in de auto te stappen en wat rond te rijden om te zien waar het lot hen zou brengen, wat in dit geval David's in Geary Street bleek te zijn. Niet zo heel verrassend, als je Glitsky's voorliefde voor Joodse lekkernijen net zo goed kende als Treya.

Nu staarde Glitsky nadenkend naar de toonbank in plaats van naar zijn roggebrood met leverworst en ui. 'Ik kén die naam,' zei hij.

Treya had juist haar broodje warme pastrami met emmentaler opgepakt, maar de helft die ze vasthield was te groot om in één keer in haar mond te stoppen. Dus stopte ze halverwege. 'Misschien een van je oude liefjes?'

'Ik heb nooit oude liefjes gehad. Volgens mij ben jij de oudste van allemaal. En je bent nog niet eens zo héél erg oud.'

'Nou, dank je wel. Misschien bedoelde ik wel "ex" in plaats van "oud". Ik weet niet of ik nu boos moet worden of niet.'

'Ik ook niet,' zei Glitsky, 'en het was geen ex-liefje. Maar ze zit in mijn kop – die naam, in ieder geval. Felicia Nuñez.'

'Het komt wel.'

'Ja, net als Kerstmis.' Glitsky nam een hap van zijn broodje, begon te kauwen en keek haar afwezig aan. 'Het spijt me,' zei hij, nadat hij zijn hap had doorgeslikt. 'Ik weet dat de afspraak is dat ik niet over werk praat als we uit zijn.'

'Dus je weet zeker dat ze met werk te maken heeft? Degene die je vroeger hebt gekend, in tegenstelling tot het moordslachtoffer van vanavond?'

'Tamelijk zeker.'

'Nou, ik heb praten over het werk tijdens een uitje wel eens eerder door de vingers gezien,' zei ze. 'Ik wil je nu ook wel een ontheffing geven.'

'Dat waardeer ik, maar ik weet niet zeker of ik wel over het werk wil praten. Eerlijk gezegd wil ik dat eigenlijk helemaal niet. Om te beginnen heb ik geen rechercheurs beschikbaar om deze laatste zaak op te pakken, zodat ik het zelf moet gaan doen op een vrijdagavond, als wij een afspraak hebben. Als ik daarover ga beginnen dan kon ik me wel eens gaan opwinden. En ik wed dat dit niet de laatste moordzaak is die erbij komt zonder dat veel van die andere zaken al zijn opgelost, dus dit is gewoon een structureel probleem dat alleen maar erger wordt dankzij die ongelofelijk stomme beslissingen van de idioten die zijn gekozen om deze stad te besturen. Waarom leren ze het nou nooit eens?'

'Goed,' zei Treya. 'Daar wil je het inderdaad niet over hebben. Dat is wel duidelijk.'

'Zeker weten.'

'Precies. Dus dan vergeten we dat gedeelte. Maar hoe zit het nou met die Felicia Nuñez?'

'Die van vanavond of die van vroeger?'

'Misschien is het wel dezelfde. Misschien heb je haar ooit eens gearresteerd.'

'Nee. De mensen die ik heb gearresteerd herinner ik me wel.'

'Goed dan, misschien was het een slachtoffer?'

Glitsky, die zijn broodje helemaal leek te zijn vergeten, schudde zijn hoofd. 'Arnie Becker zegt dat het een veelvoorkomende naam is, maar dat is het ook niet, denk ik.'

'Misschien iemand bij de politie, of iemand die ooit bij je heeft gesolliciteerd? Of, wat dacht je hiervan, een getuige in de een of andere zaak?'

Plotseling hield Glitsky zijn hoofd stil. Hij bracht zijn hand naar zijn mond, terwijl zijn intense blauwe ogen gespannen naar de hoeken van het plafond tuurden.

Treya wist wanneer ze hem met rust moest laten.

'O, godallemachtig,' zei hij bijna op fluistertoon, tussen zijn vingers door. Glitsky vloekte bijna nooit; dat gebeurde hooguit en enkele keer, in een periode van extreme stress, dus het feit dat hij nu God aanriep betekende dat hem iets bijzonder onaangenaams te binnen moest zijn geschoten.

'Wat is er, Abe?'

Met bijna overdreven kalmte bracht hij zijn hand omlaag. 'Ro Curtlee.'

'Nee.' Dit was een naam die ze niet wilde horen, omdat die nogal beladen was in het kantoor van de officier van justitie. 'Wat heeft zij met hem te maken?'

'Ze was getuige à charge tijdens zijn eerste proces en ze zou in het volgende proces opnieuw een van de belangrijkste getuigen zijn geweest. Maar nu ze dood is, is haar rol in die zaak wel ongeveer uitgespeeld.'

Ze zwegen even.

'Hier zal Wes niet blij mee zijn,' zei Treya ten slotte.

'Ik moet hem bellen.'

'Misschien had Ro helemaal niets van doen met deze Felicia Nuñez,' zei Treya.

Glitsky, die zijn mobiele telefoon al tevoorschijn had gehaald en een nummer intoetste, sloeg zijn ogen ten hemel.

Halverwege de lezing die hij gaf op de Immigrantenbeurs in Valencia Street, voelde Wes zijn telefoon trillen in het foedraaltje aan zijn riem. Inwendig vervloekte hij zichzelf. Waarom had hij dat stomme ding eigenlijk meegenomen? Hij kon op dit ogenblik helemaal geen afleiding gebruiken, want hij was hoe dan ook al niet bepaald een begenadigd redenaar. Toch had hij het gevoel dat het een tamelijk goede lezing was over een onderwerp dat hem werkelijk ter harte ging – het beschermen van de rechten van de migrantengemeenschap van San Francisco.

'Wat we hoe dan ook moeten vermijden,' zei hij, 'is de indruk – laat staan de realiteit – dat immigranten die het slachtoffer worden van een misdrijf niet op de bescherming van politie en justitie kunnen rekenen. Als je in San Francisco het slachtoffer wordt van een misdrijf dan doet je status als immigrant volstrekt niet ter zake. Een bezoek van de politie is dan niet bedoeld om te onderzoeken of je hier al dan niet legaal verblijft.'

In de grote zaal van het Centro del Pueblo barstte een applaus los. Farrell, bemoedigd door deze reactie, wierp een blik in de richting van zijn vriendin en zag tot zijn vreugde dat zij ook deelnam aan de ovatie. Sam en hij wisten nog niet zeker hoe deze nieuwe baan zou uitpakken voor hun relatie en hij was gespitst op ieder teken dat het toch goed zou kunnen komen. De afgelopen weken – sinds de dag dat Ro op borgtocht was vrijgelaten – was hun verstandhouding nogal koeltjes geweest en misschien betekende dit applaus het begin van een periode van ontspanning.

Hij keek naar zijn aantekeningen en pakte de draad van zijn betoog weer op. 'We nemen de status van San Francisco als een veilige haven voor immigranten heel serieus en op geen enkel terrein kunnen we die beter waarborgen dan wanneer immigranten het slachtoffer worden van misdadigers. En mijn beleid is duidelijk: de politie zal slachtoffers van misdrijven nooit – absoluut nooit – vragen naar hun immigrantenstatus. Als u slachtoffer bent van een misdrijf dan moet u zich niet bezwaard voelen de politie te bellen. U kunt er zeker van zijn dat u dan niets onaangenaams zal overkomen als gevolg van uw status als immigrant.'

Opnieuw klonk er een enthousiast applaus. Maar Farrell gunde zich geen gelegenheid van dit korte moment van populariteit te genieten. In plaats daarvan wierp hij een blik op zijn telefoon. Toen hij de naam van Glitsky zag betrok zijn gezicht. Als Glitsky 's avonds na negen uur zijn privénummer belde, dan was er iets aan de hand. En als het had kunnen wachten tot de volgende ochtend dan had Glitsky gewacht.

Het kon dus niet wachten.

Hij nam de felicitaties van de menigte in ontvangst, betoonde zijn dankbaarheid, verliet het podium en liep de gang op, waar hij zichzelf kon horen denken. Hij tikte op het scherm om het hoofd van de afdeling Moordzaken te bellen.

Glitsky viel meteen met de deur in huis. 'Weet jij waar Ro Curtlee is?'

'Hoe zou ik dat moeten weten?'

'Dus je weet het niet? Je hebt geen opdracht gegeven hem in het geheim te laten observeren of zoiets?'

'Nee, natuurlijk niet. Wat is er gebeurd?'

'Felicia Nuñez is vanavond vermoord. Ze is in brand gestoken, na misschien eerst nog te zijn verkracht. Je weet toch hopelijk wel wie Felicia Nuñez is?'

'Ja, natuurlijk.'

'We moeten die gast zo snel mogelijk van de straat halen.'

'O, ja, natuurlijk. Laten we dat gaan doen.' Er klonk sarcasme in door. 'Kun je me ook vertellen hoe we dat moeten aanpakken? Heb je aanwijzingen gevonden dat hij op de plaats delict is geweest?'

'Nee. Alles is verbrand. Ro schoot me pas te binnen nadat ik de naam van die vrouw had weten te plaatsen. Ik ga hem aan de tand voelen.'

'Doe dat maar niet, Abe. Echt niet. Als er ook maar iets gebeurt waardoor ze kunnen zeggen dat we hem onrechtmatig hebben lastiggevallen, dan slepen ze ons voor de rechter. Als je hem arresteert, en zelfs als je hem alleen maar op het bureau uitnodigt voor een onderhoud, dan komt hij hoe dan ook na een dag of twee weer vrij.'

'In die twee dagen kan hij dan in ieder geval niet nóg iemand om zeep helpen.'

Farrell was zich ervan bewust dat Glitsky alleen maar bezig was stoom af te blazen, maar toch vond hij het belangrijk volstrekt duidelijk te zijn. 'Nee, luister. Ook zonder dat we van machtsmisbruik en een wederrechtelijke arrestatie worden beschuldigd zal het al lastig genoeg worden die nieuwe zaak op de rol te krijgen.' Farrell nam even de tijd op adem te komen. 'Zijn de media hier trouwens al van op de hoogte? Ik bedoel, hebben ze het verband al gelegd?'

'Er waren genoeg zendwagens aanwezig bij de brand. Ik weet niet of iemand al heeft ontdekt welk verband er is tussen Nuñez en Ro. Maar dat is alleen maar een kwestie van tijd. Dat zal waarschijnlijk niet lang duren. Ik moet hem spreken.'

'En wat dan? Denk je nou echt dat hij geen alibi heeft? Denk je dat hij je binnenlaat om even gezellig te babbelen? Denk je dat je een huiszoekingsbevel krijgt? Ik kan je nu al zeggen dat je driemaal nul op het rekest krijgt'

'Wes, die vent moet weer achter de tralies.'

'Oké, maar hoe moet ik dat dan aanpakken?'

'Trek zijn borgtocht in.'

'Dat kan niet. Dan moet je eerst met iets op de proppen komen dat aannemelijk maakt dat hij bij deze nieuwe zaak betrokken is.'

'Uit de puinhopen van die brand? Daar is niks meer heel.'

'Misschien vinden jullie zijn DNA op het lichaam van het slachtoffer.'

'Daar heb ik ook aan gedacht, maar dat kunnen we vergeten. Er was nauwelijks meer iets van haar over. Ik kon niet eens zien dat het een vrouw was. Volgens Arnie Becker mogen we van geluk spreken als we haar nog kunnen identificeren aan de hand van de gebitsgegevens.'

Farrell zweeg even. 'Wil je zeggen dat je niet eens zeker weet dat het Nuñez was?'

'Het was haar appartement, Wes. Er woonde verder niemand.'

'Maar als we niet eens zeker weten dat zij het was, dan is er ook geen aantoonbaar verband met Ro.'

'Doe mij een lol, Wes. Jij en ik weten allebei dat zij het was en dat Ro het heeft gedaan. Wie kan het anders zijn geweest?'

'Oké, ik weet het. We moeten er alleen voor zorgen dat dit beheersbaar blijft.'

'Daar gaat het hier helemaal niet om.'

'Nou, voor een deel wél. Hoe dan ook geeft het ons een beetje lucht.'

'En ondertussen kan hij de enige getuige die nog over is gaan vermoorden.'

'Misschien. Laten we hopen van niet. Wie is dat?'

'Een ander voormalig dienstmeisje van de familie Curtlee. Ook zo'n vrouw die precies in het plaatje past. Gloria Gonzalvez.'

'Weten we waar zij is?'

'Nog niet, maar dat ga ik uitzoeken. Trouwens, nu we het er toch over hebben, waarom is het zo'n probleem die nieuwe zaak op de rol te plaatsen? Op die manier kunnen we hem weer achter slot en grendel krijgen?'

'Daar ben ik mee bezig, Abe, geloof me. Maar zijn advocaat – ken je Denardi? – moet zich nog inwerken. Hij heeft tegen Baretto gezegd dat hij daar minstens zes maanden voor nodig heeft, en ondanks mijn felle protesten vond hij dat best redelijk en heeft hij de zaak doorgeschoven naar augustus. En dan wordt verdomme alleen nog maar de datum voor het nieuwe proces vastgesteld.'

'Jezus,' zei Glitsky. 'Die man is een gevaar op zich.' Hij zweeg even en vervolgde: 'En wat doen we ondertussen? We kunnen dit niet zomaar laten lopen.'

Farrell schraapte de onderkant van zijn mobieltje langs zijn kaak. 'Misschien heeft een van de buurtbewoners voor of na die brand iets gezien. Stel Arnie Becker maar op de hoogte, dan kan die opnieuw een grondig buurtonderzoek doen. En praat nog eens met je mannen van de technische recherche. Kijk of je ergens wat DNA-sporen kunt vinden. Als je ook maar iets vindt, Abe, dan kun je Ro inrekenen. Ik vang dan de kritiek wel op en zorg dat hij opgesloten blijft. Maar maak je borst maar nat en zorg dat je iets substantieels vindt, want ik verzeker je dat we de wind van voren krijgen.'

6

De villa en de bijbehorende grond van de familie Curtlee besloeg een derde van het laatste blok van Vallejo Street dat grensde aan de heuvels van het aangelegde bos dat het Presidio heette.

Glitsky zat in zijn Taurus dienstwagen. Hij had het raampje omlaag gedraaid en staarde naar het imposante huis aan de overkant van de straat. Hoewel het ongeveer achttien meter van de stoeprand was verwijderd, zag het grote, witgestuukte huis van drie woonlagen er verrassend toegankelijk uit. Erachter verrees het bos van het Presidio. Door de oprit en de begroeiing was de begane grond aan het zicht onttrokken, maar op de twee hoger gelegen verdiepingen scheen licht achter zes van de zestien ramen. Vanuit zijn auto kon Glitsky tussen de heesters door nog net wat schemerlicht zien achter het enorme erkerraam aan de rechterkant.

Hij wist niet precies waarom hij hier eigenlijk naartoe was gereden. Hij had zichzelf kunnen wijsmaken dat hij bezig was met een onderzoek naar een moordzaak waarin een bewoner van dit huis, die onlangs uit de gevangenis was ontslagen, zijn voornaamste verdachte was. Dat klopte natuurlijk, maar wat Wes hem had gezegd klopte ook. Hij had geen enkel bewijs en ook geen huiszoekingsbevel om naar bewijs te kunnen zoeken. Ro had ongetwijfeld een alibi en zou waarschijnlijk domweg weigeren hem te woord te staan. De Curtlees waren niet alleen rijk, ze waren inmiddels ook uitermate bedreven in de omgang met en het frustreren van rechtshandhavers. Zodra Glitsky zijn gezicht liet zien zouden ze een advocaat optrommelen en dan was al zijn moeite voor niets geweest.

Maar dat kon hem niet schelen.

Hij wilde ze – de hele familie – laten weten dat hij het wist. En hij wilde ze onder de neus wrijven dat hij de vorige keer had gewonnen, ondanks al hun geld en macht. En dat hij zich deze keer – met de moord op Nuñez in plaats van het nieuwe proces wegens de moord op Dolores Sandoval – zou kunnen beroepen op verzwarende omstandigheden en er misschien zelfs in zou slagen Roland Curtlee in de dodencel te krijgen, waar hij thuishoorde.

Het was impulsief, kinderachtig en onprofessioneel, daar was Glitsky zich van bewust. En misschien schaamde hij zich daar ook wel een beetje voor. Maar allesoverheersend was dat hij deze gevaarlijke en onverantwoordelijke familie duidelijk wilde maken dat de schade die ze aan zijn carrière hadden toegebracht hem niet had gebroken. Sterker nog, dat hij weer volledig was teruggekeerd in zijn relatief belangrijke functie van destijds. Ondanks de fervente pogingen van de Curtlees hem zwart te maken, zijn reputatie te vernietigen en hem van alles en nog wat te beschuldigen, had hij zijn oude baan bij Moordzaken weer terug.

Hij opende het portier van zijn wagen en toen de binnenverlichting aanging keek hij op zijn horloge. Het was kwart over tien, veel te laat voor een diender bij de politie van San Francisco om nog aan te bellen bij een burger die niet actief als dader of slachtoffer was betrokken bij een misdrijf. Glitsky wist dat hij de Curtlees, door nu bij ze aan te bellen, argumenten in handen speelde om hem van machtsmisbruik te beschuldigen. Maar hij had zijn antwoord klaar. De omstandigheden waaronder Felicia Nuñez om het leven was gekomen vroegen, gezien de rol die zij op het punt stond te spelen in de nieuwe strafzaak tegen Ro, om een snelle ondervraging door de politie, al was het maar om hem uit te sluiten als verdachte. Hij kon zelfs beweren dat hij ze juist een dienst wilde bewijzen.

Onder een kathedraal van oude cipressenbomen stapte hij uit zijn auto en stak de stille en indrukwekkende straat over.

De bediende die de deur opende was nieuw. De laatste keer dat Glitsky het huis van de familie Curtlee had bezocht, tien jaar geleden, hadden ze geen echte butler, maar dat leek nu te zijn veranderd. Deze man zag er indrukwekkend uit. Hij had de bouw van een worstelaar, leek achter in de veertig en had keurig geknipt peper-en-zoutkleurig haar. Gehuld in zijn donkere zakenkostuum met strikje, straalde hij een zelfverzekerde en koelbloedige kalmte uit. Zijn overduidelijk Azteekse gelaatstrekken verrieden nieuwsgierigheid noch ongerustheid over de komst van Glitsky, zijn verzoek de Curtlees te mogen spreken als ze thuis waren of de politielegitimatie die hij liet zien.

Hij sprak overdreven beleefd, met een bijzonder donkere intonatie en accentloos. 'Hebt u een afspraak?'

'Nee. Zoals ik al zei ben ik van de politie.'

'Ja, dat begrijp ik. Hebt u een arrestatiebevel?'

'Nee. Ik zou graag een kort onderhoud hebben met een van de familieleden om ze op de hoogte te brengen van een ontwikkeling die zich recent heeft voorgedaan.'

'Kunt u de boodschap aan mij doorgeven?'

'Ik spreek liever persoonlijk met een van de familieleden.'

De man dacht lang na en nam toen een besluit. 'En hoe is uw naam ook alweer?'

'Inspecteur Glitsky. Afdeling Moordzaken van de politie van San Francisco.'

'Ja, meneer. Een ogenblik alstublieft. Ik zal kijken of er iemand beschikbaar is.'

Zachtjes maar gedecideerd deed hij de deur voor Glitsky's neus dicht.

Glitsky draaide zich om en doodde de tijd door naar de oprit en de straat erachter te kijken. Er was geen hek. Hij was ongehinderd naar de voordeur gelopen. Plotseling realiseerde hij zich hoe bijzonder dit was, en hij vroeg zich af wat dit wellicht zei over deze familie. Over hun arrogantie en hun manier van denken. Er liepen in deze buurt inderdaad weinig mensen rond en het straatbeeld leek hier niet bepaald op dat van Tenderloin, de smerigste en gevaarlijkste buurt van San Francisco. Maar elk ander huis in dit gedeelte van de straat was omheind en had een toegangshek. Misschien gingen de Curtlees ervan uit dat iedereen wist wie hier woonde en dat niemand het in zijn hoofd zou halen ze lastig te vallen, omdat je daarmee de toorn en vergelding van de familie over je afriep.

Dus een omheining was helemaal niet nodig, net zomin als een toegangshek. De psychologische barrière volstond.

Toen hij achter zich in het huis voetstappen hoorde naderen draaide Glitsky zich om naar de deur, die werd opengedaan door Ro Curtlee.

De jongeman was gedurende zijn afwezigheid wat steviger geworden, maar met zijn fletse blauwe ogen en zijn slappe kaaklijn zag hij er nog steeds een beetje uit als een kind dat zijn zin niet kreeg. Zijn lichtblonde haar was wat aangegroeid sinds hij op borgtocht was vrijgelaten en hij had ergens een litteken opgelopen dat hoog op zijn voorhoofd begon en onder zijn haargrens verdween. Het witte, mouwloze T-shirt dat hij droeg toonde zijn armen, die nu behoorlijk gespierd waren; hij had overduidelijk veel tijd doorgebracht in de sportzaal van de gevangenis.

Toen hij Glitsky zag lachte hij smalend. Hij schudde zijn hoofd in een gespeeld vertoon van ongeloof. 'Ez zei dat jij degene was die onze rust zo laat op deze avond kwam verstoren, in het weekend nog wel, en ik zei tegen hem dat jij onmogelijk zo stom kon zijn. Dus daarom wilde ik zelf even poolshoogte nemen. En kijk nou toch. Daar sta je, in hoogsteigen persoon. Je hebt wél lef dat je het waagt mij weer op te zoeken, dat moet ik je nageven. Dus wat moet je verdomme deze keer?'

'Ik hoopte je te kunnen elimineren als verdachte van een moord die vandaag is gepleegd.'

'Dat zal best. En wie is er zo onvoorzichtig geweest dat ze zich heeft laten vermoorden?'

Glitsky zweeg even. 'Wie zegt dat het een vrouw was?'

Even leek Ro niet te weten hoe hij moest reageren, maar onmiddellijk daarna produceerde hij een vals glimlachje. 'O, lieve hemel. Daar ben ik mooi ingetrapt. Wat slim van je, zeg. Ik kan beter meteen mijn advocaat bellen, voordat ik dingen zeg die me in de problemen brengen. Staat je recordertje aan?'

'Nee.'

Ro klakte met zijn tong. 'Dat is jammer. Anders had je dat in de rechtbank kunnen gebruiken.'

'Dat kan ik nog steeds.'

'Oké, nu ben ik doodsbang, hoor. Vooral als het inderdaad een vrouw blijkt te zijn die vermoord is.'

'Wil je raden?'

'Laat ik dat maar niet doen. Stel je voor dat ik het goed raad. Hoe zou dat overkomen? Begrijp je wat ik bedoel?'

'Ja, Voor zo'n trucje ben je veel te slim, Ro. Maar waar ik écht voor ben gekomen: kun je me misschien vertellen waar je vanmiddag was, en met wie, indien van toepassing?'

'Volgens mij hoef ik jou helemaal geen reet te vertellen.'

'Dat klopt helemaal. Maar je kunt ons allebei wat ergernis besparen door te antwoorden.'

'Dat is mijn doel in het leven, brigadier. Jou wat ergernis besparen.'

'Het is "inspecteur" tegenwoordig. Ik ben gepromoveerd.'

'Je meent het! Nou, gefeliciteerd dan maar. Ik meende vernomen te hebben dat je loopbaan een beetje in de versukkeling was geraakt na mijn proces. Omdat je de verkeerde had gearresteerd, of iets dergelijks.'

Glitsky's mondhoeken bewogen een fractie omhoog. 'Dat valt wel mee, eerlijk gezegd. Omdat jij tenslotte toch bent veroordeeld, of iets dergelijks. Dus?'

'Dus wat?'

'Vandaag. Afgelopen middag. Waar was je?'

'Buiten. Een stukje rijden.'

'Alleen?'

'Reken maar. Om te genieten van mijn vrijheid.'

'Waar ben je geweest?'

'Naar Napa en Sonoma. Ik was rond etenstijd weer terug.'

'Ben je nog ergens uitgestapt?'

'Ik heb een hamburger en een milkshake genomen bij Taylor's Refresher in Napa. Ken je die tent? Geweldig eten. Niet dat overdreven spul dat ze verder overal serveren.'

'Ja,' zei Glitsky. 'Dat is een goeie tent. Wat voor milkshake?'

'Chocola.'

'Kijk aan, dat was toch niet zo moeilijk? Denk je dat iemand daar zich jou nog zou kunnen herinneren? Misschien iemand die bij Taylor's werkt?'

'Ik heb geen idee.'

'En je auto?'

'Wat is daarmee?'

'In wat voor auto reed je?'

'De Z4. Een BMW, weet je wel. Cabrio.'

'Welke kleur?'

'Paars.'

'Dus nogal opvallend.'

'Ja, je wordt er wél in gezien. Het is een vette wagen. Was dat wat je wilde weten?'

'Het is een begin.'

'Maar wie is er nou vermoord?'

Glitsky keek op zijn horloge. 'Het zal nu wel ongeveer op het nieuws zijn. Dus kijk zelf maar.'

'Ro.' Een vrouwenstem van boven. De moeder, Theresa. 'Wie is daar nog zo laat?'

Ro Curtlee aarzelde heel even, waarna hij opnieuw minachtend glimlachte en Glitsky recht in de ogen keek. 'Niemand,' zei hij.

En hij deed de deur dicht.

Glitsky had terug naar huis kunnen gaan. Misschien had hij dat ook wel moeten doen. Maar zijn bloed kookte nog steeds en hij wist dat hij Treya uit haar slaap zou houden als hij in de woonkamer liep te ijsberen of in een stoel ging zitten tobben.

Dus reed hij naar het centrum, zette zijn wagen op het gemeentelijke parkeerterrein en keerde terug naar het kleine universum van zijn werkkamer. Hij deed het licht aan en liep naar zijn bureau.

In de muur aan zijn linkerkant zorgden vijf beroete bovenlichten voor een beperkt soort van contact met de buitenwereld, hoewel zijn kamer zelfs overdag te donker was om er zonder kunstlicht te kunnen lezen. Aan de rechtermuur hingen zijn ingelijste persoonlijke foto's en eerbewijzen – Glitsky was in 1987 San Francisco's Politieman van het Jaar geweest – naast enkele andere onderscheidingen. Op een lage plank daaronder bevonden zich snuisterijen, memorabilia (zijn politiepet uit de tijd dat hij nog surveilleerde bij de uniformdienst, een bal die was gesigneerd door zijn oude teamgenoten van San Jose State) en stapels willekeurige dossiers. De wand achter hem ging van de vloer tot aan het plafond schuil achter een boekenkast met een verzameling die nogal eclectisch leek voor een politieman: honderden paperbacks; alle zeevaardersromans van Patrick O'Brian met de bijbehorende obscure naslagwerken; de *Encyclopedia Britannica;* een verkorte maar nog steeds volumineuze *Oxford English Dictionary;* een geneesmiddelencompendium; enkele tientallen boeken over sport; de vertaalde libretto's van *De Barbier van Sevilla* en *Tosca* (Jacob, een van Glitsky's oudere zonen uit zijn eerste huwelijk, was bezig naam te maken als bariton bij de opera); het Wetboek van Strafrecht van de staat Californië en een verzameling andere juridische naslagwerken.

Maar deze avond had Glitsky geen oog voor dit alles.

Hij had even overwogen om meteen naar de rechter van dienst te stappen, die ergens beneden in het gebouw huisde om een bevel tot huiszoeking te vragen, gebaseerd op het feit dat Ro kennelijk wist dat het moordslachtoffer van vandaag een vrouw was. Maar dat idee had hij meteen weer losgelaten. Hoewel Glitsky enige troost putte uit het feit dat hij, als het ooit tot een strafzaak mocht komen, de verspreking van Ro inderdaad naar voren zou kunnen brengen in zijn verklaring, was er momenteel domweg geen bruikbaar bewijs voorhanden. Die verspreking nam echter wel het laatste spoor van twijfel bij Glitsky weg dat Ro Nuñez had vermoord.

Glitsky trok een schrijfblok naar zich toe en begon wat aantekeningen te maken: hij moest Gloria Gonzalvez zien te vinden, de enige nog overgebleven getuige, voordat de moordende verkrachter haar te pakken kon krijgen. Hij moest een paar identificatiesheets samenstellen – vellen met portretfoto's van Ro en vijf andere mensen – om aan buurtbewoners te kunnen laten zien.

Andere aantekeningen: hoe had Ro Nuñez gevonden? Had hij een afspraak met haar gemaakt? Had hij haar misschien gebeld? Had een van zijn advocaten dat gedaan? Woonde ze toen ze de vorige keer tegen hem getuigde in hetzelfde appartement?

Hij schoof zijn schrijfblok opzij, raadpleegde zijn Rolodex, nam de hoorn van de haak en belde het mobiele nummer van Arnie Becker. Ondanks het late tijdstip nam de brandinspecteur vrijwel onmiddellijk op. Ook hij was dus kennelijk nog lang niet van plan om naar bed te gaan. Hij wist wie de beller was en kwam meteen ter zake: 'Abe. Heb je iets?'

'Een paar dingen zelfs. Waaronder een verdachte.'

'Dat is snel.'

'Ben jij nog bij die brand?'

'Ik ben pas begonnen. Jouw mensen zijn net weg. Het wordt nachtwerk.'

'En heeft iemand daar al ontdekt wie die Nuñez was?'

'Nee, ze weten nog niets, behalve dan dat ze het slachtoffer is.'

'Ze was getuige in een moordzaak en ze had binnenkort opnieuw moeten getuigen tegen dezelfde vent.'

'Wie?'

'Ro Curtlee.'

'Is dat niet de gast die op borgtocht is vrijgelaten door Farrell?'

'Dat was Baretto, om precies te zijn, maar inderdaad. Die is het.'

'Jezus. Dus hij heeft haar vermoord.'

'Daar ga ik wel van uit.'

Becker zuchtte diep en zei: 'Waarom laten ze dit soort tuig eigenlijk vrij?'

'Als jij het weet mag je het zeggen, Arnie. Het schijnt iets te maken te hebben met de juridische procedures, het recht op hoger beroep. Vraag het maar aan je congreslid of een van die andere hoge pieten.'

'Klootzakken.'

'Nou, hoe dan ook, het kan zijn dat hij in een paarse BMW Z4 heeft gereden en die ergens in de buurt heeft geparkeerd voordat hij naar boven liep. Misschien heeft iemand het gezien. En ik ben een paar identificatiesheets aan het maken die je morgen in de buurt kunt laten zien. Als iemand hem heeft gezien dan kunnen we hem tenminste naar het bureau halen om hem door te zagen. Misschien krijgen we dan zelfs wel toestemming voor een huiszoeking. Heb jij daar al iets gevonden?'

'Misschien.' Becker zweeg even. 'Ik wil je geen hoop geven, maar er is misschien een klein dingetje.'

'Toe maar. Geef me een beetje hoop,' zei Glitsky. 'Een klein beetje desnoods.'

Becker aarzelde opnieuw. 'Nou, het moet nog nader bekeken worden en ik weet niet wat het precies betekent, als het al iets betekent, maar we vonden vlak bij haar voeten twee vrijwel identieke resten die leken op verbrand rubber of plastic. Morgen kan ik je er waarschijnlijk meer over vertellen.'

Glitsky's hart sloeg over. Hij had een aantal jaren tevoren een hartaanval gehad en hoewel dit helemaal niet hetzelfde aanvoelde stokte de adem in zijn keel en bracht hij zijn hand naar zijn borst. 'Ze droeg haar schoenen toen hij haar vermoordde,' zei hij. Het was geen vraag.

'Daar lijkt het wel op. Dat zou kunnen. Zegt dat jou iets?'

Glitsky had nog steeds moeite met ademen. 'Dat is precies wat Curtlee deed met de vrouwen die hij verkrachtte. Hij liet ze hun schoenen aanhouden.'

'Waarom?'

'Weet ik veel, Arnie? Wat doet dat ertoe?'

'Sorry dat ik je zo laat nog bel, Wes, maar ik wilde het je meteen vertellen. Als vaststaat dat het inderdaad haar schoenen zijn, dan stel ik voor dat we een arrestatiebevel regelen.'

Farrell zuchtte. 'Dat kan ik niet doen, Abe. Jezus, we weten niet eens zeker of het Nuñez wel was. En misschien komen we daar helemaal niet achter, als ze hier nog nooit naar de tandarts is geweest, wat me niet onwaarschijnlijk lijkt. En zonder een duidelijke identificatie is er niets wat je een jury zou kunnen voorleggen. Weet je of de rechter de kwestie van die schoenen de vorige keer heeft toegelaten?'

'Dat weet ik niet, Wes, dat kun je gemakkelijk uitzoeken. Maar ik heb met al zijn verkrachtingsslachtoffers gepraat voordat ze werden afgekocht. En allemaal hadden ze hetzelfde verhaal over die schoenen. Dat was zijn gewoonte.'

'Ik geloof je graag. Maar van die andere vrouwen heeft hij er geen een vermoord, nietwaar?'

'Eén heeft hij er vermoord. Drie heeft hij er in elkaar geslagen.'

'Oké, maar die dode vrouw, Sandoval, is buiten in een park gevonden, dat klopt toch?' Glitsky zweeg en hij vervolgde: 'Dus mijn punt is dat hij niemand heeft verbrand. Nooit. Dit is toch iets nieuws? Het is niet zijn oude MO, dus hoe kunnen we dan argumenteren dat hij dit moet hebben gedaan?'

'Ik wéét dat hij het heeft gedaan. Iemand in de gevangenis heeft hem verteld dat het een goed idee is het huis van je slachtoffer te verbranden nadat je haar hebt verkracht en vermoord, omdat er dan geen bewijzen achterblijven.'

'Dat is precies de reden waarom we, ondanks de informatie waar Becker jou over belde, niet eens zullen kunnen bewijzen dat die vrouw is aangerand. Waar of niet?'

'Misschien niet, nee.'

'Precies. Dus er is niets waaruit we kunnen afleiden dat Ro in haar appartement is geweest. Er zijn geen getuigen...'

'Tot nu toe nog niet.'

'Goed, dat kan nog veranderen. Maar toch. En er is geen bewijs voor verkrachting. Dus wat we hebben is een vrouw die is omgekomen tijdens een brand. Zelfs de doodsoorzaak weten we niet eens. Ik bedoel, is ze gewurgd, doodgeschoten, neergestoken? Kun jij het me vertellen?'

'Het is de vraag of we erachter komen, Wes. Ze is ernstig verbrand.'

'Dat bedoel ik, Abe. Het is nog maar de vraag of we iets kunnen bewijzen. Misschien was ze wel met een brandende kaars op weg naar de badkamer, misschien heeft ze onderweg een hartaanval gekregen en is ze toen gevallen. Misschien is dat de reden waarom zijzelf en haar appartement in vlammen zijn opgegaan.'

'Zo is het niet gebeurd.'

'Dat geloof ik ook niet. Als je het mij vraagt heb je waarschijnlijk gelijk. Maar waarschijnlijk is absoluut onvoldoende en dat weet jij net zo goed als ik.'

'En wat doen we nu?'

'Ik weet het niet, Abe. Laten we hopen dat hij een fout maakt.'

'Tijdens het vermoorden van zijn volgende slachtoffer, bedoel je?'

'Nee,' zei Farrell. 'Vóór het zover is.'

7

Farrell vond dat hij goede vorderingen maakte met de inrichting van zijn kantoor. Het was een ruim vertrek dat in de verste verte niet leek op de werkruimte van zijn voorganger en daar ook nooit enige gelijkenis mee zou vertonen. Zo was het nu eenmaal als je dure, conservatieve meubels verving door iets wat je het beste zou kunnen omschrijven als een allegaartje van de rommelmarkt.

Farrell had nooit iets gezien in de gangbare gewoonte een bureau in het midden van de kamer te plaatsen. Hij zag daar liever een voetbaltafel met voldoende ruimte eromheen om te kunnen spelen. In de buurt van de deur en achter de voetbaltafel waren twee zithoeken ingericht, beide met een comfortabele bank, twee fauteuils ertegenover en een salontafel in het midden. De ene zithoek was uitgevoerd in leer en chroom, de andere in stof en hout.

Zijn 'bureau' was een kale, blankgelakte tafel onder de ramen die uitzicht boden op Bryant Street, met op het werkblad een computer, een printer, een telefoon, een fax en weinig ruimte voor iets anders. Op een tafel tegen de muur stond een flatscreen met een beelddiagonaal van één meter dertig, waarvoor een paar klapstoelen stonden opgesteld die natuurlijk ook bij de zithoeken konden worden geplaatst als dat nodig was. De kroon op het werk bevond zich op de plank onder zijn basketbalnet: een soort bar met een Jura espressoapparaat, kopjes, glazen, lepeltjes en andere benodigdheden, een rieten mand met snoepjes en een enorme rij flessen met drank van uiteenlopende kwaliteit.

Nu, om kwart voor elf op zaterdagochtend, na de dood van Felicia Nuñez, leunde Farrell achterover in de hoek van zijn leren bank. Tegenover hem in de fauteuils zaten Amanda Jenkins en Abe Glitsky. 'Dus ik zit een beetje met de situatie in mijn maag,' zei Farrell. 'Aan de ene kant ben ik het met jullie eens. Het lijkt me heel waarschijnlijk dat Ro Felicia Nuñez heeft vermoord. Aan de andere kant hebben we een redelijk vermoeden van schuld nodig. Ik zie het niet. En jullie ook niet, volgens mij.'

'Als je het mij vraagt is er genoeg,' zei Glitsky.

Farrell negeerde die opmerking en vervolgde: 'Maar het voornaamste is dat ik niet de indruk wil wekken dat jullie niet op mijn steun kunnen rekenen, want die hebben jullie wel degelijk. Ik ben maar al te graag bereid ieder concreet voorstel dat jullie doen in overweging te nemen. Daarom heb ik jullie ook uitgenodigd. Maar ik kan die kerel niet zomaar zonder reden laten oppakken.'

Jenkins, die ontspannen met de benen over elkaar geslagen tegenover hem zat zei: 'Ja hoor, dat kan best. Hij wordt aangehouden en wekt de indruk dronken te zijn. Hij gedraagt zich verdacht in een buurt met veel drugscriminaliteit. Of hij spuugt op straat. Mogelijkheden genoeg om hem op te pakken. Iedere agent die een knip voor de neus waard is kan nog vóór het ontbijt wel tien redenen verzinnen om wie dan ook te arresteren. Ja, toch, Abe?'

'Doorgaans wel.'

'Doorgaans vind ik goed genoeg.' Ze knikte naar Glitsky en richtte zich weer tot Farrell. 'Maar om wat concreter te worden, Wes, Matt heeft gezegd dat hij Ro zal oppakken voor wat dan ook. Wanneer je maar wilt. Ik heb het er met hem over gehad.'

'Dat is fijn voor je. Maar wie is Matt?'

Jenkins moest moeite doen hem niet vernietigend aan te kijken. 'Matt Lewis,' zei ze, op overdreven geduldige toon. 'Een van onze eigen inspecteurs. En bovendien al jaren mijn vriend, al doet dat misschien minder ter zake.'

Farrell keek haar schuldbewust aan. 'Ik neem aan dat de politicus in mij zich dat had moeten herinneren,' zei hij. 'Of het hoe dan ook had moeten weten. Maar ik ben nu eenmaal hopeloos in dat soort dingen. Daar kan ik niets aan doen. Matt Lewis. Die naam zal ik vanaf nu onthouden.' Vervolgens vroeg hij met een glimlach: 'Hoe ziet hij eruit?'

'Hij lijkt op Clark Kent,' antwoordde Jenkins met een uitgestreken gezicht. 'Zonder bril. Maar waar het om gaat is dat hij Ro hier kan afleveren, op grond van welke aanklacht we maar willen. En zo is dat.'

'Nee, zo is dat niet.' Farrell schudde zijn hoofd. 'Jongens, dat betekent alleen maar dat we hem tien minuten hier hebben en vervolgens voor schut staan. Bovendien maakt de pers dan gehakt van ons. Maar daar gaat het nog niet eens om. Dat soort dingen doen we gewoon niet.

Het gebeurt niet. Punt uit. Jullie moeten... nee, *we* moeten een echte beschuldiging hebben.

'Moord lijkt me wel voldoende,' zei Glitsky.

Farrell zuchtte. 'Kom met bewijs. Wát dan ook. Dan gebeurt het, Abe. Dat beloof ik je.'

Glitsky keek naar Jenkins, die weer het woord nam. 'Wes, luister. Jij kunt dit doen. Je hebt de bevoegdheid die beslissing te nemen.'

Farrell zag er plotseling vermoeid uit. Hij bracht zijn handen naar zijn hoofd, wreef in zijn ogen en masseerde zijn slapen. De waarheid was dat hij een grote mate van verantwoordelijkheid voelde voor de moord op Felicia Nuñez. Nadat Glitsky hem de vorige avond had gebeld had hij nauwelijks meer geslapen. 'Hoe moet ik dat dan doen, Amanda?' vroeg hij. 'Hoe neem ik die beslissing?'

'Je moet Abe arresteren wegens de moord op Nuñez. Dat is geen machtsmisbruik. Dat is een reële beschuldiging die waar is, en die bovendien door een groot deel van het publiek zal worden geloofd.'

'Ja, misschien, maar...'

'Niks te maren. Luister. Je maakt je zorgen omdat zoiets normaal gesproken misschien niet voldoende is om hem te laten berechten. Waar of niet?'

'Zeg maar gerust *volstrekt onvoldoende*.'

'Dat kan wel zo zijn, maar wat dan nog? Daar gaat het niet om.'

'O, nee? Waar gaat het dán om?'

'Het hele punt is dat het niet uitmaakt of je genoeg hebt om hem te kunnen pakken op Nuñez. Misschien komt Nuñez er helemaal niet eens bij kijken. Maar in ieder geval hebben we hem dan achter de tralies terwijl zijn advocaten zich voorbereiden op het nieuwe proces. Hoe lang dat ook gaat duren. Dan hebben we Ro in ieder geval van de straat zodat er niet nog meer slachtoffers vallen.'

Farrell leunde achterover en liet zijn hoofd tegen het kussen rusten. Hij zuchtte opnieuw. 'Heb ik werkelijk moeite gedaan om voor deze baan gekozen te worden?' vroeg hij. 'En kan een van jullie me dan vertellen hoe ik daar in vredesnaam toe ben gekomen?' Toen ging hij plotseling weer rechtop zitten. 'Het is een geweldig idee, Amanda, maar we hebben nu eenmaal te maken met een ouderwets adagium, het zogenaamde "redelijke vermoeden van schuld". Zonder dat staat meneer Curtlee binnen achtenveertig uur weer op straat. Dat niet alleen, maar bovendien wordt inspecteur Glitsky hier dan vervolgd wegens een onwettige arrestatie.'

'Volgens mij is er wel degelijk sprake van een redelijk vermoeden van schuld,' zei Jenkins.

Farrell keek haar aan met een vernietigende blik. 'Oké, laten we eens van die nogal onwaarschijnlijke hypothese uitgaan. De volgende stap is dan zoals je weet de voorlopige hoorzitting. Misschien heb je daar wel eens van gehoord? Als iemand die door justitie ergens van wordt beschuldigd, voldoet aan dat redelijke vermoeden van schuld, dan vindt er binnen tien dagen een hoorzitting plaats waarin het bewijsmateriaal wordt bekeken. En als dat er niet is komt hij vrij.'

'Wes, kom nou toch.' Jenkins schoof naar het puntje van haar stoel. 'Hoeveel hoorzittingen heb jij meegemaakt die hebben geresulteerd in vrijlating van de verdachte? Niet één toch zeker? Misschien komt dat één keer in de tien jaar voor. Dat gebeurt gewoon niet. De maatstaf is ook daar een redelijk vermoeden van schuld, anders gezegd "een sterke verdenking"...'

Farrell stak geduldig een hand omhoog. 'Alsjeblieft zeg, ik ken de wet. Daarin staat het redelijke vermoeden van schuld omschreven als "een sterke verdenking bij een redelijk verstandig persoon dat het misdrijf heeft plaatsgevonden en dat de verdachte het heeft gepleegd".'

'Nou, ga maar na,' vervolgde Jenkins. 'We hebben het feit waarvoor Ro al is veroordeeld, de connectie met Nuñez, de dreiging dat Nuñez opnieuw tegen hem gaat getuigen in dat nieuwe proces, de schoenen... dus wat ik wil zeggen is dat er wel degelijk aanleiding is voor sterke verdenking bij redelijk verstandige personen – bijvoorbeeld het merendeel van onze rechters – dat Ro Nuñez heeft vermoord. En meer hebben we niet nodig. Het is een simpele beslissing, Wes. Je hoeft hem alleen maar te nemen.'

'Het is een onaanvaardbaar risico,' zei Farrell.

'Het is een gering risico,' riposteerde Jenkins. 'Verwaarloosbaar. De straat oversteken is riskanter. Maar als jij je er ongemakkelijk bij voelt dan heb je ook de *grand jury* nog.'

Farrell wist dat ze daar gelijk in had. Hij had er ook aan gedacht, net als aan het risico dat daarmee verbonden was. Als hij van start ging met deze zwakke zaak en een grand jury zover kreeg Ro in staat van beschuldiging te stellen voor de moord op Nuñez, dan kon hij daarmee de potentiële valkuil van de voorlopige hoorzitting ontwijken. Als de grand jury Ro in staat van beschuldiging stelde was zo'n hoorzitting overbodig; de verdachte moest dan terechtstaan. Maar als Farrell voor die weg koos, dan zouden Ro's advocaten kunnen eisen dat het proces binnen zestig dagen begon. Uitstel was niet mogelijk. Farrell kon de rechtbank vragen de twee zaken samen te voegen, maar zoals het nu was gelopen met Baretto, zou een dergelijk verzoek heel goed kunnen worden afgewezen. Onder die omstandigheden – met andere woorden: als Wes Ro alleen maar zou vervolgen voor de moord op Nuñez – dan zou een jury in San Francisco hem nooit veroordelen. Dan was hij opnieuw vrij man. Al binnen twee of drie maanden. En dat zou het nieuwe proces wegens de verkrachting van en de moord op Sandoval, dat nu al problematisch was, nog veel lastiger maken.

'Maar met die grand jury,' zei Glitsky, 'ben je weer tien dagen, zo niet twee weken verder voordat ze aan een beslissing toekomen. In die tijd kan Ro veel schade aanrichten.'

'Daarom pleiten wij voor een arrestatie en een aanklacht vóór de voorlopige hoorzitting,' zei Jenkins. 'Een snelle en effectieve oplossing. Laten we hem van de straat halen.'

Na afloop van de bespreking ging Glitsky terug naar boven, naar zijn kantoor. In zijn brein rijpten twee ideeën, die allebei van doen hadden met Arnie Becker. Hij wilde dat de identiteit van het slachtoffer met absolute zekerheid en zo snel mogelijk werd vastgesteld. Als niet onomstotelijk vaststond dat het dode slachtoffer Felicia Nuñez was, dan ging de theorie waarop Jenkins en hij zich baseerden niet op. Er moest een rechtstreeks verband kunnen worden gelegd met Ro Curtlee. En liever vandaag dan morgen. Gebitsgegevens waren mooi, maar Glitsky wist dat je daar soms behoorlijk lang op moest wachten, nog afgezien van de kans dat ze er helemaal niet in zouden slagen een tandarts te vinden die het slachtoffer ooit had behandeld. Dus moesten ze haar op een andere manier proberen te identificeren.

Maar toen hij Becker aan de lijn kreeg – die man had kennelijk geen slaap nodig – was de brandinspecteur hem op zijn minst al één stap voor. Het identificeren van de brandslachtoffers was een van zijn lastigste en belangrijkste taken. En in de loop van de jaren had Becker op dat vlak de nodige trucjes geleerd. 'Het is Nuñez,' zei hij. 'Dat staat vast. Terwijl ze brandde balde ze haar vuisten. Dat doen ze allemaal. Maar ja, dat zul jij ook wel weten.'

'Natuurlijk,' loog Glitsky.

'Dus heb ik de patholoog-anatoom gevraagd ze open te maken en zoals ik hoopte hebben we een aantal vrijwel volmaakte vingerafdrukken afgenomen; van elke hand twee. Die heb ik laten natrekken bij de INS...'

'Op zaterdagochtend?'

'Ik ken iemand die daar in het archief werkt. Die heb ik gebeld. Hoe dan ook, hij laadde die afdrukken in het systeem en bingo: Felicia Nuñez rolde eruit.'

'Als je ooit een baantje wilt bij Moordzaken,' zei Glitsky, 'dan kun je me bellen.'

'Bedankt. Ik zal eraan denken. Maar ik zit hier goed.'

'Dat geloof ik graag. Wie wil er nou geen werk waarbij je in het weekend lekker kunt uitslapen.'

'Slapen wordt erg overschat,' zei Becker. 'Maar je zei toch dat je twee vragen had?'

'De schoenen. Tenminste, als het schoenen waren.'

'Wat is daarmee?'

'Weten we of die rubber of plastic resten die vlak bij haar voeten zijn gevonden inderdaad afkomstig is van schoenen?'

'O, jazeker, dat staat vast. Toen je me gisteravond zei dat het belangrijk kon zijn, heb ik ze meegenomen naar mijn eigen laboratorium thuis. Vanmorgen heb ik ze bekeken. Het zijn de zolen van een Adidas tennisschoen, de Honey Low. Die kosten in de winkel ongeveer vijftig dollar. Maat achtendertig, trouwens. De bovenkant is volledig verbrand.'

Toen Farrell naar huis reed passeerde hij de plaats van de brand. Hij reed er voorbij zonder het te zien, maar waarschijnlijk was het gele politielint ergens in zijn gepreoccupeerde brein blijven steken, want een paar honderd meter voorbij het bewuste gebouw viel het kwartje. Hij keek in zijn achteruitkijkspiegel, maakte een U-bocht bij het volgende kruispunt, reed terug en parkeerde aan de overkant, op een plek die door het lint was vrijgehouden.

Glitsky en Jenkins hadden bijna een uur op hem ingepraat, totdat hij uiteindelijk geen argumenten meer kon bedenken. Wat niet wilde zeggen dat hij al een beslissing had genomen, behalve dan dat hij naar huis zou gaan om 's middags wat in zijn vrijetijdskleding rond te lummelen voordat hij 's avonds weer ergens de zoveelste lezing moest geven over iets belangrijks. Misschien kon hij zelfs wel even het bed in duiken met zijn vriendin. Hij had per slot van rekening nog wel gekkere dingen meegemaakt.

Nu, een paar minuten na het middaguur, was het weer omgeslagen en had de wind een vochtige nevel aangevoerd, zodat het net zo goed had kunnen regenen. Farrell deed zijn raampje omlaag en keek naar het versplinterde glas in wat voorheen de ramen van het bovenste appartement aan de linkerkant van het gebouw waren geweest.

Hoe hij ook zijn best deed, de aanblik gaf hem geen enkele inspiratie.

Hij bezocht nooit plaatsen delict. Hij was zijn hele leven strafrechtadvocaat geweest, en zoiets was het werk van politie en justitie.

Maar hier zat hij nu, officier van justitie en een van de belangrijkste wetshandhavers van San Francisco. De baan voelde hinderlijk aan, als een slechtzittend pak.

Hoewel hij voordat hij zich verkiesbaar had gesteld voor de functie van officier van justitie berucht was geweest vanwege zijn opvatting dat alle verdachten de misdrijven waarvan ze werden beschuldigd ook daadwerkelijk hadden gepleegd, had hij zich beroepsmatig altijd ingespannen om ze vrij te krijgen. Of beter gezegd om een strafmaat waarmee ze konden leven voor ze uit te onderhandelen. Als strafrechtadvocaat was je zelden bezig je cliënt vrij te pleiten. Doorgaans probeerde je een aanklacht, een straf of een borgsom te verminderen. Omdat het zelden of nooit aan de orde was, kwam niemand op de gedachte dat een cliënt wel eens daadwerkelijk onschuldig zou kunnen zijn.

Dus maakte het feit dat Ro Curtlee deze Felicia Nuñez waarschijnlijk had vermoord misschien een wat minder grote indruk op Farrell. Hij had eerder met moordenaars te maken gehad. Het waren zijn cliënten geweest. Hij zou niet zover gaan ze in het algemeen te bestempelen als sympathieke figuren, maar het waren ook maar mensen met wie je soms best een persoonlijke band kon opbouwen. Vaak hadden ze naasten om wie ze veel gaven – moeders, vriendinnen, kinderen. Soms hadden ze een akelig gevoel over de reden waarom ze gedaan hadden wat ze hadden gedaan. Het waren niet allemaal onverbeterlijke slechteriken.

Zo was de tektonische plaat van Farrells aangeboren neiging en cultuur in onzachte aanraking gekomen met die van Glitsky en Jenkins. Nu hij vanochtend met ze had gesproken en oprecht had geprobeerd ze tegemoet te komen en begrip op te brengen voor hun argumenten, kon hij niet om de indruk heen dat er tussen hen een diepe kloof gaapte.

Voor Farrell was de wet een reeks van onbuigzame, onpersoonlijke en objectieve regels die de samenleving had opgesteld om geschillen te beslechten. Er was weinig ruimte voor persoonlijke interpretatie; wat je meestal deed was wat je altijd deed. Het had niet zoveel te maken met moraal. En de wet was zeker geen middel dat je kon gebruiken om sommige mensen selectief te arresteren en anderen niet, als ze precies hetzelfde hadden gedaan.

Glitsky noch Jenkins had er kennelijk moeite mee de regels creatief toe te passen als ze Ro Curtlee daarmee achter de tralies konden krijgen. Maar als je dat niet kon doen op de gebruikelijke, procedureel juiste wijze, dan was zoiets volgens Farrell domweg verkeerd. Maar toch dachten Glitsky en Jenkins dat ze niet alleen de wet, maar bovendien – en nog belangrijker – de moraal aan hun kant hadden.

En Farrell was ervan overtuigd dat dit een glijdende schaal was. Hij vond het bijzonder verontrustend.

Toen hij wakker had gelegen over de verantwoordelijkheid die hij droeg met betrekking tot de vrijlating van Ro Curtlee en de daaropvolgende moord op Felicia Nuñez, was hij ten slotte met zijn geweten in het reine gekomen omdat hij wist dat hij de wet had gerespecteerd en eerlijk had toegepast. Hij had zijn plicht gedaan in de functie waarvoor hij was aangesteld. Dit was zijn werk.

Maar wat te denken van de suggestie om een van de wettelijke middelen waarover hij beschikte – de grand jury of een voorlopige hoorzitting – te gebruiken om Ro weer achter slot en grendel te krijgen? Natuurlijk was dat de moeite waard, maar was het ook rechtvaardig? De man was al veroordeeld wegens verkrachting en moord, en het succesvolle beroep bij het Hof van Beroep voor het 9e Arrondissement ging er helemaal niet over of hij al of niet schuldig was aan het plegen van die misdrijven. Want dat was allang vastgesteld. En als hij uit een arme familie was gekomen wist Farrell dat hij die borgsom van tien miljoen dollar helemaal niet had kunnen betalen. Dan zat hij nog steeds gevangen in afwachting van zijn nieuwe proces.

Waar het op neerkwam was dat Farrell *wist* dat Glitsky geen tastbaar bewijs had dat Curtlee de moord op Nuñez had gepleegd. Hij had inderdaad een sterk motief en waarschijnlijk geen goed alibi, maar Farrell geloofde niet dat hij Ro alleen maar op basis daarvan succesvol kon vervolgen. Het deed er niet toe of ze aannemelijk konden maken of er al dan niet een redelijk vermoeden van schuld was. Jenkins had gelijk, dat criterium was in de praktijk behoorlijk rekbaar; of er nu bewijs was of niet, wat zij suggereerde zou kunnen werken. Daarmee zou Ro inderdaad weer terug zijn in de klauwen van het systeem en misschien zat hij dan zelfs tot aan zijn nieuwe proces veilig achter de tralies. Maar daarmee zou je het systeem op een cynische manier misbruiken en voor Farrell kwam vooral dáár de moraal om de hoek kijken.

Farrell wist van zichzelf dat hij geen heilige was. Hij had voldoende tekortkomingen. Daar konden zijn ex-vrouw en zijn kinderen, die al naar diverse windstreken waren uitgevlogen, van meepraten. Maar hij was géén hypocriet. Hij had gezworen de wet te handhaven naar beste eer en geweten, en dat zou hij doen, wat de gevolgen ook mochten zijn.

Hij keek nog een laatste maal naar de lege huls van wat ooit de woning van Felicia Nuñez was geweest, spande onwillekeurig zijn kaakspieren en zette de auto weer in beweging.

8

Ro Curtlee verliet Lake Street en parkeerde zijn BMW aan het eind van een korte, doodlopende straat die, net als de veel duurdere straat waar hijzelf woonde, grensde aan het Presidio. Aan beide kanten stonden identieke half vrijstaande, dicht tegen elkaar gebouwde huizen. Naast elke garagedeur die grensde aan het trottoir liep een pad naar de ingang aan de zijkant van de flat op de begane grond, en vervolgens naar een trap die naar de bovenwoning leidde.

Ro stapte uit. Hij droeg een spijkerbroek, wandellaarzen en een zware groene regenjas die hij had dichtgeknoopt vanwege het natte weer. Zijn hoofd was onbedekt.

Hij controleerde de nummers aan de voorgevels en liep vervolgens vastberaden op zijn doel af. Verderop vond hij het adres dat hij zocht. Het was de bovenwoning, dus beklom hij de twaalf treden, wachtte even bij de deur en belde toen aan.

'Ogenblikje,' klonk een vrouwenstem binnen.

Ro wachtte.

De deur ging open en hij stond tegenover een aantrekkelijke zwarte vrouw die bijna even groot was als hijzelf. 'Dag, wat kan ik voor u doen?'

Ro kon bijna niet geloven dat ze zomaar de deur opende en hem begroette. Misschien had ze door het spionnetje gekeken, maar daar had hij dan niets van gemerkt. En er was geen ketting om tenminste nog een poging te doen tot verzet als hij mocht besluiten dat hij naar binnen wilde.

Dat gaf blijk van een enorm zelfvertrouwen of het was gewoon dom, concludeerde hij.

Ze droeg een paars trainingspak en tennisschoenen. Vlak naast haar stond een meisje van een jaar of zes dat haar moeders hand vasthield en naar hem keek met een zelfverzekerde en onderzoekende blik, die ze waarschijnlijk van haar vader had afgekeken.

Ro bekeek het meisje vluchtig en glimlachte flauw, waarna hij de moeder weer aankeek. 'Ik wilde inspecteur Abe Glitsky graag even spreken,' zei hij.

'Die is nu niet thuis,' zei ze. 'Maar ik verwacht hem binnen een paar minuten.' Even dacht Ro zelfs dat ze overwoog hem uit te nodigen binnen te komen. In plaats daarvan deed ze een halve pas achteruit en plaatste haar hand op de zijkant van de deur, alsof ze voorbereidingen trof hem dicht te slaan, hoewel er niets veranderde aan haar vriendelijke en onderzoekende gelaatsuitdrukking. 'Als u over ongeveer een halfuurtje terugkomt dan is hij er waarschijnlijk wel.'

'Dat is niet nodig. Ik loop hem in de stad nog wel een keer tegen het lijf. Maar ik was toevallig in de buurt en het leek me aardig even onaangekondigd bij hem langs te gaan om te zien of hij er was, net zoals hij dat gisteravond bij mij heeft gedaan.'

'Gisteravond.'

'Zo is dat.' Hij keek haar meesmuilend aan. 'Als u hem wilt vertellen dat Ro Curtlee is langsgeweest, zou ik dat erg waarderen.'

De ogen van de vrouw vernauwden zich en haar mond viel bijna open. Instinctief deed ze een pas naar achteren en duwde haar dochter opzij. Haar hand klemde zich om de rand van de deur. 'Wat doet u hier?'

Het was precies de combinatie van angst en boosheid waarop hij had gehoopt.

'Niks. Ik wilde uw man alleen maar laten merken dat ik weet waar hij woont, snapt u. Net zoals hij dat bij mij heeft gedaan.'

Ze deed de deur halfdicht, zodat ze er achter stond. 'U kunt nu beter gaan,' zei ze. 'U hebt hier niets te zoeken.'

Hij keek haar gemaakt teleurgesteld aan en zei: 'Net nu we zo goed met elkaar leken te kunnen opschieten.' Hij wees naar het meisje. 'Een heel mooi dochtertje hebt u daar.'

Bij deze opmerking sloeg de deur voor zijn neus dicht. Achter de gesloten deur hoorde hij: 'Ik bel het alarmnummer.'

'Laat maar zitten,' zei hij tegen de dichte deur. 'Dan ben ik al lang weg.'

Hij nam de trap omlaag en liep de straat in, op weg naar zijn auto.

Glitsky zat in de rommelige kamer van Jenkins op de tweede verdieping. Hij dronk thee terwijl hij haar op de hoogte bracht van de laatste bevindingen van Becker – de positieve identificatie van Nuñez, de zolen van de Adidas-schoenen – toen Treya hem belde op zijn mobiel. Aan haar stem – de lichte trilling achter het beheerste en coherente relaas van wat er was gebeurd – hoorde hij hoe groot de angst was geweest, en hoe dichtbij het gevaar had gevoeld.

Hij stond werktuiglijk op en begon tussen het bureau en de deur te ijsberen, waarbij het litteken dat zijn lippen doorsneed prominenter naar voren kwam, als een boze, witte streep. Hij ging op de rand van het bureau van Jenkins zitten en trok met zijn vrije hand aan de huid van zijn gezicht.

'Abe?' vroeg Treya nadat hij enige tijd had gezwegen.

'Ik ben er nog. Is hij weg?'

'Ja.'

'Weet je dat zeker?'

'Ik heb hem zien wegrijden.'

'En zijn de kinderen allebei bij jou?'

'Ja. Alles is in orde. We zijn alleen een beetje geschrokken.'

Glitsky zuchtte. En hij zuchtte nóg een keer.

'Abe?'

'Ik ben er nog. Ik denk even na.'

'Kom je naar huis? Dat is misschien wel een goed idee. Rachel wil je graag gedag zeggen.'

'Voordat hij kon protesteren hoorde hij de stem van zijn dochter. 'Hallo, pap. Mam is geschrokken. Is alles goed?'

'Alles is goed. Maar die meneer die naar ons huis kwam is niet goed.'

'Dan moet je hem arresteren.'

'Dat weet ik. En ik denk dat dat ook gaat gebeuren. Gaat het nu goed met je?'

'Ik ben alleen een beetje ongerust. Over mam. Ze is echt van hem geschrokken. Kom je gauw thuis?'

'Heel gauw. Mag ik je moeder weer even?'

'Oké.'

'Trey, ik stuur een patrouillewagen langs.'

'Nee, ik denk niet dat dat nodig...'

'Daar hebben we het later wel over. Maar ondertussen stuur ik een paar agenten langs. Die kunnen dan in ieder geval een proces-verbaal opmaken. Ik kom zo snel mogelijk. Maar als ze voor de deur staan, kijk dan eerst even door het spionnetje om te zien of zij het werkelijk zijn, oké? En hou de deur tot die tijd op het nachtslot.'

'Ik had nooit gedacht dat die Ro...'

'Het geeft niet,' zei Glitsky. 'Er is niets gebeurd. Maar we weten het nu. Dus we kijken eerst door het spionnetje, afgesproken?'

'Is goed. We zien je zo.'

'Ik ben over een halfuur thuis. Hou de kinderen tot die tijd bij je.'

'Maak je geen zorgen.'

'Zal ik niet doen. Ik hou van je.'

'Ik hou ook van jou. Kom maar snel naar huis.'

'Dat doe ik.'

Terwijl hij zijn telefoon dichtklapte keek hij Jenkins aan. 'Heb je dat gehoord?'

'Is Ro bij jou thuis langsgeweest?'

'Ja.' Hij liet het gebeurde gelaten tot zich doordringen. 'Hij heeft nadrukkelijk gezegd dat Rachel een mooi meisje was.' Glitsky tuurde naar de hoeken van het plafond en keek daarna Jenkins weer aan. Hij zuchtte en schudde zijn hoofd.

'Waar denk je aan?' vroeg ze.

'Ik heb zin om hem voor zijn kop te schieten, wat anders?'

'Dat kan ik je niet kwalijk nemen, maar waarschijnlijk word je dan opgepakt en verdwijn je in de gevangenis.'

'Iemand moet hem tegenhouden.'

'Er is een betere mogelijkheid.'

'Een kogel lijkt me toch het beste.'

'Nee, beter voor jou bedoel ik. Je kunt hem arresteren.'

'Wes leek niet zo weg van dat idee.'

'Nee, maar toen hadden we nog niets waarvoor we hem konden oppakken. Nu wél.'

'Wat dan?'

'Het bedreigen van een ambtenaar in functie. Jij dus. Of ieder willekeurig lid van je gezin. Wetboek van Strafrecht artikel negenenzestig of vierhonderdtweeëntwintig. Jij mag kiezen. Het zijn allebei misdrijven.'

'Is dat zo?'

Glitsky zou ondertussen wel gewend moeten zijn aan juristen die hele strafwetsartikelen uit hun hoofd konden opdreunen, maar iedere keer dat hij daarmee werd geconfronteerd raakte hij er opnieuw van onder de indruk. Jenkins draaide zich om in haar stoel, sloot haar ogen. 'Negenenzestig: "Iedereen die een poging doet een ambtenaar in functie door middel van dreiging of geweld te weerhouden enige aan betrokken ambtenaar opgedragen taken tot uitvoering te brengen," blablabla. En dit is artikel vierhonderdtweeëntwintig: "Iedereen die bewust dreigt een misdaad te plegen die de dood of ernstig lichamelijk letsel tot gevolg heeft, met het specifieke oogmerk dat de bewuste uiting" blabla "zal worden opgevat als een bedreiging", en nu komt het mooie: "*zelfs als er geen intentie is deze dreiging daadwerkelijk ten uitvoer te brengen*, die naar zijn aard en gegeven de omstandigheden waaronder hij is geuit, dermate onmiskenbaar, onvoorwaardelijk en specifiek is dat in de beleving van de bedreigde persoon een daadwerkelijk vooruitzicht bestaat op uitvoering van deze dreiging, zodat de bedreigde persoon hierdoor geruime tijd vreest voor zijn eigen veiligheid of die van zijn naaste verwanten", et cetera.'

'Je hebt een goed geheugen,' zei Glitsky.

Jenkins haalde haar schouders op. 'Dat moet wel in dit vak. Als je geen goed geheugen hebt kun je beter geen rechten gaan studeren. Hoe dan ook, volgens mij kunnen we het beste gaan voor vierhonderdtweeëntwintig.'

'Hoe pakken we dat aan met Wes?'

'Wes zei dat hij voor een aanklacht zou zorgen zodra we iets hadden. En onze vriend heeft ons zojuist iets in handen gegeven. Ik zal getuigen dat jij op dit moment in een staat van voortdurende vrees verkeert ten aanzien van je eigen veiligheid en die van je gezin. Klopt dat ongeveer?'

'Dat kun je wel zeggen.'

'Nou dan. Een ABC'tje. En het is een misdrijf. Voldoende om hem weer achter slot en grendel te krijgen.'

Glitsky gleed van het bureau af. 'Wat doe ik hier dan nog?'

'Jij wacht hier totdat ik het met Wes heb geregeld. Hij zal wel willen dat je een arrestatiebevel gaat halen. Waarschijnlijk zal hij zelfs liever willen dat een ander dit oppakt. Hij zal vinden dat jij er te nauw bij betrokken bent. Ik zou Matt kunnen bellen. Hij en zijn collega's zouden dit varkentje maar al te graag gaan wassen. Ga je me nu niet vragen wie Matt is?'

Glitsky stond al in de deuropening. 'Dat herinner ik me wel, geloof ik, maar dit is echt een politiezaak, Amanda. Dit is een zware jongen die mijn familie heeft bedreigd. Die gaat de nor in zodra ik hem heb gevonden.'

Maar Glitsky kon niets tegen Ro beginnen zolang hij niet wist waar zijn verdachte was. En meer in het bijzonder wilde hij zeker weten dat de man niet nog in de buurt van zijn woning rondsloop. Treya had Ro kennelijk zien wegrijden, maar dat betekende niet dat hij niet opnieuw ergens in de buurt kon hebben geparkeerd. Misschien wachtte hij tot Glitsky opdook en wilde hij de inspecteur onverhoeds aanvallen.

Dus belde hij het districtsbureau beneden in het gebouw met de opdracht zo snel mogelijk een wagen naar zijn huis te sturen, waar ze bij Treya en de kinderen op zijn komst moesten wachten. Onderweg moesten ze kijken of er een paarse BMW Z4 in de buurt stond geparkeerd. Indien dat het geval was moesten ze Glitsky onmiddellijk bellen.

Glitsky gaf een andere agente de opdracht het huis van de familie Curtlee te bellen. Ze moest zich voordoen als een medewerker die informatie nodig had met betrekking tot zijn borgstelling en zeggen dat ze Ro dringend wilde spreken. Als Ro opnam met 'wat heeft dat nou verdomme weer te betekenen?' moest ze zeggen dat ze alleen maar zijn huidige adres wilde verifiëren. Zodra ze op deze wijze had vastgesteld dat Ro thuis was, moest ze ophangen.

Glitsky, die nog steeds ziedend was, verliet haar kamer daarna en eenmaal in de gang zette hij het op een rennen.

Er zijn drie manieren waarop wetshandhavers in Californië een rechtsgeldige arrestatie kunnen verrichten, en met alle drie had Glitsky ruime ervaring.

Allereerst had je de grand jury, die iemand officieel in staat van beschuldiging kon stellen. De rechtbank verstrekt dan een arrestatiebevel en een paar agenten arresteren de verdachte of overhandigen het document in de gevangenis. In het tweede geval besluiten inspecteurs van justitie dat ze genoeg hebben om te voldoen aan het criterium van een redelijk vermoeden van schuld. Ze leggen hun materiaal voor aan een rechter (meestal de dienstdoend rechter van het Hooggerechtshof), die vervolgens een arrestatiebevel tekent, waarna agenten de verdachte oppakken. De derde manier, de arrestatie zonder arrestatiebevel, is de meest voorkomende maar ook de meest betwiste wijze van arresteren, omdat er altijd een subjectief element aan kleeft – een politie-ambtenaar of een politieteam neemt zelf de beslissing dat een verdachte onmiddellijk moet worden gearresteerd. Daar kunnen diverse redenen voor zijn. De meest voorkomende is dat hij of zij op heterdaad is betrapt, maar het kan ook plaatsvinden om te voorkomen dat de verdachte een volgend misdrijf pleegt of omdat men wil voorkomen dat hij het jusrisdictiegebied ontvlucht.

Glitsky wist niet op voorhand wie deze zaterdagmiddag de dienstdoende rechter was, maar van twee andere dingen was hij zeker: als het Baretto was dan was het nog maar zeer de vraag of die een arrestatiebevel zou willen uitvaardigen, en hij moest Ro Curtlee zo snel mogelijk in de gevangenis zien te krijgen. Dat waren twee mogelijk onverenigbare scenario's en het tweede scenario was wat Glitsky betrof niet onderhandelbaar.

Dus tegen de tijd dat hij beneden in de hal uit de lift was gestapt had Abe al besloten wat hij ging doen. Vanwege de onverhulde dreiging aan het adres van zijn eigen gezin dacht hij ruim voldoende aanleiding te hebben om de man op eigen gezag te kunnen arresteren. Wes Farrell had al beloofd dat justitie hem zou steunen als hij iets tastbaars had dat Ro ten laste kon worden gelegd. Bovendien was het in het politievak – net als in tal van andere bedrijfstakken – beter achteraf om vergeving te vragen dan vooraf om toestemming.

De keuze was duidelijk en Glitsky was vastbesloten zijn plicht te doen.

Glitsky wist heel goed dat Jenkins gelijk had met haar observatie dat het lastig voor hem zou zijn de arrestatie zelf uit te voeren. Hij was er persoonlijk te veel bij betrokken. Hij wist ook dat hij zonder arrestatiebevel het huis van een verdachte niet mocht binnengaan, zelfs niet als er sprake was van een misdrijf. Maar wat hij wél kon doen was in de buurt van het huis een stel agenten laten posten die Ro Curtlee zouden oppakken zodra hij zich vertoonde.

Het kostte hem maar een paar minuten om de situatie uit te leggen en om vier agenten en een extra patrouillewagen te regelen bij het Southern Station, het districtsbureau dat was gevestigd op de begane grond van het Paleis van Justitie. Zij zouden het huis van Curtlee in de gaten houden totdat ze werden afgewisseld door rechercheurs die waren ingeroosterd voor de nachtdienst.

Nu hadden de vijf politiemannen hun wagens op enige afstand van het huis van de familie Curtlee geparkeerd. Glitsky in zijn dienstwagen en de agenten achter hem in hun zwart-witte patrouillewagens met gaas tussen de voor- en de achterbank.

Ze stapten uit en verzamelden zich bij de achterbumper van Glitsky's wagen. Door de aanhoudende motregen was het zicht deze namiddag maar een meter of vijftig. Van het weer leken de mannen zich weinig aan te trekken, alsof ze niet eens merkten dat het regende.

De conditie van deze jonge mannen beviel Glitsky – het waren stevig gebouwde knapen van onder de vijfentwintig, opgeladen en enthousiast om te mogen samenwerken met het hoofd Moordzaken. Zo te zien gingen ze alle vier regelmatig naar de sportschool. De grootste blanke agent – volgens zijn naamplaatje heette hij Daly – stond met zijn armen over elkaar te luisteren. Zijn maat Monroe, een gespierde zwarte jongen, verplaatste zijn gewicht losjes en ontspannen van de ene naar de andere voet. De andere twee hadden neefjes van ze kunnen zijn. Alle vier droegen ze hun volledige uitrusting: pistool, wapenstok en handboeien. Glitsky was in burgerkleding en droeg alleen zijn dienstwapen in een schouderholster onder zijn goretex jack.

'En als hij niet naar buiten komt?' vroeg Daly.

Glitsky's mondhoeken gingen een fractie omhoog, maar er volgde geen glimlach. 'We wachten net zolang totdat hij zich vertoont. Die gast gaat de bak in.'

De agenten wisselden opgewonden blikken uit bij de gedachte aan wat stevige actie.

'Trouwens,' voegde Glitsky eraan toe, 'er is misschien ook nog een butler. Een grote kerel met een wapenvergunning, die moeilijk kan gaan doen. Als hij op wat voor manier dan ook tussenbeide komt rekenen we hem ook in. Duidelijk? We nemen geen enkel risico met deze gasten.'

'Ja, inspecteur,' zeiden de vier mannen in koor.

'Goed dan. We gaan.'

Glitsky stuurde een van de patrouillewagens vooruit naar de andere kant van de straat, zodat Ro straks hoe dan ook in de val liep, of hij nu linksaf of rechtsaf zou slaan. In hun enthousiasme deden de agenten in deze wagen hun zwaailichten aan terwijl ze de vijftig meter naar het einde van de straat aflegden. Glitsky trok zijn wenkbrauwen op. In ieder geval hebben ze hun sirene niet aangezet, dacht hij.

Maar de rode zwaailampen bleken al voldoende te zijn.

Glitsky had zich nog maar net omgedraaid en twee stappen gezet in de richting van het portier van zijn auto, toen Ro Curtlee al het huis uit kwam. Met een drankje in zijn hand liep hij geagiteerd de oprit af, kijkend naar de patrouillewagen met de zwaailichten die in het duister kwam aanrijden. Dit keer droeg hij een grijs sweatshirt met de capuchon omlaag, een nieuwe spijkerbroek en nieuwe tennisschoenen. '*Deze kutzooi geloof ik gewoon niet,*' schreeuwde hij. Doordat hij zijn aandacht richtte op de patrouillewagen met de zwaailichten zag hij Glitsky pas toen de twee andere agenten hem al bijna hadden bereikt.

'Je kunt het maar beter gewoon geloven,' zei Glitsky. 'Ro Curtlee, ik arresteer je wegens het bedreigen van de familie van een politieman. Je hebt het recht om te...'

Ogenschijnlijk geamuseerd schudde Ro zijn hoofd, stak zijn middelvinger op naar Glitsky en draaide zich om teneinde terug te lopen naar de voordeur.

Daly, die Glitsky links was gepasseerd, blokkeerde hem de weg, zodat Ro was omsingeld door politiemensen. Maar Ro had niet voor niets acht jaar in de gevangenis doorgebracht. Hij produceerde een glimlach en zei: 'Ja, rustig maar.'

Hij stak zijn handen omhoog om aan te geven dat hij zich niet wilde verzetten. Toen deed hij plotseling een stap naar voren en deelde met zijn rechterhand een vervaarlijke karateslag uit die Daly maar gedeeltelijk kon blokkeren voordat hij op de keel werd geraakt. Daly wankelde achteruit en was voldoende uit zijn evenwicht gebracht om Ro de gelegenheid te geven hem tegen een boom langs de oprit te werken. In dezelfde beweging deed Ro een greep naar Daly's riem en gaf hem tegelijkertijd een knietje. Toen de agent ineenkromp wist Ro Daly's dienstpistool te pakken te krijgen. Hij slaagde erin het wapen uit de holster te trekken terwijl hij Daly van zich af duwde en hem zo hard trapte dat hij terugwankelde en tegen Glitsky aan botste.

Ro richtte het pistool, maar Monroe was er klaar voor, haalde uit met zijn wapenstok en deelde Ro een rake klap uit tegen zijn elleboog. Verbazingwekkend genoeg had deze klap geen merkbaar effect. Ro haalde met Daly's pistool uit naar Monroes gezicht, een klap die Monroe blokkeerde met zijn eigen wapenstok. Monroe deelde vervolgens zelf een klap uit tegen Ro's arm en daarna raakte hij Ro nog eens vol op het lichaam.

Ro richtte het pistool in het wilde weg op Monroe en haalde de trekker over, maar Daly had het wapen niet doorgeladen en er klonk alleen een klik.

Dit gaf Monroe voldoende tijd om Ro in de maagstreek te raken en uit te halen naar de hand met het pistool, dat vervolgens op de tuintegels kletterde. Monroe nam voldoende afstand om opnieuw te kunnen slaan.

Maar Glitsky kwam nu naar voren. Hij hield Monroe tegen, greep zijn verdachte bij diens sweatshirt en smeet hem op de grond. Ro viel languit met zijn gezicht op de natte tegels, maakte gebruik van het momentum door zich om te rollen en overeind te komen, waarna hij met een dierlijke kreet tegen Monroes benen trapte. De tweede agent schreeuwde van pijn en ging neer.

Maar nu had Glitsky Daly's wapenstok te pakken en hij haalde uit voor een slag die Ro met zijn onderarm probeerde te blokkeren. Het klonk alsof een blok hardhout in aanraking kwam met menselijk bot. Ro schreeuwde van de pijn. Vrijwel tegelijkertijd vloerde Daly hem met een perfecte rugbytackle. Hij probeerde Ro, die wild van zich af bleef schoppen, in bedwang te houden. Monroe herstelde zich, hief zijn wapenstok en raakte Ro tegen het hoofd, vervolgens tegen de schouders en daarna opnieuw tegen het hoofd.

Daly schreeuwde: 'Ik heb hem, ik heb hem!' terwijl hij uit alle macht probeerde Ro's armen op diens rug te krijgen en tegelijkertijd zijn handboeien te pakken. De verdachte bleef tegenstribbelen, maar nu hield Monroe zijn bovenlichaam tegen de grond terwijl Glitsky zijn voeten greep en vasthield.

Na een paar seconden was het voorbij.

De twee agenten trokken Ro overeind. Hij bloedde uit zijn schedel en mond en uitte verwensingen aan het adres van Glitsky, die inmiddels zijn pistool had getrokken. 'Je hebt mijn arm gebroken, vuile klootzak! Je hebt verdomme mijn arm gebroken!'

'En je neus ook,' zei Daly, terwijl hij hem vol in het gezicht sloeg.

'Ik sleep jullie voor de rechter,' schreeuwde Ro. 'Ik zorg dat jullie de zak krijgen.'

'Lul maar raak, jij,' zei Monroe, terwijl hij Ro omdraaide. Daly had zijn andere arm vast en samen trokken ze hem de straat op, terwijl Ro niet ophield met vloeken en tieren.

Glitsky wierp nog een laatste blik op de geopende voordeur van het huis, hapte naar adem en liep toen achter zijn twee half hinkende agenten en zijn arrestant aan. Het had zich allemaal in minder dan een minuut afgespeeld. Met hulp van de andere twee agenten duwden ze Ro achter in de patrouillewagen, waarna ze het portier achter hem dichtsloegen.

9

Tegen halfnegen 's avonds was de motregen veranderd in een gestage, koude bui. Wes Farrell was dat jaar niet de enige recent benoemde functionaris in San Francisco. De vorige burgemeester Kathy West, die twee termijnen had volgemaakt, was vertrokken en lid geworden van het State Assembly in Sacramento, wat sommigen beschouwden als een hogere trede op de carrièreladder. Degene die haar als burgemeester was opgevolgd was Leland M. Crawford, een tweeënveertig jaar oude voormalige openbaar verdediger. Deze ambtswisselingen waren samengegaan met een wijziging in de top van het politieapparaat – één dag voordat Farrell en Crawford waren beëdigd was hoofdcommissaris Frank Batista afgetreden. Zijn plaats was ingenomen door Vi Lapeer, een achtenveertig jaar oude Afro-Amerikaanse vrouw die plaatsvervangend commissaris van Philadelphia was geweest en was aangesteld na een nationale zoektocht, waarbij tal van veteranen binnen het eigen korps waren gepasseerd.

Nadat hij zijn telefoontje van de Curtlees had gekregen, nog voordat Ro was aangekomen in het San Francisco General Hospital – waar ze hem voor zijn verwondingen hadden behandeld en waar hij momenteel onder bewaking was opgenomen – had burgemeester Crawford een spoedvergadering belegd in zijn imposant gemeubileerde kantoor in het stadhuis. Voor het eerst had Crawford nu de gelegenheid zich te manifesteren als een capabel en doortastend leider. Hij was ongeveer een meter negentig lang en zijn dikke, zwarte haar werd grijs bij de slapen. Zonder de vooruitstekende tanden die zichtbaar werden als hij glimlachte en zijn door acne geteisterde gelaatshuid was hij waarschijnlijk knap geweest. In tegenstelling tot Farrell gebruikte Crawford zijn reusachtige antieke bureau doorgaans om afstand te scheppen tussen hem en zijn bezoekers, maar kennelijk was dat deze avond niet zijn bedoeling. In plaats daarvan was hij in hemdsmouwen op de rand van zijn bureau gaan zitten zodat hij tegenover de halve cirkel bezoekers zat – van links naar rechts: Farrell, Lapeer, Glitsky en Amanda Jenkins – die plaats hadden genomen op klapstoelen.

Crawford was bepaald niet iemand die het bij voorbaat voor de politie opnam. Een van de weinige dingen die hij met Farrell gemeen had was dat hij zijn hele leven beroepsmatig de verdediging had gevoerd in strafzaken. Hij was er vast van overtuigd dat de politie van nature de neiging had de grenzen van de wet op te zoeken, zo niet te overtreden. Nu werd hij, terwijl hij nog maar een paar weken in functie was, geconfronteerd met een fraai voorbeeld van onwettig politieoptreden en het zag ernaar uit dat dit hém zou worden aangerekend, in ieder geval door een substantieel deel van het electoraat.

Omdat hij niet van plan was dit zomaar te laten gebeuren had hij deze vergadering belegd. 'Dus u wilt zeggen, inspecteur,' zei hij tegen Glitsky, 'dat u dit weer precies op dezelfde manier zou aanpakken, zelfs met de kennis van nu?'

'Zonder meer,' zei Glitsky. 'De man heeft mijn gezin bedreigd. Als het morgen weer gebeurde zou ik het opnieuw doen.'

'U zou het morgen opnieuw doen?' reageerde Crawford opgewonden. 'Zelfs zonder arrestatiebevel? Nadat het u was afgeraden door de officier van justitie? En zonder mij ervan in kennis te stellen? Bent u helemaal krankzinnig of alleen maar volledig van god los?'

'Sorry, burgemeester,' kwam Vi Lapeer tussenbeide, 'maar als Ro Curtlee niet dronken naar buiten was gekomen en die politiemensen had aangevallen dan was dit allemaal niet gebeurd. Het enige wat de inspecteur probeerde te doen was op de gebruikelijke manier een bedreiging te neutraliseren.'

'Dat zie ik toch anders.' Crawford had zich goed voorbereid en praatte op afgemeten toon. 'Wat ik van de familie Curtlee heb begrepen is dat Ro helemaal niet de bedoeling had iemand te bedreigen tijdens zijn bezoek aan het huis van inspecteur Glitsky.'

Jenkins lachte schamper. 'Ja, dat zal wel.'

Crawford keek haar strak aan. 'Inderdaad, mevrouw Jenkins. Misschien weet u dat niet, maar inspecteur Glitsky heeft de avond tevoren Ro zelf thuis bezocht, kennelijk alleen maar om hem lastig te vallen. En Ro wilde de inspecteur gewoon laten merken hoe zoiets voelt.'

Lapeer ging onrustig verzitten. Zelfs als ze de mening toegedaan was geweest dat haar inspecteur niet correct had gehandeld dan had ze zich gedwongen gevoeld hem te steunen, in ieder geval totdat ze hem onder vier ogen kon spreken. Maar het feit dat ze het eens was met zijn handelwijze klonk door in de felheid waarmee ze sprak. 'Met alle respect, inspecteur Glitsky heeft hem gisteravond bezocht om te vragen waar hij was toen een getuige in een van zijn moordzaken van kant werd gemaakt. Dat was een officiële politieaangelegenheid.'

Crawford schudde zijn hoofd. 'Dat zien de Curtlees heel anders. De inspecteur heeft het gesprek niet opgenomen en hij heeft nauwelijks specifieke vragen gesteld. En we hebben zojuist van Glitsky zélf kunnen horen dat die jongen bij hem thuis geen openlijke bedreiging heeft geuit, in ieder geval niet met zoveel woorden.'

Glitsky, die bang was dat hij zou ontploffen van woede als hij zelf antwoordde, keek naar links. Jenkins vatte de hint en nam het woord. 'Als een veroordeelde moordenaar de privéwoning van een politieambtenaar bezoekt en daar commentaar geeft op zijn kinderen, dan is dat de facto een openlijke bedreiging. Wat had hij anders moeten doen?'

'Dat is een goede vraag, mevrouw Jenkins. En ik heb een goed antwoord. Ik had hem een stapje terug laten doen en de kwestie laten afhandelen door iemand die er objectiever tegenover stond. Op zijn minst had hij zijn superieuren moeten inlichten en een arrestatiebevel moeten aanvragen. Hij had gewoon de regels moeten naleven!'

'Dus hij had de regels moeten naleven, ook al was zijn gezin dan misschien dood geweest?' vroeg Jenkins. 'Was dat misschien beter geweest?'

'Dat is melodramatische flauwekul.' Crawford ontblootte zijn vooruitstekende tanden. 'En eerlijk gezegd irriteert het me nogal dat we het hier hebben over deze zogenaamde bedreiging, terwijl ik toch de indruk heb – en vergis je niet, die indruk zullen de meeste mensen in deze stad morgen hebben – dat dit alleen maar bedoeld is als afleiding van waar het hier écht om gaat, mevrouw Jenkins.' Crawford stak zijn wijsvinger naar haar uit. 'En dat geldt ook voor u, inspecteur.' Nu richtte hij zijn wijsvinger op Glitsky. 'Waar het hier écht om gaat is dat jullie het niet konden hebben dat de rechtbank Ro na de herziening van zijn zaak in hoger beroep op borgtocht heeft vrijgelaten in afwachting van zijn nieuwe proces.'

Jenkins richtte haar kin op. 'Met alle respect, meneer de burgemeester, dat is volstrekt niet waar.'

Crawford stond op van de rand van zijn bureau. 'Dat is wel degelijk het geval, mevrouw Jenkins. Naar mijn mening is hier sprake van een klassiek staaltje politioneel en justitieel machtsmisbruik. Het is een schending van de burgerrechten van de eerste orde, en zoiets accepteer ik niet in mijn stad. Hebben jullie enig idee voor welk bedrag aan schadevergoeding de familie Curtlee ons voor de rechter gaat slepen? Nou?'

'Dat doet er niet toe,' zei Jenkins. 'Hoe hoog het ook is, ze krijgen het toch niet.'

'Wilt u daar uw baan onder verwedden, mevrouw Jenkins? Want dat is hier aan de orde. Dat is de positie waar ik dankzij u in terecht ben gekomen. Nu zal ik de gok moeten wagen dat we ons succesvol kunnen verweren tegen een schadeclaim van honderd miljoen dollar. Hebben jullie enig idee hoeveel geld dat is?'

Na een moment van stilte voelde Glitsky zich weer in staat iets te zeggen. 'De man is veroordeeld voor moord. Hij heeft mijn gezin bedreigd. Hij hoort thuis in de gevangenis.'

'Nou, u heeft in ieder geval bereikt dat hij daar weer zit, inspecteur. Tegen de expliciete wens van de rechtbank in. En hoe lang denkt u eigenlijk dat u hem daar zult kunnen houden?' Plotseling richtte de burgemeester zijn blik op Farrell. 'Wes, het verbaast me dat jij je tot nu toe zo op de vlakte hebt gehouden. Ben jij werkelijk van plan hier een zaak van te maken?'

Farrell, die zijn regenjas nog aanhad en die zijn eigen redenen had om pisnijdig te zijn, zat achterovergeleund met zijn armen en voeten over elkaar. Na een korte aarzeling antwoordde hij: 'Ik zie het bezoek van Ro aan het huis van Abe als een bedreiging. Ik denk dat de rechtbank daar ook zo over zal denken als hij maandag wordt voorgeleid. Abe heeft gedaan wat hij moest doen. Als Ro geen Curtlee was...'

Crawford slaagde er niet meer in zijn zelfbeheersing te bewaren. 'Maar hij ís een Curtlee, verdomme! Daar gaat het nou juist om. Snappen jullie dat dan niet?' Hij keek naar de onverzoenlijke gezichten in de halve cirkel tegenover hem en richtte zijn blik ten slotte op zijn nieuwe hoofdcommissaris van politie. 'Op zijn minst verwacht ik dat u inspecteur Glitsky ontheft van het onderzoek naar de moord op die mevrouw Nuñez. Het is duidelijk dat hij niet objectief staat tegenover Ro Curtlee.'

Lapeer ademde kort in en weer uit. Ze realiseerde zich dat ze wel eens de kortst zittende hoofdcommissaris in de geschiedenis van San Francisco kon worden, maar ze had geen andere keus. 'De inspecteur is hoofd van de afdeling Moordzaken. Ik respecteer de keuzes die hij maakt bij de toewijzing van zaken aan zijn personeel, hemzelf inbegrepen.'

Crawford, die zich in het nauw gebracht voelde, wendde zich nu opnieuw tot Farrell. 'En als Ro maandag wordt vrijgelaten? Wat dan?'

'Dan heeft de rechter gesproken,' zei Farrell.

'En zijn verwondingen? Die van Ro, bedoel ik?' vroeg Crawford.

Glitsky had het antwoord hierop klaar. 'Hij heeft zich verzet tegen zijn arrestatie,' zei hij. 'En niet zo'n beetje ook. Hij heeft twee van onze mensen verwond. Daar klagen we hem óók voor aan.'

'Nou,' zei Crawford. 'Dat is dan mooi.'

Farrell, Glitsky en Jenkins waren alle drie met hun eigen auto naar de vergadering gekomen en ze hadden geparkeerd in de ondergrondse garage aan de overkant van het stadhuis. Nadat de vergadering was afgelopen en ze de schrobbering van de burgemeester hadden geïncasseerd, staken ze rennend de straat over en spoedden zich naar de lift, huiverend als natte honden en met nog maar één gedachte: zo snel mogelijk de auto in en naar huis.

Glitsky, die als eerste bij de lift was aangekomen, maakte aanstalten op het knopje te drukken.

Maar Farrell, die hem had ingehaald, stak zijn hand uit en hield hem tegen. 'Een ogenblikje, Abe. Ik wil jou en Amanda nog even spreken.'

'Het is een beetje laat en ik heb het koud, Wes,' zei Jenkins. Zoals altijd droeg ze een kort rokje. Ze stopte haar handen onder haar oksels. 'Moet dat nú?'

'Ja, verdomme,' antwoordde Farrell, directer dan ze van hem gewend waren. 'Dat moet nú!' Hij stelde zich strijdbaar tegenover het tweetal op. 'Nu ik jullie hier allebei tegenover me heb wil ik jullie wel zeggen dat ik weinig bewondering heb voor de wijze waarop jullie me daar voor het blok hebben gezet.'

Glitsky en Jenkins keken elkaar aan.

'O. Dus jullie hebben geen idee waar ik het over heb? Kom nou toch. We hebben hier vanochtend nog over gesproken. Ik neem aan dat jullie je dat nog herinneren.'

Glitsky reageerde als eerste. 'Maar dat was voordat Ro bij mij thuis...'

'Ja, ja, natuurlijk. Dat bezoek aan jouw huis. Maar weet je wat ik nou niet begrijp, Abe? Zelfs als het een daadwerkelijke bedreiging aan het adres van jouw gezin was, waar ik nog niet helemaal van overtuigd ben...'

'Dat was het zéker,' zei Jenkins.

'Misschien. Maar waarom was dat bezoek nou zo'n dreiging? Als hij iets had willen doen, waarom deed hij dat dan niet toen hij ter plaatse was? Treya doet de deur open, pats. Niemand weet dat hij het is geweest. Hij slaat toe en smeert 'm weer. Maar dat doet hij niet. Waarom niet? Kan iemand me daar antwoord op geven?' In zijn opwinding maakte Farrell in de beperkte ruimte een halve draai, waarna hij zich weer omdraaide om zijn betoog te vervolgen. 'En als er wél een dreiging was, nou, waarom heb je dan geen arrestatiebevel gehaald? Vertel het aan de rechter; maak het officieel. Ik wil wedden dat je er nog wel een had kunnen vinden, zelfs op zaterdag. Maar in plaats daarvan ga je erop af met een stel beginners om die kerel eens goed mores te leren. En dat was precies wat je wilde doen, Abe. Uit persoonlijke motieven.'

'Dat is niet...'

'Hou me nu maar niet voor de gek, daarvoor kennen we elkaar veel te goed. En ondertussen geef je die vervloekte familie Curtlee ruimschoots argumenten in handen de beschuldiging te uiten dat jij dat vervelende zoontje van ze lastigvalt. Vat ik het zo een beetje goed samen of niet?'

'Hij heeft...' begon Glitsky.

Maar Farrell kapte hem opnieuw af. '*Dus het interesseert me geen bal wat die Ro doet!* Waarom snap je zoiets nou niet? De burgemeester had daarbinnen volkomen gelijk, toen hij zei hoe dit straks door de media wordt gebracht, en heus niet alleen door de *Courier*. Ik geef je op een briefje dat je er ook in de *Chron* behoorlijk van langs zult krijgen.'

'Zeg, Wes, kom nou,' zei Jenkins. 'Het gaat er toch niet om wat de kranten erover schrijven?'

'Klopt, het gaat er niet om wat de kranten schrijven, maar laat ik jullie zeggen waar het wél om gaat. Het gaat erom dat jullie me in een positie brengen waarin ik iets moet afdekken wat jullie hebben gedaan, terwijl we juist iets heel anders hadden afgesproken.'

'Wacht even, Wes.' Glitsky kwam eindelijk een beetje op stoom. 'Als ik iets tegen hem had – hoe gering ook – dan kon ik hem arresteren en zou je me steunen. Dat heb je gezegd.'

'En dat heb ik daarboven in het bijzijn van de burgemeester zojuist ook gedaan, zoals je misschien hebt gemerkt.' Farrell stak een vinger omhoog. 'Maar er is iets dat ik absoluut niet begrijp, Abe, en waar ik echt ontzettend van baal.' Farrell klonk nu werkelijk woedend. 'Waarom moest je die Ro zo nodig gaan arresteren zonder dat eerst even met mij te komen bespreken? Was dat misschien omdat je zelf ook wel wist dat er onvoldoende redenen voor waren? Je dacht dat ik nee zou zeggen. En zal ik je eens wat vertellen? Dat had ik misschien ook wel gedaan.'

'En waarom?'

'Omdat het gewoon niet voldoende was, gezien alle politieke gevolgen en al die andere flauwekul die we nu de komende maanden of ik weet niet hoe lang te verduren zullen krijgen. En dat wist je best! Dat wist je verdomme, en je dacht gewoon: laat Wes maar de kolere krijgen. Dat is wat er is gebeurd en jullie hebben het allebei voor me verzwegen, dus hoorde ik het verdomme pas voor het eerst toen Cliff Curtlee me belde – jazeker, die belde mij nog voordat hij Leland belde, en hij eiste je ontslag, Abe, wat dacht je daarvan? – en toen moest ik jullie goddomme nog gaan verdedigen, terwijl ik juist vind dat jullie het volledig verkeerd hebben aangepakt, en daar ben ik hartstikke pisnijdig over.'

Farrell draaide nu driehonderdzestig graden in het rond en begon toen aan de laatste ronde. 'Dus voor alle duidelijkheid: ik voel me overvallen en verraden door jullie en ik heb geen idee wat er maandag gaat gebeuren. Ik weet alleen maar dat we flink in de problemen zitten als de rechtbank Ro vrijlaat. En als ze besluiten dat hij in de gevangenis moet blijven, dan zitten we er nét zo diep in. Ik heb het hoe dan ook voor elkaar dat Leland Crawford de pik op me heeft en daar wil ik jullie allebei hartelijk voor bedanken. Dat is een aardig resultaat voor één dag werk.'

Nu hij stoom had afgeblazen, maakte Farrell in een soort vertraagde beweging aanstalten op het knopje van de lift te drukken, maar halverwege leek hij zich te bedenken. 'Nee, verdomme. Ik loop wel naar mijn auto.' Hij draaide zich om en opende de deur naar het trappenhuis.

Om kwart voor elf 's avonds duwde Glitsky de deur van zijn huis open. Hij had Treya voor het laatst gebeld vanuit het ziekenhuis, meteen nadat het stadhuis hem had gebeld met de mededeling dat hij onmiddellijk en liefst nog eerder bij de burgemeester werd verwacht, wat hij verder ook voor belangrijks te doen had. Toen dacht hij dat hij waarschijnlijk binnen ongeveer een uur thuis zou zijn, wat hij Treya dus ook had verteld. Maar daarna was Farrell ontploft in de hal bij de lift en vervolgens had hij nog een halfuur nagepraat met Amanda Jenkins. En inmiddels was dat ene uur dus uitgelopen op drie uur.

Het was donker in huis.

Hij had bijna vier blokken gelopen vanaf de dichtstbijzijnde parkeerplaats die hij had kunnen vinden. Nu, terwijl hij de deur achter zich dichtdeed, trok hij zijn kletsnatte jas uit en hing hem op aan de haak aan de muur. Hij bleef even staan, luisterde naar de regen en liep toen naar de voorkant van het huis, waar hij door de houten lamellen voor het erkerraam uitkeek op het huizenblok. Het gladde wegdek weerspiegelde het licht van de straatlantaarns.

'Waar kijk je naar?'

Hij schrok op van de stem van zijn vrouw. Hij had gedacht dat ze al sliep, maar daar zat ze, op de bank in de woonkamer.

'Niks. Naar de regen,' antwoordde hij. Hij bleef bij het raam staan. Toen schoot hem plotseling iets te binnen. 'Waar zijn de mannen die hier een oogje in het zeil hielden?'

'Ik heb ze weggestuurd nadat je me had verteld dat je Ro had gearresteerd.'

'Ze hadden opdracht om hier te blijven.'

'Ik heb gezegd dat ze weg konden gaan. Om precies te zijn, ik heb ze opgedragen om weg te gaan.'

Glitsky zuchtte.

'Was je telefoon soms kapot?' vroeg ze.

Hij keek haar aan. 'Ga je het me moeilijk maken, lieverd?'

'Ik wil alleen maar zeggen...'

'Ik weet het. Ik snap wat je bedoelt. Maar laat maar zitten, alsjeblieft. Het spijt me. Als ik eraan had gedacht had ik gebeld. Maar er was geen gelegenheid voor.'

Ze tikte naast zich op de bank. 'Kom eens hier zitten.'

Hij liep naar de bank en ging zitten, met een uitdrukking alsof zijn hele lichaam pijn deed.

'Heb je al gegeten?' vroeg ze.

'Nee. Maar blijf maar zitten.' Hij pakte haar hand vast. 'Gaat het wel?'

'We maken het allemaal goed. Maar het was wel griezelig.'

'Hij zit nu in de gevangenis.'

'Ik weet het.'

'De familie Curtlee wil mijn ontslag. De burgemeester ook, geloof ik.'

'Nou, die heeft nog veel te leren.'

'En dan is er nog jouw baas.'

Zonder haar aan te kijken voelde hij dat ze verstijfde. 'Wes? Wat is er met hem?'

'Hij zou Ro nog niet hebben gearresteerd. Hij dacht niet dat het een echte bedreiging was.'

'Hij was er toch niet bij?'

'Nee, dat weet ik. Maar hij vindt dat ik hem eerst had moeten bellen, voordat ik Ro ging oppakken. En misschien had ik dat ook moeten doen. Hoe dan ook, het lijkt erop dat ik hem in een lastig parket heb gebracht.'

'Arme Wes.'

'Hij zit er echt mee. Hij is erg boos.'

'Omdat je Ro hebt gearresteerd? Het was een echte bedreiging, Abe. Daar was geen twijfel over mogelijk. Zoiets verzin ik toch niet zomaar?'

'Dat denkt ook niemand.'

'Behalve Wes misschien.'

'Nee, hij geloofde alleen niet... Hij vindt dat ik het via hem had moeten spelen, of via de rechter. En waarschijnlijk had ik dat ook moeten doen. Ik had beter iemand anders opdracht kunnen geven de arrestatie te verrichten.'

'Ik dacht dat je hele team al overbelast was.'

'Dat is ook zo. Maar toch...'

'Zo verlies je altijd.'

'Nee, dat is niet waar. Je wint er best wel een paar.' Hij kneep in haar hand. 'Ik wil alleen niet dat dit jouw relatie met Wes nadelig beïnvloedt.'

'Dat gebeurt heus niet.'

'Hij was behoorlijk van streek. Zo heb ik hem nog nooit gezien.'

'Dat komt door het werk,' zei ze. 'Hij is net begonnen en hij wil het niet verpesten.'

'Sterker nog,' zei Glitsky, 'hij wil niet dat anderen het voor hem verpesten. En misschien is dat wel precies wat ik heb gedaan.'

'Je hebt toch alleen maar gedaan wat je als je plicht zag?'

'Ja.'

'Het was toch niet illegaal of verkeerd?'

'Nee. Het was legaal en rechtvaardig.'

'Nou, wat is dan het probleem? Hoe zou dat jou dan kunnen schaden?'

'Ik heb geen idee.' Glitsky schudde zijn hoofd. 'En ik weet niet zeker of ik daar wel over wil nadenken.'

10

Toen Michael Durbin de volgende maandag door de stad reed, had hij visioenen. Hij wist niet precies waarom, maar sinds hij had gehoord dat Ro Curtlee weer was losgelaten op de samenleving, beeldde Durbin zich elke keer als hij in de auto stapte en wegreed de rit in die Tony Soprano aan het begin van elke aflevering van *The Sopranos* maakt, compleet met het nummer dat ze dan speelden, over de noodzaak om aan een pistool te komen. Je moest gewoon een pistool hebben.

Het was vreemd, vond hij, maar het voelde alsof het écht zo was, alsof hij werkelijk die rit maakte door New Jersey, met een sigaar in zijn mond, terwijl hij door de zijramen en de voorruit de buurten van San Francisco aan zich voorbij zag trekken, vanaf de parkeergarage in Union Street, via Pacific Heights (waar de familie Curtlee woonde), over de heuvel naar het semigetto van de Western Addition en via Geary Street naar de Avenues. Het visioen werd nog sterker als hij de laatste bocht voor zijn huis nam. Dan voelde hij hoe hij zich het air van de maffiabaas aanmat, de vastberaden gelaatsuitdrukking waarmee hij het portier opende en uitstapte, alsof hij op het punt stond iemand zwaar letsel toe te brengen.

En zodra hij tijdens het rijden werd overmand door die vreemde sensatie, kreeg hij allerlei fantasieën. De eerste, en aanvankelijk ook de sterkste, was uiteraard het doden van Ro Curtlee. Natuurlijk kon hij daadwerkelijk een pistool gaan kopen. Hij had er thuis nooit een gehad, maar daar kon hij binnen een paar dagen verandering in brengen. En ergens in de garage moest nog een geweer liggen. Met zijn nieuwe pistool of zijn geweer kon hij dan na het vallen van de duisternis naar de Curtlees rijden, wachten tot Ro zich buiten vertoonde en hem vervolgens voor zijn raap schieten.

Zou iemand erachter komen dat hij het had gedaan? Een fatsoenlijke, blanke middenstander zonder strafblad? Hij zou niet weten hoe. Hij kon het gewoon doen en een eind maken aan al zijn zorgen.

Maar de fantasie beperkte zich niet tot Ro Curtlee. Nadat hij die in gedachten had uitgeschakeld, maakten zijn hersens maar al te vaak een vreemde draai en kwam Janice plotseling in beeld. Hij vond dit verontrustend, niet alleen omdat hij, als hij niet aan het dagdromen was en diep in zijn eigen domme hart keek, hartstochtelijk van zijn vrouw hield, maar ook omdat ze zijn steun en toeverlaat was geweest in de moeilijke jaren na het proces tegen Ro. Zij had het gezin bij elkaar gehouden, het leeuwendeel van het inkomen verdiend en hem met raad en daad geholpen de overgang te maken van een veelbelovende jonge portretschilder die met tijdelijke baantjes moest zien rond te komen naar een gearriveerde en geslaagde kleine middenstander. Ze was goedbeschouwd zijn gids geweest die hem door het drijfzand van de angsten en onzekerheden van zijn onvolwassen en egocentrische kunstenaarsschap de weg had gewezen naar de terra firma van het ordentelijke kostwinnerschap. Ze had hem geleerd te leven als een volwassene die zijn verantwoordelijkheden nam.

Maar een deel van hem was haar daarom nogal plotseling gaan haten.

Hij begreep niet waarom juist Ro's vrijlating had geleid tot deze negatieve gevoelens, maar daar was het allemaal mee begonnen. Michael had zichzelf altijd voorgehouden – succesvol, tot nu toe – dat alle ellende die hem was overkomen als gevolg van zijn toenmalige opstelling tegenover de andere juryleden de moeite waard was geweest, omdat ze daarmee het kwaad dat Ro Curtlee heette uit de samenleving hadden verwijderd. Nu zag hij zijn idealistische rechtschapenheid van destijds als een leeg gebaar dat op de lange termijn niets goeds had opgeleverd.

Waarom had hij zijn kunstenaarsschap opgegeven? En waarom was dat de schuld van Janice of waarom had zij daarop aangestuurd? Er was natuurlijk wel een reden.

Zelfs destijds had Janice met haar praktijk genoeg kunnen verdienen om hen beiden te onderhouden. Als ze tenminste fulltime was gaan werken. Maar wat zij wilde, en wat ze samen hadden besloten, was dat ze hun kinderen niet naar de crèche zouden sturen; ze zouden de kinderen samen opvoeden.

Daarom was het verlies van Michaels bijbaantjes als gevolg van de bemoeienis van de Curtlees financieel zo hard aangekomen. Maar op de keper beschouwd hadden ze het kunnen redden. Dat was altijd een onuitgesproken conflict in hun relatie geweest. Michael had door kunnen gaan met schilderen, met zijn kunst. Hij had af en toe een portretopdracht kunnen aannemen, kunnen exposeren in de galeries, zijn werk gaandeweg kunnen ontwikkelen. Inmiddels – hij was er zeker van dat hij goed genoeg was – zou dat zijn vruchten wel hebben afgeworpen. Misschien was hij niet rijk en beroemd geworden, maar in ieder geval zou hij naam hebben gemaakt en een reputatie hebben opgebouwd. En hij zou zijn passie hebben gevolgd; hebben gedaan waarvoor hij in de wieg was gelegd.

Maar Janet had – op een subtiele wijze, maar subtiel zijn was haar vak – geen kans onbenut gelaten hem ervan te overtuigen dat hij op zijn minst een symbolische bijdrage moest leveren aan het gezinsinkomen. Het maakte niet uit, als hij zich maar een goede echtgenoot betoonde die bijdroeg naar vermogen. Dus had hij gedurende een jaar of zes, tijdens de beste jaren van zijn leven, gewerkt als parttime verhuizer, huisschilder, barkeeper, hovenier en klusjesman. Zijn passie – de schilderkunst – had hij moeten laten varen, totdat het niet eens meer een hobby was.

En Janice, zijn levensgezel, had hem bijgestaan tijdens deze overgang; ze had hem langzaam losgeweekt van zijn toewijding aan de schilderkunst totdat het uiteindelijk zelfs zijn eigen idee leek haar vader te laten investeren in zijn UPS-franchise. En omdat Michael intelligent en ijverig was en beschikte over een goed organisatievermogen had hij er een florerend bedrijf van weten te maken. En Janice hield van hem omdat hij was veranderd in de man die ze van hem had willen maken – plichtsgetrouw, hardwerkend en volwassen.

En eerlijk gezegd was dat misschien ook wel voldoende geweest, dacht Michael. Misschien kon hij het haar blijven vergeven, in het besef dat dit de keuze was die hem was voorgelegd en die hij uiteindelijk had gemaakt, de keuze voor de vrouw van wie hij hield en het gezin dat zij wilde, in plaats van zichzelf te blijven zien als een creatieve geest, een kunstenaar en, in haar optiek – impliciet, nooit hardop uitgesproken – een soort loser.

Misschien had het de moeite waard kunnen zijn dat hij zijn kunst en zijn ware persoonlijkheid had opgeofferd om Janice gelukkig te maken. Dat kon hij zich voorstellen. Misschien kon hij er zelfs in geloven. Net zoals alle ellende die de familie Curtlee hem had bezorgd de moeite waard had kunnen zijn als Ro in de gevangenis was gebleven.

Het was de moeite waard geweest als Janice hem trouw was gebleven.

Maar nu lag dat anders, omdat hij zeker dacht te weten dat Janice een verhouding had met een van haar patiënten.

Terwijl het refrein over het kopen van een pistool zich eindeloos in zijn hoofd bleef afspelen, reed Michael Durbin de parkeerplaats tegenover het Paleis van Justitie op – $20 PER DAG / NIET TUSSENTIJDS IN- EN UITRIJDEN. De rechtszitting begon pas over een uur, maar ondanks het vroege tijdstip was de parkeerplaats bijna vol en stonden er in Brysant Street langs het trottoir tal van patrouillewagens, dienstauto's en zendwagens van plaatselijke en nationale televisiestations dubbel geparkeerd.

Durbin stapte zijn auto uit, betaalde de parkeerwachter en knoopte zijn regenjas dicht tegen de hardnekkige mist. Aan de overkant van de straat had de gevel van het Paleis van Justitie door het vochtige weer een donkere, paarsblauwe glans gekregen. Hij stopte aan de rand van een redelijk omvangrijke en tot dusver beschaafde samenscholing van misschien honderd mensen op de stoep voor het gebouw. Sommigen hielden borden vast met aansporingen aan de autoriteiten als LAAT RO GAAN, RO MOET VRIJ, STOP MACHTSMISBRUIK DOOR DE POLITIE en dergelijke. Op een ander bord stond de wat prozaïscher tekst SF POLITIE STELLETJE RUKKERS.

De zegeningen van de vrije meningsuiting, dacht Durbin.

Een deel van de aanwezigen was kennelijk gekomen om buiten te demonstreren, terwijl andere zich naar de ingang van het gebouw begaven, daarbij gehinderd door journalisten en radio- en televisiepresentatoren die zich op het onwetende volk stortten. Met een schok, alsof iemand hem een stoot in de maagstreek had uitgedeeld, herkende hij aan de rand van de mensenmassa de vrouw die hij jaren geleden de bijnaam het Monster Marrenas had gegeven. En plotseling kwam de gedachte in hem op dat al deze 'demonstranten' waarschijnlijk waren ingehuurd door de familie Curtlee. Overal waar hij keek hadden mensen een exemplaar van de *Courier* van die ochtend bij zich, waarvan de voorpagina voornamelijk was gewijd aan de arrestatie van Ro en de noodzaak van Glitsky's ontslag.

Durbin had geen zin in Marrenas en haar soortgenoten, dus sloot hij zich aan bij diegenen die zich zo goed en zo kwaad als het ging naar binnen begaven. Vijf minuten later stond hij aan de andere kant van de toegangsdeuren en de metaaldetectors.

Eenmaal in de indrukwekkende hal moest hij even bijkomen van de zenuwen en was hij opgelucht dat hij Marrenas had weten te ontlopen. Even vroeg hij zich af waarom hij eigenlijk de behoefte had gevoeld deze ochtend vrij te nemen om persoonlijk getuige te kunnen zijn van dit spektakel. Toen hij zich in een opwelling omdraaide stond hij plotseling tegenover zijn zwager. Chuck Novio keek op hetzelfde moment achterom. Hij stak zijn hand op bij wijze van groet.

Durbin liep op hem af en zei: 'Zeg, Chuck, jongen, ík heb een goed excuus om hier te zijn. Ik heb geen rust als ik niet zeker weet dat ze Ro weer opsluiten in de gevangenis, waar hij thuishoort. Maar wat doe jíj hier?'

Novio glimlachte ontspannen. 'Wat dacht je? Dit is Amerikaanse geschiedenis, hoor. Dit hoort bij mijn werk. Als dít geen geschiedenis is, wat dan wél? Trouwens, mijn studenten zijn dol op dit soort materiaal. Het geeft ze het idee dat geschiedenis iets is wat zich iedere dag om je heen voltrekt. Wat natuurlijk ook het geval is.'

'Dit is geen geschiedenis, Chuck. Dit is een smeerlap.'

'Ben je gek,' zei Novio. 'Geschiedenis bestaat juist uit een eindeloze aaneenschakeling van smeerlappen. Dat maakt het zo geweldig.'

'Ik bewonder je enthousiasme,' zei Durbin. 'Maar je had me gisteren tijdens het eten moeten vertellen dat je ging. Dan hadden we samen kunnen gaan.'

'Ik kwam vanochtend pas op het idee. Toen ik wakker werd bedacht ik dat er eigenlijk wel heen moest. En ik wist helemaal niet dat jij zou komen.'

'Heb ik dat gisteravond dan niet gezegd? Misschien wist ik toen nog niet zeker of ik het wel zou doen.' Durbin zweeg even. 'Hoe denk jij dat het afloopt?' vroeg hij.

'Ik denk dat hij vast blijft zitten.'

'Ik hoop het.'

'Hoe kunnen ze hem nou vrijlaten?'

Durbin knikte met zijn hoofd naar de menigte. 'Kijk maar naar al die mensen. Heb je wel eens van de familie Curtlee gehoord?'

Novio haalde zijn schouders op. 'Het gaat om een veroordeelde moordenaar die een paar agenten in elkaar heeft geslagen die hem wilden arresteren. Hoe je het ook wendt of keert, er bestaat geen rechter die het in zijn hoofd zou halen hem vrij te laten.'

'Laten we hopen dat je gelijk hebt.'

'Ik heb gelijk. Wil je er geld op inzetten?'

'Nee. Ik wil dat je gelijk krijgt.'

'Maar als we wedden en als ik het dan bij het verkeerde eind heb, dan win je tóch. Wat dacht je van twee tegen één.'

Enigszins vermoeid stak Durbin zijn hand uit. 'Twintig,' zei hij.

Novio bezegelde het met een handdruk. 'Afgesproken.'

De rechtszaal had een theatervormige tribune met ongeveer tachtig plaatsen en hoewel Durbin en Novio vroeg waren gekomen stonden er veel mensen vóór hen in de rij en konden ze er nauwelijks meer in. Ze namen de laatste twee lege stoelen op de één na achterste rij.

De arrestatie van Ro Curtlee was de vorige dag niet alleen voorpaginanieuws geweest in de zondagseditie van de *Courier*, maar had ook de voorpagina gehaald van de *Chronicle* en was het openingsitem geweest van alle televisiejournaals van die dag. Een van die nieuwsuitzendingen was het laatste wat Durbin had gezien voordat hij de vorige avond naar bed was gegaan – alleen, want Janice moest nadat ze bij de Novio's hadden gegeten nog voor een spoedsessie naar een van haar patiënten. Durbin meende vrij zeker te weten wat voor soort patiënt dat was, al kende hij zijn exacte identiteit niet.

Dus had hij naar het nieuws gekeken en de uitspraken gehoord van een gehaaste, onverzorgd uitziende officier van justitie Wes Farrell, van een verontwaardigde burgemeester Leland Crawford die de mening ventileerde dat het misschien tijd werd voor een speciale onderzoekscommissie vanwege de 'cultuur van geweld en minachting voor de rechtsgang' bij de politie en – vanzelfsprekend – van Cliff en Theresa Curtlee die zich beklaagden over de onrechtvaardige gang van zaken en van mening waren dat Glitsky moest worden gearresteerd in plaats van hun arme zoon.

De ouders van Ro Curtlee zaten allebei in de rechtszaal, op de eerste rij, en nu hij ze van zo dichtbij zag raakte Durbin opnieuw verontwaardigd. 'Die arrogante klootzakken,' fluisterde hij tegen Novio. 'Ik vraag me af of ze zich wel realiseren dat Ro inderdaad schuldig is. Of zou het ze gewoon niet kunnen schelen? Ik bedoel, hoe kun je je zoon nou blijven steunen als je weet dat hij een moordenaar is? Een echte moordenaar.'

Novio, die genoot van alle opwinding en een glimp van het echtpaar probeerde op te vangen, zei: 'Misschien staat degene die hij heeft vermoord zó laag op de evolutionaire of economische ladder dat die gewoon niet meetelt als mens. Dat, óf hij moet er een goede reden voor gehad hebben. Voldoende reden, in ieder geval.'

Durbin schudde zijn hoofd. 'Voldoende reden. Wat je zegt.'

Er verschenen nu enkele functionarissen door de deur waarachter zich een klein cellencomplex en het vertrek van de rechter bevonden. Twee gerechtsdienaren, gevolgd door een oudere dame die plaatsnam op de stoel van de rechtbankverslaggever tegenover de tafel van de rechter en een jonge vrouw, de griffier, die achter een tafel naast de rechtbankverslaggeefster ging zitten.

Toen door dezelfde deur een man en een vrouw, allebei in politie-uniform, de rechtszaal binnenliepen, boog Durbin zich opzij naar Novio. 'De kerel met die haviksneus en het litteken, dat is Glitsky. En zij is Vi Lapeer, de nieuwe commissaris.'

Daarna verscheen Farrell. Zijn ogen waren bloeddoorlopen maar hij droeg een perfect zittend, duur uitziend pak met een wit overhemd en een indrukwekkende rode stropdas.

Vlak achter hem liep een vrouw die Durbin eveneens herkende. 'Wat doet zij hier?' vroeg hij Chuck.

'Wie?'

'Die met die benen. Amanda Jenkins.'

'Hoe ken jij haar dan?'

'Ze was de openbare aanklager tijdens het proces van Ro. Ik wist niet dat ze hier ook bij betrokken was.'

'Ik begin het idee te krijgen dat iedereen bij deze zaak betrokken is, behalve de hondenvanger misschien.'

Glitsky en Lapeer waren de lage reling die de tribune scheidde van het midden van de rechtszaal inmiddels gepasseerd. Ze namen plaats op de gereserveerde stoelen op de eerste rij, naast twee jonge agenten in uniform – een blanke en een Afro-Amerikaan – terwijl Farrell en Jenkins vlak voor hen achter de tafel van de openbare aanklager gingen zitten. Ondanks de relatief grote afstand kon Durbin de spanning tussen de twee aanklagers bijna voelen.

Achter de tafel van de verdediging zat een goedgeklede, oudere heer met halflang grijs haar. Op een, wellicht vooraf afgesproken, teken van een van de gerechtsdienaars stond de man op, draaide zich om en zei iets tegen Cliff en Theresa Curtlee, die achter hem op de eerste rij zaten. Ten slotte knikte hij, liep door het midden van de rechtszaal naar de deur aan de achterkant van het podium en verdween.

'Het gaat beginnen,' zei Novio.

Durbin kreeg opnieuw last van zenuwen en moest slikken. 'Bijna.'

Achter hen op de openbare tribune klonk plotseling geroezemoes.

Toen Durbin zich omdraaide kon hij nog net zien hoe Leland Crawford, de burgemeester in hoogsteigen persoon, door de achterdeur naar binnen kwam, ogenschijnlijk geanimeerd in gesprek met Sheila Marrenas. Hij liep naar voren en nadat hij zich ervan had verzekerd dat iedereen in de rechtszaal hem had gezien ging hij zitten op een lege stoel naast Cliff Curtlee, die kennelijk voor hem was vrijgehouden. Terwijl dit zich voltrok fluisterde Amanda Jenkins Farrell iets in het oor, waarna de officier van justitie zich zichtbaar verrast omdraaide om het met eigen ogen te zien. De boodschap lag er duimendik bovenop.

Zonder enige ophef verscheen de advocaat van de Curtlees weer door de deur aan de achterkant van het podium, met zijn cliënt.

De laatste keer dat Durbin Ro Curtlee had gezien, op de dag van zijn oorspronkelijke veroordeling, bijna tien jaar geleden, was hij een gladgeschoren, goed uitziende jongeman met kortgeknipt haar, gekleed in een driedelig kostuum met stropdas. Nu, aan handen en voeten geboeid, in zijn oranje gevangenisoverall, met slippers aan zijn voeten en zijn ingegipste linkerarm in een mitella, zag Ro eruit als een man van middelbare leeftijd die door het leven en de omstandigheden zwaar was getekend. Het ongekamde haar dat tot over zijn oren hing en zijn ongeschoren en slonzige uiterlijk versterkten dat beeld, net als de nog opgezwollen mond, het verband over zijn neusrug en het blauwe oog. Terwijl hij, vergezeld door zijn advocaat, naar de tafel van de verdediging schuifelde viel de openbare tribune eerst een ogenblik stil, waarna verontwaardigd geroezemoes opstak.

Novio kon een glimlach niet onderdrukken. Hij boog zich naar zijn zwager, hield een hand voor zijn mond en fluisterde: 'Heel slim. Ze gaan voor de slachtofferrol.'

Durbin ving vanuit de andere kant van de openbare tribune wat verwensingen aan het adres van de politie op – nazi's, tuig, klootzakken – maar voordat het uit de hand liep ging Ro naast zijn advocaat achter de tafel van de verdediging zitten, waarop door de deur aan de achterkant van het podium een gerechtsdienaar verscheen die riep: 'Iedereen opstaan. Het Elfde District van het Hooggerechtshof van de staat Californië neemt zitting, onder leiding van rechter Erin Donahoe.'

11

Op het eerste gezicht leek rechter Donahoe, met haar nietige gestalte, een rustige, misschien zelfs verlegen vrouw. Als ze in gedachten was verzonken of wanneer iets haar amuseerde zag ze er niet onaantrekkelijk uit, met haar kleine wipneus, de modieuze bril met randloos montuur en het haar dat tot op haar schouders viel en zo mooi glansde dat het niet zou misstaan in een shampoocommercial. Als ze echter werd uitgedaagd of zich geconfronteerd zag met oplopende emoties kreeg haar gezicht plotseling een heel andere uitdrukking – dan kneep ze de ogen halfdicht, veranderden de lachrimpeltjes in geprononceerde kraaienpoten, vormde haar mond een afkeurende streep liepen haar wangen gemakkelijk rood aan. Nu, terwijl ze het podium op liep, was duidelijk merkbaar dat iets haar al van haar à propos had gebracht. Haar defensieve uitstraling was even onmiskenbaar als de vormeloze zwarte toga die ze droeg.

Terwijl ze ging zitten en de mensen op de openbare tribune haar voorbeeld volgden, wierp ze een afkeurende blik in de richting van Ro Curtlee – Durbin kon niet zeggen of dat was vanwege zijn verwondingen en algehele uiterlijk of omdat ze wist dat hij een verkrachter en een moordenaar was. Maar haar blik klaarde niet op toen ze hem op de tafel van de aanklager richtte en vervolgens de openbare tribune in ogenschouw nam waar de aanwezigen zwijgend – en nu zelfs doodstil – afwachtten wat er te gebeuren stond.

'Laat ik voor de goede orde allereerst het volgende duidelijk maken,' begon ze, met een stem die zo zacht klonk dat hij voorbij het podium nauwelijks te horen was, laat staan achter in de rechtszaal. 'Ik heb vandaag vijfentachtig regels en dertien voorlopige hoorzittingen en ik ben van plan ze allemaal af te werken.' Zaken die voorkomen voor het Hooggerechtshof worden 'regels' genoemd, omdat iedere verdachte één regel in beslag neemt op de computeruitdraai van de rechtbankagenda. 'Op verzoek van de heer Farrell beginnen we met regel twaalf. Ik verwacht dat dit circus snel uit mijn rechtszaal is verdwenen zodat ik aan het werk kan. Willen de raadslieden zich presenteren?'

Nadat ze dit hadden gedaan, kondigde Donahoe aan dat het ging om het formuleren van de aanklacht en het bespreken van de borgtocht, en niet om een voorlopige hoorzitting. 'We gaan hier niet de hele ochtend aan besteden, meneer Farrell. Is dat duidelijk?'

'Ja, edelachtbare.'

'Meneer Denardi?'

'Duidelijk, edelachtbare.'

'Mooi zo. Dan mag de griffier de regel lezen.'

De griffier keek niet eens op van achter haar tafel. 'Regel twaalf, *De burgers van de staat Californië tegen Roland Curtlee.*'

'Meneer Denardi, ziet uw cliënt af van het voorlezen van zijn rechten en de aanklacht?'

Denardi was opgestaan. 'Ja, edelachtbare.'

'Hoe pleit de verdachte?'

Op een teken van zijn advocaat stond Ro Curtlee op en zei: 'Onschuldig.'

Donahoe begon met de procedure. 'Voordat we het gaan hebben over eventueel uitstel, neem ik aan dat de raadslieden de kwestie van de borgtocht willen bespreken.'

Alle schijn van decorum en regels leek plotseling te zijn verdwenen. Denardi, die nog stond, ging met volle kracht in de aanval. 'Als het de rechtbank behaagt, wil ik aanvoeren dat mijn cliënt afgelopen zaterdagavond ernstig is mishandeld tijdens een onterechte zogenaamde arrestatie, zonder arrestatiebevel, door inspecteur Glitsky en twee andere politiefunctionarissen. De resultaten kunt u hier vandaag zelf in ogenschouw nemen...'

'Edelachtbare.' Amanda Jenkins was opgesprongen van achter haar tafel. 'Ik protesteer tegen de kwalificatie "onterechte zogenaamde arrestatie". De verdachte was naar het huis van inspecteur Glitsky gegaan, waar hij de inspecteur en diens gezin heeft bedreigd, wat volgens het wetboek van strafrecht artikel vierhonderdtweeëntwintig...'

'Edelachtbare, als u mij permitteert.' Denardi wachtte niet totdat de rechter hem het woord gaf en Donahoe maakte geen aanstalten hem het woord te ontnemen. 'Het is absurd en volkomen in strijd met de feiten en het bewijsmateriaal om het persoonlijke bezoek van de heer Curtlee aan de woning van inspecteur Glitsky te kwalificeren als een bedreiging die valt onder artikel vierhonderdtweeëntwintig.'

Raadslieden worden gewoonlijk geacht al hun opmerkingen aan de rechter te richten, maar dat stadium waren ze allang gepasseerd en Donahoe leek niet geneigd of zelfs in staat hen tegen te houden. Jenkins draaide zich om en sprak Denardi rechtstreeks aan. 'U wilt ontkennen dat hij het huis van Glitsky heeft bezocht?'

De oudere strafpleiter schudde zijn hoofd alsof iets hem amuseerde. 'Nee, helemaal niet. Hij heeft het huis van de inspecteur inderdaad bezocht, maar min of meer om persoonlijk protest aan te tekenen tegen het feit dat de inspecteur de vorige avond een bezoek aan de woning van de heer Curtlee had gebracht, terwijl hij daar ongeveer even weinig aanleiding toe had.'

'Even weinig aanleiding? Dat kunt u niet menen. Inspecteur Glitsky onderzocht de moord op een getuige in de vorige rechtszaak tegen de heer Curtlee. Dat is een zeer goede reden.'

'Als je tenminste gelooft dat het daar werkelijk om ging en dat het niet gewoon een duidelijk staaltje van machtsmisbruik betrof.'

'Nou, dan zou het zomaar kunnen dat ik niet meega met die eigenaardige opvatting van u, als duur betaald raadsman van verdachte. En ík kijk liever naar het bewijsmateriaal.' Jenkins richtte zich nu weer tot de rechter. 'Edelachtbare, deze aantijging van machtsmisbruik is aantoonbaar lachwekkend. De getuigen in het vorige proces tegen de heer Curtlee worden achter elkaar vermoord. Iedereen met een greintje gezond verstand weet dat de heer Curtlee hier tot aan zijn oren in zit.'

'Lachwekkend!' riep Denardi met gespeelde razernij uit. 'Kijk dan toch naar de man! Juist de manier waarop de politie hem heeft aangepakt is lachwekkend. Hij is halfdood geslagen. Noemt u dit...'

Plotseling leek Donahoe te beseffen dat de discussie in de rechtszaal volledig uit de hand was gelopen. Ze schraapte haar keel en tikte zachtjes met haar hamer. 'Mevrouw Jenkins, meneer Denardi. Laten we hier geen potje gaan kibbelen. Ik weet zeker dat we de zaak grondig en tot ieders tevredenheid zullen uitdiepen. Wilt u allebei weer gaan zitten, alstublieft? Bedankt. Goed, dan gaan we verder. Meneer Farrell, heeft justitie informatie met betrekking tot de borgtocht?'

Na de bijna-ruzie van zojuist haalde de plotselinge stilte in de rechtbank Farrell even uit zijn evenwicht en het kostte hem een paar seconden om op te staan. 'Edelachtbare,' begon hij, 'de verdachte is momenteel in afwachting van een proces wegens moord en hij is op borgtocht vrij sinds hij de staatsgevangenis heeft verlaten. Binnen een paar dagen na zijn vrijlating is een van de getuigen in deze moordzaak om het leven gebracht. Nadat inspecteur Glitsky hem had verhoord over zijn handel en wandel op het tijdstip van de moord, is de heer Curtlee de volgende dag naar het huis van de inspecteur gegaan, waar hij hem en zijn gezin heeft bedreigd.'

Denardi was niet van plan dit te laten passeren en kwam weer overeind. 'Edelachtbare, dit hebben we eerder al gehoord en het is pertinent niet waar.'

Farrell, die de regels opnieuw negeerde omdat Donahoe daar kennelijk niet om maalde, richtte zich tot zijn opponent. 'Het is absoluut wél waar, Tristan, en dat weet je best.'

'Dat weet ik helemaal niet, Wes. Noem nou eens één woord dat Curtlee heeft gebezigd waaruit een daadwerkelijke dreiging blijkt, of waarvan Glitsky beweert dat hij het heeft gebezigd.'

'Hij wees naar Glitsky's dochter en merkte op dat ze zo'n aantrekkelijk meisje was.'

Denardi hief theatraal zijn handen, lachte luidkeels en wendde zich tot de rechter. 'Hier heb ik niets aan toe te voegen, edelachtbare. Een kind aantrekkelijk noemen kun je nauwelijks uitleggen als een bedreiging.'

Farrell, die nu zijn geduld verloor, verhief zijn stem. '*Het feit dat hij naar het huis is gegaan is op zichzelf al een bedreiging.* De heer Curtlee is een veroordeelde verkrachter en moordenaar die op borgtocht is vrijgelaten. Hij is verdachte in de moord op de kroongetuige en hij is naar het huis gegaan van de politieman die is belast met het onderzoek. Je moet wel gek zijn om niet te zien wat hier aan de hand is.'

Opnieuw werd het Donahoe te gortig en liet ze haar hamer omlaag komen. 'Heren,' zei ze. 'Alstublieft.' Ze vervolgde: 'Meneer Farrell, ik geloof dat we het over de borgtocht hadden. Hoe hoog was trouwens de oorspronkelijke borgsom?'

'Met betrekking tot de moord tien miljoen dollar, edelachtbare. Toen de agenten de heer Curtlee wegens deze zaak kwamen arresteren, pakte hij een pistool en probeerde hij een van hen te vermoorden. Poging tot moord op een ambtenaar in functie is een misdrijf waarbij borgtocht is uitgesloten.'

Ze knikte nadenkend en vroeg: 'Wie heeft de borgsom voor die moord vastgesteld?'

'Rechter Baretto.'

'En wat eist justitie dit keer?'

'We willen de geldende borgtocht, edelachtbare. Géén borgtocht dus in het licht van de nieuwe misdrijven en de voorgeschiedenis van de verdachte.'

'Belachelijk!' zei Denardi. 'Dat is krankzinnig.'

Donahoe knikte alleen maar. Ze had de interruptie geregistreerd, maar liet die stilzwijgend passeren.

'En wat zijn de aanklachten precies, dit keer?' vroeg ze.

Farrell keek omlaag naar zijn aantekeningen, uiterlijk onbewogen maar in de wetenschap dat er meer problemen zouden volgen. Met de aanklacht wegens bedreiging van een ambtenaar in functie, waar Glitsky hem voor had gearresteerd, zaten hij, Glitsky en Jenkins redelijk goed. Maar de schermutseling tijdens de arrestatie had deze oorspronkelijke bedreiging overschaduwd en nu zat Farrell opgescheept met de flagrante escalatie die Glitsky en Jenkins hadden ingebracht met hun nieuwe beschuldigingen. Maar hij had geen keus en moest zich erdoorheen bluffen. 'Het bedreigen van een ambtenaar in functie, poging tot moord op een politieambtenaar. Het tot driemaal toe aanvallen van een politieambtenaar met een dodelijk wapen, de twee laatste met verzwaring wegens vuurwapengebruik. Driemaal mishandeling van een politieambtenaar. Alle aanklachten met verzwaring, omdat verdachte deze aanklachten heeft opgelopen terwijl hij op borgtocht was vrijgelaten.'

'Edelachtbare!' Denardi was opnieuw opgestaan. 'Er is geen sprake geweest van poging tot moord. Het dienstwapen van een van de agenten is uit zijn holster gevallen en meneer Curtlee heeft het opgeraapt.'

'En de trekker overgehaald,' zei Jenkins.

'Dat dacht ik niet, Amanda. En bovendien, edelachtbare, was die zogenaamde aanval pure zelfverdediging. De politiemensen kwamen zonder arrestatiebevel bij hem langs en ze vielen de heer Curtlee aan toen hij naar buiten kwam om uit te vinden wat al die politie in zijn straat te zoeken had. Dit was een onwettige arrestatie, zoals ik al eerder heb gezegd. Iedereen zou zich er terecht tegen verzetten, desnoods met geweld.'

Na deze uitspraak klonk aanzwellend rumoer uit de openbare tribune en opnieuw deed Donahoe geen enkele moeite er een eind aan te maken. Ze wachtte gewoon tot het afgelopen was.

'Edelachtbare,' zei Farrell, toen het publiek weer wat begon te bedaren. 'De drie politieambtenaren die bij de arrestatie betrokken waren zijn aanwezig in de rechtszaal en zijn bereid te verklaren dat...'

Maar nu leek Donahoe er eindelijk genoeg van te krijgen. Haar mond trok samen en de blos verscheen op haar wangen. 'We gaan hier geen voorlopige hoorzitting van maken, meneer Farrell. Ik dacht dat ik dat in mijn openingswoord al duidelijk had gemaakt. Het gaat nu om de borgstelling. En eerlijk gezegd ben ik geneigd die kwestie terug te verwijzen naar rechter Baretto om te zien wat hij ervan denkt.'

'Edelachtbare.' Jenkins was naast Farrell gaan staan en probeerde vrijwel vergeefs haar toon onder controle te houden. 'Met alle respect, maar zoals de heer Farrell al heeft aangegeven wil justitie helemaal geen borgtocht. Zelfs niet op het niveau van tien miljoen dollar. Dat verdachte momenteel weer vrij rondloopt is hoe dan ook al een smet op de rechtsgang.'

'Nou, nou,' zei Donahoe. 'Dat lijkt me wel een beetje kort door de bocht...'

'Dit is zéker een smet op de rechtsgang,' zei Denardi, die opnieuw was opgestaan en weer alle registers opentrok. 'Deze beschuldingen zijn een smet op de rechtsgang. Ze zijn niet alleen geconstrueerd en wraakzuchtig, maar ook...'

'Goed, meneer Denardi, zo is het wel voldoende. Uw punt is duidelijk. Als u allemaal even geduld hebt, dan zal ik me beraden.' De rechter keek omlaag en rommelde in een aantal papieren die voor haar lagen. Ze pakte haar pen en maakte wat aantekeningen terwijl iedereen in de rechtszaal vol spanning afwachtte. Ten slotte keek ze op en glimlachte zelfverzekerd, eerst naar de tafel van de aanklagers en daarna naar de verdediging. Alsof ze naar zoveel mogelijk mensen een maximum aan tegengestelde signalen probeerde uit te zenden. 'Ik geloof dat rechter Baretto hier voor een precedent heeft gezorgd. Vanwege de vragen omtrent de legitimiteit van de arrestatie zelf en dergelijke, lijkt vijfhonderdduizend dollar me een redelijke borgsom.'

Na deze woorden barstte er in de rechtszaal een applaus los, dat werd onderbroken door Jenkins, die zich niet meer kon beheersen. 'Edelachtbare!' riep ze woedend uit.

'Luister eens,' zei Donahoe, 'er is hier geen jury, dus u hoeft geen toespraak te houden om indruk op iemand te maken. U weet net zo goed als ik dat verdachten rechten hebben. We zullen deze zaak grondig uitdiepen' – dat was kennelijk een van haar favoriete uitdrukkingen – 'de aard van de beschuldigingen en dergelijke, bedoel ik, na de voorlopige hoorzitting. En ik zal er een notitie van maken dat de kwestie van de borgtocht dan nader moet worden bekeken in het licht van de feiten die dan boven tafel komen.'

Vanaf de openbare tribune klonken opnieuw goedkeurende geluiden en Donahoe glimlachte, in haar nopjes dat ze een beslissing had genomen die de goedkeuring van de aanwezige menigte kon wegdragen. 'Ik neem aan, meneer Denardi,' vervolgde Donahoe, 'dat u er geen bezwaar tegen hebt af te zien van de termijn?'

Ze vroeg de strafpleiter of hij er bezwaar tegen had de voorlopige hoorzitting van zijn cliënt later te doen plaatsvinden dan binnen de wettelijke termijn van tien dagen waarop een verdachte aanspraak kon maken. Het feit dat Denardi dit deed was uiteraard volledig in het voordeel van Ro. Vervolgens zou hij ook afzien van de termijn die gold na de voorlopige hoorzitting, zodat het proces ook niet al binnen de zestig dagen die de wet voorschreef hoefde te beginnen. In feite was dit het begin van de planmatige vertragingsgtactiek van de verdediging, waarmee een rechtszaak een jaar of langer kon worden uitgesteld.

'Edelachtbare!' Jenkins was opnieuw opgestaan, al was ze nu enigszins bedaard. 'Justitie maakt bezwaar tegen uitstel.'

Donahoe keek haar aan met een blik die niet geheel van sympathie was gespeend. 'Dank u, maar de verdediging heeft er uiteraard recht op zich voor te bereiden. Meneer Denardi?'

'De verdediging ziet af van de termijn, edelachtbare. We hebben een aanzienlijke hoeveelheid tijd nodig voor een onderzoek naar de achtergronden van de agenten die betrokken zijn geweest bij deze arrestatie. Twee maanden vanaf nu voor vaststelling op de rol?'

'Toegewezen.'

'Dank u.'

'Geen dank.' Donahoe wierp nog een laatste blik op Farrell en Jenkins en haalde toen lichtjes haar schouders op, alsof ze hen daarmee duidelijk wilde maken dat ze moeilijk een andere beslissing had kunnen nemen. Vervolgens knikte ze naar haar griffier en zei: 'Lees de volgende regel maar voor.'

Iedereen stond op en maakte plaats voor de volgende zaak.

Durbin zag hoe Ro Curtlee samen met zijn advocaat breed glimlachend opstond achter de tafel. Ro draaide zich om, boog zich over de reling, knikte naar de burgemeester, schudde zijn vader de hand en omhelsde zijn moeder.

Hij zag er plotseling niet meer gekweld uit. De rol van zielig slachtoffer was uitgespeeld.

'Wat een afgang,' fluisterde hij tegen zijn zwager. 'Ik probeer het tot me door te laten dringen, maar ik kan het bijna niet geloven.'

'Verbijsterend,' zei Novio. 'In wat voor land leven we?'

Durbin merkte dat hij zijn blik niet kon losmaken van de man die zoveel jaren geleden mede dankzij zijn inspanningen achter de tralies was verdwenen. Toen zijn blik die van Ro kruiste, stond zijn hart bijna stil.

Zou Ro hem nog herkennen?'

Durbin keek snel weg en vermeed verder oogcontact. Plotseling voelde hij zijn hart in zijn oren bonzen. Pas toen hij dacht dat het veilig was en Ro zijn aandacht waarschijnlijk op iemand anders had gericht, keek hij op. Inderdaad richtte Ro zijn aandacht nu weer naar voren, waar Glitsky, Lapeer en de twee jonge agenten samen met Farrell en Jenkins een groepje vormden bij de reling. Ze zagen er boos en ontdaan uit.

Durbin mocht dan misschien bang zijn geweest oogcontact te maken met Ro Curtlee, maar Glitsky leek dat probleem niet te hebben. Toen Ro de inspecteur zag, staarden de twee elkaar langdurig aan. Ro produceerde opnieuw een glimlach en schudde met zijn hoofd, alsof ze allemaal net een goeie mop hadden gehoord, waarna hij een vinger uitstak naar Glitsky. Tot Durbins ontzetting kromde Ro vervolgens zijn vinger en deed alsof hij Glitsky neerschoot.

Glitsky gaf geen enkele reactie. Zijn gezicht bleef onbewogen, het litteken een witte streep over zijn lippen. Hij bleef Ro aanstaren totdat deze ten slotte als eerste wegkeek.

'Jezus,' zei Durbin.

'Wat?'

'Zag je dat?'

'Ja, ik heb het gezien. Die Ro van jou is een koele kikker.'

'Hij bezorgt me de kriebels. Ik geloof dat hij me zojuist heeft herkend.'

'En wat zou dat kunnen betekenen?'

'Ik weet het niet.' Durbin wierp een steelse blik naar voren, waar Ro nog steeds met de burgemeester, zijn ouders en een van de gerechtsdienaren stond te praten om ze aan het werk te zetten, om hem uit de gevangeniskleren te krijgen, om zijn nieuwe borgtocht te regelen. 'Misschien niets,' zei Durbin. 'Of een hoop problemen.'

'Na al die jaren? Dat lijkt me onwaarschijnlijk.'

Durbin haalde zijn schouders op. 'Ik hoop dat je gelijk hebt.' Hij zuchtte diep. 'Misschien had ik hier vandaag helemaal niet moeten komen. Als hij het voorzien heeft op de mensen die betrokken waren bij zijn laatste proces en als hij mij ziet...'

Novio legde een hand op Durbins arm. 'Toe nou, Michael. Als hij het inderdaad gemunt had op die vrouw die betrokken was bij de vorige rechtszaak, dan komt dat omdat ze ook weer een rol zou spelen bij zijn nieuwe proces. Bij jou ligt dat totaal anders.'

'Dat is zo. Ik denk dat je gelijk hebt.'

Waarom was hij hier eigenlijk gekomen, vroeg Durbin zich af. Waarschijnlijk, dacht hij, had hij zich ervan willen verzekeren dat zijn werk werd afgemaakt, dat deze crimineel terug zou worden gestuurd naar de gevangenis, waar hij voor de rest van zijn leven thuishoorde. En nu dit niet was gebeurd realiseerde hij zich plotseling dat hij erg bang was, dat hij niet wilde dat Ro of een van de andere Curtlees zich ook maar een seconde bewust waren van zijn bestaan.

Inmiddels waren de rijen achter hem bijna leeg en mengden ze zich in de menigte. Na een paar minuten bereikten ze de hal. Durbin wilde zou snel mogelijk weg. Hij had plotseling geen zin meer er nog iets mee te maken te hebben.

Maar in de hal heerste een levendige drukte en slechts enkele mensen bewogen zich in de richting van de trap. Het grootste deel van de mensen liep rond, was druk in gesprek, nog onder de indruk van het spektakel, of bleef hangen om de burgemeester van dichtbij te kunnen zien.

Durbin zag een opening en maakte een halve draai om er gebruik van te maken, waarbij hij zich plotseling schouder aan schouder met Sheila Marrenas bevond. Ze had haar microfoon paraat en was kennelijk bezig willekeurige mensen te interviewen die in de rechtszaal aanwezig waren geweest. Durbin had haar nog niet gezien of ze stak haar microfoon al onder zijn neus. 'Hallo. Sheila Marrenas van de *Courier*. Mag ik u even kort om uw mening vragen, meneer? Gelooft u, in het licht van wat we zojuist in de rechtszaal hebben gehoord, dat we hier in San Francisco een serieus probleem hebben met machtsmisbruik door de politie?'

Nog voordat hij er goed over had nagedacht flapte hij het eruit. 'Nee, helemaal niet. Ik denk eerder dat we een probleem hebben met rechters die de deur van de gevangenis openzetten voor verkrachters en moordenaars.'

Duidelijk verbaasd door dit antwoord – de meeste 'doorsneeburgers' die ze morgen in haar artikel zou citeren waren aanhangers van de Curtlees – deed ze een stap achteruit en keek hem onderzoekend aan. 'Ken ik u niet ergens van?' vroeg ze.

'Ik geloof van niet,' zei hij. 'Anders zou ik het me wel herinneren.'

Ze bleef hem aanstaren.

'Sorry,' zei hij, 'maar ik wil naar de trap.'

OUR TOWN

Door Sheila Marrenas

Tirannie is een langzaam oprukkend kwaad. Nog maar een week geleden meldde ik in deze column dat Roland Curtlee, de zoon van de uitgever van deze krant, op borgtocht was vrijgelaten in afwachting van een nieuwe berechting wegens een misdaad die hij meer dan tien jaar geleden al dan niet heeft gepleegd. Hoewel hij is veroordeeld voor de moord op een vrouw met wie hij naar eigen zeggen een intieme relatie onderhield, werd de heer Curtlee onlangs uit de gevangenis vrijgelaten omdat het Hof van Beroep voor het 9e Arrondissement heeft vastgesteld dat er tijdens zijn proces sprake is geweest van vooringenomenheid in de rechtszaal. De heer Curtlee werd op borgtocht vrijgelaten en zijn advocaten gingen zich voorbereiden op zijn nieuwe proces. Daar had het bij moeten blijven, en daar wás het ongetwijfeld ook bij gebleven als de politie van San Francisco, en in het bijzonder het hoofd Moordzaken van dit korps, zich niet geroepen had gevoeld zich met de rechtsgang te bemoeien.

Glitsky had tijdens het oorspronkelijke proces de leiding van het politieonderzoek en trad op als getuige à charge. Enkele dagen nadat de heer Curtlee uit de gevangenis was vrijgelaten kwam een andere getuige in het proces tegen de heer Curtlee, Felicia Nuñez, om het leven tijdens een brand in haar appartement. Hoewel dit overlijden officieel niet als moord is gekwalificeerd, besloot Glitsky op eigen initiatief een bezoek te brengen aan het huis van de heer Curtlee, zogenaamd om te onderzoeken of hij een alibi had voor het tijdstip waarop de vrouw om het leven was gekomen. Maar in feite was Glitsky helemaal niet bezig met een formele ondervraging. Het bezoek had dan ook geen ander doel dan het lastigvallen van de heer Curtlee.

Omdat hij deze kwestie nader met Glitsky wilde bespreken, bracht de heer Curtlee de volgende dag een bezoek aan de woning van de inspecteur, een handeling die Glitsky onmiddellijk en ten onrechte kwalificeer-

de als een bedreiging aan het adres van hemzelf en zijn gezin. Onder het voorwendsel van deze 'bedreiging' verscheen Glitsky later opnieuw bij de woning van de heer Glitsky, vergezeld van meerdere politiemensen. Zonder hem een arrestatiebevel te presenteren en met volledige veronachtzaming van de rechten van de heer Curtlee, probeerde Glitsky hem te arresteren. Toen de heer Curtlee om uitleg vroeg, vielen de politiemensen hem aan en mishandelden hem ernstig.

In de hierop volgende schermutseling sloeg de politie hem op zijn hoofd en schouders, veroorzaakten ze meerdere verwondingen in zijn gezicht en braken ze zijn arm, waarna ze hem met geweld de wachtende patrouillewagen in sleurden om hem vervolgens af te voeren.

Nadat justitie gisteren meerdere absurde beschuldigingen aan zijn adres uitte, waaronder poging tot moord, kwam aan deze lachwekkende (maar eigenlijk vooral treurige) verkrachting van het recht een einde toen rechter Erin Donahoe de heer Curtlee opnieuw op borgtocht vrijliet, in weerwil van het machtsvertoon door de politie, onderstreept door de komst van de nieuwe hoofdcommissaris Vi Lapeer die aanwezig was naast officier van justitie Wes Farrell, hulpofficier van justitie Amanda Jenkins, Glitsky zelf en de twee politiemannen die hem bij de arrestatie hadden geholpen.

Zelden heeft de politie in onze stad haar minachting voor de persoonlijke levenssfeer, burgerrechten en een ordelijke rechtsgang zo duidelijk laten blijken als in deze zaak. Het feit dat inspecteur Glitsky zijn belangrijke functie nog steeds bekleedt wijst er sterk op dat dit ongrondwettelijke gedrag en dit machtsmisbruik door de politie in het algemeen wordt getolereerd tot in de hoogste regionen van de rechtshandhaving. En als met het recht een loopje wordt genomen, zoals in deze zaak duidelijk het geval is, dan is een echte politiestaat niet meer ver weg.

12

De volgende vrijdagochtend kwam Glitsky een paar minuten over zeven zijn slaapkamer uit. Hij bleef even staan bij de keukendeur om te zien hoe zijn dochter bezig was met haar pannenkoeken. Geconcentreerd als een beeldend kunstenaar bewoog ze met haar vork een stuk pannenkoek over haar bord, vastbesloten geen druppel stroop te laten liggen, ondertussen zachtjes voor zich uit neuriënd. Ten slotte, snel als een muis, bracht ze de vork naar haar mond en stopte die vol. Toen pas keek ze op en zag ze haar vader. Het feit dat ze een volle mond had weerhield haar er niet van breed te grijnzen en te praten. 'Papa is wakker.'

'Dat heb je goed gezien. Hoe gaat het vanochtend met mijn schatje?

'Goed.'

Hij liep naar haar toe en kuste haar op het hoofd. 'We praten wel verder als je je eten hebt doorgeslikt, oké?' Hij liep naar het fornuis – slechts een paar stappen in hun kleine keuken – en vulde de kop die Treya voor hem op het aanrecht had klaargezet met water uit de ketel, die nog op een laag vuur stond. Toen hij zich omdraaide zag hij het vraagteken op Rachels gezicht. 'Is het vandaag zaterdag?' vroeg ze.

'Nee.'

Ze zweeg even. 'Ga je in je ochtendjas naar je werk?'

'Zeker weten.'

'Echt waar?'

'Echt waar. Dat leek me nou eens leuk. Wat vind jij?'

'Ik denk dat ze het niet toestaan.'

'Wie?'

'Iedereen.'

'Denk je dat iemand me tegen zou durven te houden? En als ik dan eens mijn speciale gezicht opzette?'

'Wat voor gezicht?'

'Dit gezicht.' Met zijn litteken, zijn haviksneus en zijn geprononceerde wenkbrauwen zag Glitsky er vervaarlijk uit als hij fronste en nu boog hij zich dicht naar zijn dochter toe en haalde alles uit de kast, terwijl hij er dreigend bij gromde.

Ze begon te giechelen.

'Hé,' zei Glitsky, 'het is de bedoeling dat je bang wordt. Wat voor politieman zou ik zijn als ik mensen niet bang kon maken?'

'Misschien kun je andere mensen wél bang maken, maar mij niet. Ik weet best wanneer je me plaagt.'

'Ik plaagde je niet. Ik was aan het oefenen.'

'Dan moet je nog meer oefenen.'

Glitsky ging zitten en nam een slokje van zijn thee. 'Je hebt gelijk. Dat zou ik moeten doen. Waar is je moeder?'

'Ze is naar Zack. Ik geloof dat hij zichzelf weer nat heeft gemaakt.' Ze concentreerde zich weer even op haar pannenkoeken en toen ze haar mond helemaal had volgepropt zei ze: 'Je gaat toch niet écht in je ochtendjas naar je werk, hè?'

'Nee. Niet echt. Ik was vandaag alleen maar een beetje laat met aankleden.'

'Mama ook.'

'O. Dat wist ik niet.'

'Ze had haar ochtendjas ook nog aan.'

'Meen je dat? Misschien kunnen we een club oprichten.'

Glitsky nam zelden een dag vrij. Toen hij zijn hartaanval had gehad en niet lang daarna was neergeschoten, had hij geruime tijd niet kunnen werken. Gedurende zijn herstelperiode na het schietincident waren er allerlei complicaties opgetreden en was hij bijna twee jaar arbeidsongeschikt geweest. In totaal had de stad San Francisco hem al vijfhonderdtweeëndertig niet-gewerkte dagen uitbetaald. Dat had hij nauwgezet bijgehouden en het bezwaarde hem. Hij vond het meer dan genoeg en hij had het gevoel dat het verkeerd was om er nóg meer van te maken, zeker als hij niet ziek was.

Ook Treya had toen ze voor Clarence Jackman werkte, de voorganger van Wes Farrell, geen enkele keer een dag vrij genomen, afgezien van het zwangerschapsverlof bij de geboorte van Rachel en Zachary. Nu ze nog maar een paar weken voor Farrell aan de slag was wilde ze geen verkeerde indruk op haar nieuwe baas maken door niet op het werk te verschijnen; in ieder geval niet totdat hij wist dat ze niet het type was dat zomaar vrij nam als het haar uitkwam.

Nu liep Treya de keuken binnen. Ze bleef staan toen ze hem in zijn ochtendjas zag zitten met zijn kop thee. Terwijl ze hem vragend aankeek kwam Zachary binnenstormen. Hij rende om haar heen naar de tafel. Hun zoon was een jaar geleden door een auto aangereden en als hij wakker en ambulant was droeg hij een helm om nieuw hersenletsel te voorkomen. Hij ging op zijn stoel zitten en keek vol ongeloof naar zijn bord. 'Rachel heeft mijn pannenkoeken opgegeten!'

'Maar je was er niet.'

'Wél waar!'

'Hé, hé, hé.' Treya liep naar de tafel. 'Geen geruzie. Ik maak nog wel wat pannenkoeken voor jullie allebei. Abe? Wil jij ook? Het beslag is al klaar.'

'Als het moet krijg ik er wel en paar naar binnen. Bedankt.'

'De pannenkoeken komen eraan,' zei Treya.

'Hé!' zei Zachary. 'Waarom ben je nog niet aangekleed?'

'"Hé" zeg je tegen je vriendjes,' zei Glitsky. 'En ik neem een dag vrij.'

Treya, die bij het fornuis stond, stopte even met beslag in de pan gieten. 'Echt waar?'

Glitsky knikte. 'Echt waar.'

'Wat ga je doen?'

'Niets. Misschien uit lunchen. Misschien mijn vader opzoeken. Een beetje nadenken.'

Treya leunde tegen het fornuis en sloeg haar armen over elkaar. 'Zal ik je gezelschap houden?'

'Ik wilde het niet vragen,' zei hij, 'maar nu je het toch aanbiedt zou ik dat erg fijn vinden.'

Durbin kwam een halfuur te laat op het werk. Hij had de achteringang genomen en Liza Sato, zijn office manager, trok een wenkbrauw op toen ze omkeek en hem zag. Hij negeerde de onuitgesproken vraag eenvoudigweg door te zwaaien en rechtstreeks door te lopen naar de koffieautomaat.

Liza was achtentwintig, charmant, uiterst competent en buitengewoon aantrekkelijk. Durbin was ervan overtuigd dat het succes van zijn bedrijf in belangrijke mate aan haar was te danken. Ze had de deuren die ochtend op tijd geopend, zoals ze dat ook afgelopen maandag had gedaan, toen hij naar de voorgeleiding van Ro Curtlee was gegaan. De franchise omvatte UPS, FedEx en Parcel Dispatch en fungeerde ook als postagentschap, en toen Durbin deze ochtend arriveerde stond achter elk van de zeven balies een rij klanten.

Ongeveer een halfuur later, toen de ochtenddrukte wat was afgenomen, ging Durbins privételefoon in zijn kantoor. Hij liep naar zijn gedeeltelijk met glas afgescheiden werkhoek en nam op toen het toestel voor de tweede maal overging.

Hij had zijn naam nog maar nauwelijks genoemd of hij hoorde de stem van zijn overbuurman. 'Mike. Godzijdank ben je er. Je moet onmiddellijk komen. Je huis staat in brand.'

Onderweg, scheurend door de straten, stoplichten negerend en bijna biddend dat hij zou worden aangehouden, probeerde Durbin de telefoonnummers van Janice te bellen. Hij kreeg alleen maar haar meldteksten te horen. De eerste rook – heel veel rook – zag hij toen hij de steile helling tussen Union Street en Broadway Street was gepasseerd. Hij was nog drie à vijf kilometer van zijn huis verwijderd en de donkere rookpluim reikte bijna net zo hoog in de onbewolkte, windstille lucht als de Sutro Tower. Dit was geen vetbrand in een keuken. Met gierende banden reed hij zijn straat, Rivera Street, in en hij zag onmiddellijk dat zijn huis, een paar honderd meter verderop en inmiddels afgezet voor het publiek, ondanks de zes brandweerwagens die uit minstens vier brandslangen bluswater spoten, volledig in vlammen opging.

Janice' zus Kathy Novio stond naast de commandopost die de brandweer naast een van de brandweerwagens had ingericht. Met de armen over elkaar in haar warme leren jack deed ze geen enkele moeite de tranen te verbergen die over haar wangen biggelden. 'Ik kan dit niet uitstaan,' zei ze.

'Ik weet het. Ik ook niet.'

'Ik ben zo bang dat ze daarbinnen is.'

Durbin sloeg een arm om haar heen. 'Er is geen enkele reden om dat te denken.'

'Michael, ze was niet op haar werk.' Nadat Durbin haar had gebeld, was ze – nog voordat ze naar de plaats van de brand was gekomen – naar het kantoor van Janice bij het Stonestown-winkelcentrum gereden, dat betrekkelijk dicht bij haar huis lag, en hoewel er geen licht brandde had ze bijna een minuut vergeefs op de deur gebonsd.

'Dat weet ik. Dat zei je al. Maar dat betekent nog niet dat ze daarbinnen is. Misschien moest ze wel een boodschap doen waarover ze me niets heeft verteld.'

'Met haar telefoon uit?'

Durbin haalde zijn schouders op. 'Ze vergeet hem soms aan te zetten. Soms vergeet ze hem zelfs mee te nemen. Waarom zou ze nog binnen zijn?'

'Ik weet het niet.' Ze richtte haar blik weer op het nu vrijwel geheel uitgebrande huis. De brand was bijna onder controle, hoewel de brandweermannen nog steeds in de weer waren met een paar brandslangen en er nog steeds een dikke, zwarte rookpluim omhoog rees. Haar stem brak. 'Ik ben gewoon zo bang dat het wél zo is.'

Durbin boog zich naar haar toe, legde een arm om haar schouders en trok haar dicht tegen zich aan.

Chuck kwam aangerend van een paar blokken verderop, waar hij zijn auto had geparkeerd. Kathy sloeg haar armen om de nek van haar echtgenoot en hij omhelsde haar en fluisterde troostende woorden. Daarna, over haar schouder, zei hij tegen Durbin: 'Het spijt me dat ik niet eerder ben gekomen, maar ik heb mijn boodschappen pas na mijn ochtendcollege afgeluisterd.' Hij keek naar het huis. 'God, Michael, jezus.' Toen schrok hij op, alsof hem plotseling iets te binnen schoot. 'Waar is Janice?'

Kathy, ontdaan en betraand, keek hem aan, maakte een klagend geluidje en schudde alleen maar haar hoofd.

'Dat weten we niet,' antwoordde Durbin. 'Niet op haar werk. Ze neemt de telefoon niet op.'

Chuck wierp een blik naar de smeulende resten en keek Durbin opnieuw aan, wijzend op de brandweerlieden. 'Weten die iets?'

'Nog niet. De brandinspecteur kon pas ongeveer vijf minuten geleden naar binnen.'

Maar terwijl Durbin dit zei kwam de brandinspecteur – Arnie Becker – door de voordeur naar buiten. Hij had zijn handen diep in zijn zakken gestoken en liep stijf en enigszins voorovergebogen, alsof er een stevige wind stond, met een langzame, vastberaden tred. Zijn schouders hingen. Hij keek op en even leek hij een blik te werpen op de plek waar Durbin stond – de brandweercommandant had ze kort nadat Durbin was gearriveerd aan elkaar voorgesteld – waarna hij snel wegkeek. Na nog een paar passen had hij de tafel van de commandopost bereikt.

Durbin, die even was weggelopen toen zijn zwager was gearriveerd, maakte zich nu los van de kleine kring van buren en andere toeschouwers en liep terug naar de tafel, net op tijd om Becker het woord 'politie' te horen zeggen.

'Waarom hebben jullie de politie nodig?' vroeg Durbin.

De twee mannen draaiden zich om en keken hem aan. De uitdrukking op hun gezichten was zo duidelijk dat ze geen van beiden nog iets hoefden te zeggen, maar Becker legde zachtjes een hand op Durbins arm. 'Het spijt me,' zei hij, 'maar in een van de kamers boven ligt het lichaam van een vrouw.'

Kathy en Chuck waren hem gevolgd en stonden pal achter hem. Kathy slaakte een hartverscheurende kreet. 'Janice! O, god, nee! Janice!' Terwijl Chuck zich omdraaide en haar omhelsde begroef ze haar gezicht in haar handen en barstte uit in tranen.

Nadat ze allebei hun werk hadden gebeld met de mededeling dat ze niet zouden verschijnen, waarvoor ze allebei een tamelijk vage reden opgaven, hadden Abe en Treya hun kinderen naar school en naar de peuterklas gebracht. Daarna waren ze naar bed gegaan. Pas tegen het middaguur hadden ze zich aangekleed en nu zaten ze aan een tafel in Gaspare's.

'Hier krijg je in deze stad de beste pizza, wist je dat?' zei Treya. 'Ik geef niet zoveel om die nieuwerwetse Italianen, en ook niet om de meeste oude trouwens.'

'Tommaso's?' suggereerde Glitsky.

'Heel goed, absoluut. Maar niet zo goed als hier.'

'A 16.'

Treya schudde haar hoofd. 'Inderdaad heel lekker, maar je moet er veel te lang wachten. Ik wil je wat vragen.'

'Een algemene vraag in de pizzacategorie?'

'Nee.'

'Oké, wacht even.' Glitsky legde zijn stuk pizza terug. 'Aha, het schiet me al te binnen. De Slag bij Thermopylae.'

'Fout. De wat?'

'De Slag bij Thermopylae. En hoe kun je zeggen dat het fout is als je niet eens weet wat dat is?'

'Ik weet wat het is, of was. Het was een veldslag tussen de Grieken en een stel anderen; de Perzen, geloof ik.'

'Juist. Héél goed. Welk jaar?'

'Welk jaar? Ik weet het niet precies. Ergens in de tijd van de oude Grieken. Is dat precies genoeg?'

'Wat dacht je van vierhonderdtachtig vóór Christus?'

'Daar ga ik helemaal in mee. Wat een opluchting dat we dit hebben vastgesteld. Het klinkt precies goed.'

'Het ís precies goed. Maar toch zei je dat het fout was.'

'Het was fout omdat het absoluut niet het goede antwoord was op de vraag die ik eigenlijk had willen stellen, namelijk of jij je even schuldig voelde als ik.'

'En wat is de volgende?'

'De volgende?'

'Je vraag?'

Ze schudde haar hoofd en glimlachte. 'Je hebt er zo mooi omheen gepraat dat ik me die niet eens meer herinner.'

'Of ik me schuldig voelde of zoiets.' Hij boog zich over de tafel en legde zijn hand op de hare. 'Voel je je wérkelijk schuldig?'

Ze hield haar hoofd schuin en keek hem aan. 'Een klein beetje.' Ze zuchtte. 'Het voelt alsof ik Wes in de steek laat. Hij heeft al genoeg moeite om wijs te worden uit zijn agenda en zijn afspraken. En als ik er niet ben om hem alles voor te kauwen...'

'Het is een grote jongen.'

'Niet echt. En hij weet nog niet half waar hij in verzeild is geraakt.'

'Dat heb ik gemerkt.'

'Je bent niet de enige. Ik weet dat je de *Courier* niet leest, maar daarin wordt hij flink aangepakt.'

'Die krant is een vod. Dat leest niemand.'

'Nou dat is maar voor de helft waar. Het "vod"-gedeelte. Maar vergis je niet, Abe. Hij wordt gelezen. Er worden heel wat kiezers door beïnvloed.'

Glitsky haalde zijn schouders op. Met de kiezersgunst hield hij zich niet bezig. En voor mensen die zich erdoor lieten leiden had hij weinig of geen respect. 'Ik weet het niet. Als je het mij vraagt verdient Wes het wel om er een beetje van langs te krijgen.'

'Hoe kun je dat nou zeggen, Abe. Hij heeft de afgelopen week toch jouw kant gekozen?'

'Alleen maar onder grote druk. En laten we niet vergeten dat Ro Curtlee nooit zou zijn vrijgekomen en dat wij nooit zouden zijn bedreigd als Wes zich er niet meteen mee had bemoeid en de juiste beslissing had genomen. Hij had zich met succes tegen invrijheidstelling onder borgtocht kunnen verzetten.'

Nu legde ze haar handen op de zijne. 'Dat weet ik. Hij was naïef en hij wilde de familie Curtlee tegemoetkomen. Dat ziet hij nu ook wel in. En ik weet dat jij de juiste beslissing hebt genomen. Maar ik denk niet dat Ro ons nu nog iets zou durven aandoen.'

Glitsky fronste zijn wenkbrauwen. 'Laten we het hopen. Maar ik zou me een stuk prettiger voelen als Wes een beetje zijn best zou doen de procesdatum te vervroegen. En om terug te komen op de vraag of ik me schuldig voel dat ik een dag vrij heb genomen... Ik ben niet van plan er een gewoonte van te maken, maar na maandag, nu hij weer vrij rondloopt, en nu ik nog steeds niet genoeg rechercheurs heb en onvoldoende middelen om er meer aan te nemen...' Hij zuchtte diep. 'Ik weet het niet, Trey. Ik heb het gevoel dat ik een toxische aanwezigheid ben in het gebouw en dat ik iets van die woede moet kwijtraken om te voorkomen dat ik mijn eigen mannen ermee infecteer. Want als het zo ver komt dan kan ik beter gewoon ontslag nemen.'

'Denk je daar serieus over na?'

'Soms. Vaak zelfs. Ik weet niet meer waar het allemaal nog toe dient.'

'Hetzelfde als altijd, lieverd. Boeven vangen.'

'Ja,' zei Glitsky. 'En toezien hoe ze weer worden vrijgelaten.'

'Niet altijd. Meestal niet.'

'Ik weet het, ik weet het. Je hebt gelijk. Maar daarom moest ik er ook een dagje uit. Om de zaken even op een rijtje te kunnen zetten. En wat dat betreft...'

Hij reikte omlaag en haalde zijn telefoon uit het hoesje aan zijn riem.

'Als het werk is, moet je niet...' zei Treya.

Maar Glitsky schudde zijn hoofd. 'Het is het bureau niet,' zei hij. 'Het is Arnie Becker. Ik moet opnemen.' En hij drukte op de verbindingstoets. 'Arnie, met Abe. Wat kan ik voor je doen?'

13

'Natuurlijk,' zei Becker, 'kunnen we het pas écht zeker weten als...'

'Arnie.' Glitsky stak een hand op en onderbrak hem. 'Twijfel jij er ook maar een seconde aan?'

Becker haalde diep adem door zijn mond. De brandlucht was sterk, maar het was vooral de penetrante geur van verbrand mensenvlees die zelfs de maag van een ervaren rot van streek kon brengen. 'Nauwelijks,' antwoordde hij.

Ze stonden met hun handen in hun zakken op de eerste verdieping in de felle zon die door het ingestorte dak van het huis van de familie Durbin naar binnen scheen. Het was ongeveer zeven graden, abnormaal koud voor de maand februari in San Francisco. Het verbrande lichaam was nog niet verplaatst en lag op de vloer van het uitgebrande skelet van de slaapkamer op de bovenverdieping. Het busje van het mortuarium was zojuist voorgereden, maar de met mondkapjes uitgeruste leden van de technische recherche waren al geruime tijd voordat Glitsky was gearriveerd begonnen met het verzamelen van het geringe bewijsmateriaal dat er nog te vinden was.

Hoewel het gezicht onherkenbaar was, leek dit stoffelijk overschot in iets betere staat dan dat van Felicia Nuñez was geweest. Geen van de beide schoenen van deze vrouw, in dit geval zwarte pumps met lage hakken, was volledig verbrand. Een was van de voet losgeraakt, waarschijnlijk door de kracht van het water tijdens de bluswerkzaamheden, en was onder het bed terechtgekomen, ongeveer twintig centimeter naast de rechtervoet. Maar de andere schoen leek nog perfect om haar linkervoet te sluiten. Er waren geen onverbrande kledingsporen onder het lichaam gevonden, en er was geen enkel spoor van een beha of ander ondergoed. Hieruit had Becker de conclusie getrokken dat de vrouw naakt was geweest of kort na het moment dat ze stierf in brand was gestoken. Door de geringe mate van verschroeiing van het gedeelte van het lichaam dat in contact was met de vloer, kon niet alle kleding daar volledig zijn verbrand, vertelde Becker Glitsky. Het was dus niet waarschijnlijk dat ze nog gekleed was geweest.

'Wat zijn de kansen op DNA?" vroeg Glitsky. 'Ik bedoel, als ze minder ernstig blijkt te zijn verbrand.'

'Nou,' zei Becker, 'het is allemaal relatief. Je kunt zelf zien dat minder ernstig nog behoorlijk erg kan zijn. En het is ook tamelijk duidelijk waar de brand is begonnen. Net als bij Nuñez. Dus alles in aanmerking genomen zou ik mijn hoop niet op DNA-sporen vestigen, al zullen we er natuurlijk wel ons best voor doen.' Becker liet zijn blik opnieuw over het lichaam dwalen. 'Maar de overeenkomsten. Want daarom heb ik je natuurlijk onmiddellijk gebeld.'

'Dat stel ik op prijs.' Glitsky zoog bedachtzaam lucht door zijn tanden en draaide zich om, zodat het stoffelijk overschot uit zijn gezichtsveld verdween. 'Hoewel ik niet kan zeggen dat ik het erg logisch vind.'

'Wat is er niet logisch?'

'Dat Ro Curtlee dit zou doen, bedoel ik. Om te beginnen zou dat wel erg brutaal zijn, na vorige week.'

'Hij laat je weten dat hij schijt aan je heeft.'

Glitsky's gezicht vertrok in reactie op de woordkeuze. 'Dus kiest hij zomaar een willekeurige vrouw?'

Becker haalde zijn schouders op. 'Misschien kende hij haar.'

'Ja, maar al zijn andere slachtoffers waren dienstmeisjes. Hoe zou hij iemand in deze omgeving hebben kunnen ontmoeten? Een doodgewone burger? Ik sla er maar een slag naar, oké. Is er iets dat erop wijst dat dit hun werkster was of iets dergelijks?'

'Ik geloof het niet, Abe. De echtgenoot en enkele andere familieleden staan beneden.' Hij wees naar de straat. 'Ze zijn totaal van de kaart en ze geloven allemaal dat het de echtgenote is. Zij is de enige vrouw die in het huis had kunnen zijn. De dochter is nog op school. Hij heeft gebeld om dat te verifiëren.'

Glitsky keek omhoog door het gapende gat in het dak boven hen. 'Grote god,' zei hij. 'Hoe oud is ze? Die dochter?'

Opnieuw een schouderophalen. 'Ik weet het niet. Schoolgaande leeftijd.'

'Je hebt gelijk,' zei Glitsky. 'Wat doet het ertoe?' Hij wierp een laatste blik op het lichaam, sloot zijn ogen om de afschuwelijke werkelijkheid uit te bannen en schudde zijn hoofd. 'En wie is ze?'

'De echtgenote. Janice Durbin. Haar man heet...'

Glitsky legde zijn hand op Beckers arm en kneep. 'Michael.'
'Ja. Hoe weet je...?'
Glitsky knikte, liet het nog eens goed tot zich doordringen en leek naar adem te happen. 'Hij was de juryvoorzitter tijdens het proces tegen Ro.'

'Ik weet niet waarom ik me altijd schuldig voel als ik een dag vrij neem,' zei Glitsky. 'Niemand schijnt er notie van te nemen.'
'Misschien,' zei Amanda Jenkins, 'komt dat doordat je op dit moment weer gewoon in het gebouw aanwezig bent om over een zaak te praten, dus voor iemand die niet goed oplet lijkt het net of je aan het werk bent. En trouwens, kun je me uitleggen wat het voor verschil zou maken als je vandaag geen vrij had genomen?'
'Nauwelijks, denk ik. Als je het zó stelt.'
'Nou dan.' Ze schoof haar stoel weg van het bureau, leunde achterover en legde haar voeten op de rand, waarbij ze zo'n tachtig procent van haar buitengewone benen tentoonstelde. 'Doe jij de deur even dicht? Als sommige mensen ons zien praten gaan ze misschien weer denken dat we opnieuw bezig zijn met een samenzwering om de rechtsgang te frustreren.'
Glitsky draaide zich om en deed hem dicht.
Jenkins sloeg haar armen over elkaar en keek hem onbewogen aan. 'Wat ga je nou doen?'
'Ik weet het niet. Daarom zit ik hier. Ik dacht, misschien heb jij wel een idee?'
'Nee, ik heb geen enkel idee dat door de beugel kan. Nou, dat is niet waar. Ik heb er één.'
'Vertel.'
'Ik zou hoe dan ook uitsluiten dat we Ro gaan arresteren.'
Glitsky grijnsde zuinigjes. 'Precies mijn idee. Wat natuurlijk wél betekent dat hij rustig door kan gaan met moorden als dat in hem opkomt. Maar ja, daar heb ík niet voor gekozen.'
'Doe niet zo zuur.'
'Zuur? Waarom zou ik zuur doen?'
'Nee, dan is het goed. Even dacht ik iets zuurs te ruiken.'
'Geen sprake van. Ik ben volledig zuurvrij.' Tegen de muur, naast de archiefkasten, stond een houten stoel. Glitsky trok hem naar zich toe en ging er schrijlings op zitten. 'Maar inderdaad heb ik zo ongeveer besloten dat ik net ga doen alsof Ro niets te maken heeft met de moord

op deze mevrouw Durbin. Met andere woorden: ik hou me gedeisd.'

'Dat lijkt me verstandig. Als je je weer in de buurt van Ro laat zien begint het circus opnieuw nog voordat je iets hebt kunnen ondernemen.'

'Wat natuurlijk niet betekent dat ik me niet volledig op hem ga concentreren.'

'Nee, dat had ik ook niet gedacht. Dus wat is je plan?'

'Mijn plan is Ro op geen enkele manier in verband te brengen met deze zaak. Niet in het openbaar, in ieder geval.'

'En wat denk je daarmee te bereiken?'

'In ieder geval win ik er tijd mee. Misschien druipen de Curtlees af. Ondertussen ga ik de nodige mensen verhoren, zoals iedere inspecteur in een moordzaak nou eenmaal doet. Een theorie over de zaak ontwikkelen, misschien zelfs een lijst met verdachten opstellen. Ik benader Ro pas als er tastbaar bewijs is dat onomstotelijk naar hem wijst, want dat zullen we nodig hebben als we het tijdens ons leven nog willen meemaken dat de weledelgestrenge heer Farrell hem opnieuw ergens voor zal willen vervolgen.'

'Alleen heb je dat allang. Iets dat naar Ro wijst.'

'Wat dan?'

'De schoen, de MO, de vrouw van de juryvoorzitter. Kies maar uit. Hij heeft het zowat voor je uitgetekend.'

'Ja, dat is het volgende wat ik je wilde vertellen.'

'Wat bedoel je?'

'Arnie Becker denkt dat Ro een middelvinger naar me opsteekt. Naar ons eigenlijk, jou en mij.'

'Ik ben vereerd.'

Glitsky haalde zijn schouders op. 'Dus hoe zal hij zich voelen als hij al die moeite heeft gedaan om iemand anders te vermoorden en expres al die sporen voor ons heeft achtergelaten, en dan tóch het kwartje bij mij niet valt? Als ik hem dan zijn zin niet geef en het heel ergens anders ga zoeken?

Nadat ze even had nagedacht knikte ze. 'Dan zal hij ons willen vertellen wat hij heeft gedaan. Dan zal hij ons willen uitdagen het te bewijzen.'

'Dan zal hij ons *moeten* uitdagen. Zo kunnen we hem misschien uit zijn tent lokken. Het is in ieder geval de moeite van het proberen waard.'

Glitsky geloofde dat Treya gelijk had wat haar baas betrof. Zonder haar zelfverzekerde uitstraling en bijna militaire discipline zou Farrell het als bestuurder niet redden. Het was kennelijk zó erg dat hij nu ze afwezig was de tent zelfs had gesloten en het hazenpad had gekozen. Het licht in de receptie – het domein van Treya – was uit toen Glitsky er arriveerde, er zaten geen bezoekers te wachten totdat het tijd was voor hun afspraak met de officier, en de deur naar de kamer van Farrell was dicht. Hij liep naar de deur, legde zijn oor te luisteren en hoorde niets. Hoewel hij niet rekende op een reactie tikte hij driemaal hard op de deur.

Niets.

En toen, juist nadat hij zich had omgedraaid om weg te lopen, klonk aan de andere kant het geluid van voetstappen. Glitsky bleef staan, draaide zich om en stond zowat in de houding toen Farrell de deur opende. De officier van justitie was in hemdsmouwen en het licht in zijn kamer was uit. De jaloezieën waren gesloten om het felle zonlicht tegen te houden. Glitsky vermoedde dat hij een middagdutje had onderbroken. 'Als ik niet gelegen kom...' begon hij.

'Nee. Helemaal niet. Ik was even aan het mediteren. Doe jij dat wel eens, Abe?'

'Niet echt. Ik heb niet zoveel vrije tijd.'

'Twintig minuten per dag, meer is niet nodig. Iedereen zou toch wel twintig minuten moeten kunnen vinden.'

'Ik zoek er nog steeds naar,' zei Glitsky. 'Ik denk dat de kinderen ze gejat hebben.'

'O, ja, dat is waar ook. Jouw kinderen zijn nog thuis, nietwaar?'

'Alleen nog maar zo'n achttien tot twintig jaar. Maar wie zal het zeggen?'

'Je hebt gelijk. Onder die omstandigheden zou ik er waarschijnlijk ook geen tijd voor hebben. Dan zou ik ook niet mediteren.' Plotseling leek Farrell zich niet alleen te herinneren waar hij was, maar ook wie hij was. Even leken zijn gelaatsspieren te verslappen en daarna trok hij ze weer in de plooi. 'Maar goed. Wat kan ik voor je doen? Wil je niet even binnenkomen en gaan zitten? Gaat het een beetje met Treya? Hoe voelt ze zich?'

'Alweer een stuk beter,' zei Glitsky.

'Ik hoop dat ze er maandag weer is.'

'Dat was ze wel van plan.'

'Mooi, mooi. Nou, kom binnen.' Farrell aarzelde even en deed een stap naar achteren. Toen Glitsky binnen was, sloot Farrell de deur weer.

Hij deed de plafondverlichting aan, liep naar een van zijn banken, ging zitten en gebaarde Glitsky hetzelfde te doen. Maar Glitsky bleef staan.

'Wat is er?' vroeg Farrell.

'Ro heeft het opnieuw geflikt.'

Farrell boog zijn hoofd en richtte het vervolgens langzaam weer op. 'Je neemt me toch hopelijk in de maling?'

'Nee, zeker niet. Janice Durbin. De vrouw van de voorzitter van zijn jury. Hij heeft haar in brand gestoken vóór of nadat hij haar heeft vermoord en heeft vervolgens het hele huis om haar heen laten afbranden. Ze was naakt, alleen haar schoenen had ze nog aan. Hij had net zo goed een visitekaartje kunnen achterlaten.'

'Daar lijkt het verdomd veel op.' Farrell bracht een hand omhoog en wreef over de zijkant van zijn gezicht. 'Jezus christus, Abe, wat moeten we nou doen?'

'Ik dacht dat je het misschien met Baretto zou kunnen opnemen.'

Farrells schouders schokten en hij lachte schamper. 'Die gaat zijn handen hier niet aan branden, zeker niet na de uitspraak van Donahoe. Inmiddels hebben twee rechters al uitgesproken dat Ro geen gevaar voor de samenleving is. Het is uitgesloten dat Baretto hem weer laat oppakken.'

'Maar op welk moment gelden die schoenen en de MO dan wél als bewijs?'

'Eerlijk gezegd zal dat waarschijnlijk geen indruk maken.'

'Misschien moet ik zelf met hem gaan praten om het uit te leggen?'

Farrell schudde zijn hoofd. 'Jouw geloofwaardigheid waar het Ro betreft is tot onder het nulpunt gedaald, Abe. Dit wordt allemaal gezien als een persoonlijke wraakoefening.' Hij aarzelde. 'Misschien moet ik het je niet vertellen, maar ik had Vi Lapeer hier vanochtend onaangekondigd op bezoek.'

'Wat had ze voor informatie?'

'Ze kwam niet langs met informatie. Ze wilde mijn advies.'

'Waarover?'

'Over het feit dat Leland haar heeft verteld dat hij je kwijt wil. Hij wil niet alleen dat je van deze zaak wordt afgehaald. Hij wil dat je vertrekt. De politieke druk wordt hem te groot. Volgens hem denkt de halve stad dat jullie de Gestapo zijn. En jij bent het uithangbord.'

'Dat komt door die Marrenas. Die vrouw is een gifmengster.' Glitsky ging eindelijk zitten, tegenover Farrell. Hij boog zich voorover en zuchtte. 'En wat heb je geadviseerd?'

'Ik heb haar gezegd dat ze voet bij stuk moest houden en je moest steunen. De burgemeester zal het niet in zijn hoofd durven halen haar te ontslaan, zo kort nadat hij haar heeft aangesteld. Natuurlijk kan ik het zomaar bij het verkeerde eind hebben. Ik heb het al zolang bij het verkeerde eind dat ik niet eens meer weet hoe het is om gelijk te hebben. Maar ik heb haar gezegd dat hij dan compleet voor schut zou staan omdat ze kortgeleden nog zijn eerste keus was voor de functie van commissaris.'

'Heeft hij gedreigd haar te ontslaan?'

'Ik denk dat hij het meer heeft laten doorschemeren dan dat hij het met zoveel woorden heeft gezegd. Maar de boodschap was duidelijk genoeg.'

'Dus ík zou moeten opstappen?'

'Ik ga niet tegen je liegen, Abe. Dat is een mogelijkheid, al bevalt die me niet. Het zou beter zijn met solide bewijs tegen Ro op de proppen te komen.'

'Ik dacht dat ik dat de vorige keer al had gedaan.'

'Nou, we hebben gezien hoe dat is afgelopen.'

Glitsky liet dit even tot zich doordringen en zei toen: 'Nou, hoe dan ook, ik heb het dossier en mijn aantekeningen van het oorspronkelijke onderzoek nog en die zal ik met het oog op het nieuwe proces opnieuw doornemen. Nuñez is er weliswaar niet meer, maar we hebben nog steeds haar verklaring uit het eerste proces, al maakt zo'n verklaring minder indruk op een jury als iemand anders dan zijzelf die komt voorlezen. En dat brengt me op de enige andere getuige, Gloria Gonzalvez.'

'Maar die was toch verdwenen?'

'Ik ben nog niet begonnen haar te traceren. Misschien komt ze boven water. Bovendien wil ik ook die andere verkrachtingsslachtoffers nog eens opzoeken; degenen die zijn omgekocht. Misschien willen die nu wél met me praten.'

'Waarom zouden ze dat nu nog doen, na al die tijd?'

Glitsky haalde zijn schouders op. 'Ik weet het niet. Misschien doen ze het niet. Maar misschien is er eentje bij met wroeging omdat ze destijds niet de juiste keuze heeft gemaakt.' Hij stak een hand omhoog. 'Ik weet het. De kans is niet groot. Maar het is het proberen waard.'

'Het is jouw tijd.'

'Over tijd gesproken, staat dat nieuwe proces nog steeds voor augustus ingepland?'

'Als het niet later wordt. Tenzij je eerder iets tastbaars hebt over Nuñez, of over die vorige vrouw.'

'Als ik iets heb,' zei Glitsky terwijl hij opstond, 'dan ben jij de eerste die het hoort.'

14

Al aan het begin van hun beklimming van de maatschappelijke en economische ladder hadden de Curtlees in hun woningen en een aantal van hun bedrijven personeel aangenomen uit Guatemala en El Salvador. In plaats van te rommelen met illegale immigranten konden ze het zich permitteren in Centraal-Amerika ter plaatse personeel te rekruteren, waarbij ze de uitverkorenen een werkvergunning, een ziektekostenverzekering en een welhaast ongekende levensstandaard aanboden. In ruil daarvoor bleken de werknemers uit deze landen eerlijk, hardwerkend, dankbaar en – misschien wel het allerbelangrijkste – erg bang om weer naar hun land van herkomst te worden teruggestuurd.

Toen de rechtszaak tegen Ro zo ongeveer ten einde liep was een van hun talentenjagers in El Salvador benaderd door Eztli. In het Nahuatl, de taal van de Mexica (mè-SJIE-ka), het volk dat de blanken Azteken noemen, betekent *eztli* 'bloed'. Zoals gebruikelijk bij zijn volk, had Eztli slechts één naam. En die paste hem goed.

Hij was toen vijfendertig en sprak al uitstekend, accentloos en idiomatisch onberispelijk Engels, dankzij een Amerikaanse vader die was verdwenen toen de jongen twaalf jaar oud was. Hij had vanaf zijn zestiende tien jaar lang gediend in het regeringsleger van El Salvador. Via connecties die hij in zijn diensttijd had opgedaan vond hij in de burgermaatschappij werk als butler bij Enrique Mololo, een van 's lands drugsbaronnen. Helaas was Mololo zo onverstandig geweest te besluiten dat hij zijn winsten en contacten niet wilde delen met Mara Salvatrucha, een van de machtigste criminele organisaties ter wereld. Deze beslissing was Mololo fataal geworden. Als Eztli niet de deur uit was geweest om een van Mololo's nieuwe wagens op te halen toen de in militaire stijl uitgevoerde aanval op het terrein van zijn baas plaatsvond, had hij die dag ongetwijfeld ook het loodje gelegd.

Maar zoals het ernaar uitzag was hij de dans ontsprongen. In plaats van terug te gaan naar het huis van Mololo had hij de pooier van de Curtlees opgezocht, aan wie hij de afgelopen jaren de namen van meerdere jonge vrouwen had doorgegeven.

Hij moest het land uit. Hij had bepaalde talenten. En hij was bereid hard te werken.

En de Curtlees waren maar al te blij met hem.

Nu, op een bewolkte zondagmiddag, zat Ro op de passagiersstoel van de Toyota 4Runner terwijl Eztli in zuidelijke richting over de Highway 1 langs de oceaan reed. Ro's linkerarm zat nog in het gips, maar afgezien daarvan leek hij nauwelijks meer op de man die nog maar zes dagen eerder voor rechter Donahoe in de rechtszaal was verschenen. Hij was gladgeschoren en goed gekleed in een kaki broek en een zwart zijden Tommy Bahama-hemd. Hij droeg dure Italiaanse mocassins zonder sokken. Het verband dat hij over zijn neusrug had gedragen was verdwenen, net als de zwelling rondom zijn mond. En van het blauwe oog was alleen nog maar een gele zweem over.

Toen hij die ochtend wakker werd was Ro van plan geweest naar het O'Farrell Theatre te gaan om daar zijn zaad te lozen bij een van de meisjes in de cabines – daar kon hij niet genoeg van krijgen na negen jaar opgesloten te zijn geweest. Wat hij daarna ging doen wist hij nog niet. De middagen waren meestal tamelijk saai. Misschien ging hij dan wel weer terug naar bed.

Maar toen hij thuiskwam na zijn bezoek aan O'Farrell, wachtte Eztli hem op. De butler benadrukte nog eens hoe vreselijk hij het vond dat hij niet aanwezig was geweest toen de smerissen waren gekomen om Ro op te halen. Hij had weliswaar een excuus – hij had de bewuste avond zijn ouders als lijfwacht vergezeld. Maar het was zijn taak het gezin te beschermen, en wel het héle gezin. Hij had erbij moeten zijn toen Glitsky en de andere agenten langskwamen. Nu wilde Eztli het goedmaken door Ro mee te nemen naar iets wat hem misschien zou opvrolijken.

Zondag was zijn vrije dag en ergens in de buurt van Pescadero wist hij een plek waar hanengevechten werden gehouden. Had Ro misschien zin om mee te gaan? Het was een geweldige show. En er waren altijd meiden in het publiek die er behoorlijk opgewonden van werden.

Gezien zijn vooroordelen en voorkeuren zou het normaal gesproken niet bij Ro opkomen zich in te laten met het huishoudelijk personeel, dat hij in het algemeen beschouwde als inferieur volk.

Maar Eztli was anders.

Om te beginnen was het een kerel – sterk en ervaren. Iemand die overal zijn mannetje stond, wat altijd mooi meegenomen was.

Ten tweede, en nog veel belangrijker, was er het feit dat Eztli Cliff en Theresa – die zich doodongerust maakten dat hun zoon in de gevangenis iets zou overkomen – had aangeboden zijn invloed aan te wenden in kringen van de Latijns-Amerikaanse gemeenschap teneinde de gevangenispopulatie, en met name de gewelddadige Mexicaanse EME, ervan te overtuigen dat Ro niet mocht worden lastiggevallen; sterker nog, te laten doorschemeren dat degenen die hem beschermden rijkelijk zouden worden beloond.

De twee mannen – butler en veroordeelde – hadden elkaar voorafgaand aan Ro's vrijlating diverse malen in de bezoekruimte van de gevangenis ontmoet om te onderhandelen over beloningen en afkoopsommen en gedurende de loop van deze gesprekken was er tussen hen weliswaar geen echte vriendschap, maar wel een ontspannen vertrouwensband ontstaan. Hoe dan ook, Ro had er in dit geval geen moeite mee de normen wat te versoepelen – tenminste voor een dag – en te kijken wat voor plezier de butler voor hem in petto had.

Dus daar reden ze dan, langs Half Moon Bay, de golfbanen en het Ritz-Carlton aan de rechterkant van de weg, samen genietend van een joint.

'Nee,' zei Ro. 'Ik ga er niet meer in. Dan moeten ze me eerst doodschieten.'

Eztli nam een trek en gaf Ro de joint aan. 'Je vader en moeder denken niet dat dat er nog van zal komen.'

'Ja, dat zeggen ze steeds. Maar ik weet het niet. Ze vertelden me in het begin ook dat ze Farrell in hun zak hadden, die klootzak. Dat pakte toch niet zo goed uit.'

'Ja, maar je hebt gezien wat er is gebeurd.'

'Wat bedoel je?'

'Ik bedoel dat je vrij bent.'

'Dat is niet te danken aan Farrell.'

'Nee?' Eztli haalde zijn schouders op. 'Oké.'

Ro hield wat rook in zijn longen terwijl hij naar zijn chauffeur keek. Plotseling kreeg hij het sterke gevoel – een gevoel dat hij intuïtief diverse malen eerder had ervaren in de bezoekruimte van de gevangenis – dat zich in het brein van deze man meer afspeelde dan zijn expressieloze uiterlijk deed vermoeden. Zijn ouders hadden Eztli al zo'n tien jaar in dienst en dat waren erg intelligente en sluwe mensen die zich niet gemakkelijk door sentimentele gevoelens lieten leiden. Als Eztli alleen maar een dommekracht was dan had hij inmiddels wel een vergissing begaan en was hij allang weg geweest. Maar hij was niet alleen nog steeds duidelijk aanwezig, hij woonde zelfs met de familie in hetzelfde grote huis. Het leed geen twijfel of hij had een scherp verstand en leverde ook op andere vlakken nuttige bijdragen.

Om maar niet te spreken van het feit dat hij hoogstwaarschijnlijk had voorkomen dat Ro een seksspeeltje was geworden voor de mannen in de gevangenis en hem daar misschien zelfs het leven had gered.

De jonge man blies de rook uit die hij had vastgehouden. 'Ben je het niet met me eens?' vroeg hij. 'Wat Farrell betreft?'

Eztli hield zijn ogen op de weg en wachtte een minuut voordat hij antwoordde. 'Ik geloof wat je vader en moeder geloven.'

'En dat is?'

'Als Farrell je in de gevangenis wilde hebben, dan zat je daar nu.'

'Maar hij...'

Eztli schudde zijn hoofd. 'Hij speelt een spelletje.'

'Waarom zou hij dat doen?'

'Omdat hij politicus is. Hij eet van twee walletjes. Dat doen ze allemaal.' Eztli stak zijn rechterhand uit en Ro gaf hem de joint, die Eztli tot de laatste centimeter leeg zoog. Nadat hij de rook had uitgeblazen vervolgde hij: 'Luister. Hou jezelf niet voor de gek. Farrell bepaalt. Als hij naar een rechter gaat – wie dat dan ook is – en zegt dat je niet op borgtocht vrij komt, dan kom je niet op borgtocht vrij, punt uit. Maar dat heeft hij niet gedaan. Geen van beide keren is dat gebeurd. Ondertussen geeft hij jouw advocaat een halfjaar om op gang te komen. En dat gaat echt niet lukken in zes maanden. Dat wordt een jaar, misschien twee jaar, misschien duurt het wel eeuwig. En daarom is Farrell de beste vriend die je hebt. Hij geeft je tijd, en tijd is het allerbelangrijkste.'

'Waarom?'

'Kom op nou, zeg. Dáárom.' Eztli wierp hem een veelbetekenende blik toe. 'Om te doen wat je te doen staat.'

Gloria Serrano, geboren Gonzalvez, genoot ervan de kleding van haar eigen gezinsleden te wassen. Het maakte haar zo gelukkig dat ze soms het gevoel had dat ze er eindeloos mee bezig kon zijn, als het maar in haar eigen huis was, en voor haar eigen zoon, dochter en echtgenoot. Ze hield van de geur – de muskuslucht van de was die ze uit de wasmand trok vond ze net zo lekker als de zoete geur van het wasmiddel als de kleding uit de droger kwam, bijna te heet om aan te raken. Ze genoot van het scheiden van de witte en de bonte was, en het opvouwen van de hemden zodra ze droog waren, zodat ze niet zouden kreuken.

Ze hield zelfs van de uitdaging de ene sok te vinden die na iedere wasbeurt altijd zoek leek te zijn.

Nu, op deze zondagmiddag, haar enige vrije dag, had ze de kleren opgestapeld en gevouwen op het houten werkblad naast de wasmachine en de droger in de garage van de driekamerwoning in Sunnyvale die ze samen met Roberto eindelijk had kunnen kopen.

Vandaag was een van de rode sokken van haar man verdwenen. Gloria liet zich op één knie zakken, tuurde van dichtbij in de droger en stak haar hand erin om de trommel te draaien. Geen sok.

Ze hoopte dat hij niet was beland tussen de kleren die ze al had opgevouwen. De enige andere mogelijkheid was dat hij nog in de wasmachine lag, maar doorgaans lette ze goed op of de trommel wel helemaal leeg was voordat ze de droger aanzette, want dat was het moment waarop ze vaak kleingeld vond en heel af en toe zelfs papiergeld, dat ze gebruikte om cadeautjes te kopen voor Roberto en de kinderen.

Sinds ze in november het laatste cadeautje had gekocht voor Ramons zevende verjaardag – een legoslagschip waar hij dol op was en dat hij al ongeveer twintig keer opnieuw in elkaar had gezet – had ze alweer bijna twintig dollar verzameld, de ongebruikelijk grote vangst van twee dollarbiljetten en een kwartje van vandaag inbegrepen.

Het feit dat ze het geld van haar man dat ze op deze wijze vond zelf hield, beschouwde ze niet als diefstal. Het ging altijd weer terug naar hem of een van de kinderen. Ze zag het meer als een boete die het lot haar man had opgelegd omdat hij zo slordig was geweest niet te controleren of zijn zakken leeg waren voordat hij zijn kleren in de wasmand gooide.

Maar de sok ontbrak en ze had echt geen zin om alle opgevouwen kleding weer open te vouwen om te zien of hij ertussen zat. Misschien was ze te opgewonden geraakt doordat ze zoveel geld had gevonden, en was ze daarom wat minder voorzichtig geweest dan gewoonlijk. Dus opende ze de wasmachine en voelde ze of er na het centrifugeren een sok aan de trommel was blijven hangen. En vandaag vond ze hem, vastgeplakt aan de bovenkant. Dat bracht vast geluk.

Ze was niet van plan de droogtrommel te laten draaien voor één paar sokken, dus gooide ze de natte sok en zijn droge metgezel samen in de droger, zodat ze met de volgende lading mee konden. Vervolgens nam ze de andere kleren in haar armen, opende de deur van de garage naar de keuken om ze op hun plek te leggen.

Ze was bezig enchillada's te maken voor zondagavond en hun heerlijke geur bracht haar tot staan. In een plotselinge emotionele opwelling legde ze de kleren op de keukentafel en trok een stoel naar achteren om te gaan zitten. Roberto had de kinderen – alle kinderen, gelukkig – meegenomen naar Costco, waar ze twee keer per week gingen hardlopen. Dan had Gloria de gelegenheid ongestoord het huis schoon te maken en de was te doen, zodat alles aan kant was voor de komende week.

Na een minuut stond ze op om wat van haar heerlijke Guatemalaanse koffie in te schenken. Nadat ze weer aan tafel was gaan zitten pakte ze haar mok met beide handen vast en keek door het raam van haar keuken naar de bewolkte hemel.

De wolken deerden haar niet. Nu ze hier zo zat met haar schone wasgoed, op een zondagmiddag in haar eigen huis, genietend van de heerlijke koffie en de geur van het lekkere eten, voelde ze zich alsof God haar had gekust. Volmaakt tevreden.

En wie zou ooit hebben gedacht dat ze het zo ver zou brengen? Zij niet. Zeker niet na die eerste twee maanden toen ze net bij de familie Curtlee was gaan werken. En na haar ervaringen met die verschrikkelijke zoon, die haar al na een paar dagen had belaagd en uiteindelijk zijn zin had gekregen.

Wat had ze anders moeten doen? Bij wie had ze kunnen aankloppen? De familie toonde zich op zijn minst blind voor de escapades van hun zoon. En je zou zelfs kunnen zeggen dat ze medeplichtig waren. Dat ze er uiteindelijk aan was ontsnapt en bij een andere familie was geplaatst was het tweede wonder geweest.

En dat was nooit gebeurd als het nieuwe meisje, Dolores – het meisje dat Ro uiteindelijk had vermoord – niet onderweg was geweest uit Guatemala. Het arme ding.

Gloria twijfelde er niet aan dat het haar zélf was overkomen als God haar niet genadig was geweest.

En dan de angstige maanden voor en na de getuigenissen tegen Ro en diens arrestatie, toen Cliff en Theresa eerst hadden geprobeerd haar om te kopen en haar vervolgens via hun advocaten hadden bedreigd met uitzetting. Maar zelfs met al hun connecties hadden ze het moeten afleggen tegen het uitgebreide familienetwerk van Gloria. Dus toen ze was ondergedoken bij kennissen van een paar neven in Gilroy en vervolgens Roberto had ontmoet en met hem was getrouwd, waren ze er niet in geslaagd haar te traceren.

Nu had ze haar eigen bedrijf dat iedere week de interieurs verzorgde van vijfentwintig huizen in Palo Alto en Menlo Park – vast, legaal schoonmaakwerk dat ze samen met twee medewerksters uitvoerde. Ze had een betrouwbare babysitter, een gezin en een hardwerkende man met een geldige verblijfsvergunning die van haar hield.

En – daar dankte ze God iedere dag voor – geen Ro of een andere Curtlee meer om haar het leven zuur te maken.

Niet meer.

Dat nooit meer.

De familie Novio had een halfdicht hardhouten tuinhuisje in de achtertuin. Het was zeshoekig en had een doorsnee van ongeveer drie meter. Toen Chuck bij het vallen van de duisternis op deze koude en bewolkte zondagavond naar buiten kwam zag hij zijn zwager zitten op het ronde bankje in het tuinhuisje. Hij zat voorovergebogen met zijn rug naar het huis, de ellebogen op zijn knieën en de handen voor zich gevouwen.

Chuck liep naar hem toe en tikte tegen een van de palen. Michaels schouders schokten terwijl hij omkeek. 'Hoi.'

'Alles goed?'

'Ik wilde even alleen zijn.'

Kathy had erop gestaan dat het hele gezin Durbin minstens tot de uitvaartplechtigheid aanstaande donderdag bij hen kwam logeren. Binnen stapelden individuele hoopjes verdriet zich op als sneeuwbanken. Kathy. De tweeling van Chuck. En Michaels en Janice' eigen Allie en hun zonen – een boze Jon en een verslagen Peter. Ze waren uitgeteld en hingen op de bank voor de televisie, die continu op sport stond afgestemd.

'Niet zo goed, eerlijk gezegd,' voegde Durbin eraan toe.

'Nee. Natuurlijk niet. Dat spreekt vanzelf.' Novio ging tegenover hem zitten.

Durbin keek op. 'Ik vraag me voortdurend af wat ik nu moet beginnen. Hoe ik verder moet. Snap je?'

'Dat kan ik me goed voorstellen. Als Kathy doodging...' Hij schudde zijn hoofd. 'Ik wil er niet eens aan denken.'

'Nee,' zei Durbin. 'Dat heeft ook geen zin.' Hij zweeg even. 'Ik probeer alleen maar te begrijpen wat er is gebeurd. Ik kan geen plausibel scenario bedenken. Ik bedoel, waarom was ze thuis? Wat deed ze daar op dat tijdstip in de ochtend? Ze zou vlak na mij weg moeten zijn gegaan, maar plotseling blijkt er iemand anders in het huis aanwezig te zijn en even later ligt ze dood in de slaapkamer. Hoe kan zoiets gebeuren, Chuck? Wat betekent dat?'

'Wat zegt de politie ervan? Hebben ze er daar geen theorie over?'

Durbins gezicht betrok. 'Breek me verdomme de bek niet open over de politie. Ze hebben niets. Geen laboratoriumuitslagen. De sectie vindt pas volgende maand plaats. Ze zijn nog niet eens zo ver dat ze kunnen zeggen dat iemand haar heeft vermoord, tenminste niet opzettelijk. Misschien was ze gewoon toevallig thuis toen iemand het huis in brand stak. Misschien is ze naar boven gerend om te proberen het vuur te blussen en is ze door rookvergiftiging om het leven gekomen.'

'Dus ze geloven in ieder geval wél dat er sprake was van brandstichting?'

'Kennelijk. Maar dat is nog niet alles. Zoals ik al zei, breek me de bek niet open.'

'Kom op, je bent er nou toch al over begonnen. Wat is er nog meer?'

'Herinner je je die Glitsky nog? Die inspecteur? Toen die hier was leek het wel of ik ook onderwerp van zijn onderzoek was. Alsof ik er iets mee te maken had.'

Chuck knikte begripvol. 'Ja, hij had voor mij ook een paar vragen, toen we stonden te wachten, voordat jij weer beneden was.'

Bij het horen van deze informatie schoot Durbin recht overeind. 'Heeft hij met jou gepraat? Heeft hij jou ondervráágd? Waarover?'

'Mijn mobiele telefoon. Of liever gezegd die van Janice, die niet is verbrand doordat hij aan een haak achter de keukendeur hing. Hij zei dat het ze was opgevallen dat ik gedurende de afgelopen twee weken twaalf keer met haar had gebeld. Ik vertelde ze dat dat klopte. En wat dan nog? We waren bezig met het regelen van een feestje voor Kathy's veertigste verjaardag, volgende maand. Was dat soms verdacht?'

'En wat zei hij?'

Chuck haalde zijn schouders op. 'Hij ging er niet op door. Ja, logisch. Misschien moet hij alle mogelijkheden onderzoeken, maar jezus, zoiets gaat wel erg ver. Misschien is het zijn werk, maar dat is toch belachelijk?'

'Ja, ik weet precies wat je bedoelt. En het gekke is dat ik tot gisteren dacht dat ik het tamelijk goed met Glitsky kon vinden.'

'Tot gisteren? Bedoel je dat je Glitsky persoonlijk kent?'

'Ik wil niet zeggen dat we dik bevriend waren, maar na Ro's proces hebben we elkaar een paar keer ontmoet om te bespreken hoe de familie Curtlee probeerde ons dwars te zitten. Dus ik neem aan dat hij nog wel min of meer zal weten wie ik ben. Maar gisteren kreeg ik de sterke indruk dat het voor hem helemaal niet uitgesloten is dat ik haar heb vermoord.'

'Hij probeert gewoon alle mogelijkheden te onderzoeken.'

Durbin schudde zijn hoofd. 'Misschien, maar dat is dom. Tijdverspilling. Ik heb hem verteld dat Janice en ik wat problemen hadden, net als ieder ander echtpaar met kinderen in de tienerleeftijd op deze planeet, niets waar we niet samen uit konden komen...'

'Hadden jullie problemen?'

Durbin haalde zijn schouders op. 'Niets onoverkomelijks, Chuck. Geen reden om haar te vermoorden, geloof me.'

'Nee, dat bedoelde ik...'

Durbin wuifde het weg. 'Het maakt niet uit. Waar het om gaat is dat Glitsky toen plotseling zijn oren spitste en vragen begon te stellen als: "Hoe lang hadden jullie die problemen al?" en "Waren jullie daarvoor in behandeling, gingen jullie naar een relatietherapeut?" Ik zei tegen hem: "Misschien wist je dat niet, maar Janice was psychiater." Het was lang niet zo erg dat we therapie nodig hadden. Hoe dan ook, ik had er gewoon mijn mond over moeten houden. En het volgende moment vertelt hij me ineens dat hij wat mensen bij mij op de zaak heeft gesproken en wil hij weten waar ik uithing voordat ik die vrijdagochtend zo laat op de zaak was gekomen. Ik vertelde hem dat ik me er niet eens van bewust was dat ik laat was. En hij zegt: "Ja, een halfuur." En daarna hield hij zijn mond, alsof hij wachtte totdat ik hem iets zou opbiechten. Toen begon hij vragen te stellen over Liza.'

'Wie is Liza?'

'Mijn officemanager op het werk. Slim en aantrekkelijk. Ze ving Glitsky op toen hij vragen ging stellen over hoe laat ik op de zaak was gekomen, hoe ik me gedroeg...'

'Is hij werkelijk bij jou op de zaak langsgeweest?'

'Meteen. Nog voordat hij ons hier kwam opzoeken. Ik zei het je al. Ik sta op zijn lijstje.'

'Maar dat is gewoon belachelijk.'

'Op zijn minst. Maar toen begon hij ook nog over mijn verstandhouding met Liza. Was het misschien vanwege haar dat ik had besloten Janice te vermoorden? Ik kan die vent wel wurgen.' Hij werd plotseling overmand door woede. 'Het idee alleen al dat ík het had kunnen zijn. Godallemachtig!'

Chuck schoof naar het puntje van zijn bank. 'Dat gelooft hij vast niet écht. Hij begint nog maar net. Wacht maar tot al het bewijsmateriaal is verzameld, tot de sectie is verricht. Dan komt het vanzelf wel goed.'

Durbin leunde tegen de wand van het tuinhuisje. 'Je hebt gelijk. Je hebt gelijk.' Hij bracht een hand naar zijn voorhoofd. Zijn ogen waren dof en bloeddoorlopen. 'Ik zit er gewoon doorheen.' Plotseling richtte Durbin zijn hoofd op en kwamen zijn ogen tot leven.

'Wat?' vroeg Chuck. 'Vertel op. Zo vaak komt het niet voor dat je plotseling het licht ziet.'

Durbin staarde naar een punt achter Novio's schouder.

'Mike? Wat is er?'

Durbin blies de adem uit die hij had ingehouden. 'Die problemen tussen Janice en mij waarover ik je vertelde? Volgens mij ging ze vreemd.'

Novio zweeg even en schudde toen zijn hoofd. 'Nee, Mike. Dat kan ik me niet voorstellen. Janice?' Vervolgens: 'Meen je dat nou? Weet je het zeker? Met wie?'

'Een van haar patiënten als je het mij vraagt.' Hij ging nog meer rechtop zitten terwijl het idee tot hem doordrong. 'Ik zat me net af te vragen wie een reden zou kunnen hebben gehad om zoiets te doen. Het was absoluut geen toeval, niet iemand die zomaar ons huis uitzocht met de bedoeling het in brand te steken. Maar als zij iets met iemand had en het uit wilde maken, en hij dan in een opwelling van woede was langsgekomen... Ik bedoel, zo iemand zou een motief hebben, een persoonlijke relatie met Janice waarover ik Glitsky zou kunnen informeren, zodat hij behalve mij nog iemand anders heeft die hij kan natrekken.'

Chuck, die deze redenering kon volgen, knikte en zei: 'Dat is zeker iets dat hij zou kunnen oppakken. En dan zou hij ook nog met mijn eigen persoonlijke theorie aan de slag kunnen gaan.'

'En die is?'

Chuck aarzelde. 'Dat dit helemaal niet om Janice ging. Dat ze haar hebben gepakt om jou te grazen te nemen.'

'Mij? Wie zou mij nou te grazen willen nemen? Waarom?' Maar toen drong het voor de hand liggende antwoord tot hem door. 'Ro Curtlee.'

Novio haalde zijn schouders op. 'Die eerste getuige die vlak na zijn vrijlating is vermoord, had hij haar huis niet ook platgebrand? En je zei toch dat je dacht dat hij jou de vorige week in de rechtszaal had herkend? Dus ik dacht, misschien...'

Durbin onderbrak hem door een hand op te steken. 'Godallemachtig,' zei hij.

15

'Ik denk echt dat we naar New York moeten verhuizen,' zei Theresa Curtlee die maandagochtend. Ze zat beneden met haar echtgenoot aan het ontbijt. Ze nipte afwisselend aan een porseleinen koffiekopje, een met een schijfje citroen gegarneerd loodkristallen Riedel-wijnglas met mineraalwater en een klein glas grapefruitsap. Op haar bord had ze zojuist twee kleine stukjes ananas afgesneden. Het tafelblad tussen haar en Cliff stond vol met eten dat later voor het merendeel zou worden weggegooid: kommen en schalen met wentelteefjes, roereieren, worst, bacon, gerookte zalm, bagels, Engelse muffins en muffins met zemelen en bosbessen, een fruitsalade. 'Ik zie echt niet in waarom we hier in deze constante heksenketel moeten blijven leven.'

Cliff schoof zijn exemplaar van de *Courier* opzij. 'Het zou lastig zijn de zaken vanuit New York te leiden,' zei hij. 'En willen we op onze leeftijd nou werkelijk nog gaan verkassen? Hoewel het een aanlokkelijk idee is, dat moet ik toegeven. Al die heibel met Ro. Ik hoop werkelijk dat ze er nu mee op zullen houden.'

'Je denkt toch niet echt dat Glitsky ermee stopt? Soms ben ik wel eens bang dat hij ergens op de loer ligt als Ro uitgaat.'

'Ik kan me niet voorstellen dat hij dat zichzelf zou aandoen. Maar misschien huurt hij er wel iemand voor in. Nee, dat hoeft niet eens. Het zal eerder iemand zijn die hem een soort vriendendienst bewijst.'

Ze zette haar kopje neer. 'Dat is precies wat ik bedoel, Clifford. Waarom moeten we nou iedere dag met die angst leven? Ik begrijp niet waarom we hem niet op de een of andere manier kunnen laten verwijderen.'

'Dat hebben wel al eens geprobeerd, weet je nog? Het is een taaie. Ik was er zeker van dat hij zijn ontslag zou nemen toen ze hem hoofd van de salarisadministratie maakten. Maar nee, daar is hij weer, kennelijk opnieuw volledig gesteund door zijn hoofdcommissaris. Die politiemensen schijnen iets te hebben met loyaliteit. En van die spiksplinternieuwe hoofdcommissaris komen we ook niet af. Nu nog niet, in ieder geval.'

'Dus daar gaan we weer.' Theresa bette haar levenloze lippen. 'Wat heb je nog aan invloed als je jezelf niet een beetje kunt vrijwaren van het plebs? Hebben we hier nu zo hard voor gewerkt? Met al het geld dat we datzelfde plebs hebben toegeschoven en al het goeds dat we proberen te doen. Het lijkt me gewoon niet eerlijk.'

'Het ís ook niet eerlijk, Theresa. Maar zo werkt het nu eenmaal in deze stad. Ronduit krankzinnig.'

Ze sneed nog een stukje ananas af en kauwde het afgemeten en grondig. 'En ik neem aan,' zei ze, 'dat die beste meneer Farrell van ons het niet goed zou vinden als we Ro meenamen, mochten we besluiten naar de oostkust te verhuizen, nietwaar? Al was het maar voor een wat langere vakantie.'

'Ik denk het niet.'

'Maar waarom hebben we hem dan al dat geld gegeven voor zijn campagne?'

'Hij was de minste van de twee kwaden, Theresa. En het pleit in ieder geval voor hem dat hij zich niet sterker heeft verzet tegen Ro's vrijlating onder borgtocht. Dat had hij normaal gesproken zeker kunnen doen. Dus alles overziend denk ik dat het campagnegeld goed besteed is geweest. Tot dusver in ieder geval. Als hij het tenminste niet plotseling op zijn heupen krijgt en gaat proberen het iedereen naar de zin te maken.'

Theresa's ogen dwaalden naar de schaal met bacon die vlak voor haar op tafel stond. Ze schoof hem een paar centimeter naar zich toe, maar leek zich te bedenken en duwde hem weer terug. Ze pakte haar glas grapefruitsap en vroeg: 'Wat hebben ze toch tegen hem?'

'Ro?' Hij nam een plakje van zijn eigen bacon, kauwde, slikte en zuchtte.

'Ik bedoel,' vroeg ze, 'wat was er nou zo verschrikkelijk aan wat hij gedaan heeft? Dat hij een beetje scheutig was met zijn zaad? Iedere jongeman maakt toch zeker zo'n periode door?' Opkomende tranen deden Theresa's ogen glimmen. 'Als ik denk aan de tijd die hij al heeft verloren... Goddank hebben we hem nu eindelijk weer bij ons. Maar voor hoe lang? Ik weet niet of ik het kan verdragen als ze hem opnieuw bij me weghalen. Ik begrijp die heksenjacht gewoon niet, Clifford. Echt waar. Wat heeft hij nou helemaal gedaan? Ik begrijp het gewoon niet.'

'Wat hij heeft gedaan,' begon Cliff Curtlee, 'is de doodzonde te begaan zich niet te verontschuldigen voor de klasse waaruit hij voortkomt. Onze klasse. En zoals je weet is er in deze stad geen grotere misdaad denkbaar. Want we zijn allemaal gelijk, snap je?'

'Maar dat is toch volkomen absurd?'

'Hoe dan ook, dat is precies wat we – en daar draag ik zelf medeverantwoordelijkheid voor – dat is precies wat we bij het vorige proces hebben onderschat. Ik bedoel, misschien heeft hij zich bij een paar van die meisjes inderdaad nogal laten gaan, en dat was natuurlijk verkeerd, maar hij was jong; en trouwens, wie waren dat nou helemaal? Stelden die meisjes nou werkelijk iets voor? Nee toch zeker?'

Precies op dat moment kwam Linda Salcedo, een van hun jonge en aantrekkelijke dienstmeisjes, door de keukendeur naar binnen met een pot verse koffie. 'Ha,' zei Cliff, 'daar heb je mijn redding. Precies op het juiste moment. Een klein beetje meer graag, een half kopje. Ja, zo is het goed, dank je. Je bent een droom, Linda, wat zouden we zonder jou moeten beginnen?'

Linda glimlachte flauwtjes en maakte een beleefd knicksje. '*Gracias*.' Ze wendde zich tot Theresa. '*Señora?*'

'Nee, lieverd, dankjewel.'

Na opnieuw een klein buiginkje te hebben gemaakt verdween de jonge vrouw weer naar de keuken.

'De lieverd,' zei Theresa.

'Schat van een meid,' zei Cliff instemmend, waarna hij de draad weer oppakte. 'Ik wil niet zeggen dat er niet een soort straf hoeft te volgen als Ro een van die meisjes inderdaad iets heeft aangedaan, maar dat vonnis stond duidelijk in geen enkele verhouding tot de schade die hij heeft aangericht. En de fout die wij hebben gemaakt – ikzelf net zo goed als zijn advocaten – is dat we hebben onderschat hoe diep dat vooroordeel tegen onze klasse bij die juryleden zat ingebakken. De jury wilde hem niet vergeven. Ze wilden hem als voorbeeld stellen. Achteraf bezien, dat heb ik nu wel duizend keer bedacht, hadden we hem de slachtofferrol moeten laten spelen, zoals we vorige week hebben gedaan. Dat heeft tamelijk goed gewerkt. Die rechter zag hem niet als een jongen met een beetje geld en misschien een autoriteitsprobleem, maar als een murw geslagen slachtoffer.'

'Ik vond het walgelijk hem zo te zien. Zo is hij niet.'

'Nee. Maar zo moet hij zich misschien wél voordoen als hij de volgende keer een lichtere straf opgelegd wil krijgen. Of hopelijk geen enkele straf.'

'Het zou het beste zijn als er helemaal geen volgende keer komt.'

Cliff knikte. 'Vanzelfsprekend. Dat ben ik met je eens. En ik weet dat Tristan en Ro daar nu aan werken. Dus het enige wat we voorlopig kunnen doen is afwachten en zien hoe het loopt. Bovendien kunnen we Farrell er misschien van overtuigen dat hij het nieuwe proces een tijdje moet uitstellen of zelfs afblazen, zeker als geen van die eerdere getuigen bereid kan worden gevonden opnieuw een verklaring af te leggen, waar het trouwens ook op uit lijkt te draaien.'

'Laten we het hopen. Maar als ze een nieuwe datum vaststellen,' vervolgde ze op zachtere toon, 'dan zou het wel eens verstandig kunnen zijn dat we Ro ergens naartoe sturen waar het veilig is, waar ze hem niet uitleveren.'

Cliff hield zijn adem even in. 'Ja,' zei hij, 'dat is natuurlijk een mogelijkheid. Maar dat is dan wél een beslissing van tieneneenhalf miljoen dollar, Theresa. We zouden het kunnen doen, maar pas als alle andere mogelijkheden zijn uitgeput.'

Zonder het vooraf te hebben gepland stopte Farrell bij zijn voormalige advocatenkantoor in Sutter Street. Hij was nog steeds een van de bij naam genoemde partners van de firma Freeman, Farrell, Hardy & Roake, zelfs al was zijn privépraktijk inmiddels opgedroogd. Je lag als strafpleiter bij potentiële cliënten vanzelfsprekend slecht in de markt als je tegelijkertijd degene was die probeerde ze achter de tralies te krijgen. Maar hij vermoedde dat zijn naam nog steeds een zekere wervingskracht had voor de firma; en wat de andere naamgevers betrof was er nog maar één daadwerkelijk actief in de beroepsuitoefening: David Freeman was dood, hijzelf was officier van justitie geworden en Gina Roake besteedde het grootste deel van haar tijd aan het schrijven van haar tweede roman, nadat de eerste met redelijk succes was gepubliceerd.

De enige oorspronkelijke partner die nog actief was in het kantoor was Dismas Hardy.

Farrell nam de trap naar de ontvangsthal en beende naar de receptie. Achter de lage afscheiding zat Phyllis aan haar toetsenbord, bezig met het vervullen van haar taken als secretaresse, hoofd van de receptie en poortwachter van Hardy's kantoor. Toen ze Farrell zag naderen bevroren haar vingers boven het toetsenbord terwijl ze haar mond enigszins misprijzend tuitte, maar ze herstelde zich snel en produceerde een ijzige glimlach.

'Meneer Farrell,' zei ze gemaakt enthousiast. 'Wat leuk u weer te zien.'

'Dank je, Phyllis. Is Diz er?'

Dat was duidelijk een onwelkome vraag. Haar lippen namen de tuitende positie weer in en ze tilde haar arm op zodat ze haar horloge kon raadplegen. 'Er staat over twintig minuten een afspraak gepland,' zei ze. De ondertoon was dat zo'n geplande afspraak van veel meer importantie was dan Farrells onaangekondigde bezoek. 'Verwacht hij je?'

'Nee. Ik dacht: kom, laat ik even binnenvallen. Misschien kun je hem een belletje geven? Of zal ik gewoon...' Hij maakte aanstalten om haar werkplek heen te lopen in de richting van Hardy's deur.

'Nee! Nee!' Ze stak dreigend een hand op. 'Ik zal hem laten weten dat u er bent.' Ze nam de telefoon en toetste een nummer in.

Een minuut later sloot Dismas Hardy de deur van zijn kamer nadat hij Farrell had binnengelaten. 'Ze is gewapend, wist je dat?' zei hij.

'Meen je dat nou?'

'Echt waar,' antwoordde Hardy hoofdschuddend. 'Een paar maanden geleden. Ze wees me er terecht op dat ze eigenlijk niets kon ondernemen als iemand haar daadwerkelijk wilde passeren om zomaar mijn kamer binnen te lopen. Dan was ze in feite machteloos. Dus hebben we een grote blaffer voor haar gekocht. Een Magnum .357 met dumdumkogels.'

'Om mensen af te stoppen die jou willen spreken?'

'Alleen als ze geen afspraak hebben,' zei Hardy. 'Dat is wél een belangrijk verschil.'

Farrell ging op een van Hardy's Queen Anne-stoelen zitten. 'Zoals de afspraak die ík vanochtend niet had? En dan te bedenken dat ik bijna naar de deur van je kamer was doorgelopen.'

'Je mag van geluk spreken dat ze je heeft herkend en de trekker niet heeft overgehaald.'

'Gaat dat allemaal niet een beetje ver?'

'Zeker,' zei Hardy. 'Als het waar zou zijn.'

Farrell leunde achterover. 'Ik begin een beetje traag te worden. Ik ben er écht ingetrapt. Maar het bespreken van de mogelijkheid maakt iets al min of meer waar. Dat staat ook op een van mijn T-shirts.'

'Jij hebt voor alles een T-shirt,' zei Hardy. 'Wil je koffie?'

'Graag. Twee klontjes, alsjeblieft.'

Hardy roerde en reikte Farrell de kop en schotel aan. 'Worden er nog steeds zo weinig moppen getapt in het Paleis van Justitie?'

'Dat valt best mee,' zei Farrell.

Heb je die van die twee Canadezen al gehoord, die meedoen aan *twenty questions*?'

'Nee, maar...'

Hardy kon niet wachten. Hij stak meteen van wal. 'De kerel wiens beurt het is bedenkt het woord *elandenpik*. De eerste vraag van die andere vent is: "Kun je eraan zuigen?" en hij zegt: "Nou, ik zou niet weten waarom niet." Dus die andere kerel denkt even na en zegt: "Is het misschien een elandenpik?"'

Farrell had net zijn mond vol hete koffie toen Hardy aan de clou was toegekomen. Gedurende een halve seconde probeerde hij de koffie binnen te houden, terwijl Hardy even dacht dat Farrell erin bleef. Toen verloor Farrell de controle. Hij begon onbedaarlijk te lachen en spuwde daarmee een fonteintje koffie de lucht in. 'O, god, Diz, het spijt me. Je tapijt...' Farrell had zijn zakdoek in zijn hand; er kwam koffie uit zijn neusgaten.

Opnieuw begon hij te proesten.

Hardy draaide zich om, trok snel wat keukenpapier van de rol die op de bar stond, liet zich op een knie zakken en begon het tapijt te deppen.

Farrell daalde af met zijn zakdoek en begon hem te helpen. Maar ze waren nog steeds niet uitgelachen. Het tapijt had geen onherstelbare schade opgelopen. Farrell stond op en ging weer zitten.

Hardy grijnsde breed. 'Ik had even moeten wachten totdat je je koffie had doorgeslikt. Maak je geen zorgen over het kleed. Het is mijn eigen schuld.'

Farrell leunde uitgeteld achterover in de stoel. 'Godallemachtig,' zei hij. Hij haalde een paar keer diep adem en toen hij was hersteld kwam hij ter zake. 'Ik wilde even een onbevangen oordeel over al dat gedoe met die Ro Curtlee, dat is alles. In de kranten krijg ik van voor- en tegenstanders de volle laag. Sam praat nauwelijks meer met me en het zou me niet verbazen als Amanda Jenkins ontslag neemt vanwege de hele kwestie. En dan hebben we het nog niet eens over Glitsky.'

'Wat is er met Abe?'

'Hij denkt dat Ro opnieuw een vrouw heeft vermoord. Een zekere Janice Durbin.'

'En wie is dat?'

'De echtgenote van de juryvoorzitter in zijn proces. Maar Abe kan Ro nu niet arresteren, na dat fiasco van vorige week. Crawford wil hoe dan ook al van hem af. En Vi Lapeer heeft flink op haar strepen moeten staan om hem te behouden, wat haar eigen positie op de langere termijn op zijn zachtst gezegd onzeker maakt. Het is een complete puinhoop en misschien heeft Sam nog gelijk ook dat het allemaal mijn schuld is. Maar ik weet echt niet wat ik anders had kunnen doen of hoe ik het nu nog kan veranderen.'

Hardy aarzelde even en nipte van zijn koffie. 'Wat wil je doen?'

'Naar Baretto. Gewoon de klok terugdraaien.'

'Net doen alsof er niets is gebeurd,' zei Hardy. 'Als dat eens zou kunnen. Wat zou je dan anders doen?'

'Dan zou ik er in de sterkst mogelijke bewoordingen op aandringen dat er geen sprake kan zijn van borgtocht, dat Ro een moordenaar is en een gevaar voor de samenleving.'

'Sorry dat ik dat niet weet, maar wat heb je de vorige keer tegen hem gezegd?'

'De vorige keer heb ik niets gezegd. Ik heb Amanda naar de rechtbank gestuurd om het op te knappen.' Toen Hardy hem veelbetekenend aankeek vervolgde Farrell: 'Ik weet wat je denkt. Je denkt dat ik ben gezwicht voor de druk van de familie Curtlee.'

'Ik weet niet wat er zich tussen jou en de familie Curtlee heeft afgespeeld, Wes, dus dat dacht ik helemaal niet, dat verzeker ik je. Maar wat is er dan gebeurd? Hebben ze hun zaak bij je bepleit?'

'Zelf vonden ze het misschien subtiel, maar ze hebben me behoorlijk onder druk gezet.'

'En ben je daarna niet met Baretto gaan praten?'

Wes schudde van nee. 'Maar dat was ik ook nooit van plan.'

'Waarom niet?'

'Afgezien van het feit dat zoiets volstrekt onethisch zou zijn? Ik vond gewoon dat hij degene was die erover ging. En trouwens, tien miljoen borg is geen kattenpis.'

Hardy nipte van zijn koffie.

Farrell ontspande zijn schouders. Hij schudde zijn hoofd. 'Ik heb het verkloot, nietwaar?'

Hardy haalde zijn schouders op. 'Hoe lang was je nou helemaal in functie toen je die beslissing nam? Drie dagen?'

'Zoiets. Maar ik had de vorige week een nieuwe kans bij Donahoe en die heb ik ook laten liggen. En nu hebben we een nieuw slachtoffer en het zou me niets verbazen als er nog meer volgen.'

Hardy zweeg een minuut en vroeg toen: 'En de grand jury?'

'Ik heb geen bewijs, Diz. En ik bedoel niet te weinig bewijs. Ik bedoel helemaal niets.'

'Hoe weet je dan dat Ro het heeft gedaan?'

'Hij laat zijn slachtoffers altijd hun schoenen aanhouden. De vrouwen hebben allebei iets te maken met zijn proces. Het is een psychopaat en hij geniet van dit soort dingen.'

'Dat noem ík bewijs. Het zou heel goed genoeg kunnen zijn voor de grand jury. Dan stellen ze hem in staat van beschuldiging voor beide moorden en dan is er geen borgtocht.'

'Maar dan wordt hij twee keer in één week gearresteerd. Hoe denk je dat dat eruitziet?'

'Wat kan jou dat schelen? Zoiets is wel eerder gebeurd. En de grand jury heeft er waarschijnlijk meer dan een week voor nodig om hem in staat van beschuldiging te stellen. Dan kun je een arrestatieteam naar hem toe sturen en hem achter slot en grendel zetten. Misschien heb je wel geluk en biedt hij verzet, zodat ze hem moeten doodschieten.'

'Als dat eens zou kunnen,' zei Farrell.

Hardy haalde zijn schouders weer op. 'Luister eens, Wes. Jij bent hier nu de officier van justitie. Niet meer zomaar een willekeurige burger en zeker geen strafpleiter. Daar kun je maar beter aan wennen. Wat je ook doet, je zult vijanden maken. Met die wetenschap in je achterhoofd moet je doen wat jij denkt dat er moet gebeuren. Je hebt geen andere keus. Als jij vindt dat die gast in de gevangenis thuishoort dan moet je dat regelen, linksom of rechtsom.'

Farrell liet dit advies zwijgend op zich inwerken. Na een paar seconden stak hij zijn hand uit en pakte zijn koffie. Nadat hij een slokje had genomen keek hij Hardy aan. 'Kutzooi.'

'Ik weet het.'

'Ik heb er zelf om gevraagd, ja toch?'

'Dat is het gerucht.'

Farrell stond moeizaam op. 'Diz, bedankt voor je openhartigheid. En, nogmaals, sorry dat ik je kleed vies heb gemaakt.'

'Laat dat kleed maar zitten. Ik zeg wel tegen Phyllis dat het koffieapparaat zomaar begon te spetteren. Dan zal ze wel meteen een nieuw willen kopen en dan zeg ik dat ik zo gehecht ben aan deze machine, ondanks zijn gebreken. Dat kan zeker een paar weken zo doorgaan. Ik verheug me er nu al op.'

Farrell kon een glimlach niet onderdrukken. 'Waarom ben ik hier in godsnaam weggegaan?'

'Het noodlot kwam op bezoek. En je bent altijd welkom als je weer terug wilt komen. Maar Wes...?'

'Ja?'

'Zolang je de publieke zaak nog dient, doe jezelf en de rest van ons dan allemaal een plezier en berg dat stuk vuil op.'

16

Hij nam de telefoon op nog voordat hij voor de tweede keer rinkelde. 'Glitsky.'

'Inspecteur, met Michael Durbin.'

Glitsky zweeg even. 'Hoe gaat het ermee?'

'Eerlijk gezegd zijn de laatste dagen nogal een bezoeking geweest.'

'Dat kan ik me voorstellen.' Glitsky, die nogal verbaasd was dat de man hem belde, wreef met zijn vinger over een vlek op zijn bureau.

'Inspecteur?'

'Ik luister.'

'We hebben niet zo lang gepraat toen u afgelopen zondag langskwam, maar na het weekend realiseerde ik me dat ik misschien... Wat ik wilde zeggen is dat ik het gevoel had dat we na het proces tegen Ro min of meer een persoonlijke band hadden opgebouwd.'

Glitsky koos zijn woorden zorgvuldig. 'Ik herinner me dat we daarna samen een paar keer een kop koffie hebben gedronken.'

'Als ik het me goed herinner, inspecteur, dan dronk u thee.'

'Klopt. Dat doe ik nog steeds.'

'Goed dan, ik voelde destijds een soort verwantschap met u, omdat we allebei zo werden lastiggevallen door de familie Curtlee. En ik hoopte dat we nu misschien even informeel zouden kunnen praten, net zoals we destijds deden.'

'Over de dood van uw vrouw?' Glitsky trok zijn notitieblok naar zich toe.

'Ja, zoiets. Ik kreeg de indruk – misschien had ik dat meteen moeten zeggen – dat u dacht dat ik op een of andere manier verdacht was.'

De gedachte dat Michael Durbin ook maar in de verste verte een geloofwaardige verdachte was, was nooit bij Glitsky opgekomen, en even voelde hij een zekere genoegdoening omdat hij zijn doel zo gemakkelijk had bereikt. Maar hij was niet van plan dit – of wat dan ook – te laten merken aan de man met wie hij sprak. 'Meneer Durbin,' zei hij. 'Ik ben nog maar net begonnen aan mijn onderzoek. Er zijn heel veel mensen die verdacht zouden kunnen zijn en waarschijnlijk...'

'Wacht even. Nee, nee, nee. Dat is gewoon onmogelijk. Ik kan geen verdachte zijn, inspecteur. Dat weet u heel goed.'

'Hoe moet ik dat weten?'

Omdat u me hebt leren kennen na de rechtszaak tegen Ro en omdat ik sindsdien niet ben veranderd. U weet dat ik geen moordenaar ben. Ik zou nog niet eens een vlieg dood kunnen maken. Ik heb mijn vrouw niet vermoord en ik heb die brand niet aangestoken.'

'We weten nog niet eens of ze is overleden als gevolg van de brand, of dat iemand haar eerst heeft vermoord en daarna pas brand heeft gesticht, meneer Durbin. We hopen dat de laboratoriumgegevens en het sectierapport ons spoedig meer kunnen vertellen en dan weten we waarschijnlijk beter waar we precies mee te maken hebben.'

'Dat is allemaal goed en wel, maar hoe je het ook wendt of keert, mijn vrouw is dood en bij het onderzoek naar haar dood kan er domweg geen rekening mee worden gehouden dat ik er iets mee te maken zou hebben. En toch krijg ik het gevoel dat u met die gedachte speelt. Terwijl we allebei heel goed weten wie dit werkelijk heeft gedaan.'

'O, ja? Weten we dat?'

'Kom nou toch, inspecteur. Denk nou eens goed na.'

'Ik doe niet veel anders.'

'Is de naam Ro Curtlee dan helemaal niet bij u opgekomen?'

Glitsky zei niets.

Totdat Durbin ten slotte aandrong. 'Goed, misschien is het dan niet zó voor de hand liggend. Ik moet toegeven dat ik er ook pas gisteren op ben gekomen. En dat kwam waarschijnlijk doordat u me zo van streek had gemaakt met uw vragen...'

'Waarom zou Ro uw vrouw willen vermoorden?'

'Om wraak op me te nemen. Net zoals hij die andere vrouw heeft vermoord; die getuige.'

'Ja. Maar zij kon nog tegen hem getuigen. Ze was een bedreiging in het hier en nu. Uw vrouw had geen enkele relatie tot hem en ze kon absoluut geen invloed uitoefenen op zijn toekomst. Dat is iets heel anders.'

'Hij heeft het gedaan. Ik weet het zeker. Luister, ik was vorige week aanwezig bij die zitting over zijn borgtocht. Natuurlijk realiseer ik me nu dat ik beter niet had kunnen gaan, maar hij draaide zich om en keek me recht in het gezicht. Ik weet zeker dat hij me herkende. En zo is het idee bij hem ontstaan. Nu is hij bezig oude rekeningen te vereffenen.'

Glitsky besefte plotseling dat dit precies het soort aanwijzing was dat hij in de loop van zijn onderzoek hoopte te vinden. Durbins informatie kwam van een onafhankelijke bron en leidde naar Ro zonder dat Glitsky of de afdeling Moordzaken er enige rol in had gespeeld. Het was een legitieme aanwijzing in de zaak die hij verplicht was na te trekken, zelfs als hij nog nooit van Ro Curtlee had gehoord.

'Dat is een gewaagde theorie,' zei Glitsky.

'Het is veel meer dan dat. Ik wil er alles onder verwedden dat het zo gebeurd is.'

'Nou, hopelijk zullen we in staat zijn dat te bewijzen.'

'Niet als u nog steeds rekening blijft houden met de mogelijkheid dat ík het geweest zou kunnen zijn. Concentreert u zich in godsnaam op Ro. Voordat het spoor doodloopt.'

Bij deze nogal dwingende opmerkingen gaf een klein deel van Glitsky's brein het signaal af dat Durbin wat te nadrukkelijk protesteerde. Maar hij zette dat licht knagende gevoel snel opzij – Ro was ongetwijfeld de moordenaar van Janice en Glitsky kon begrijpen dat Durbin er wanhopig naar verlangde dat de man zou worden opgepakt en beschuldigd. Per slot van rekening was hij net zijn vrouw kwijtgeraakt. En Ro was bij uitstek iemand om te verdenken en te vrezen. Glitsky zette het gesprek op zakelijke toon voort. 'Ik volg het spoor dat er is, meneer Durbin. En afgaand op wat u me hier zojuist hebt verteld, zou het misschien best eens in de richting van Ro kunnen leiden.'

'Dat staat voor mij als een paal boven water.'

'Dat kan best,' zei Glitsky, 'maar ik zal het toch eerst moeten bewijzen.'

Brandinspecteur Arnie Becker kwam die maandagochtend onaangekondigd bij Glitsky langs. Hij zat nu aan de andere kant van diens bureau en bracht verslag uit, met als voornaamste conclusie dat niemand die vrijdagochtend iets verdachts had gezien in de buurt van de woning van de familie Durbin. 'Die gast heeft onwaarschijnlijk veel geluk,' zei Glitsky. 'Iemand moet toch iets gezien hebben? Zeker bij een brand die uitbreekt op het tijdstip waarop iedereen naar zijn werk of naar school gaat? En toch heeft niemand iets gezien dat op een paarse Z4 leek?'

'Hoeveel auto's denk je dat de Curtlees hebben, Abe? Zes? Acht? Vijftien? Ik weet zeker dat ze een heel wagenpark bezitten.'

'Ik weet het, ik weet het.' Glitsky streek met een hand over zijn schedel. 'Ik wil die éne aanwijzing. Ik wil hem zo graag dat ik hem bijna kan ruiken.'

'Nou, misschien kan ik je dan wel helpen, want ik heb nieuws.'

'Vertel.'

'Ik kom net van beneden. Van Strout.'

'Beneden' betekende het kantoor van de patholoog-anatoom vlak bij de achteringang van het Paleis van Justitie. Strout was een lijkschouwer die de tachtig al was gepasseerd, maar immuun leek voor de geldende regels betreffende de pensioengerechtigde leeftijd, waarschijnlijk omdat hij zo goed en onafhankelijk was dat niemand daar een punt van wilde maken. 'Om te beginnen weten we zeker dat het om moord gaat, al zijn de resultaten van het toxicologisch onderzoek nog niet binnen. Het tongbeen is gebroken. Dat was trouwens bij Nuñez ook het geval. Dus Janice is gewurgd en overleden voordat het vuur uitbrak, als we er tenminste van uitgaan dat ze het vuur niet zelf heeft aangestoken en zichzelf daarna heeft gewurgd.'

'Nee,' zei Glitsky, 'laten we daar gemakshalve maar niet van uitgaan.'

'En het is beslist opzet, hoewel – en dat is misschien een verrassing – de brand beneden in de keuken en de eetkamer is aangestoken en zich vandaar naar boven heeft verspreid. Er is gebruikgemaakt van kranten en benzine, als je de details wilt weten. Hij heeft de benzine meegenomen in zo'n plastic halve literfles cola light die vrijwel volledig is gesmolten maar die we nog net konden identificeren.'

Glitsky nam deze informatie met een kort knikje in ontvangst. 'Wat voor brandversneller heeft hij bij Nuñez gebruikt?'

'Ook benzine, en wat van haar kleding.'

'Is daar ook een fles gevonden?'

'Waarschijnlijk niet. Ik heb in ieder geval niets aangetroffen. En ik heb goed gekeken.'

'Dus hij heeft Janice niet in brand gestoken?' vroeg Glitsky.

'Tsja, ze bevond zich op de bovenverdieping van een woning. Nuñez woonde in een klein appartement. Dus met Nuñez had hij geen andere opties. Maar hij heeft optimaal gebruikgemaakt van de middelen die hij had. Niet al te dichte proppen krantenpapier vormen zo ongeveer de beste brandversneller die er bestaat. Dus misschien is hij wel bezig zijn techniek te verfijnen.'

'Maar Janice was toch niet zo erg verbrand als Nuñez?'

'Nee. Veel minder erg, eerlijk gezegd. En dat brengt me op een volgend punt.'

Glitsky veerde op. 'Vertel me alsjeblieft dat je DNA hebt.'
'Nee, maar wel iets anders dat we kunnen gebruiken. We hebben chlamydia gevonden.'
'Wou je zeggen dat Janice dat had?'
Becker knikte. 'Niet dat Strout ernaar heeft gezocht, maar een van zijn assistenten zag iets op het objectglaasje. Dus heeft hij nog eens goed gekeken. Geen twijfel mogelijk.'
Glitsky ging zitten en sloeg zijn benen over elkaar. 'Toen ik Michael sprak, de echtgenoot, vertelde die me dat ze wat problemen hadden. Serieuze problemen, maar niets om haar voor van kant te maken. Nu weet ik wat die problemen waren en misschien waren ze wel ernstiger dan hij me wilde doen geloven.'
'Dus we weten dat ze een verhouding had,' zei Becker.
'Of hij,' opperde Glitsky. 'Ze komt erachter dat ze chlamydia van hem heeft gekregen, ze krijgen slaande ruzie en hij vermoordt haar. Of hij heeft het van haar gekregen. Met hetzelfde resultaat.'
'Ja,' zei Becker, 'alleen heeft hij haar niet vermoord. Dat heeft Ro gedaan. Getrouwde mensen hebben voortdurend problemen, maar dat betekent nog niet dat ze elkaar meteen vermoorden.'
Met een theatraal gebaar stak Glitsky zijn vinger in zijn oor en deed alsof hij het ermee schoonmaakte. 'Het spijt me, Arnie, maar ik dacht écht dat ik je zojuist hoorde zeggen dat echtgenoten elkaar niet vermoorden. Als dat zo was dan hadden we op mijn afdeling misschien tóch voldoende rechercheurs.'
'Krijg je soms plotseling een zwak voor Ro?' vroeg Becker.
'Nee,' antwoordde Abe zonder aarzeling. 'Ik probeer te zien hoe jouw verhaal over die chlamydia in de puzzel past.'
'Nou,' zei Becker, 'het goede nieuws is dat Ro ook een positieve testuitslag zal hebben voor chlamydia, als je hem weer achter de tralies hebt.'
'Niet per se. Niet als hij een condoom heeft gebruikt,' zei Glitsky. 'En ook niet als hij haar helemaal niet heeft verkracht. En daar is vooralsnog geen forensisch bewijs voor, als ik het goed begrepen heb.'
'Nee, nog niet in ieder geval,' zei Becker. 'Gebruiken verkrachters condooms?'
'Die uit de betere kringen wel, reken maar. Dat is schering en inslag.' Glitsky leunde achterover en tikte met de gespreide vingers van zijn rechterhand op zijn bureau. Toen hij weer sprak, klonk het alsof hij hardop aan het denken was. 'Misschien heeft Ro Janice niet verkracht.

Nee, dat heeft hij niet gedaan, want ze was anders dan zijn gebruikelijke slachtoffers. Ze betekende persoonlijk helemaal niets voor hem. Ze was een manier om wraak te nemen op Durbin. Wat dacht je daarvan?'

'Alles waar Ro in voorkomt klinkt me als muziek in de oren, Abe. Ik heb de plaatsen delict van de Nuñez-zaak en de Durbin-zaak onderzocht, dus je praat tegen een ware gelovige.'

'Dan zijn we in ieder geval met zijn tweeën,' zei Glitsky.

Op zijn persoonlijke parkeerplaats achter de zaak zat Durbin in zijn auto, waar hij wachtte totdat een innerlijke stem hem het geheime wachtwoord gaf dat hem tot actie zou bewegen. Een stevige, frisse wind had de dichte bewolking uiteindelijk opengebroken en de afgelopen minuten had de zon zich enkele malen laten zien. Hij wist niet precies wat hij hier deed. Maar die ochtend, bij Chuck en Kathy, had hij ook niet geweten wat hij dáár precies deed, afgezien van wat in het huis rondscharrelen nadat de kinderen allemaal naar school waren gegaan. Dus was hij in zijn auto gestapt nadat hij Kathy had verteld dat hij even ging kijken hoe alles er op de zaak voor stond.

Ten slotte opende hij het portier van de auto en ging hij door de achterdeur naar binnen. Het belletje boven de deur rinkelde en een paar van zijn medewerkers keken achterom door het glas van hun loketten. Hun gezichten drukten verbazing en ongerustheid uit, maar hij zwaaide eenvoudigweg naar ze, liep zijn kantoortje binnen en ging achter zijn bureau zitten.

Na minder dan tien minuten verscheen Liza Sato in de deuropening. Gekleed in een spijkerbroek en een visserstrui met een brede, ronde hals stond ze daar met haar handen op haar heupen en een uitdrukking die het midden hield tussen frustratie en bezorgdheid. 'Wat doe jij hier in vredesnaam, Michael?'

Hij probeerde een glimlach die halverwege doofde. 'Dat weet ik eerlijk gezegd ook niet precies. Het leek me een goed idee even langs te gaan.' Een vaag gebaar. 'Hoe gaat het hier?'

'Alles loopt op rolletjes. Maar jij hoort hier helemaal niet te zijn.'

'Waar hoor ik dan te zijn?'

'Wat dacht je van thuis?'

'Dat is een beetje een probleem, Liz. Ik heb geen huis meer.'

Ze sperde haar ogen wijd open en bracht een hand naar haar mond. 'O, zo bedoelde ik het...'

'Geeft niet. Ik weet wat je bedoelde. Wil je even binnenkomen?'

'Natuurlijk.' Ze deed de deur achter zich dicht en leunde ertegenaan met haar armen over elkaar geslagen. 'Michael, ik weet niet wat ik moet zeggen. Ik vind het zó erg, zó vreselijk erg.'

Zijn schouders bewogen op en neer. Hij spreidde zijn handen op het blad van zijn bureau, schudde zijn hoofd en haalde opnieuw zijn schouders op.

Liza maakte zich los van de deur en liep naar het bureau, waarna ze een arm om zijn schouders legde, zich bukte en hem een kus op zijn hoofd gaf. Ze voelde hoe zijn lichaam ineenzakte terwijl hij diep zuchtte, trok haar arm terug en ging op het bureau zitten. 'Eerlijk waar,' zei ze, 'je hoeft hier nu niet te zijn.'

'Ik weet het. Maar ik weet niet waar ik anders zou moeten zijn.' Hij zuchtte. 'Ik ben vanmorgen even gestopt bij het huis – op de plaats waar het huis stond. Heb je enig idee hoe gek dat is? Ik bedoel, ik rij vrijdag weg van mijn huis, het huis waar mijn kinderen wonen, waar al onze spullen staan, waar het grootste deel van ons dagelijks leven zich afspeelt. En vanmorgen rij ik er opnieuw langs en dan is alles weg. En Janice ook.' Hij richtte zijn hoofd op en keek Liza aan. 'Ik weet gewoon niet wat ik nu moet gaan doen.'

'Je hoeft helemaal niets te doen.'

'Nee. Ik moet er op zijn minst op de een of andere manier zijn voor mijn kinderen. Maar goddank is er school. Daar zijn ze nu. Ik weet niet hoe ze... Ach, wat maak ik mezelf wijs? Ik weet helemaal niets.' Hij zweeg even. 'Het spijt me. Ik ben hier niet gekomen om bij iemand uit te huilen.'

'Dat geeft niets,' zei ze. 'Je kunt zoveel huilen als je wilt, Michael. Huilen is oké.'

'Nee, dat is het niet. Niet echt.' Hij tikte haar even op haar knie, vlak naast hem op het bureau. 'Maar bedankt voor het aanbod.' Hij schoof iets bij haar vandaan en zei: 'Ik heb gehoord dat je zaterdagochtend met inspecteur Glitsky hebt gesproken.'

Ze knikte. 'Hij is langsgekomen, ja.'

'En kennelijk was ik vrijdag laat op het werk?'

'Is dat zo?'

'Dat zei hij. Of liever gezegd, iemand die hier werkt heeft dat gezegd. Hij leek het nogal belangrijk te vinden.'

'Waarom?'

'Omdat ik misschien wat langer thuis was gebleven om er zeker van te zijn dat het vuurtje goed brandde voordat ik in de auto stapte om naar het werk te rijden.'

Liza's gezicht betrok. 'Dat is gewoonweg krankzinnig! Dat gelooft hij toch niet echt?'

'Maar ik was laat, waar of niet?'

Ze dacht even na. 'Nou, ik herinner me dat ik de zaak open heb gedaan, maar afgezien daarvan...' Ze haalde haar schouders op. 'Hoe dan ook, wat maakt het eigenlijk uit?'

'Nou, ik kan het me eindelijk herinneren, nadat ik me het hele weekend over van alles en nog wat het hoofd heb gebroken. Ik ben onderweg gestopt bij een tankstation, toen moest ik wachten op een camper waar een paar honderd liter in moest, toen gaf de automaat aan dat ik naar binnen moest om mijn kwitantie te halen, maar dat kwam er niet meer van doordat een kerel ergens voor me in de rij tekeer begon te gaan omdat hij het verkeerde lottokaartje had gekregen. Hoe dan ook, dat was het, voor het geval iemand er nog eens naar mocht vragen, wat waarschijnlijk niet zal gebeuren.'

'Ik geloof sowieso niet dat het erg belangrijk is, Michael.'

'Nou, Glitsky maakte er een heel punt van. En je zou toch denken dat ik al dat gedoe bij het benzinestation moest hebben onthouden. Maar ik zweer het je, ik was het glad vergeten.'

'Misschien kwam dat wel doordat je huis was afgebrand en je vrouw was overleden. Zou dat geen goede reden geweest kunnen zijn?'

'Ja. Misschien wel. Maar ik wilde het je gewoon vertellen.'

'Ik heb er nooit iets achter gezocht, Michael. Echt niet.'

'Nou, goed dan. Maar ik geloof trouwens dat het er al helemaal niet meer toe doet.'

'Waarom?'

'Omdat ik tamelijk zeker weet wie het gedaan heeft.'

17

Ro Curtlee en zijn advocaat, Tristan Denardi, zaten aan de bar van de Tadich Grill. Allebei aten ze cioppino.

'Ik weet dat het niet de bedoeling is dat je het me vraagt,' zei Ro. 'Het is me duidelijk dat je het niet wilt weten. Maar ik vertel het je tóch. Ik was niet eens in de buurt. Ik heb Nuñez niet vermoord, al kan ik niet zeggen dat ik het erg vind dat we haar kwijt zijn.'

'Nou, we zijn haar nog niet helemaal kwijt, Ro.' Denardi zag er ondanks zijn theatrale optredens in de rechtszaal uit als een zorgzame, gecultiveerde en serene persoonlijkheid. Hij had dik grijs haar, een rimpelloos gezicht dat deed vermoeden dat hij veel tijd doorbracht in een zonnestudio, en hij droeg een perfect getailleerd Italiaans pak met een goudkleurige stropdas. 'Ze zullen beslist gebruikmaken van haar verklaring van de vorige keer.'

'Natuurlijk. Maar in ieder geval is ze dan niet lijfelijk aanwezig om hem zelf voor te lezen. Je zei toch dat ze gewoon gaan voorlezen wat ze de vorige keer heeft gezegd, nietwaar?'

'Ja. Er is geen andere mogelijkheid.'

'En hoe overtuigend kan dat zijn?'

'Niet zo erg. Ik weet het, dat is duidelijk in ons voordeel. Maar ik moet bekennen dat ik liever had dat ze nog leefde zodat we konden proberen haar over te halen helemaal niet te getuigen. Of misschien zelfs haar verklaring te veranderen. Bovendien zou er dan geen sprake zijn van jouw mogelijke betrokkenheid bij haar dood.'

Ro keek hem veelbetekenend aan. 'Hoe vaak moet ik je nog zeggen...?'

Denardi stak zijn hand op, met de palm naar voren. 'Ik begrijp het. Ik beschuldig je nergens van, Ro. Maar binnen een week na je vrijlating, dat is wel erg ongelukkig. Dat moet je toch toegeven.'

'Niet mijn probleem, meneer de advocaat. En ook niet het jouwe.' Met zijn goede hand prikte Ro zijn vork in een sint-jakobsschelp. 'Als je het mij vraagt is het enige probleem dat nog overblijft die andere getuige, Gonzalvez. We moeten haar zien te vinden en ervoor zorgen dat ze nog eens nadenkt over wat ze gaat zeggen en of ze sowieso wel iets wil gaan zeggen. We kunnen niet hebben dat ze plotseling uit het niets komt opdagen als dit ooit opnieuw voor de rechter komt.'

'Nee, dat begrijp ik. Maar zoals ik je al eerder heb verteld is ze meteen na jouw proces verdwenen. En ik neem aan dat ze zoek blijft. Als jouw ouders er niet in zijn geslaagd haar op te sporen dan lijkt het me onwaarschijnlijk dat iemand anders dat wel lukt.'

Ro schudde zijn hoofd. 'Daar ben ik niet zo zeker van.'

'Waarom niet?'

'Omdat ze niet écht moeite hebben gedaan om haar te vinden. Ze wilden haar onder druk zetten, misschien ervoor zorgen dat ze geen werk meer kreeg, maar toen ze eenmaal weg bleek te zijn lieten ze het er verder bij zitten. Wat had het toen nog voor zin? Maar nu, voor ons, is het een ander verhaal. Nu zou ze in haar eentje doorslaggevend kunnen zijn voor de juryuitslag. Begrijp je wat ik bedoel?'

'Die mogelijkheid bestaat inderdaad.'

'Nou, dan kunnen we haar maar beter zien te vinden, zou ik zeggen.'

'En hoe dacht je dat te gaan doen?'

'Daar heb je toch inspecteurs voor in dienst?'

'Zeker. Meerdere.'

'Nou, zet er dan een op.'

'Luister eens, Ro, het gerucht gaat dat ze allang weer in Guatemala is. Ze komt echt niet terug.'

'Als je het mij vraagt kunnen we beter het zekere voor het onzekere nemen.'

Ondanks de conclusies die hij samen met Arnie Becker had getrokken, had Glitsky zijn recorder neergezet op het bureau in Michael Durbins kantoortje, achter in diens zaak. De deur was dicht zodat het geluid van de klanten die kwamen en gingen was gereduceerd tot een onderdrukt geruis. Het kostte Glitsky na zijn verhoor van afgelopen zaterdagochtend weinig moeite Liza Sato te herkennen tussen de andere medewerkers en vanuit zijn ooghoeken had hij haar al twee keer langs het raam zien lopen om te kijken hoe het gesprek tussen haar baas en de politieman verliep.

Hij had Durbins verlate en gedetailleerde verklaring aangehoord voor het feit dat hij de afgelopen vrijdagochtend later op het werk was verschenen. Durbin had vervolgens zijn verdenkingen aan het adres van Ro Curtlee geuit en Glitsky had geduldig geluisterd en de voor de hand liggende vragen gesteld. Nu dat gedeelte zo goed als afgerond was, besloot hij wat persoonlijker vragen te gaan stellen. 'Maar u bent bij zijn voorgeleiding voor de rechter geweest, dus u wist toch wat zich onlangs tussen mij en Ro heeft afgespeeld? De arrestatie en alle heisa eromheen?'

'Zeker.'

'Waarom bent u op dat moment dan niet naar me toe gekomen om me even gedag te zeggen?'

'Tja, u had het duidelijk druk en ik zat helemaal achterin op de openbare tribune. Dan had ik moeten wachten en me door de mensenmassa moeten wringen. En natuurlijk had ik u toen ook nog niets bijzonders te vertellen.'

'Wat is dan de aanleiding geweest voor dat telefoontje van vanochtend?'

'Nou, die relatie met Ro schoot me gisteren te binnen en ik dacht dat u daar wel begrip voor zou hebben. Ik bedoel, u weet tenslotte wat er tussen Ro en mij is voorgevallen.'

'Het zou makkelijker zijn me ervan te overtuigen, bedoel je?'

'O, op die manier heb ik er niet tegenaan gekeken. Het leek me gewoon goed aan u door te geven wat ik wist. Ik dacht dat ik daar verstandig aan deed.'

'Nou,' zei Glitsky, 'wat dat betreft hebt u juist gehandeld.'

'Dat is een hele opluchting. Ik wilde u niet storen. Maar ik dacht... Ach, u snapt me wel. Ro. Die is gevaarlijk.'

'Ja, dat klopt.'

'Luister.' Durbin schraapte zijn keel. 'Kunnen we even stoppen, zodat ik iets voor ons te drinken kan halen? Ik verga van de dorst. Wilt u misschien wat water? Koffie? Cola? Ik heb alleen cola light, helaas.'

'Nee, dank u. Maar ga gerust uw gang.'

Durbin stond op en liep om Glitsky heen de gang in. Glitsky zette zijn recorder uit en keek rond in het kleine, geordende kantoor. Wat hij zag versterkte zijn indruk dat Durbin een secuur persoon was, iemand die zijn zaakjes graag op orde had.

Na ongeveer een minuut kwam hij terug met een doorzichtig plastic bekertje vol ijsklontjes en een grote plastic fles cola light. Hij schonk wat cola in het glas, wachtte tot het schuim was gezakt, schonk er nog wat bij en zette de fles toen tussen hen in op het bureau.

Glitsky zette zijn recorder weer aan. 'Afgelopen zaterdag,' begon hij, 'vertelde u me dat u en uw vrouw wat problemen hadden.'

Durbin, die net een slok wilde nemen, zette zijn beker neer. 'Ik begrijp het niet,' zei hij. 'Wat doet dat er nu nog toe?'

'Waarom zou dat er nu minder toe doen dan twee dagen geleden?'

'Omdat we twee dagen geleden nog niet wisten dat Ro Janice heeft vermoord. Nu we dat weten, wat maakt het dan nog uit of het de laatste tijd een beetje minder ging tussen ons?'

Glitsky formuleerde zijn antwoord zorgvuldig. 'Het feit dat Ro een motief kan hebben gehad om Janice te vermoorden betekent nog niet dat hij dat ook heeft gedaan, of dat er geen andere dader kan zijn. We weten niet zeker dat Ro het heeft gedaan.'

Durbin verhief zijn stem. 'Hoezo weten we dat niet zeker? Wat hebt u in godsnaam nog meer nodig?'

Glitsky bleef kalm en antwoordde: 'We hebben bewijzen nodig, meneer Durbin. Vingerafdrukken, DNA, iemand die hem in de buurt van uw huis heeft gezien. Iets dat een jury ertoe zal bewegen hem te veroordelen.'

'Nou, ga die bewijzen dan zoeken. Die zult u echt niet vinden als u blijft wroeten in de problemen die mijn vrouw en ik misschien wel eens gehad zouden kunnen hebben.'

Glitsky, enigszins verbaasd over deze reactie, wachtte een paar tellen voordat hij reageerde. 'Ik stel hier de vragen, meneer Durbin. Als u ze niet wilt beantwoorden, prima. Dan krijg ik die antwoorden wel op een andere manier.'

'Gaat u me nou serieus vertellen dat ík hier de verdachte ben?'

'Ik heb nog geen verdachte. Ik zoek er een.'

Durbin sloeg met zijn vuist op tafel. 'Maar u hébt er toch een, verdomme! Hebt u soms een routekaart nodig? Moet ik het voor u uittekenen? Het is Ro Curtlee.'

Glitsky liet een stilte vallen en vroeg toen: 'Was u degene met de buitenechtelijke relatie?'

Durbin schudde zijn hoofd. 'Jezus christus! Dit is toch ongelofelijk!' Hij zweeg even. 'Heb ik soms een advocaat nodig?'

'Daar hebt u absoluut recht op als u denkt dat u er een nodig hebt.'

'Dit is gelul.'

'Nee, meneer Durbin. Dit is een moordonderzoek.' Glitsky leunde achterover. Zijn mond vormde een dunne streep. 'En voor de goede orde voeg ik er graag aan toe dat ik niet gediend ben van krachttermen.

We kunnen beleefd met elkaar omgaan of niet. De keuze is aan u. Ik probeer zoveel mogelijk te weten te komen over uw echtgenote om erachter te komen waar ik moet zoeken om haar moordenaar te vinden. Wilt u me helpen of niet?'

'Natuurlijk. Ik heb u zijn naam trouwens al gegeven.'

'En ik zal dat natrekken, dat beloof ik. Maar nu wil ik graag weten met wie uw vrouw vreemdging. Of met wie u vreemdging.'

Durbin liet zich achterovervallen in zijn stoel en haalde langzaam adem. Hij leek even diep na te denken en zei toen: 'Ik ging niet vreemd. En wat haar betreft, ik denk dat het een van haar patiënten was.'

'Hebt u enig idee hoe lang dat al gaande was?'

'Ik weet er niets van, alleen dat het gebeurde, en misschien had ik het nog bij het verkeerde eind ook. We hadden al een paar maanden niet meer... We waren al een paar maanden niet meer intiem geweest. Op zijn minst een paar maanden, al heb ik het niet precies bijgehouden. Lang genoeg, dat staat vast. Maar ik wil niet dat u denkt dat ik niet meer van haar hield, want dat is niet waar. Dat is echt niet zo. Ik was er zeker van dat we het zouden redden.'

'Dus u hebt er nooit met haar over gesproken? U bent nooit direct de confrontatie aangegaan?'

'Nee.'

'Ook niet afgelopen vrijdag?'

'Nee. Toen niet. Nooit niet.' Plotseling greep hij het glas dat voor hem stond en nam een grote slok. 'Hebt u zelf nooit eens een mindere periode in uw huwelijk, inspecteur? Soms is het gewoon het beste om te wachten tot de tijd het vanzelf oplost.'

'Natuurlijk.' Glitsky peinsde er niet over bijzonderheden over zijn huwelijk te bespreken met Michael Durbin, of met wie dan ook. 'Hebt u misschien een lijst met de gegevens van haar patiënten?' vroeg hij.

'Nee. Die liggen bij haar op kantoor, bij Stonestown.' Durbin gaf hem het adres en het nummer van de kantoorruimte. 'Ik hoop dat u erbij kunt. Ze was bijzonder voorzichtig met haar archief. Beroepsgeheim, snapt u?'

'Ja, dat fenomeen is me bekend. Is er nog iets anders dat u me misschien wilt vertellen?'

18

Met Eztli was het zo geregeld dat hij bijna altijd het grootste deel van de dag vrij had. Hij had geen taken in de burelen van de *Courier* in Castro Street, waar Cliff en Theresa overdag meestal hun tijd doorbrachten. Maar in het huis had Eztli de leiding over de gang van zaken, wat inhield dat hij het huishoudelijk personeel en de hoveniers aansturde, bestellingen ontving en toezicht hield op reparatiewerkzaamheden door derden. Hij was een efficiënte manager en zelfs in tijden van grote drukte was hij hier doorgaans voor het middaguur mee klaar, waarna hij de middag voor zichzelf had. Als hij niet bezig was met een speciale opdracht verwachtte de familie dat hij thuis rondliep in zijn nette pak om bezoekers te ontvangen en te functioneren als een onopvallende lijfwacht en butler.

Hij had een wapenvergunning, dankzij een sheriff in een obscuur district in Central Valley, dus als hij in werkkleding door het huis liep droeg hij in een schouderholster een lelijk zwart semiautomatisch pistool onder zijn arm. Soms droeg hij dat ook als hij buiten was. Sinds een paar maanden voordat hij in de Verenigde Staten was gearriveerd had hij niemand meer neergeschoten.

Vandaag, omdat Eztli op stap was met Ro en hij al had begrepen dat er dan van alles kon gebeuren – de heisa rondom die jongen beviel hem uitstekend – genoot hij van het vertrouwde gevoel van het pistool onder zijn zwarte Oakland Raiders-jack. Eztli had Ro naar de Tadich Grill gereden, om hem daar later weer op te halen en toen hij met de 4Runner de weg opreed zei hij tegen zijn net ingestapte passagier: 'We hebben gezelschap. Die gast heeft de hele tijd in de garage zitten wachten totdat ik weer wegreed.' Toen Ro zich omdraaide zei Eztli: 'De witte Honda, volgens mij is het een Accord. Blank, stropdas, geen jas, half kaal...'

'Ik zie hem,' zei Ro, waarna hij zich weer omdraaide. 'Ken je hem?'

'Nooit eerder gezien.'

'Zal wel een van die gasten van Glitsky zijn.'

'Dat moet wel.'

'Oké.'

Ze reden paar blokken verder totdat Ro Eztli vlak voor Polk Street opdracht gaf een parkeerplaats te zoeken en de motor te laten draaien. Toen hij dat deed, werden ze gepasseerd door de witte Honda, die drie auto's achter hen was blijven rijden. De bestuurder keek recht voor zich uit en deed net alsof hij meefloot met een deuntje uit de autoradio.

'Die probeert in aanmerking te komen voor een Academy Award,' zei Eztli. 'Wat doen we nu?'

'Hij rijdt vast een blokje om, zodat hij weer achter ons aan kan gaan rijden, dus daarom gaan wij hém nu achterna.'

Eztli trapte zo hard op het gaspedaal dat het rubber over het asfalt gierde, scheurde de volgende hoek rechtsaf door rood, vlak voor een bus die via Polk Street kwam aanrijden, waarna ze de witte Honda nog net bij de volgende hoek opnieuw rechts af zagen slaan. Eztli had geen verdere instructies nodig. Hij gaf vol gas en nam de volgende bocht zó snel dat ze bijna op twee wielen heuvelopwaarts reden en toen de Honda bij de volgende kruising opnieuw rechts afsloeg hadden ze de afstand tot hun achtervolger behoorlijk verkleind.

Toen Eztli eveneens opnieuw rechts af was geslagen zagen ze dat de Honda hetzelfde trucje had uitgehaald als zijzelf. Hij stond rechts langs de stoep geparkeerd.

'Blokkeer hem,' zei Ro, waarop Eztli vlak voor de Honda scherp naar rechts stuurde. Nog voordat de 4Runner volledig tot stilstand was gekomen stond Ro al op straat met de middelvinger van zijn niet-ingegipste hand omhoog. 'Hé!' riep hij, de man die ze had gevolgd nadrukkelijk uitzicht biedend op zijn middelvinger. 'Hé!' Hij liep recht op het raampje af. 'Wil je opsodemieteren? Waar ben je verdomme mee bezig?'

Het raampje ging omlaag en de man, die niet bepaald onder de indruk leek van Ro's uitbarsting, hield met zijn linkerhand zijn portefeuille omhoog, zodat zijn legitimatie goed zichtbaar was. In zijn rechterhand hield hij een pistool dat hij recht op Ro's gezicht richtte.

'En wie ben jij dan wel, verdomme?' vroeg Ro. 'Ik heb het helemaal gehad met jullie, weet je dat?'

Toen hij zag dat Eztli ook kwam aanlopen, met de handen in de zakken van zijn Raiders-jack, stak de man zijn legitimatie verder naar buiten zodat Eztli die ook kon zien. Zodat er geen misverstand kon ontstaan. 'Ik ben een inspecteur in dienst van justitie en ik ben hier om me ervan te verzekeren dat jullie niet verder in de problemen komen.'

'Nou, ik ben hier om jou te vertellen dat je bij mij uit de buurt moet blijven. Ik ken mijn rechten. Ik kan gaan waar ik wil en doen wat ik wil. Hoor je me?'

Eztli legde een hand op Ro's arm om hem te kalmeren en boog zich voorover naar het geopende portierraampje. 'Heeft Wes Farrell je hiertoe aangezet?' vroeg hij op rustige toon.

'We hebben ook nog andere officieren van justitie,' zei Matt Lewis. 'Die geven me allemaal opdrachten. Ga terug in jullie auto en verdwijn.'

'Die vervloekte Jenkins,' zei Ro tegen niemand in het bijzonder. Toen wendde hij zich tot Eztli. 'Hier moet Jenkins achter zitten.'

'Is dat niet die vastberaden tante?'

'Ja, en die benen van haar zijn ook niet verkeerd. Daar zou ik wel eens tussen willen, jij niet, Ez?'

'Ik zou er geen nee tegen zeggen.'

'Ik zeg het nog maar één keer. Doorrijden.'

'O, hoor nou toch,' zei Ro, terwijl hij zich dichter naar het geopende raam boog. 'Misschien hebben we hier een gevoelige snaar geraakt, Ez. Ik denk dat deze meneer er al van heeft gesnoept.'

Matt Lewis bracht de loop van zijn pistool wat omhoog.

Ro, die zijn ogen niet van het wapen kon afhouden, maakte aanstalten om achteruit te lopen, maar Eztli vormde een muur achter hem. 'Dus Farrell heeft je hier geen opdracht voor gegeven,' zei Eztli. Hij ging geen centimeter naar achteren. 'Leuke wagen, trouwens. Is het een Accord?'

Lewis antwoordde door het pistool op hem te richten. 'Eén.'

Eztli bleef doodkalm. 'Deze meneer wil dat we weggaan, Ro,' zei hij.

'Dat heb ik gehoord.'

'Laten we hem dan maar gehoorzamen.' Hij draaide zich om en trok Ro met zich mee, zachtjes op hem inpratend terwijl ze terugliepen naar de 4Runner. 'Er zijn in deze stad helemaal geen dienstauto's van het merk Honda, dus hoe onderhoudt hij dan radiocontact?'

'Met zijn mobieltje?' opperde Ro.

'Niet als hij aan het rijden is,' zei Eztli. 'Want dat is bij wet verboden.' Hij liep om de bumper van de 4Runner heen, opende het portier, stapte in en startte de motor.

Matt Lewis, trillend van de adrenaline, stopte zijn Glock terug in de holster. Hij draaide de sleutel om in het contact en wachtte totdat de 4Runner wegreed.

Terwijl ze terugreden naar California Street vroeg Ro: 'Waarom maakte je zo'n punt van zijn auto? Die Honda?'

'Eztli keek in de achteruitkijkspiegel. 'Wat doet hij nu?'

Ro draaide zich om. Lewis reed vlak achter hen. 'Hij rijdt alleen maar.'

'Geen telefoon?'

'Nee, tenzij hij via een carkit belt.'

'Lijkt het alsof hij met iemand aan het praten is?'

'Nee.'

'Ik denk het ook niet. Er zit geen bluetooth op dat model. Te oud.'

'En?'

'Dat betekent dat het zijn eigen wagen is. Hij heeft geen radio. En hij gebruikt zijn telefoon niet.'

'Klopt.'

'Dus niemand weet waar hij is of wat hij aan het doen is.'

'Iemand weet dat hij de opdracht heeft ons te volgen.'

'Hoe kunnen ze weten dat we hem niet hebben afgeschud?'

'Oké, maar wat dan nog?'

'Dat zul je wel zien.'

Ze reden over Van Ness Avenue, Franklin Street en Gough Street, terwijl Eztli's ogen heen een weer flitsten van de weg vóór hem naar de achteruitkijkspiegel. Toen ze Fillmore Street bereikten gaf hij plotseling richting aan naar links en sorteerde voor.

'Waar gaan we heen?' vroeg Ro.

'We maken een ommetje. Er is hier te veel verkeer.'

Ze reden nu in zuidelijke richting door Fillmore Street, die na een paar blokken veranderde van een drukke, tamelijk dure winkelstraat in een verbindingsweg naar een van de slechtere buurten van de stad. Eztli, die al langzaam reed, minderde bij iedere hoek meer vaart terwijl hij de verkeerssituatie in de zijstraten bekeek. Turk Street was in beide richtingen verlaten en hij sloeg plotseling rechts af, reed door tot ongeveer halverwege het blok, stuurde toen naar de kant en stopte.

'Wat nu?'

'Ik ben die gast zat. Jij ook?'

'Ik ben ze allemaal zat.'

'Goed dan. Zie je iemand?'

'Waar?'

'Overal.'

Ro draaide zich om en controleerde de trottoirs en de straat zelf. 'Nee.'

Eztli knikte. 'Ik ook niet.'

Achter hen was Matt Lewis ook gestopt. Hij zette zijn wagen in de parkeerstand maar had nog niet besloten wat hij nu moest doen. Het had geen zin deze malloten overal in de stad achterna te rijden als ze hem allang in de gaten hadden. Amanda's oorspronkelijke idee, dat ze spontaan had bedacht, was te zien of ze hem misschien naar een van hun plaatsen delict of naar hun zoekgeraakte getuige Gonzalvez zou kunnen leiden. En als dat niet lukte, wie weet deden ze dan ergens iets anders wat illegaal was, zodat hij om versterking kon vragen, waarna ze het tweetal opnieuw konden arresteren. Het karakter van de beide mannen in aanmerking genomen was zoiets misschien wel snel te realiseren, hadden ze gedacht.

Maar nu Matt Lewis opkeek zag hij Eztli opnieuw vanaf de achterkant van zijn wagen naar hem toe lopen. Ongeduldig geworden door de absurde wending die de achtervolging had genomen, had hij al bijna het besluit genomen om ze heen te rijden en het een andere dag opnieuw te proberen. Maar daar kwam de Azteek met zijn Raiders-jack al aan en hij zag eruit alsof hij iets op zijn lever had. Dus deed Lewis zijn raampje omlaag en stak zijn hoofd naar buiten. 'Wat nu weer?'

Eztli kwam bijna tegen hem aan staan. Zijn gelaatsuitdrukking was onbewogen, bijna verontschuldigend. 'O,' zei hij. 'Niets bijzonders. Ik was alleen nog iets vergeten...' Zonder verdere waarschuwing haalde hij als vanuit het niets zijn pistool tevoorschijn. En in één vloeiende beweging drukte hij de loop tegen het hoofd van Matt Lewis en haalde de trekker over.

19

Dismas Hardy's suggestie Ro Curtlee in staat van beschuldiging te laten stellen voor meervoudige moord – in welk geval borgtocht was uitgesloten – had Farrell niet meer losgelaten. En nu deed hij de ronde langs zijn stafleden, op de derde verdieping van het Paleis van Justitie, om de meningen te peilen.

Toen hij met zijn ronde begon, was hij er nog niet helemaal van overtuigd dat dit wel de juiste werkwijze was. Nadat hij voor het eerst had gehoord over de moord op Nuñez, had hij goede redenen gezien om de gang via de grand jury te verwerpen: daarmee had hij maar zestig dagen de tijd om een proces tegen Ro voor te bereiden. Die tijd was waarschijnlijk onvoldoende om een veroordeling te realiseren, en een vrijspraak in zo'n proces zou het vervolgens veel lastiger maken zijn oorspronkelijke zaak opnieuw voor de rechter te brengen; en hoe dan ook zou Ro na een paar maanden weer opnieuw op borgtocht worden vrijgelaten. Hij had de rechtbank kunnen vragen de zaken gezamenlijk te behandelen, maar hij kon er niet op rekenen dat een dergelijk verzoek zou worden gehonoreerd. En als de zaken gescheiden moesten blijven zou het uitlopen op een treinramp.

Maar dat was vóór Janice Durbin.

Met die moord waren Farrells persoonlijke prioriteiten verschoven. Nu was hij tot de conclusie gekomen dat het een steekhoudend doel op zich was Ro op te sluiten, ongeacht de tijdsduur. Als hij de grand jury zover kreeg Ro in staat van beschuldiging te stellen dan had hij zestig dagen de tijd om de zaak voor te bereiden en bovendien kon hij dan proberen de voorlopige hechtenis te verlengen. Door een poging te doen de nieuwe behandeling uit te stellen, door druk uit te oefenen op Baretto en Donahoe om hun beslissingen ten aanzien van de vrijlating op borgtocht te herzien, of hoe dan ook.

De juristen die deel uitmaakten van zijn staf waren grotendeels doorgewinterde aanklagers en de gebeurtenissen van de afgelopen dagen, vooral het verloop van Ro's voorgeleiding, had het moreel van het team behoorlijk aangetast. Farrells suggestie om de uitspraken van de rechter te omzeilen werd begroet met onverdeeld enthousiasme. Hij was de baas en gedroeg zich er eindelijk naar.

Hij nam de leiding.

Geen van Farrells hulpofficieren twijfelde eraan dat Ro schuldig was, zowel aan de verkrachting en moord waarvoor hij al was veroordeeld, als voor de twee laatste slachtoffers – Felicia Nuñez en Janice Durbin – en allemaal leken ze te geloven dat het idee de kwestie voor te leggen aan de grand jury een wettige en haalbare optie was om te bewerkstelligen dat Ro daar terechtkwam waar hij hoorde: in een gevangeniscel.

Nadat hij tegen vijf uur zijn beslissing had genomen had Farrell zijn taakgroep bijeengeroepen. Als hij de kwestie ging voorleggen aan de grand jury dan had hij alle informatie nodig die ze hem over Ro Curtlee konden geven. Zijn kantoor was nog steeds gebrekkig ingericht, dus hadden degenen die hij had uitgenodigd plaatsgenomen op een allegaartje aan meubilair; lijkschouwer John Strout en hoofdcommissaris Vi Lapeer op de bank, brandinspecteur Arnie Becker op een poef, Glitsky en Amanda Jenkins op twee klapstoelen die ze hadden meegenomen uit de kamer van Treya.

Farrell zelf zat op zijn zware, eikenhouten leestafel. Nadat hij de aanwezigen had gevraagd hun mobiele telefoons uit te zetten en ze had bedankt voor hun komst, kwam hij ter zake. 'Volgens mij maakt de moord op Janice Durbin tamelijk duidelijk dat Ro zijn nieuw verworven vrijheid gebruikt om af te rekenen met enkele mensen die ertoe hebben bijgedragen dat hij destijds in de gevangenis is terechtgekomen.

'Abe en Amanda, ik weet dat jullie dit al meteen hebben aangevoerd en ik wil me bij jullie allebei verontschuldigen voor het feit dat ik me destijds niet sterker heb verzet tegen de vrijlating op borgtocht. Jullie hadden gelijk. Ik had het bij het verkeerde eind.

'En voor de goede orde, Abe, jij volgde ook terecht je instinct hem te arresteren wegens de bedreiging aan jouw adres. Zelfs als je een arrestatiebevel had aangevraagd en gekregen geloof ik dat de edelachtbare Erin Donahoe geen andere beslissing had genomen aangaande de borgtocht. Dus de situatie waarin we ons nu bevinden is glashelder: als we deze uitspraken over een borgtocht ongedaan willen maken – en we hebben geen andere keus – dan moeten we zorgen dat hij in staat van beschuldiging wordt gesteld voor moord zonder de mogelijkheid tot invrijheidstelling onder borgtocht. En dat liever gisteren dan vandaag. En daarbij' – hij onderstreepte wat hij ging zeggen door zijn geopende handpalmen te tonen – 'heb ik jullie hulp hard nodig.

'Ik weet dat we de schoenen hebben die beide slachtoffers nog aanhadden, we hebben de connecties en de motieven in relatie tot zijn proces, en het feit dat er in beide gevallen brand is gesticht. Helaas levert dat ook in combinatie geen wettig en overtuigend bewijs op. Misschien gaat de grand jury erin mee als ik maar genoeg hamer op de mogelijke motieven, maar het zou fijn zijn om nog wat meer hard bewijs te hebben, zeker omdat dit breed zal worden uitgemeten in de media. En ik zou er maar niet op rekenen dat die zich vierkant achter ons opstellen, alleen maar omdat we aan de goede kant staan.'

Even viel er een stilte.

Glitsky keek Becker en Amanda aan en richtte zijn blik vervolgens weer op Farrell. 'Dat is alles wat we hebben, Wes. En ze zijn allemaal gewurgd en ze waren naakt, op de schoenen na. Maar dat vormt ook nog niet voldoende bewijs.'

Iedereen in het vertrek wist dat de grand jury overwegend een instrument van de officier van justitie was. Bij de procedure was geen rechter betrokken en er waren ook geen advocaten aanwezig om de argumenten van justitie onderuit te halen of te nuanceren. Maar hoewel het bewijsmateriaal niet overweldigend hoefde te zijn, was de jurybeslissing in theorie gebaseerd op bewijs. En tot dusver hadden ze niet zoveel.

'Hoe zit het met getuigen?' vroeg Farrell. 'Arnie?'

'In de Nuñez-zaak hebben we twee mensen die op de hoek van Baker Street een auto hebben gezien die lijkt op de auto van Ro. Waarschijnlijk is het dezelfde wagen. Maar nee, het kenteken hebben ze niet gezien en niemand heeft hem zien in- of uitstappen. Verder zo goed als niets.'

'En is diezelfde wagen ook in de buurt van de plaats delict in de Durbin-zaak gesignaleerd?'

Becker schudde zijn hoofd. 'Nog niet. Het onderzoek loopt nog, maar ik zou er mijn kaarten niet op zetten.'

Farrell zuchtte teleurgesteld. 'John?' vroeg hij.

De hoogbejaarde arts krabde aan zijn witte manen. 'Ik weet dat jullie het allemaal over verkrachting hebben en op DNA hopen, maar die Nuñez was te verbrand voor wat voor analyse dan ook. Daar was niks vloeibaars meer van over om te kunnen testen. En wat Durbin betreft, voor zover ik kan nagaan was er helemaal geen sprake van verkrachting. Hoewel ik wel heb vastgesteld dat ze chlamydia had, maar dat heb ik Arnie vanochtend ook al verteld. Waar het op neerkomt is dat ik in geen van beide gevallen hard kan maken dat ze verkracht zijn. Dus dat zou ik niet graag in de MO opnemen.'

'En die chlamydia?' vroeg Farrell. 'Was ze niet besmettelijk?'

'Ja, maar zelfs als ze het aan Curtlee had overgedragen dan kun je nooit bewijzen dat hij het van haar heeft gekregen. Dus wat schiet je daarmee op?'

Amanda Jenkins schraapte haar keel. 'Als ik even mag?' zei ze. 'Waarom concentreren we ons niet op het enige proces dat Ro al achter de rug heeft? Ik bedoel, in die zaak was het bewijs boven iedere twijfel verheven. We hadden twee sterke getuigen en op het slachtoffer is zijn DNA aangetroffen.'

'Ja,' zei Farrell, 'maar daarvoor is hij al berecht, veroordeeld en in hoger beroep gegaan. Je kun iemand niet straffen omdat hij in hoger beroep gelijk heeft gekregen door de aanklacht alsnog te verzwaren.'

'Natuurlijk. Maar als je het nu eens van een heel andere kant bekijkt? Zeg tegen de grand jury dat je de eerste zaak, Sandoval, en laatste twee met elkaar verbindt. Dan verzwaar je de aanklacht van Sandoval niet, want dat kan juridisch uiteraard niet. En waarom koppel je die zaken aan elkaar? Omdat de eerste zaak het motief vormt voor de andere. En daarmee heb je dubbelvoudige moord, een verzwarende factor en dus geen borgtocht. En bovendien, dat is het mooie, Wes, omzeil je op die manier het probleem van die zestig dagen. Als zijn advocaten aandringen op een proces, dan schieten ze in hun eigen voet omdat we hem dan weer op de eerste kunnen pakken.'

Farrell, die met zijn voeten wiebelde terwijl hij nadacht, liet dit idee lang op zich inwerken. 'Het is een goed idee, Amanda, maar volgens mij hebben we dan nog steeds geen al te solide wettelijke basis.'

'Dat valt wel mee. Dat zou kloppen als we zouden proberen de verkrachter van Sandoval opnieuw te vervolgen. Maar dat doen we niet. Dus dit keer gaat het niet om verkrachting en moord, maar om meervoudige moord. En als we voor één van die moorden voldoende bewijs hebben, wat het geval is, dan hebben we het rond.'

Farrell, die er duidelijk steeds meer voor begon te voelen, wilde toch nog meer details horen. 'En hoe verkoop ik dat dan aan de grand jury?'

'Dat deze zaken allemaal met elkaar zijn verbonden? Afgezien van het feit dat het op zich al tamelijk voor de hand liggend is, zou ik het ze gewoon vertellen. "Dames en heren, Janice Durbin was een huisvrouw die in een nette buurt woonde. Ze is niet beroofd en ze had voorzover bekend geen binding met bendes of drugs. Wie zou haar in vredesnaam anders dood willen hebben dan Ro Curtlee. Wat was zijn motief? Wraak op haar echtgenoot. Niet meer en niet minder."'

Amanda, nu volledig warmgelopen, keek rond en constateerde dat iedereen was overtuigd. 'Je herinnert de jury eraan dat voor hen niet geldt dat er geen redelijke mate van twijfel mag zijn, maar dat een voldoende mate van waarschijnlijkheid al voldoende is. Zou een van de juryleden werkelijk kunnen geloven dat de moord op mevrouw Durbin domweg een toevalligheid was? Zouden ze daarmee kunnen leven? Nee, want zelfs al zit er tien jaar tussen, deze moorden hebben duidelijk met elkaar te maken. Het verband ligt zó voor de hand dat je het eenvoudig niet kunt negeren. En zolang Ro niet achter de tralies zit zullen er meer moorden plaatsvinden en wie weet hoeveel slachtoffers vallen.'

Farrell knikte en leek wat meer ontspannen. 'Ja, ik geloof inderdaad dat het zou kunnen werken.' Hij keek om zich heen. 'Heeft iemand nog iets toe te voegen?'

Voor het eerst nam Vi Lapeer het woord. 'Dit kan maar beter niet uitlekken.'

'Nee, dat mag ik hopen,' zei Farrell. 'Dat spreekt vanzelf.'

'Sorry.' Lapeer glimlachte maar haar gelaatsuitdrukking was strak en vastberaden. 'In Philadelphia was dat niet altijd zo vanzelfsprekend.' Nu richtte ze zich tot Glitsky. 'Het liefst zou ik je onderzoek naar deze twee zaken een operatienummer geven' – dat betekende dat de onderzoeken zouden worden gefinancierd uit de algemene gemeentelijke middelen en in principe een onbeperkt budget zouden hebben – 'maar daarvoor heb ik toestemming nodig van de rechter, en dat zit er duidelijk niet in. Dus als we daarvan uitgaan, heb je dan genoeg mankracht, Abe?'

'Ik kan wat schuiven met mensen en misschien wat overwerk uitdelen,' zei hij, 'maar wie gaat dat betalen?'

'Als je het budget overschrijdt zal er geen haan naar kraaien, wat dacht je daarvan? Dat garandeer ik je.'

'Bedankt,' zei Glitsky. 'Ik zal wat mannen vrijmaken en ze erop zetten.' En tegen Farrell: 'Hoe snel dacht je dit voor elkaar te krijgen?'

Farrell haalde zijn schouders op en keek naar Jenkins. 'Amanda?'

'Als ik me uitsluitend hierop concentreer kan ik het merendeel volgende week presenteren, morgen over een week om precies te zijn. Of jij zou het kunnen doen, Wes. Dan zou ik je snel moeten bijpraten.'

'Het is jouw zaak,' zei Farrell.

'Goed,' zei Jenkins. Ze zuchtte, duidelijk opgelucht. 'Ik heb iedere getuige nodig die ik kan krijgen, zowel van Ro's proces als van de lopende onderzoeken. Als er niets tegenzit kunnen we hem hopelijk over twee weken in staat van beschuldiging laten stellen.'

'Jezus christus,' zei Arnie Becker. 'Dán pas? In die tijd kan hij de halve stad uitroeien.'

Jenkins keek hem aan. 'Misschien, maar dat zou wel ongeveer het wereldsnelheidsrecord zijn, inspecteur,' zei ze.

'Ondertussen,' zei Lapeer, 'kan ik het uit het budget van Moordzaken houden en zal ik ook iemand vrijmaken om hem vierentwintig uur per etmaal te volgen.'

'Dat heb ik al geregeld,' zei Jenkins.

Dit was nieuw voor Farrell. 'O, ja?'

'Nou, eerlijk gezegd heeft hij het zelf aangeboden. Matt Lewis. Een van onze inspecteurs,' legde ze Lapeer uit. 'Matt dacht dat ik misschien wel eens het volgende slachtoffer zou kunnen zijn en hij wilde een oogje in het zeil houden. Overigens niet vierentwintig uur per etmaal. Alleen tijdens zijn dienst en misschien een paar uur 's avonds.'

'Misschien kan hij dan wel wat versterking gebruiken,' zei Lapeer.

'Dat zou zeker helpen,' zei Jenkins.

Farrell keek vluchtig rond. 'Goed,' zei hij, 'me dunkt dat we een bruikbaar plan en een strakke planning hebben. Het duurt weliswaar langer dan je zou willen, maar in de praktijk is dit het beste wat we kunnen doen. Amanda, als jij de zaak aan de grand jury gaat presenteren ligt het voor de hand dat jij deze operatie coördineert en zelf regelt wat je nodig hebt. Dan hebben we dit beest met enig geluk binnen een paar weken weer waar hij thuishoort, voordat hij nog meer schade aanricht. Allemaal bedankt voor...'

Een klop op de deur onderbrak hem, waarop Treya vanuit haar werkruimte de kamer in liep. 'Het spijt me dat ik stoor,' zei ze, 'maar, Abe, iemand heeft je hier getraceerd. Er is een dringend telefoontje voor je op mijn toestel.'

20

In de circa tien jaar die was verstreken nadat hij voor het laatst iemand had neergeschoten, was Eztli bijna vergeten hoe dronken van adrenaline en genot je kon worden van een gewelddadige actie, van het ongecompliceerde, pure doden. Hij had zich niet gerealiseerd hoe erg hij het had gemist gedurende al die jaren, waarin hij zich tevreden had moeten stellen met de plaatsvervangende opwinding van hanen- of hondengevechten. Nu, met de smaak van het bloed nog in zijn mond, voelde het alsof hij was beroofd van zijn gevoel, alsof hij langzaam maar zeker was weggelokt van zijn drug en plotseling weer had kennisgemaakt met de krachtige werking en de schoonheid ervan.

Op de een of andere manier, die hij niet probeerde te doorgronden, wist hij dat Ro de bron was van deze drug. Voordat Ro was vrijgelaten was het leven van Eztli bij de familie Curtlee een veilige en comfortabele sleur geweest. Toen was Ro plotseling weer thuisgekomen, met zijn rauwe levenslust en onverschrokkenheid. Tijdens de momenten waarop hij sindsdien met Ro in de auto had gezeten had hij de hooggespannen energie van de jongeman gevoeld, en de afgelopen dagen was hij ontwaakt uit wat nu leek op een lange winterslaap. Eindigend in de climax van het schot door het hoofd van die man vanmiddag. Ro was, waarschijnlijk zonder zich daarvan bewust te zijn, de katalysator geweest, de poort naar de drug.

En Eztli was vastbesloten deze bron te beschermen.

Nu, om ongeveer negen uur, zat hij alleen in zijn auto, die stond geparkeerd in de straat tegenover Buena Vista Park in de Upper Haight. Wes Farrell woonde in een middelgroot Victoriaans huis iets verderop. Dat waren Eztli en Ro te weten gekomen dankzij een van Denardi's privédetectives; het was een van Ro's eerste taken geweest nadat hij was thuisgekomen. Farrell, wist Eztli, vormde de sleutel tot wat er straks met Ro gebeurde. En Farrell was zwak en besluiteloos.

Hij kon worden getemd, en veel effectiever dan met de tamelijk subtiele tactiek van de wortel en de stok die Cliff en Theresa gebruikten.

Het ging erom, dacht Eztli, dat je de man in zijn natuurlijke omgeving moest gadeslaan om vervolgens te kunnen besluiten wanneer en hoe je druk moest zetten om zijn besluiten te beïnvloeden. Eztli meende wat hij tegen Ro had gezegd – Farrell was zijn beste vriend. Het was helemaal niet in Ro's of in Eztli's belang Farrell te elimineren, hem helemaal uit het plaatje te verwijderen. Nee, Farrell moest onderdeel blijven van een proces dat ervoor zorgde dat Ro permanent uit de gevangenis bleef. Daarin was voor hem een cruciale rol weggelegd.

Eztli moest hem domweg duidelijk maken hoe serieus de situatie was. Tot dusver had Farrell zich grotendeels afzijdig gehouden en de dingen laten gebeuren, en tot nu toe hadden de Curtlees hun zin gekregen. Maar uiteindelijk zou hij de beslissing moeten nemen Ro te vervolgen of de zaak te laten rusten.

Dus moest hij Farrell wat beter leren kennen. Om te zien wat zijn zwakke plekken waren.

Toen Farrell om halftien die maandagavond naar huis ging, kon hij zich niet herinneren ooit eerder zo moe te zijn geweest. Enigszins tot zijn verrassing was het huis volslagen donker. Ach, hij kon het Sam moeilijk kwalijk nemen als ze had besloten ergens in de stad of bij een van haar kennissen te gaan eten. Hij was de laatste tijd behoorlijk slecht gezelschap geweest.

Vanavond had hij haar niet eens gebeld om te zeggen dat het laat zou worden, daar had hij niet aan gedacht in de orkaan van emoties en consternatie die in zijn kamer was ontstaan nadat ze hadden gehoord dat Matt Lewis was aangetroffen in zijn auto in de wijk Fillmore, dodelijk getroffen door een kogel. Amanda Jenkins, die was ingestort en heen en weer werd geslingerd tussen verdriet en schuldgevoel; Glitsky en Becker, die naar de plaats delict waren vertrokken. Lapeer, de hoofdcommissaris, die zelf naar beneden was gegaan om bij de dienstdoend rechter een bevel tot huiszoeking voor de woning van de familie Curtlee te gaan halen, aangezien niemand ook maar de geringste twijfel had over wie verantwoordelijk was voor de dood van Lewis.

Farrell deed het licht bij de voordeur aan en binnen een seconde hoorde hij het vertrouwde *klik, klik, klik* van de nagels van Gert op de hardhouten vloer terwijl ze uit de keuken kwam aangelopen om hem te begroeten. Ze had daar waarschijnlijk in haar mand liggen slapen, en nu bukte hij zich om haar te aaien. 'Waar is je mammie?' vroeg hij, terwijl hij zijn koffer neerzette, meer lichten aandeed en naar de koelkast liep.

Het antwoord kwam in de vorm van een briefje dat ze voor hem op het aanrecht had achtergelaten:

Wes, sorry als dit een beetje onverwacht komt, maar we weten allebei dat ik erover dacht voor een tijdje afstand te nemen. En nu jij vanavond niet belde en maar wegbleef, na al onze gesprekken over hoe we in ieder geval met elkaar zouden moeten blijven communiceren…

Hoe dan ook, dat deed me inzien dat ik gewoon iets moest doen, in plaats van alles maar over me heen te laten komen en steeds meer wrok tegen jou te verzamelen. Als ik ervoor zou kiezen om hier te blijven en het allemaal maar te accepteren, wiens schuld zou dat dan zijn? Dus ik ben bij Marianne, minstens voor een paar dagen en ik zou het waarderen als je me even de ruimte laat zodat ik kan nadenken over hoe het verder moet met ons. Ik weet het niet, misschien wil je me wel helemaal niet meer terug als je eraan gewend bent geraakt dat ik weg ben. Je moet toch toegeven dat we de laatste tijd niet veel lol meer hadden. Ik ben bang dat ik niet uit het juiste hout ben gesneden om de vrouw van een politicus te zijn, of zelfs maar zijn vriendin. Ik denk dat ik er gewoon niet tegen kan. Al die compromissen, de koehandel, Ro Curtlee, alles.

Ik hou nog van je, echt waar. En je hoeft je geen zorgen over me te maken. Maar ik weet niet of ik nog zo kan leven, of ik nog zo wil leven, als we de laatste tijd hebben gedaan.

Sam

PS. Gert heeft gegeten, maar waarschijnlijk moet ze nog even naar buiten voor het slapengaan. Als je wilt dan kun je haar overdag bij het centrum langsbrengen en dan breng ik haar 's avonds weer terug, als je tenminste thuis bent. Laat maar weten.

Farrell ging langzaam op een van de keukenstoelen zitten en legde het briefje vóór zich op de tafel. Gert duwde haar kop tegen zijn been en hij krabbelde haar afwezig.

Na een tijdje – hij had geen idee hoe lang – begon Gert tegen hem te duwen en te piepen. Bewegend als een zombie deed Farrell haar de riem om. Hij liep terug naar de deur en stapte weer de kille avondlucht in.

Aan de overkant van zijn straat bevond zich een park. Gert en hij hadden een vaste route die ze 's ochtends en 's avonds voor het slapengaan altijd liepen. Het park zelf, dat nu gehuld was in duisternis, was zoals altijd een grote, verlaten vlek, en plotseling, terwijl hij erlangs liep, werd Farrell ondanks zijn staat van verdoofdheid gaandeweg iets onheilspellends gewaar, hoewel hij er niet precies de vinger op kon leggen wat het was.

Hij bleef staan en tuurde naar het midden van het park. Een aantal van de straatlantaarns om hem heen brandden niet, maar hij kon zich met geen mogelijkheid herinneren of ze dat de afgelopen avonden wél hadden gedaan. Vóór hem, zowel op straat als in het park, was geen enkele verlichting. Aan het einde van de riem begon Gert op hoge toon te janken. Farrell liep nog een paar meter door en stopte toen opnieuw.

Hij bleef ruim een minuut doodstil staan. Er was op straat geen enkel geluid te horen en geen beweging te zien. Ten slotte fluisterde hij tegen zijn hond: 'Kom, meisje, we gaan terug.'

Maar Gert bleef staan, de riem strak, de haren op haar rug recht overeind. Ze produceerde een donkere, rauwe grom en begon toen te blaffen naar iets onzichtbaars in de verte.

Farrell trok de riem aan en aaide haar over de kop. 'Kom nou maar, kom mee.' Hij draaide zich om en trok haar achter zich aan, terug naar huis.

Toen ze weer binnen waren, deed hij de voordeur achter zich op het nachtslot. Hij maakte Gerts riem los en liep naar de keuken. Wanneer hij dit deed liep Gert altijd met hem mee. Maar nu draaide ze zich om naar de voordeur en begon opnieuw te grommen.

'Hé, rustig maar,' zei hij. 'Het is goed. Niets aan de hand.' Maar, terwijl hij haar halsband vasthield, maakte hij de deur nog een keer open en keek naar buiten, naar de rustige straat waarin niets bewoog.

Toen hij Gert eindelijk kalm had gekregen, ze haar behoefte had gedaan voorbij de trap in zijn kleine tuin en vervolgens in haar mand was gaan liggen, haalde Farrell een fles Knob Creek-bourbon uit de kast. Hij schonk een flinke hoeveelheid in een longdrinkglas, gooide er zoveel ijsklontjes in dat het glas tot aan de rand was gevuld, en leegde het vervolgens in één teug.

Dit – het verlies van zijn vriendin en het gevaar dat mogelijk loerde in lege straten – was bepaald niet wat hij zich had voorgesteld toen hij zich verkiesbaar had gesteld voor de functie van officier van justitie. In wezen vond hij zichzelf niet zo'n bijzonder serieus mens. Hij had een zekere verbale begaafdheid en kon tamelijk goed opschieten met mensen uit de meest diverse lagen van de samenleving, maar hij had zichzelf nooit als een echte leider gezien. Hij had zich vooral laten verleiden zich voor de functie beschikbaar te stellen omdat hij dacht dat hij een nieuwe wind kon laten waaien in de gemeenschap van rechtshandhavers van San Francisco. In zijn jarenlange ervaring als strafrechtadvocaat was hij ervan overtuigd geraakt dat de politie vaak meer geweld gebruikte dan gerechtvaardigd was. Hij was van mening dat de politie vaak haar bevoegdheden overschreed in de bejegening van immigranten en andere minderheidsgroepen in de stad. Daarnaast had hij de nodige mensen verdedigd die misstappen hadden begaan. Dat waren zeker geen lieverdjes, maar door een combinatie van vlotte humor en het vermogen duidelijke grenzen aan te geven als het nodig was, had hij zich door deze randfiguren nooit bedreigd gevoeld.

Hoewel, één keer was het verkeerd gelopen. Mark Dooher was jarenlang Farrells beste vriend geweest. Dooher, die ook advocaat was, maar zich in heel andere kringen bewoog, was raadsman geweest van het aartsbisdom van San Francisco en een aantal andere prominente cliënten. Toen Doohers echtgenote tijdens een inval in hun woning om het leven was gekomen was de politie – Glitsky, om precies te zijn – naar de mening van Farrell een overdreven heksenjacht begonnen tegen zijn vriend, die uiteindelijk terecht had gestaan voor de moord op zijn vrouw. Farrell had de verdediging op zich genomen en had na een huzarenstrijd tegen Amanda Jenkins vrijspraak weten te bewerkstelligen. Met dat proces vestigde Farrell zijn naam in de juridische gemeenschap van de stad.

Het enige probleem was dat Mark Dooher – steunpilaar van de samenleving, liefhebbende vader en echtgenoot en het juridisch geweten van het aartsbisdom – wel degelijk schuldig was aan de dood van zijn vrouw. En ook aan het verkrachten van een vrouw tijdens zijn studententijd. En aan het vermoorden van een man aan wie hij drugs had verkocht in Vietnam. En aan het met een bajonet doodsteken van een andere jonge advocaat met wie hij in een geschil was verwikkeld.

Daarna had hij ook geprobeerd Farrell te vermoorden.

Nu Ro Curtlee op vrije voeten was, had Wes het gevoel dat hij opnieuw te maken had met een psychopaat; een die zeker niet onderdeed voor Mark Doohan. Hij was nog geen maand uit de gevangenis en had al vrijwel zeker drie mensen vermoord, onder wie Farrells eigen onderzoeker. En kennelijk was niemand in staat hem iets in de weg te leggen. Vi Lapeer had besloten hem vierentwintig uur per etmaal te laten schaduwen, maar ze had ongetwijfeld nog geen tijd gehad dat vandaag al in gang te zetten. Het was niet uitgesloten dat Ro in de buurt van zijn huis in een auto zat te wachten, om straks in te breken en de boel in brand te steken.

Eén ding leek zeker – Ro was vastbesloten uit de gevangenis te blijven. Farrell was er zeker van dat hij liever nog zou worden gedood tijdens een arrestatie – kijk maar hoe hij met Glitsky en zijn twee mannen had gevochten – dan opnieuw achter de tralies te belanden. Dus hij deinsde nergens voor terug. Hij zou iedereen aanvallen die hij wilde straffen of die dreigde hem zijn vrijheid te ontnemen. Felicia Nuñez, Janice Durbin, Matt Lewis. En Gloria Gonzalvez, waar die zich dan ook bevond. En aan die lijst kon Farrell nu gerust Amanda Jackson en Glitsky en diens gezin toevoegen.

En zichzelf.

Glitsky opende zijn voordeur zo zachtjes mogelijk – eerst het nachtslot, daarna het gewone slot. Het was al na middernacht. Eenmaal binnen maakte hij zijn schoenen los en trok ze uit, waarna hij ze oppakte en de hoek om liep naar zijn kleine woonkamer. Treya stond op van de bank en zei: 'Godzijdank ben je thuis. Als je er een kunt missen wil ik graag een knuffel.'

Ze liep in zijn armen en hield hem zo stevig mogelijk vast. Hij liet zijn schoenen op de vloer vallen en ze voelde dat er iets in hem brak. Ze bracht een hand naar zijn nek en drukte zijn hoofd tegen de ronding van haar hals. Hij liet zijn hoofd daar rusten en ze voelde dat zijn dikke, sterke nekspieren zich ontspanden. Even later voelde ze ook zijn armen om haar heen. Hij drukte haar dicht tegen zich aan, zó dicht dat ze even, een seconde lang, niet kon ademen.

Het kon haar niet schelen. Dit was alles wat ze wilde. Als ze geen adem kon krijgen, dan deed ze het zonder.

Hij zuchtte diep en kuste haar twee of drie keer op de hals. Toen richtte hij zich weer op. 'Ben je de hele tijd op gebleven?'

'Daar lijkt het wel op.'

'Hoe is het met Amanda?'

'Zo slecht als je zou mogen verwachten. Misschien nog wel slechter. Ze denkt dat het haar schuld is.'

'Dat is niet zo.'

'Nee. Ik weet het. Maar het zal haar wel even tijd kosten. Wil je niet zitten?'

'Dat lijkt me een goed idee.'

Treya nam weer plaats op de bank waarop ze had zitten wachten en trok de deken die ze uit de slaapkamer had meegenomen om zich heen. Glitsky liet zich op het andere eind van de bank zakken.

'Heb je wat?' vroeg ze.

'Een afwijzing van het verzoek om een huiszoekingsbevel, telt dat ook?'

'Ook al vroeg de hoofdcommissaris er zelf om?'

'Jawel. Voor de baas gelden dezelfde regels. Er moet een redelijk vermoeden van schuld zijn.'

'Bijvoorbeeld dat je het redelijke vermoeden hebt dat Matt Lewis Ro aan het schaduwen was en dat Ro hem heeft neergeschoten?'

'Hoe weten we dat Lewis hem aan het schaduwen was?'

'Dat was zijn opdracht.'

'Hoe weten we dat hij hem heeft gevonden?'

'Dat weten we toch? Hij heeft Amanda toch gebeld?'

'Rond lunchtijd. Het schot is een uur later gevallen; misschien zat er nog wel meer tijd tussen.' Misschien heeft hij ze toen uit het oog verloren en is hij iets anders gaan doen en is hij op die manier aan zijn eind gekomen.'

'Is er ook maar iemand die dat gelooft?'

'Nee.'

'En wie zijn "ze" trouwens?'

'Ro zat niet achter het stuur, dat was iemand anders. Matt Lewis kende hem niet maar hij vertelde Amanda dat hij er Amerikaans-indiaans uitzag. Ze kwamen samen uit het huis van de familie Curtlee. Ik denk dat het de lijfwacht is die ik heb gezien toen ik er de eerste keer kwam.'

'Dus Matt Lewis heeft ze een uur gevolgd. Levert dat geen redelijk vermoeden van schuld op? Ze moeten toch snappen dat de hoofdcommissaris zoiets niet verzint?'

'Misschien snappen ze dat ook wel, maar ze willen het papiertje niet tekenen.' Glitsky streek met een hand langs de zijkant van zijn gezicht alsof hij er vuil vanaf veegde. 'Een rechtshandhaver, Matt Lewis, wordt in maffiastijl in zijn auto geliquideerd, in een verlaten straat in een van de meest ongure wijken van de stad, waar voortdurend in drugs wordt gehandeld. Minstens vijftig mensen binnen gehoorsafstand van het schot zouden het theoretisch gedaan kunnen hebben. Dus waarom moeten we die Ro Curtlee nou weer per se hebben?'

'Omdat we weten dat hij de dader is?'

'Nou, als er een beetje hard bewijs was geweest dan had de rechter wel getekend. Maar...' Hij haalde zijn schouders op.

'En wie was de rechter?'

'Chomorro.'

Treya klakte afkeurend met haar tong. 'Dus nu zijn het er al drie?'

'Hoe bedoel je?'

'Baretto, Donahoe, Chomorro. Is er helemaal niemand in de rechterlijke macht die deze man wil opsluiten?'

'Ze vinden het beschermen van zijn burgerrechten belangrijker,' antwoordde Glitsky, en hij voegde eraan toe: 'Weet je hoeveel je nodig hebt als er tijdens de verkiezingen een tegenkandidaat is voor je functie bij de rechterlijke macht, Trey? Honderdvijftigduizend dollar, en tweehonderdvijftigduizend als je met overweldigende meerderheid wilt winnen. En er is geen limiet voor donaties. Mooi, nietwaar? Logisch dus dat die rechters doodsbang zijn van de familie Curtlee.'

'Wie heeft zijn eerste proces gedaan, destijds?'

'Thomasino.'

'Kun je hem niet vragen een huiszoekingsbevel te tekenen?'

Glitsky schudde zijn hoofd. 'Nee, als je een bevel wilt, dan moet je naar de dienstdoende rechter, en deze week is dat Chomorro. Puur toeval. Dit – dat hoef ik je nauwelijks te vertellen – bevordert een onpartijdige rechtsgang.'

'Ik wil geen onpartijdigheid. Niet in dit geval.'

'Nou,' zei Glitsky, 'ik denk dat je dat wel degelijk wilt. Maar ik zou het niet erg vinden als we af en toe eens wat meer geluk hadden.'

Treya trok de deken strakker om haar schouders. Ze leek even in gedachten verzonken en vroeg toen zachtjes: 'Denk je dat we ons zorgen moeten maken? Wij, bedoel ik.'

Glitsky zuchtte en schoof dichter naar haar toe op de bank. 'Ik zou willen zeggen dat ik me genoeg zorgen maak voor ons allemaal, maar dat is waarschijnlijk niet wat je wilt horen.' Met beide handen pakte hij haar hand vast. 'Ik hoop dat hij zijn punt bij ons heeft gemaakt door ons een beetje schrik aan te jagen. Jou of de kinderen iets aandoen zou hem geen steek verder brengen en hij weet dat ik dan achter hem aan kom om hem af te maken. Het helpt hem ook niet bij zijn nieuwe proces als hij mij of ons lastigvalt. Dus goedbeschouwd denk ik dat hij waarschijnlijk wel klaar is met ons. Dat hoop ik in ieder geval. Bovendien maakt de hoofdcommissaris een paar teams vrij om hem continu in de gaten te houden.'

'Ben je niet bang dat hij die zal afschudden?'

'Dat weet ik niet. Ik kan het niet uitsluiten.'

Treya sloot haar ogen en haalde diep adem. 'Nou, hoe dan ook, na vanavond... Ik bedoel, ik heb eens goed nagedacht. Ik weet niet of ik de kinderen nog wel bij Rita wil achterlaten. Of op school. Zelfs al zeg je dat er geen risico is...'

'Dat zeg ik niet.'

'Dat weet ik.' Ze haalde opnieuw beverig adem. 'Zoiets als dit hebben we nog nooit meegemaakt, Abe. Deze man is volstrekt gestoord.'

Glitsky zweeg even en knikte. 'Daar kan ik weinig tegen inbrengen. Je hebt gelijk. Wat wil je dan doen?'

'Ik denk dat ik een tijdje weg wil. Wij met zijn allen. Totdat dit op de een of andere manier voorbijgaat.'

Glitsky's neusgaten trilden en hij klemde zijn mond op elkaar, zodat het litteken een dunne witte streep over zijn lippen vormde. 'Dat kan ik niet doen, Trey. Niet nu dit allemaal speelt.'

'Waarom niet?'

'Nou, omdat ik Ro dan zijn zin geef. Dan heeft hij gewonnen.'

'En wat dan nog, als hij wint?' Treya's stem kreeg een scherp kantje. 'Het is toch niet jij tegen hem?'

'Dat weet ik nog niet zo zeker.'

'Nou dat is dan reden te meer.' Ze legde haar handen op de zijne. 'Als het zó persoonlijk is geworden dan loop je werkelijk gevaar. Zie je dat dan niet?'

'Ja, oké. Maar ik kan niet zomaar de benen nemen omdat de een of andere psychopaat het op me gemunt heeft. Er zijn voorzorgsmaatregelen genomen en er is geen enkele reden om ervan uit te gaan dat die niet zullen werken.'

'O nee? En Lewis dan?'

Maar Glitsky schudde zijn hoofd. 'Ik geloof echt niet dat hij mij, jou of de kinderen iets zal aandoen. Daar heeft hij geen enkele reden voor.'

'En daar wil jij al onze levens, of één van onze levens, onder verwedden?'

'Trey,' zei hij. 'Draaf je nu niet een beetje door?'

Ze liet zijn handen los en Glitsky merkte dat een kille en uitzonderlijke woede zich plotseling meester van haar maakte. 'Ik zit er niet mee te worden beschuldigd van doordraven als de levens van onze kinderen worden bedreigd, Abe. En eerlijk gezegd ben ik pisnijdig dat je dit niet véél serieuzer neemt.'

'Maar ik néém het serieus.'

'Nee, dat doe je niet. Je benadert dit puur beroepsmatig, als een strijd tussen jou en Ro Curtlee. Alsof het erom gaat wie er wint en wie er verliest. En je bent bereid álles wat we hebben daarvoor op te offeren.' Ze maakte een gebaar naar de kamer om hen heen. 'Ons huis, Rachel, of Zack, of jou en mij...'

'Maar dat doen we ook niet...'

Nu, met tranen van woede en frustratie in haar ogen, sloeg Treya met beide vuisten op haar schoot. '*Wél als een van ons dood is, Abe! Snap je dat dan niet? Hoeveel dichterbij moet het nog komen? Net zoals die arme Matt Lewis, plotseling, poef, voor altijd weg. En het gebeurde voordat hij het wist.*'

'Hé.' Hij stak een hand uit en raakte haar schouder aan. 'Treya...'

Ze duwde zijn hand weg en keek hem recht aan. 'Raak me niet aan! Ik ben niet hysterisch en ik draaf ook niet door. Je hoeft me helemaal niet te kalmeren. Jij redeneert vanuit de logica, maar zie je dan niet dat die man ons dit allemaal kan afnemen, *zomaar, gewoon omdat hij daar zin in heeft*? Alles wat we samen hebben opgebouwd en waar we zoveel om geven? Ben je werkelijk bereid dat te riskeren? Waarom? Vanwege je baan? Je carrière bij de politie? Ik geloof mijn oren gewoon niet.'

'Ik heb je al gezegd dat ik denk dat de kans dat...'

'*Godverdomme, Abe! Val dood met je kans*!'

Het scheldwoord trof Glitsky met de kracht van een orkaan en zijn hoofd schokte naar achteren. Ze wist dat hij een diepgewortelde afkeer had van vloeken en al die jaren dat ze bij elkaar waren had ze zich in zijn bijzijn nog nooit zo uitgelaten. Hij streek met zijn hand over zijn voorhoofd – het bloed steeg naar zijn hoofd, zijn maag kwam in opstand – en hij stond op, liep naar het raam en probeerde op adem te komen.

'Ik bedoelde niet...' kon hij ten slotte uitbrengen. 'Wat ik ook heb gezegd, ik meende het niet. Natuurlijk kun je weggaan. Natuurlijk is geen enkel risico aanvaardbaar. Het spijt me vreselijk. Ik wilde je niet bekritiseren. Je hebt volledig gelijk. Als jij het beter vindt om weg te gaan, dan moet je gaan. De kinderen ook.'

'En jij dan?'

Hij draaide zich om, keek haar in de ogen, zweeg een schudde zijn hoofd.

'Hoe is dit mogelijk?' vroeg ze. 'Hoe is het mogelijk dat we zover zijn gekomen en dat nu blijkt dat ik je helemaal niet ken?'

'Trey,' begon hij, 'jeként me. Je wéét wie ik ben. Ik ben al politieman sinds...'

Ze stak afwerend een hand op. 'Bespaar me dat,' zei ze. 'Bespaar me dat alsjeblieft.' Ze stond op, sloeg de deken om zich heen, draaide zich om en liep de hoek om, naar de slaapkamer, waar ze de deur hard achter zich dichtsloeg.

21

De volgende ochtend klopte Darrel Bracco, een rechercheur met de rang van brigadier, op de deur van Glitsky's kamer. De deur was open hoewel het licht uit was. De inspecteur hing onderuit in zijn stoel, bijna horizontaal. Zijn rechterarm lag op het bureaublad en zijn hand omklemde een bekertje met het een of ander. 'Je wilde me spreken, Abe?'

'Ja. Kom binnen.'

'Zal ik het licht aandoen?'

'Nee, laat maar uit. Ga zitten.'

Bracco liep gehoorzaam de kamer in en nam plaats. Glitsky maakte geen aanstalten rechter op te gaan zitten. Ondanks de duisternis zag Bracco dat de lichtbruine gelaatshuid van de inspecteur een wat ongezonde tint had. Uit zijn lichaamstaal sprak uitputting, maar toen hij begon te praten klonken zijn woorden afgemeten en vastberaden. 'Je hebt gehoord van Matt Lewis.'

Het was geen vraag. Zelfs als het nieuws van de liquidatie niet was doorgedrongen tot iedere vierkante centimeter van het Paleis van Justitie, was het voorpaginanieuws geweest in zowel de *Chronicle* als de *Courier* van die ochtend.

Bracco wist dat zijn naam op het whiteboard aan de muur achter hem al stond vermeld als leider van het onderzoek in drie lopende moordzaken: een wilde schietpartij zonder getuigen in Lower Mission, de tragische dood van een baby omdat een moeder in Sunset haar geduld had verloren, en een ongetrouwde assurantiemakelaar van in de vijftig die de vorige week was doodgestoken in een steeg achter Alfred's Steak House. Bracco vond dat hij daarmee al tot over zijn oren in het werk zat, vooral omdat hij de laatste tijd in zijn eentje werkte.

Maar nu Glitsky hem vroeg of hij had gehoord wat er met Matt Lewis was gebeurd zei hij: 'Ja. Vreselijk. En ik neem die zaak als het moet, maar als iemand anders hem wil zou het fijn zijn, want ik heb nogal veel omhanden.'

'Ik vraag je niet de zaak op je te nemen, Darrel.'

'Sorry, dat dacht ik even...' Hij haalde zijn schouders op. 'Ga door.'

'Wat heb je erover gehoord?'

'Lewis? Niet veel. Daar in de "Mo"' – zo noemden ze het bewuste gedeelte van Fillmore bij de politie – 'kan van alles gebeuren. Wie doet die zaak?'

'Nog niemand. Misschien komt het er wel op neer dat ik hem zelf ga doen.' Glitsky draaide zijn bekertje. 'Maar goed, jij hebt er dus niets over gehoord?'

'Nee.'

'En als ik je nou eens vertelde dat hij Ro Curtlee aan het schaduwen was?'

Bracco reageerde beheerst. 'Daar is niets over naar buiten gekomen.'

'Nee.'

'Is het waar?'

'Reken maar.'

In alle nieuwsberichten had Glitsky zorgvuldig vermeden te verklaren dat ze een verdachte hadden, of zelfs maar iemand die onderwerp van onderzoek was. Het leek een willekeurige afrekening te zijn die misschien iets te maken had met drugs of rivaliteit tussen bendes, maar daar was nog niets met zekerheid over te zeggen. Het onderzoek liep nog. Dat was alles wat hij erover kon vertellen.

'Dus...' Bracco wachtte.

'Dus ik heb een vrijwilliger nodig die de advocaat van Curtlee belt om te vragen om een onderhoud, want om voor de hand liggende redenen kan ik dat zelf niet doen. Denardi zal daar beslist niet op ingaan, maar we moeten het vragen. Ik wil straks niet het verwijt krijgen dat we hem nooit de kans hebben gegeven zijn kant van het verhaal te vertellen.'

'Maar stel dat hij ja zegt, wil je dan dat ik met hem over Lewis praat?'

'Inderdaad, en ook over die andere zaak, Janice Durbin.'

'Die ken ik niet.'

'Die is vrijdag aangetroffen in haar afgebrande huis. Net als Felicia Nuñez, die destijds tegen Ro heeft getuigd. Gewurgd, net als Felicia. En dit laatste slachtoffer, Janice Durbin, was getrouwd met de juryvoorzitter in Ro's proces.'

'Ik zie een patroon,' zei Bracco.

'Je meent het. Hoe dan ook, het goede nieuws is dat je met de zaak-Lewis, en het feit dat we weten dat hij Ro aan het schaduwen was, een redelijk, zelfs voor de hand liggend excuus hebt om met Ro te praten, om van hem te horen wat hij gisteren heeft gedaan. En als je toch bezig bent, ga dan meteen na wat zijn alibi is voor Janice Durbin, als hij er tenminste een heeft.'

'Denk je dat hij me te woord zal staan?'

'Geen denken aan. Maar we moeten het protocol afwerken.'

'Was Lewis werkelijk bezig hem te schaduwen?' vroeg Bracco.

'Wat? Denk je soms dat ik dat uit mijn duim zuig, Darrel?' Toen hij zich realiseerde hoe bruusk hij klonk stak hij verontschuldigend zijn hand op. 'Sorry, ik heb vannacht niet geslapen. Maar Lewis was inderdaad bezig Ro te schaduwen, tenminste tot een uur voordat hij werd doodgeschoten. Toen meldde hij zich voor het laatst bij Amanda Jenkins. Hij stond op dat moment te wachten bij de Tadich Grill, waar Ro een ontmoeting had met zijn advocaat.'

'En daarna?'

'Ro kwam naar buiten en sprong in de auto, met zijn chauffeur.'

'En Lewis ging ze achterna?'

'Hij zei in ieder geval dat hij dat van plan was. Wat er daarna is gebeurd weten we niet.'

Bracco liet het even op zich inwerken en knikte vervolgens kort. 'Daar kan ik wel wat mee.'

Het leek een beetje op een crèche die dag bij de officier van justitie. Treya kwam laat – tegen negen uur – en ze had haar twee kinderen bij zich. Ongeveer vijftien minuten later arriveerde Farrell met zijn hond. Gelukkig was Gert een brave hond die van kinderen hield, dus viel de chaos mee. Maar het was niet bepaald een geordende en professionele kantoorsituatie.

Rachel en Zachary waren in de kamer van Farrell aan de leestafel in de weer met kleurpotloden en Gert had het zich onder de tafel gemakkelijk gemaakt. Treya en Wes hadden iets belangrijks te bespreken en hadden zich teruggetrokken achter de receptie, in Treya's werkruimte. Om wat privacy te hebben hadden ze zowel de deur naar Farrells kamer als de deur naar de gang gesloten.

Farrell zat op de rand van Treya's bureau. 'Voor hoe lang?' vroeg hij.

'Ik weet het niet. Zo lang als het nodig is.' Treya leunde tegen de muur van juridische naslagwerken in de receptie. 'Ik ben niet van plan de kinderen aan dit soort risico's bloot te stellen.'

'Weet je al waar je naartoe gaat?'

'Ik heb een broer in Los Angeles. Daar gaan we allereerst heen. En de vader van Abe heeft een huis hier in de stad waar we welkom zijn, maar dat is misschien te dichtbij. Ik wil niet gevonden kunnen worden.'

'En wat doet Abe?'

Treya's mond vertrok even maar ze kreeg haar gelaatsspieren snel weer onder controle. 'Hij blijft. Hij zegt dat het nog maar een paar weken zal duren. Hopelijk. Totdat Ro weer in de gevangenis zit, bedoel ik.'

'Als hij in staat van beschuldiging wordt gesteld. En nu, met Amanda...' Farrell streek met zijn hand door zijn haar. 'Zij is degene die de zaak zou presenteren, maar ik weet niet of dat haar nog zo snel zal lukken na wat Matt is overkomen.'

'Je zou het zelf kunnen doen.'

'Ik weet het. Dat zou ik kunnen doen. Maar' – hij spreidde zijn handen voor zich uit – 'wat moet ik ondertussen zonder jou beginnen?'

'Het spijt me vreselijk, echt waar. Ik wou dat er een andere oplossing was, maar die zie ik echt niet. Ik weet zeker dat er hier in het gebouw iemand rondloopt die me uitstekend zou kunnen vervangen.'

'Ja? Heb je een naam voor me?'

Ze sloeg haar armen over elkaar en schudde haar hoofd. 'Nee.'

Er viel een stilte tussen hen.

'Dit is écht een probleem, Treya. besef je dat? Hoe langer ik erover nadenk, hoe groter het wordt.'

'Ja, dat begrijp ik. Mijn situatie thuis is ook een probleem. Maar wat moet ik anders doen? En ik heb nog voldoende vakantiedagen tegoed.'

'Daar gaat het niet om.'

'Het spijt me, maar ik kan niet anders. Ik kan de kinderen niet hier houden. Ik ben bang dat Ro ze iets zal aandoen. Wat dan ook. Je weet dat hij eroe in staat is.'

Farrell liet haar antwoord even tot zich doordringen en schudde toen in afschuw zijn hoofd. 'Godverdomme,' zei hij. 'O, sorry.'

'Laat maar, daar zit ik niet mee,' zei Treya. 'Hoe dan ook, ik wilde het je graag persoonlijk laten weten en ik wil proberen voor vervanging te zorgen.'

'In één dag?'

'Treya probeerde een dapper gezicht te trekken, maar dat lukte niet helemaal. Ze haalde haar schouders op. 'Meer kan ik niet doen. Het spijt me.'

Wes liet zich van het bureau glijden en keek haar recht in de ogen. 'Hoor eens, Treya,' zei hij, 'als je dit doet dan weet ik niet of ik kan garanderen dat je weer in je oude baan kunt terugkomen. Dat is geen dreigement. Het is de realiteit. Ik moet hier iemand hebben die iedere dag aanwezig is.'

'Dat weet ik,' zei ze. 'Ik kan moeilijk van je vragen dat je me terugneemt.'

'Dan weet je dat in ieder geval.'

'Ja,' zei ze. 'Dat is me nu wel duidelijk.'

Toen Bracco zijn opwachting maakte in Denardi's kantoor in het stadscentrum kwam hij erachter waarom de advocaat akkoord was gegaan met het vrijwillige verhoor. Behalve Ro waren ook Cliff en Theresa Curtlee aanwezig. Tristan Denardi stelde het tweetal voor aan Bracco, met de mededeling dat ze hier niet alleen aanwezig waren ter morele ondersteuning van hun zoon, maar ook namens hun krant. Bracco begreep dat hun aanwezigheid betekende dat de *Courier* dit verhoor, hoe het ook verliep, zou opvoeren als het zoveelste voorbeeld van machtsmisbruik door de politie.

Denardi plaatste zijn linkerenkel op zijn rechterknie, waarbij een deel van de geruite sok zichtbaar werd die uit zijn glimmend gepoetste zwarte brogue stak. De onberispelijk geklede advocaat zette zijn kopje hete koffie terug op het schoteltje en plaatste dit op de lage tafel vóór hem in de vergaderkamer.

'Ik ben er helemaal niet zeker van of mijn cliënt u wel iets te zeggen heeft,' zei hij tegen Bracco toen de introducties en beleefdheidsfrasen waren uitgewisseld. 'Ik weet in feite vrijwel zeker dat dit niet het geval is. Het is duidelijk dat jullie er belang aan hechten de heer Curtlee lastig te vallen en ik hoop dat wij inmiddels duidelijk hebben gemaakt dat niet te zullen accepteren. Nu bent u hier opnieuw om mijn cliënt te vragen naar zijn doen en laten afgelopen vrijdagochtend, en we zijn niet van plan die informatie te verstrekken zonder dat u ons kunt uitleggen waarom het iemand zou kunnen schelen waar hij toen was of wat hij toen deed.'

Bracco nipte van zijn koffie om zichzelf wat tijd te geven. De zwijgende aanwezigheid van de heer en mevrouw Curtlee werkte hem op de zenuwen. Hij verplaatste zijn blik van de zelfverzekerde en onverzettelijke ouders naar Ro Curtlee in zijn gesteven spijkerbroek, zijn strakke T-shirt en zijn cowboylaarzen van achthonderd dollar. Zijn arm zat nog steeds in het gips als gevolg van de schermutseling met Glitsky en de twee agenten, maar zijn gezicht was weer in orde. Hij had zich die ochtend geschoren en zijn haar was netjes gekamd.

Toen Ro merkte dat Bracco hem aankeek, glimlachte hij laatdunkend.

Bracco koos zijn woorden zorgvuldig. 'Ik onderzoek een nieuwe zaak en zou uw cliënt graag van verdenking willen uitsluiten.'

'U wilt zeggen dat hij verdachte is in een nieuwe zaak?'

'Hooguit in zoverre dat we nog geen verdachte hebben in deze nieuwe kwestie. Ik ben bezig bepaalde mogelijkheden uit te sluiten.'

'En de heer Curtlee behoort tot deze mogelijkheden?'

'Inderdaad.'

Ro lachte schamper en leunde daarna weer achterover in zijn comfortabele leren fauteuil. 'Ongelofelijk,' zei hij.

Theresa Curtlee mengde zich eindelijk in het gesprek. 'U méént het,' merkte ze op.

Denardi stak een waarschuwende hand op naar haar en zijn cliënt. 'Ro, Theresa. Een ogenblik.' Vervolgens richtte hij zich tot Bracco. 'Die andere zaak. Dat is een moordzaak, neem ik aan?'

'Moord met brandstichting, om precies te zijn.'

Hierbij bewogen de mondhoeken van Denardi zich iets omhoog. 'Vanzelfsprekend. En hoe zou de heer Curtlee ook maar in de verste verte betrokken kunnen zijn bij deze vermeende moord met brandstichting?'

'Het slachtoffer was Janice Durbin, de echtgenote van de voorzitter van zijn jury.'

Opnieuw glimlachte Denardi zuinig. 'Juist. En wilt u dan zo vriendelijk zijn om voor mij laat ik maar zeggen de routekaart te schetsen van hoe de heer Curtlee op enigerlei wijze verband houdt met de dood van deze arme vrouw?'

Bracco besloot het simpel te houden. 'Ze was gewurgd en iemand heeft brand gesticht. Hetzelfde als wat Felicia Nuñez is overkomen. En natuurlijk is mevrouw Sandoval ook gewurgd. Dat is wel heel erg toevallig. Dus als uw cliënt ons zou willen helpen hem te elimineren als verdachte dan zou ik dat op prijs stellen. Ik zie niet in wat voor bezwaar u daartegen zou kunnen hebben.'

Cliff Curtlee schraapte demonstratief zijn keel.

Dit teken was Denardi niet ontgaan. 'In algemene zin, brigadier, is mijn bezwaar dat wij als Amerikaanse staatsburgers recht hebben op privacy. De heer Curtlee is niet gehouden wie dan ook te laten weten wat hij al dan niet op vrijdagochtend of op enig ander tijdstip heeft gedaan.'

'Nee. Dat spreekt vanzelf.'

'Maar aan de andere kant...' Denardi keek Ro aan en waarschijnlijk werd er een zwijgende boodschap uitgewisseld. 'Als u mij en mijn cliënt even wilt verontschuldigen, brigadier, dan kunnen we bezien of we wellicht tot een vergelijk kunnen komen. Een ogenblik alstublieft.' Met deze woorden stonden de advocaat, zijn cliënt en diens ouders gelijktijdig op en verlieten de vergaderkamer.

Bracco leunde achterover, sloeg zijn benen over elkaar en liet de grote schilderijen, de kast met in leer gebonden boeken en de foto's van de machtigen en rijken der aarde op zich inwerken. Hij wierp een blik naar buiten, naar de golven in de baai, de wolken die voorbijdreven, het ferrygebouw en de Bay Bridge die zich statig uitstrekte naar Treasure Island.

Toen, alsof het was geregisseerd – en misschien was dat ook wel zo – verschenen Denardi, Ro en de heer en mevrouw Curtlee weer in de vergaderkamer.

'Brigadier,' begon Denardi nog voordat ze waren gaan zitten, 'het zou geweldig zijn als u aan uw collega's bij de politie de boodschap zou willen doorgeven dat we altijd bereid zijn aan onderzoeken mee te werken als de correcte procedures in acht worden genomen. De heer Curtlee is bereid een verklaring af te leggen omtrent zijn doen en laten op afgelopen vrijdagochtend. Hebt u opnameapparatuur bij u om de verklaring vast te leggen?'

'Zeker.'

Ze namen hun plaatsen weer in. 'Als u het niet erg vindt dan zal mevrouw Curtlee ook aantekeningen maken.'

'Prima.' Bacco haalde zijn recorder tevoorschijn en zette die op de tafel. Na de gebruikelijk introductie vroeg hij Ro Cortlee wat hij de afgelopen vrijdagochtend had gedaan.

'Ik was in ons huis hier in San Francisco en ben laat opgestaan, om ongeveer kwart over negen,' zei hij. 'Ik ging naar beneden, begroette mijn ouders, die net hadden ontbeten, en gebruikte toen zelf het ontbijt, dat werd opgediend door onze lieftallige Linda.'

'Dat kunnen wij bevestigen,' zei Cliff Curtlee, terwijl hij naar zijn vrouw gebaarde. 'Wij allebei. Wilt u ook nog weten wat we precies hebben gegeten?'

Bracco bewaarde zijn kalmte. 'Dat lijkt me niet nodig,' zei hij. Hij richtte zich weer tot Ro en vroeg: 'En na het ontbijt?'

'Ik heb gedoucht en wat kleren aangetrokken en om ongeveer elf uur was ik bij mijn dokter om het gips om mijn arm te laten controleren. Wat dacht u daarvan? Moet ik nog verdergaan?'

'Ja, graag.' Ze bespraken Curtlees doen en laten de rest van de dag, totdat hij later zijn ouders weer zag tijdens het avondeten.

'Dat is mooi,' zei Bracco toen ze klaar waren. 'Dan wil ik je nog een paar vragen stellen over de ochtend. Is er misschien iemand die heeft gezien dat je vóór kwart over negen in bed lag?'

Hij dacht even na. 'Linda klopte om negen uur op mijn deur. Daar werd ik wakker van. Dat irriteerde me een beetje, als u het echt wilt weten.'

'Dat was om negen uur. En daarvoor?'

Denardi had er genoeg van. 'Daarvoor lag hij thuis in zijn bed te slapen, brigadier. Is dat zo moeilijk te bevatten?'

'Nee.'

'Nou, dan.' Denardi klapte in zijn handen. 'Me dunkt dat u dan nu wel hebt waarvoor u bent gekomen. U hebt uw verklaring. Die is vrijwillig afgelegd. We hebben u onze volledige medewerking gegeven. Als u ons nu wilt excuseren...'

Bracco maakte geen aanstalten zijn recorder uit te zetten. In plaats daarvan knikte hij vriendschappelijk. 'Zeg,' zei hij, alsof hem zojuist iets te binnen was geschoten, 'nu we toch zo gezellig aan de praat zijn, hoe is het eten bij de Tadich Grill tegenwoordig? Nog net zo goed als vroeger?'

De heimelijke blik tussen de advocaat en zijn cliënt verdween even snel als hij was gekomen, maar Bracco had hem opgemerkt. En ze wisten allebei dat het hem niet was ontgaan.

'Nou heb ik er verdomme genoeg van!' zei Ro Curtlee tegen Denardi. 'Dit houdt nooit meer op tenzij we er wat aan doen. Weet je wat, brigadier, ik doe een leugendetectortest. Dan kunnen we er op die manier een eind aan maken. Wat dacht je daarvan?'

Denardi strekte zijn arm uit. 'Ro!'

Maar de jongeman raasde door. 'Nee, Tristan, dit is gewoon lulkoek! Dezelfde lulkoek waarmee ze ons al vanaf het begin lastigvallen. Ik heb gisteren helemaal niemand neergeschoten. Nooit niet! Ik ben na de lunch met Ez naar het planetarium gegaan...'

Denardi kwam nu overeind uit zijn stoel. 'Ro! Hou je mond! Zo is het genoeg!'

Maar Ro leek zich niet meer te kunnen beheersen. Hij stond ook op en strekte zijn wijsvinger uit naar zijn advocaat. Zijn gezicht was rood aangelopen van woede. 'Wat? Moet ik dit dan allemaal maar pikken? Hij heeft me zojuist opnieuw beschuldigd...'

'Niets meer zeggen, verdomme!' Denardi schreeuwde nu bijna. 'Geen woord meer!' Vervolgens keek hij neer op Bracco. 'Dit onderhoud is afgelopen,' zei hij. 'En wel nu.'

Bracco greep meteen zijn recorder maar zette hem niet uit. Hij stond op en deed een paar stappen achteruit. 'Waarom wil je dan een leugendetectortest doen, Ro? Ik heb het helemaal niet gehad over iemand die is neergeschoten.'

'Geen antwoord geven,' zei Denardi.

'Dat heeft hij al gedaan,' zei Bracco.

'Dit is absurd,' zei Cliff Curtlee, terwijl hij overeind kwam.

'Hij heeft helemaal niets toegegeven,' herhaalde Denardi.

'O, nou, dan hoeft hij zich ook nergens zorgen over te maken.'

Ro zette een stap in zijn richting. 'Ik hoef me sowieso geen zorgen te maken, eikel.'

'Genoeg, Ro!' Denardi positioneerde zijn lichaam voor zijn cliënt. 'Eruit, brigadier.'

'Zeker,' zei Bracco, terwijl hij verder achteruitliep. 'Ik ben al weg,' zei hij. 'Fijn om u allemaal gesproken te hebben.'

22

Sheila Marrenas was de enige journalist van de *Courier* die werkte vanuit een eigen kamer in plaats van een van de hokjes op de verdieping waar de stadsredactie was gehuisvest. Die bevoorrechte positie had ze niet alleen verkregen dankzij het feit dat ze een uitstekende schrijfstijl had, maar ook omdat haar column 'Our Town' het best gelezen onderdeel van de krant was. Ze had een goede antenne voor nieuws en vooral voor vetes die vermomd waren als nieuws. Het kon ook geen kwaad dat Marrenas van jongs af aan was doordrongen van dezelfde politieke standpunten als die van de eigenaren van de krant, en dat ze die overtuigend wist te verwoorden, met de passie van een ware gelovige.

Nu kwam ze terug in haar kamer na haar lunch met de persvoorlichter van de burgemeester, een succes op zich, broedend op een manier om een zo gunstig mogelijk beeld van Leland Crawford te schetsen in een artikel over zijn eerste weken als burgemeester van San Francisco. Ze maakte zich weinig zorgen over objectiviteit als journalistieke maatstaf; een maatstaf waarvan in de praktijk van het krantenbedrijf immers maar al te vaak uitsluitend de schijn werd opgehouden. Bovendien was ze inmiddels columnist en geen gewone verslaggever. Meningen, nuances, standpunten, daar hield ze zich mee bezig.

Marrenas wist dat het in het krantenvak ging om het uitoefenen van invloed en het beïnvloeden van de publieke opinie. De familie Curtlee had aanzienlijke financiële bijdragen geleverd aan de campagne van Leland Crawford en al meteen aan het begin van zijn loopbaan was het duidelijk dat hij begreep aan welke kant zijn boterham was besmeerd. Hij kon een belangrijke bondgenoot zijn in de politieke oorlogen die altijd weer de kop opstaken in San Francisco. Een flatterende column van haar over zijn eerste weken kon helpen zijn loyaliteit in beton te gieten. Misschien kon ze de ambitieuze agenda en de doortastende aanpak van Crawford afzetten tegen het tot nu toe ondermaatse presteren van Wes Farrell.

Dat zou de boel lekker opstoken.

Terwijl ze haar kamer binnenliep ging de telefoon. Ze boog zich over haar bureau, dat vol lag met papieren, en nam als gebruikelijk op door kortaf haar naam te zeggen.

'Sheila. Cliff hier. Ik wil iets met je bespreken. Heb je even? Goed, dan kom ik naar beneden.'

Ze ging achter haar bureau zitten, trok haar la open, haalde haar handspiegel tevoorschijn en controleerde haar gezicht en haar kapsel. Ze hoefde zich geen zorgen te maken. Op haar drieënveertigste zag ze er waarschijnlijk nog beter uit dan toen ze dertig was. Ze was beslist stijlvoller geworden en had een meer gecultiveerde en professionele uitstraling. Het wilde kroeshaar van tien jaar geleden was veranderd in zachte krullen die tot op haar schouders hingen. En haar gezicht was nooit een probleem geweest. Haar olijfkleurige huid was niet alleen smetteloos maar ook stralend. Haar glimlach, onder de zwoele, donkere ogen, was gul en breed nadat de beugel ongeveer zes jaar geleden zijn werk had gedaan.

Ze was meer dan tevreden over haar uiterlijk en terwijl ze de spiegel teruglegde permitteerde ze zich een glimlachje bij de gedachte dat het bijna jammer was dat ze niet geneigd was haar positie bij de krant te verstevigen door Cliff te verleiden, die altijd duidelijk had laten merken haar aantrekkelijk te vinden. Eerlijk gezegd was Theresa meer haar smaak, maar wat had het voor zin aan te pappen met de nummer twee?

'Ha, daar ben je. Je ziet er beter uit dan ooit, moet ik zeggen.'

'Hou op, jij charmeur.' Maar ze glimlachte terwijl ze opstond van achter haar bureau en Cliff eerst de ene en daarna de andere wang aanbood voor een luchtkus. Het was traditie geworden dat ze, als Cliff haar in haar kamer bezocht, aan weerszijden van de leren bank gingen zitten voor het raam dat uitkeek op Castro Street.

'En hoe was je lunch met de burgemeester?' vroeg Cliff om het gesprek op gang te brengen.

'Met zijn persvoorlichter,' corrigeerde ze hem. 'Het ging prima. Ze had veel bruikbare quotes. Het is goed materiaal. Dat zul je wel zien.' Ze trok een been op en ging verzitten, zodat ze hem recht kon aankijken. 'Maar jij hebt iets nog heters?'

'Ja, maar niet in de betekenis van sexy,' zei hij. 'Meer in de betekenis van dringend. Het gaat weer over Ro en de politie.'

Even schoot ze in de lach. 'Dat meen je toch niet? Je zou denken dat ze na vorige week hun lesje wel hadden geleerd.'

'Ik weet niet of ze wel in staat zijn iets te leren.'

'Ik ook niet. Zat Glitsky er weer achter?'

'Nee, maar hij is natuurlijk wél hoofd Moordzaken, dus het is duidelijk van wie de orders afkomstig waren. Dit keer hadden we te maken met een rechercheur genaamd Bracco.'

'Marrenas knikte. 'Darrel. Ik weet wie dat is. Wat heeft hij gedaan?'

'Nou, misschien moeten we hem wel bedanken, omdat hij degene is die ons dit verhaal oplevert. Maar hij is vandaag naar het kantoor van Denardi gekomen om Ro een aantal vragen te stellen. Tristan wilde er helemaal niet aan beginnen, maar bij nader inzien leek het me wel een goed idee het door te laten gaan mits Theresa en ik er ook bij konden zijn om onze belangen te vertegenwoordigen. Als jij beschikbaar was geweest had jij in onze plaats kunnen gaan.'

Verbaasd trok ze haar wenkbrauwen op. 'Ga door.'

Cliff, die schuin op de bank zat, schoof wat dichter naar haar toe. 'Hoe dan ook, het blijkt dus dat Glitsky nog met een andere moordzaak bezig is, gewoon de een of andere willekeurige moord aan de andere kant van de stad, in Sunset. Al zal Glitsky wel denken dat het misschien helemaal geen willekeurige moord is. Hij denkt dat Ro daar ook iets mee te maken heeft, en hij heeft Bracco gevraagd om dat vrijwillige verhoor vandaag, om na te gaan of Ro een alibi heeft voor het tijdstip van de moord.'

'Die andere moord, bedoel je?'

'Ja, en ik weet het. Het is bizar.'

'Maar wat is dan het mogelijke verband met Ro?'

'Hier zul je van smullen. Herinner je je die juryvoorzitter nog van Ro's proces?'

'Michael Durbin?' Plotseling knipte ze met haar vingers. 'Die was het!' zei ze, met opengesperde ogen.

'Wie?'

'Die man in de gang bij de rechtszaal, de vorige week, die geen tijd voor me had. Dat was Durbin. Ik wíst dat ik hem eerder had gezien.'

'Bij Ro's voorgeleiding? Waarom was híj daar?'

'Ik heb geen idee.' Ze schudde haar hoofd. 'Maar wat wilde je nou zeggen? Heeft iemand hem vermoord?'

'Nee. Iemand heeft zijn vrouw vermoord. En vervolgens het huis waarin ze lag in brand gestoken.'

Marrenas ademde snel in en langzaam weer uit. 'Dat is niet erg fraai.'

'Nee. Maar het punt is dat de politie, vanuit de een of andere verwrongen logica, tot de conclusie is gekomen dat Ro er iets mee te maken heeft. Het is eigenlijk zo vergezocht dat ik niet snap dat iemand dat gelooft, maar toch schijnt dit de volgende aanval op Ro te worden. Ondanks het feit dat hij thuis lag te slapen op het tijdstip waarop de moord werd gepleegd, zoals Ro Bracco vanochtend ook heeft verteld en wat Theresa en ik kunnen bevestigen omdat het waar is.' Op zachtere toon voegde Cliff eraan toe: 'En, Sheila, ik zweer het je, hij lag thuis op het bewuste tijdstip gewoon in zijn kamer te slapen. Dat was afgelopen vrijdag. Ik herinner me dat nog precies en Theresa ook. Hij kwam naar beneden en hij heeft met ons ontbeten rond een uur of negen, halftien. En ik geef je mijn erewoord dat hij niet eerder het huis uit is geweest om de een of andere vrouw in Sunset te vermoorden en vervolgens het huis in brand te steken. Dat is gewoon niet gebeurd.'

Sheila pakte de draad van het verhaal op. 'Maar toch kwam de politie hem verhoren?'

'Precies. En wil je nóg iets horen? Die inspecteur van justitie die gisteren in Fillmore is doodgeschoten?'

'Ja?'

'Kennelijk heeft Ro dat óók gedaan. Als je het tenminste aan Bracco of Glitsky vraagt.'

Marrenas knikte bewonderend. 'Tsjongejonge. Ro heeft het er maar druk mee.'

'Inderdaad. Dit is toch volslagen van de gekke. Hij heeft gisteren met Tristan Denardi geluncht in de Tadich Grill, om hun juridische strategie te bespreken, en daarna is hij met Ez naar het planetarium gegaan. Ze zijn onderweg heus niet gestopt om een inspecteur van justitie te vermoorden.' Hij slaakte een diepe zucht. 'Dit is al lang niet leuk meer, moet ik je zeggen.'

Marrenas stond op en strekte haar rug, waarbij haar fysieke kwaliteiten goed over het voetlicht kwamen. Vervolgens liep ze naar de andere kant van haar kamer. Toen ze zich omdraaide vroeg ze: 'En wat wil je dat ik doe?'

Cliff schoof naar het voorste puntje van de bank. 'Nou, het verhaal zelf, de politie die Ro verdenkt van iedere moord die is gepleegd sinds zijn vrijlating uit de gevangenis, dat moet naar buiten gebracht worden. Maar meer in het bijzonder moet er iets te vertellen zijn over de moord op de vrouw van Durbin; een verhaal dat geen steek te maken heeft met Ro, omdat het absoluut zeker is dat hij haar niet heeft vermoord. Of wie dan ook.

'Na die laatste briljante artikelen van jou over machtsmisbruik door de politie hebben we de politieke opinie denk ik grotendeels aan onze kant. Het zou interessant zijn als we konden laten zien hoe erg de politie kan ontsporen als ze zich vanuit een tunnelvisie op iemand richten die onschuldig is. Denk je dat je wat onderzoek zou kunnen doen en dat verhaal zou kunnen schrijven?'

'Met mijn ogen dicht, als het moest. Geen probleem.'

'Zijn mama en jij boos op elkaar?' vroeg Rachel.

Ze hadden de auto achtergelaten bij kort parkeren en liepen nu naar de terminal. Treya had Abe voorgesteld dat hij ze buiten bij de vertrekhal zou afzetten, maar dat had hij afgewezen met het argument dat hij zo lang mogelijk bij hen wilde zijn. Treya had er stilzwijgend op gereageerd.

En dat had weer tot Rachels vraag geleid.

Het tweetal, vader en dochter, liep bijna vijf meter achter Treya en Zachary. Ze hadden de afstand met opzet wat groter laten worden. Glitsky's dochter hield met de ene hand de zijne vast en trok met de andere een kleine, roze trolley achter zich aan. Haar knuffel, aapje Alice, hing om haar nek, de handjes met klittenband aan elkaar gekleefd.

'Nee,' zei Glitsky. 'We hebben een verschil van mening, dat is alles.'

'Maar je bent niet boos op haar.'

'Nee. Dat zei ik toch al.'

'Dat weet ik. Maar volgens mij is ze boos op jou.'

'Dat zou best eens kunnen.'

'Waarom?'

'Omdat ik niet met jullie meega.'

'Waarom doe je dat niet? Is dit geen vakantie? Mama zei dat het een soort vakantie was.'

'Dat weet ik. Maar "een soort vakantie" is niet hetzelfde als een échte vakantie. Als het een echte vakantie was ging ik wel mee.'

'Maar waarom kun je nu dan niet mee?'

'Probeer eens te raden?'

Ze keek naar hem op. 'Dan word je boos.'

'Nee echt niet. Ik beloof het.'

'Goed dan. Werk.'

'Klopt.'

'Het is altijd werk.'

'Nu praat je net als je moeder.'

'Maar moet je nu dan óók werken?'

'Als dat niet hoefde, denk je dan niet dat ik met jullie mee zou gaan?'

'Ik weet het niet. Misschien.'

'Niks misschien. Absoluut. En weet je waarom? Omdat ik van jullie hou. Omdat ik heel veel van jullie allemaal hou.'

'Zelfs van mama?'

'Vooral van mama.'

Treya en Zachary hadden inmiddels de lift naar de veiligheidscontrole bereikt. Treya draaide zich om en riep: 'Zeg, kunnen jullie niet eens een beetje opschieten?'

Rachel keek opnieuw omhoog naar haar vader. 'Wat ze ook zegt, ze is boos.'

'Volgens mij heb je gelijk,' fluisterde Glitsky.

Ze sloten aan in de rij voor de veiligheidscontrole. Glitsky had Zachary in zijn armen genomen. Hij droeg de aangepaste fietshelm waarmee hij nu al langer dan een jaar rondliep. Ze hadden met zijn vieren al de sandwichomhelzing gedaan, waarbij Rachel zich aan de benen van Abe en Treya had vastgeklampt. Nu zette Glitsky Zachary naast Rachel neer. Hij zei dat ze elkaars hand moesten vasthouden en even op de bagage moesten letten zodat hij en hun moeder elkaar gedag konden zeggen.

Glitsky pakte Treya's hand, en na een korte aarzeling liep ze een paar passen met hem mee. Hij sloeg een arm over haar schouder en trok haar dichter naar zich toe. Even bleef ze bewegingsloos staan, met de armen slap langs haar lichaam, maar toen voelde hij hoe ze zuchtte en haar armen omhoog bracht.

Ze bewoog haar hoofd achterover, rekte zich uit en kuste hem. 'Ik hou van je,' zei ze.

'Ik hou ook van jou. Het spijt me van...'

Ze trok een hand terug en legde een vinger tegen zijn lippen. 'Laat maar, oké? Mij spijt het ook. Maar ik moet dit gewoon doen.'

'Ik begrijp het.'

'En jij moet doen wat jij moet doen.'

'Precies. Zo zijn de regels. Voor alle duidelijkheid, over mij hoef je je geen zorgen te maken. Ik zal voorzichtig zijn.'

Ze deed haar best te glimlachen. 'Ja, dat zal best.'

'Pas goed op onze kinderen.'
'Doe ik.'
'En we bellen iedere dag. Afgesproken?'
'Afgesproken.'
'En jullie komen allemaal weer terug.'
'Daar is geen twijfel aan. Reken maar.' Ze maakte zich lang en kuste hem opnieuw. 'Ik moet weg. Ik hou van je.'
'Ik ook van jou.'
Na opnieuw een vluchtig en maar half gelukt glimlachje draaide ze zich om naar de kinderen. Glitsky zwaaide naar ze. Hij hoorde hoe ze afscheid van hem namen en hij probeerde een woord uit te brengen of iets dat leek op een glimlach op zijn gezicht te toveren, maar dat lukte niet. Dus zwaaide hij nog een laatste keer ten afscheid, waarna hij zich omdraaide en terugliep naar de parkeerplaats.

23

Toen Glitsky terugkwam van het vliegveld wachtte Bracco hem op bij de afdeling Moordzaken. Nadat Glitsky naar de opname had geluisterd, hadden de mannen die enige tijd besproken, waarop ze hadden besloten ermee naar Wes Farrell te gaan zodat die kon besluiten wat hij ermee wilde doen.

Nu weergalmden de voetstappen van Farrell en Glitsky in de gang terwijl ze naast elkaar langs de rechtszalen op de tweede verdieping liepen. Ze waren allebei uitgeput en geen van beiden had zin in of energie voor een gesprek over koetjes en kalfjes. De werkdag zat er bijna op en de meeste rechtszalen waren al leeg. Links bevonden zich de deuren naar de kamers van de rechters. In de gang klonken flarden conversatie van een paar groepen geboeide verdachten in hun oranje gevangenisplunje en gerechtsdienaren, die aan het andere eind van de gang wachtten op de lift die ze naar boven zou brengen, vanwaar ze vervolgens de gevangenis achter het gebouw konden bereiken.

Farrell en Glitsky bleven staan voor een deur met op de muur ernaast een naambordje waarin was gegraveerd: EDELACHTBARE LEO CHOMORRO.

Farrell keek Glitsky aan, haalde hoopvol zijn schouders op en aarzelde nog een seconde. Achter de deur klonk gedempte conversatie. Ten slotte klopte Farrell op de deur. Vanzelfsprekend had hij gebeld om een afspraak te maken, dus ze werden verwacht.

Achter de deur hoorden ze een stoel over de hardhouten vloer schuiven en even later schudden ze rechter Chomorro de hand. Hij had zijn toga nog aan en met zijn duidelijk Latijns-Amerikaanse uiterlijk vulde hij vrijwel de gehele deuropening. Een paar passen achter hem stond rechter Sam Baretto, gekleed in een zakenkostuum. God mocht weten wat hij daar deed maar hij stapte naar voren om Farrell en Glitsky te begroeten, excuseerde zich vervolgens, liep de gang op en deed de deur achter zich dicht.

Na de wat stijve begroeting nodigde Chomorro Farrell en Glitsky uit plaats te nemen aan de kersenhouten tafel die hij kennelijk gebruikte als bureau. De tafel stond in het midden en nam een groot deel van de ruimte in beslag van een van de soberste rechterskamers die Glitsky ooit had gezien. Op het uiteinde van de tafel stond een computer. Afgezien van Chomorro's diploma's en onderscheidingen en vier of vijf foto's waarop hij stond afgebeeld met politici, waren twee muren volledig kaal. Tegen een van de muren stond een kast met juridische literatuur en in een hoek rustte een set golfclubs. Afgezien van de tafel, de stoelen en een tweezitsbankje was de kamer verder leeg.

Nadat ze waren gaan zitten schraapte Chomorro zijn keel. 'Goed, daar zitten we dan, meneer Farrell, op uw verzoek. Wat kan ik voor u doen?'

'Edelachtbare, ik realiseer me dat dit iets is waarover u gisteren al uitspraak hebt gedaan, maar we beschikken over nieuw bewijs, dus ik zal proberen het kort en duidelijk te houden. Vanochtend heeft rechercheur Bracco van de afdeling Moordzaken een onderhoud gehad met Ro Curtlee, wiens naam u ongetwijfeld bekend...'

De ontspanning op Chomorro's gezicht verdween, maar hij zei: 'Juist. Gaat u verder.'

'Inspecteur Glitsky en ik hebben de opname van dit onderhoud beluisterd en we zijn beiden van mening dat het zonder meer belastende informatie bevat. We zouden het u graag laten horen.'

'Met welk doel?' vroeg Chomorro.

'We wilden u opnieuw vragen om een bevel tot huiszoeking voor de woning van de familie Curtlee.'

Chormorro's gezicht betrok. Niemand in de kamer maakte zich wijs dat dit zomaar een routinematig verzoek was. De zaak Ro Curtlee was hoogst explosief. Chomorro wist dat het voorpaginanieuws zou zijn als hij zijn beslissing omtrent een huiszoeking bij Ro herzag. Om nog maar niet te spreken van wat de familie Curtlee kon doen om zijn carrière te dwarsbomen. Natuurlijk, vrouwe Justitia was blind, et cetera, maar de werkelijkheid was dat je machtige mensen beter niet nodeloos tegen je in het harnas kon jagen. Gisteren had Chomorro het verzoek van de hoofdcommissaris van politie afgewezen, niet zozeer wegens het ontbreken van een redelijk vermoeden van schuld, wat de standaardeis was, al was die dan flexibel en arbitrair, maar omdat in het geval van de familie Curtlee in de praktijk van alledag een andere eis gold, namelijk een verdomd overtuigend vermoeden van schuld. Als hij die eis negeerde kon hem dat duur komen te staan.

Chomorro ademde diep in en rustig weer uit. 'Goed, laat maar horen wat jullie hebben,' zei hij.

Farrell keek opzij en zei: 'Abe', waarop Glitsky de recorder op de tafel tussen hen in plaatste. 'U hoort de stemmen,' legde Glitsky uit, 'van rechercheur Bracco, Ro Curtlee en zijn advocaat, de heer Denardi. U hoort ook een paar keer Cliff en Theresa Curtlee, maar dat is minder belangrijk.' Hij drukte op de afspeelknop, waarop de stem van Ro klonk:

'Ik was in ons huis hier in San Francisco en ben laat opgestaan, om ongeveer kwart over negen. Ik ging naar beneden, begroette mijn ouders, die net hadden ontbeten, en gebruikte toen zelf het ontbijt, dat werd opgediend door onze lieftallige Linda.'

'Dat kunnen wij bevestigen. Wij allebei. Wilt u ook nog weten wat we precies hebben gegeten?'

'Dat is Cliff Curtlee,' vertelde Glitsky.

'Ik kan het prima volgen,' zei Chomorro ongeduldig.

Desalniettemin voegde Glitsky eraan toe: 'Nu hoort u Bracco.'

'Dat lijkt me niet nodig. En na het ontbijt?'

Glitsky: 'Ro.'

'Ik heb gedoucht en wat kleren aangetrokken en om ongeveer elf uur was ik bij mijn dokter om het gips om mijn arm te laten controleren. Wat dacht u daarvan? Moet ik nog verdergaan?'

Ze spoelden door naar het cruciale deel van het gesprek.

'Zeg, nu we toch zo gezellig aan de praat zijn, hoe is het eten bij de Tadich Grill tegenwoordig? Nog net zo goed als vroeger?'

'Nou heb ik er verdomme genoeg van! Dit houdt nooit meer op tenzij we er wat aan doen. Weet je wat, brigadier, ik doe een leugendetectortest. Dan kunnen we er op die manier een eind aan maken. Wat dacht je daarvan?'

'Ro!'

'Nee, Tristan, dit is gewoon lulkoek! Dezelfde lulkoek waarmee ze ons al vanaf het begin lastigvallen. Ik heb gisteren helemaal niemand neergeschoten. Nooit niet! Ik ben na de lunch met Ez naar het planetarium gegaan...'

'Ro! Hou je mond! Zo is het genoeg!'

'Wat? Moet ik dit dan allemaal maar pikken? Hij heeft me zojuist opnieuw beschuldigd...'

'Niets meer zeggen, verdomme! Geen woord meer! Dit onderhoud is afgelopen. En wel nu.'

'Waarom wil je dan een leugendetectortest doen, Ro? Ik heb het helemaal niet gehad over iemand die is neergeschoten.'

'Geen antwoord geven.'

'Dat heeft hij al gedaan.'

'Dit is absurd.'

'Hij heeft helemaal niets toegegeven.'

'O, nou, dan hoeft hij zich ook nergens zorgen over te maken.'

'Ik hoef me sowieso geen zorgen te maken, eikel.'

'Genoeg, Ro! Eruit, brigadier.'

'Zeker, ik ben al weg. Fijn om u allemaal gesproken te hebben.'

Glitsky strekte zijn arm en zette de recorder uit.

Chomorro hield zijn hoofd schuin en keek het tweetal vragend aan. 'Is dat het?' vroeg hij. 'Dat is niet bepaald een bekentenis, of wel soms?'

Glitsky antwoordde op afgemeten toon. Hij wilde niet overkomen alsof hij vond dat het allemaal vanzelfsprekend was. 'Bracco heeft niet gezegd waarover hij het had, edelachtbare,' zei hij, 'en Ro begon gisteren meteen over de moord op Matt Lewis. Veel duidelijker kan het niet.'

'Integendeel. Het kan véél duidelijker, inspecteur. Deze man, Ro Curtlee, weet dat jullie hemel en aarde bewegen om hem opnieuw achter de tralies te krijgen. Ondanks de uitspraken van twee van mijn collega's. Dus zinspeelt jullie rechercheur op zijn doen en laten gisterenmiddag, zodat Ro aanneemt – terecht, moet ik zeggen – dat hij nu verdacht wordt van de moord die op dat tijstip is gepleegd. Denken jullie nu werkelijk dat het vreemd is dat hij kon voorspellen om welke moord het ging? De media hebben er volop aandacht aan besteed. Het zou eerder verbazingwekkend zijn als hij het niet had geweten.'

'Edelachtbare,' zei Farrell. 'Deze man heeft een van mijn inspecteurs doodgeschoten...'

'Hij is een "vermeende" dader, meneer Farrell. Zoals ik gisteren ook al aan hoofdcommissaris Lapeer heb proberen uit te leggen, mag dat "vermeende" er pas af als hij is veroordeeld.'

'Edelachtbare,' zei Farrell, die het niet op wilde geven, 'met alle respect, het is een feit. Kijk wat er is gebeurd sinds Ro is vrijgekomen. Hij heeft...'

Maar Chomorro, die zich nu zelf begon op te winden, stak een vinger omhoog. 'En nu we het daar toch over hebben, uit het eerste deel van de opname die we zojuist hebben beluisterd krijg ik de indruk dat Ro verdacht werd van nog een andere moord en daarvoor een alibi verschafte. Is dat juist, inspecteur?'

'Ja.'

'Op basis van welk bewijsmateriaal?'

'Het feit dat er een duidelijk verband was, edelachtbare. Ze was de vrouw van zijn juryvoorzitter. De manier waarop de vrouw is vermoord en haar lichaam is verbrand komt overeen met de moord waarvoor Ro is veroordeeld. En dat geldt ook voor het eerste slachtoffer dat hij maakte na zijn vrijlating, Felicia Nuñez.'

'Nog een "vermeend" slachtoffer, ben ik bang. Ja, toch?'

Glitsky probeerde vergeefs zijn stem niet verwijtend te laten klinken. 'Ze is wel degelijk slachtoffer, edelachtbare. Zo dood als maar kan. Net als Janice Durbin.'

'Maar toch,' zei Chomorro, 'geeft Ro in die opname een volstrekt plausibel alibi voor het tijdstip van de moord op mevrouw Durbin, waar of niet? En zijn vader bevestigt dat. Wat is jullie reactie daar dan op? Dat hij in die zaak niet langer wordt verdacht?'

'Plausibel is niet hetzelfde als waarheidsgetrouw, edelachtbare,' antwoordde Glitsky.

'Wel als er voldoende ondersteuning is.'

'Zijn ouders en hun personeel. Wat verwacht u dan dat die zullen zeggen? Hij liegt. Ze liegen allemaal.'

'Misschien, maar misschien ook niet.' Chomorro plofte zowat achterover in zijn stoel. Hij haalde langzaam en diep adem, waarna hij eerst Glitsky en vervolgens Farrell aankeek. 'Heren,' zei hij op verzoenende toon, 'ik snap jullie dilemma. Ik voel zelfs met jullie mee. Ik weet dat jullie geloven dat deze man een gevaar is voor de samenleving en misschien hebben jullie gelijk. Dat is zelfs waarschijnlijk. Als hij tegen jullie rechercheur had gezegd: "Ja, ik heb die inspecteur vermoord. En wat gaan jullie daaraan doen?" dan had ik dat huiszoekingsbevel al getekend voordat jullie het apparaat hadden uitgezet. Maar wat jullie nu hebben is niet genoeg. Bij lange na niet.'

'Edelachtbare...' begon Farrell.

Maar Chomorro kapte hem af, wederom met een opgeheven vinger. 'Neem me niet kwalijk. Dus waar het op neerkomt is dat we het volgens de regels moeten aanpakken. Dat is de enige manier die werkt en dat weten jullie allebei. Als we mensen gaan arresteren en huizen gaan doorzoeken zonder een redelijk vermoeden van schuld dan handelen we buiten de wet. En voor het handhaven van de wet zijn we hier toch ingehuurd? Of niet soms? Dus mijn antwoord is nee, en daar blijft het bij.'

'Nou,' zei Farrell, 'evengoed bedankt voor uw tijd, edelachtbare.'

'Zodra jullie iets hebben dat werkelijk tastbaar is,' antwoordde Chomorro, 'alles wat in de buurt komt van een redelijk vermoeden van schuld, dan wil ik het graag opnieuw bekijken. Wat jullie nu hebben is niet genoeg. Dat wil ik alleen maar zeggen.'

'Ik vond het in ieder geval de moeite van het proberen waard,' zei Glitsky.

'Dat kon natuurlijk geen kwaad.' Chomorro stond op, ten teken dat het onderhoud was afgelopen. Hij liep met ze naar de deur, pratend over koetjes en kalfjes, en toen ze op het punt stonden de kamer te verlaten zei hij: 'Misschien zou dit iets kunnen zijn voor een grand jury. Wie weet stellen die hem wél in staat van beschuldiging als jullie de zaak goed bepleiten.'

'Ja, edelachtbare,' zei Farrell. 'Bedankt. Dat was en is nog steeds ons plan B.'

'Maar ook dan hebben jullie misschien nog wel meer nodig dan jullie me nu hebben gepresenteerd,' zei de rechter.

'We zijn ermee bezig,' zei Glitsky.

'Maar we overwegen ook,' voegde Farrell eraan toe, 'de eerste moord – die waarvoor hij is veroordeeld – te koppelen aan deze recente moorden, zodat er sprake is van meervoudige moord, wat een verzwarende omstandigheid oplevert. Maar zoals ik al zei zal het zeker een paar weken duren voordat we dat rond hebben. Misschien wel langer.'

Chomorro bleef bij de deur staan, die hij half openhield, alsof hij het tweetal niet helemaal onverrichter zake of zonder enige bemoediging wilde laten vertrekken. 'Ik weet dat jullie je deze zaak allebei bijna persoonlijk aantrekken, maar als deze knaap hier geheel of gedeeltelijk schuldig aan is, dan heeft hij vast wel een fout gemaakt. Ik weet zeker dat jullie die dan zullen vinden.'

'Daar blijven we op hopen,' zei Farrell.

'Liever gisteren dan vandaag,' voegde Glitsky eraan toe.

Hoewel hij daar uit hoofde van zijn functie recht op had, had Farrell gemerkt dat hij het niet nodig vond altijd gebruik te maken van een auto met chauffeur. Maar als hij overdag moest spreken voor belangengroepen van burgers of aanwezig moest zijn op fundraisinglunches – activiteiten die een groot deel van zijn tijd in beslag namen – was hij blij met het gezelschap en soms tevens de bescherming van de politierechercheurs die hem bij toerbeurt rondreden in een van de schaarse Lincoln Town Car-limousines van de gemeente. Maar meestal gaf hij er de voorkeur aan zijn eigen auto te nemen, te parkeren op zijn vaste plaats achter het Paleis van Justitie en 's avonds weer zelf naar huis te rijden.

Maar deze ochtend, na een slapeloze nacht en de daadwerkelijke angst om zijn fysieke veiligheid die hij had ervaren, had hij gebeld en was de auto hem thuis komen ophalen. Nu hij het Paleis van Justitie om kwart voor zes 's avonds weer verliet was hij maar al te blij met deze faciliteit. Hij was doodmoe en liet zich door Gert, die aan haar riem naast hem liep, voorbij het kantoor van de lijkschouwer en vervolgens langs de gevangenis aan de linkerkant trekken naar de plek waar de auto stond te wachten.

De chauffeur die hem het vaakst reed en met wie hij goed kon opschieten, was brigadier Ritz Naygrow. Ritz had vanavond nog dienst en zat achter het stuur, waarschijnlijk omdat hij de overwerkvergoeding goed kon gebruiken. Toen Farrell de auto had bereikt was hij uitgestapt en had hij het portier voor hen geopend. Gert sprong onmiddellijk op de achterbank en Wes klom achter haar aan naar binnen. Ritz sloot hun portier en liep om de wagen heen, waarna hij weer plaatsnam achter het stuur.

Hij zette de versnelling in drive, maar reed niet meteen weg. 'Waar brengt de plicht u vandaag?' vroeg hij.

Farrell had zijn ogen al gesloten en leunde uitgeteld achterover. Het openen van zijn ogen voelde als een enorme inspanning. 'De Chinese Handelsvereniging, hoop ik, als ik mijn agenda tenminste niet verkeerd in mijn hoofd heb, wat zomaar zou kunnen. Treya is onaangekondigd met vakantie gegaan en ze houdt mijn agenda bij. En zij is degene die zorgt dat ik niet in zeven sloten tegelijk loop. Tenminste, dat deed ze.'

Ritz keek achterom. 'Wist u dan niet dat ze met vakantie ging? Hoe kan dat nou?'

'Ze wist het zelf ook niet. Ze is de vrouw van Glitsky, wist je dat?'

'Jazeker.' Na een seconde draaide hij zich half om in zijn stoel. 'O, die bedreiging. Ro Curtlee.'

'Ze heeft het tamelijk ernstig opgevat.'

'Dat had ik in haar geval ook gedaan.'

'Hoe dan ook, we houden hem vierentwintig uur per etmaal onder bewaking. Ik hoop dat hij het daardoor iets rustiger aan gaat doen. Het is een harde. Maar ik wou dat Treya niet weg was gegaan. Ik weet niet wat ik zonder haar moet beginnen.'

'Als u wilt,' zei Ritz, 'rij ik wel even langs bij Ro om hem dood te schieten als u vanavond bij de Chinese Handelsvereniging zit. Dan kunt u zeggen dat ik de hele tijd bij u ben geweest. Dan hebben we dat varkentje gewassen. En dan kunt u Treya bellen dat de kust weer veilig is en dat ze kan terugkomen.'

'Oké,' zei Farrell. 'Laten we dat doen. Dat is een prima idee.'

'Nu hebben we in ieder geval een plan,' zei Ritz. 'Dus waar gaan we heen?'

'Naar het Mandarin Oriental, als ik het goed heb.'

'Prima eten.'

'Maak je maar geen illusies, Ritz. Misschien begint het wel goed, maar als het eenmaal op mijn bord ligt... Laten we maar zeggen dat ze het niet voor niets "de rubberenkippenschuur" noemen. En nu doe ik mijn ogen even dicht.'

'Het Mandarin ligt hier op vijf minuten vandaan. Dat wordt een kort tukje.'

'Het is vijf minuten meer slaap dan ik sinds gisteren heb gehad.' Na een paar seconden opende Farrell zijn ogen en vroeg: 'Gaan we?'

'Nog één ding, als u het niet erg vindt.'

'Natuurlijk niet. Wat?'

'Kunt u voortaan laten weten of u uw hond meeneemt als u de auto wilt? Ik ben namelijk behoorlijk allergisch.'

'Voor Gert?'

'Voor vrijwel alle honden. Katten ook. Pollen. Noem maar op.'

'Het spijt me, Ritz, dat wist ik niet. Hoezo, wil jij me op die dagen niet rijden?'

Ritz haalde zijn schouders op. 'Dan is er vast wel iemand anders beschikbaar. Het is maar dat u het weet.'

'Goed,' zei Farrell. 'Ik zal proberen te bellen om het ze te vertellen. Als ik het niet vergeet. Als ik Gert meeneem.'

'Denkt u dat dat vaak gaat gebeuren? Dan kan ik er rekening mee houden.'

'Ik weet het niet, Ritz. Soms, denk ik. Ik weet het echt niet.' Hij zweeg even, zakte verder onderuit en hield een hand voor zijn ogen. 'Mijn vriendin is ook bij me weggegaan,' zei hij. 'Gisteravond.'

Ritz draaide met een ruk zijn hoofd om. 'Meent u dat nou? Sam?'

'Sam.'

'Jezus, eerst Treya, en daarna Sam.'

'In de andere volgorde, om precies te zijn. Eerst Sam en daarna Treya. En nu jij, als ik iedereen meetel die me om de een of andere reden in de steek laat.'

'Als u echt wilt blijf ik u wel rijden, hoor.'

'Het maakt niet uit. Doe wat je moet doen.'

Ritz zweeg even. 'Dus u heeft een beroerde week.'

'Dat kun je wel zeggen,' antwoordde Farrell. 'Ik voel me als een Haïtiaan in een Prius.'

De vader van Abe Glitsky, Nat, spoelde de paar borden af die ze die avond hadden gebruikt in de keuken van de kleine woning die hij deelde met Sadie Silverman aan Third Avenue, vlak bij Clement Street. De keuken bevond zich aan de achterkant van het appartement en hoewel hij maar tweeënhalf bij drie meter was gebruikten ze hem ook als eetkamer als ze er de maaltijd gebruikten op hun stakige houten stoelen aan een van Sadies breekbare tafels uit haar oude huis.

Nat was niet meer echt stevig, maar per slot van rekening lag hij met zijn drieëntachtigste ook nog niet onder de grond, dus viel er eigenlijk weinig te klagen. In plaats van eenentachtig kilo, het hoogste gewicht dat hij ooit had gehad, woog hij nu nog maar zeventig – en nog verontrustender: hij had bijna vier centimeter moeten inleveren op zijn oorspronkelijke lengte van een meter zevenenzeventig; waar waren die gebleven? Maar in ieder geval had hij al zijn haar nog, al was dat nu piekerig en grijs.

Sadie, die aan tafel zat en nipte van het kleine glaasje port dat ze voor zichzelf had ingeschonken, sloeg de bladzij om van haar boek, zuchtte en sloeg het dicht. 'Ik snap niks van al die vampiers,' zei ze. 'Dit is nou al de derde keer dat ik zo'n boek probeer te lezen, maar het lukt me gewoon niet erin te geloven.'

'Misschien komt dat doordat er in het echt helemaal geen vampiers bestaan.'

'Maar Star Wars bestaan ook niet in het echt en daar ben ik gek op. Of hobbits. Of tijdreizen, dat bestaat ook niet.'

Nat draaide zich om bij het aanrecht. 'Sinds wanneer bestaat tijdreizen niet meer?'

'Hou op.'

Nat draaide zich weer om naar de vaat en nam een bord onder handen met zijn spons. 'Als ik de eerste twee boeken die ik had gelezen niet had geloofd, zou ik nooit aan het derde zijn begonnen.'

'Dat is omdat jij zo ongeduldig bent. Ik geef de dingen graag een kans.'

'Mooi. Dan weet ik nu wat ik je voor Valentijnsdag zal geven. Nummer vier. En ik ben helemaal niet ongeduldig. Mijn geduld is legendarisch.'

Sadie zuchtte opnieuw. 'Maar iedereen leest dit.'

'Ik niet.'

'Dat komt doordat jij alleen maar de Tora leest.'

'Dat is alles wat ik nodig heb. Misschien zou jij er meer van genieten dan van die vampiers. Trouwens, als je het vaak genoeg leest en je alle goede passages uit je hoofd kent dan kun je het overal met je meedragen.'

'En David verwekte Salomon, en Salomon verwekte…'

'Hé! Jij hoeft niet in die dingen te geloven, maar ik doe dat wél.'

'Misschien geloof ik wel dat David Salomon verwekte. Maar dat hele gedoe met Mozes en de Rode Zee…'

Nat draaide zich om en droogde zijn handen af. 'Wonderen, Sadie. Die gebeuren iedere dag. Jij en ik, bijvoorbeeld.'

Ze moest glimlachen en stak een vinger naar hem op. 'Dat is bedrog en dat weet je heel goed. Je moet ons er niet bij halen. Wij hebben gewoon geluk gehad.'

'Mazzel. Wij zijn een wonder en dat weet je best.'

'Al goed. Daar ga ik geen ruzie over maken.'

'Dat is je geraden. Want dan zou je kunnen worden neergeslagen vanwege ondankbaarheid.'

'Neergeslagen, óók zo'n woord.'

Hij liep naar haar toe en kuste haar op het hoofd. 'Ik ga een plakje honingkoek snijden. Wil jij er ook een?'

'Een klein plakje,' zei ze.

Toen ging de deurbel.

Je vader heeft gelijk, Abraham. Je ziet er niet zo goed uit. Eet je wel?'

'Ja, hoor,' zei Abe.

'Wanneer dan?'

'Hoe bedoel je, "wanneer"?'

'Wanneer heb je voor het laatst gegeten?'

'Ik eet nu. Deze lekkere honingkoek.'

'En slaap je wel?' vroeg zijn vader.

In de kleine keuken, op zijn fragiele stoel, naast deze twee oudere mensen, leek Abe op een reus. 'Zullen we ophouden met het kruisverhoor?' Hij slikte zijn hapje cake door en nam een slokje van zijn thee. 'Hebben jullie die kwestie met Ro Curtlee een beetje gevolgd?'

'Waren er niet wat problemen toen je hem arresteerde?' vroeg zijn vader. 'Ik heb de krant gelezen.'

'Ik heb hem opgepakt omdat hij de kinderen had bedreigd. Ze hebben hem weer op borgtocht vrijgelaten en Treya heeft besloten dat ze niet... dat ze weg moest met de kinderen.'

'Waarnaartoe?' vroeg Sadie.

'Los Angeles. Het huis van haar broer.'

Nats hapje cake bleef halverwege in zijn mond steken. 'Bedoel je dat ze vertrokken is?'

Abe knikte. 'Vanmiddag.'

'Waarom hebben ze hem vrijgelaten?' vroeg Sadie.

'Ze zijn krankjorum. Niet van deze wereld.'

'Vampiers,' zei Nat.

'Niet precies, pap, maar het scheelt niet veel. Maar goed, zoals jullie kunnen zien ben ík gebleven.'

'Is ze kwaad op je?' vroeg Sadie.

Abes mondhoek ging een centimeter omhoog. 'Ik wou dat ik kon zeggen dat ze het begrijpt, maar dat weet ik niet zeker.'

'Wat valt er niet te begrijpen?'

'Dat ik blijf. Waarom mijn baan belangrijker is dan mijn kinderen, of misschien zelfs mijn leven. Dat denkt zij in ieder geval.' Hij draaide het flinterdunne porseleinen kopje rond op het schoteltje. 'Maar om een lang verhaal kort te maken, ze heeft haar baan opgegeven. En ze denkt dat ik hetzelfde had moeten doen.'

'Heeft ze ontslag genomen?' vroeg Sadie.

'Ze heeft vakantie opgenomen, maar het komt op hetzelfde neer.'

'En wat ga jij doen?'

'Ik weet het niet,' zei Abe. 'Ik wil niet klagen, maar de frustraties in mijn baan stapelen zich op. Ik heb gewoon niet genoeg personeel om het werk behoorlijk te kunnen doen. Als ik met Treya meega naar Los Angeles dan komt er iemand anders voor me in de plaats die de boel overneemt en er waarschijnlijk een rommeltje van maakt. Net als ik trouwens; dat denk ik soms in ieder geval wel eens. Maar ik voel dat ik moet blijven, ik weet niet hoe ik het anders moet uitleggen. Het klinkt misschien dom en ouderwets, maar ik zie het als mijn plicht.'

Nat zweeg even en zei toen: 'Ik beluister geen twijfel.'

'Nee, dat weet ik,' zei Abe. 'Die is er ook niet.'

24

Tristan Denardi's eerste bespreking die ochtend was met zijn privé-detective Mike Moylan, die in een van Denardi's oorfauteuils had plaatsgenomen en zei: 'Ik kan haar niet vinden.'

Denardi, die achter zijn bureau zat en bezig was een aantal papieren te tekenen, stopte daarmee en keek verbaasd op. 'Hoe bedoel je? Jij vindt altijd iedereen. En meestal binnen vijf minuten.'

'Ik weet het. Maar dit keer niet. Ze is gewoon van de radar verdwenen.'

'Maar je hebt me verteld dat zoiets onmogelijk is.'

'Heel moeilijk, maar niet onmogelijk. Om te beginnen moet je alleen maar contant geld gebruiken, nooit een creditcard. Ten tweede moet je valse identiteitspapieren hebben en ten derde moet je alle banden met je vorige leven verbreken. Als je dat doet, en vergeet niet dat de meeste mensen dat niet kunnen, dan ben je verdwenen.'

Denardi leunde achterover. 'Was Gloria Gonzalvez zo geraffineerd?'

'Kennelijk, maar behalve geraffineerd moet je er vooral een ijzeren wil voor hebben. Wie dat per se wil, moet alles contant betalen. En voor vijftig of misschien honderd dollar koop je alle identiteitspapieren die je nodig hebt. Maar voor de meeste mensen geldt dat ze worden gebeld als er iemand in de familie overlijdt, trouwt of een kind heeft gekregen. Of ze komen er op een andere manier achter. En dan kunnen ze het niet laten contact op te nemen. Maar Gloria heeft dat niet gedaan, niet voorzover ik heb kunnen nagaan in ieder geval.'

Peinzend legde Denardi zijn pen neer en leunde achterover in zijn stoel. 'Zou ze nog in een getuigenbeschermingsprogramma zitten?'

'Ik denk het niet. Ze houden ze daar alleen maar totdat ze hebben getuigd. Daarna worden ze aan hun lot overgelaten.'

'En wat heeft ze gedaan nadat ze heeft getuigd? Heb je enig spoor kunnen vinden?'

'Nee. Ze is spoorloos verdwenen. Iemand moet haar hebben geholpen.'

'Daar zal mijn cliënt niet blij mee zijn.'

'Het spijt me, meneer Denardi. Ik kan eraan blijven werken als u wilt, maar ik heb haar in geen enkele van mijn databestanden kunnen vinden. Ik zou niet weten waar ik moest beginnen.'

'Heb je die – hoe noemde je dat ook alweer – die pizzalijst al geprobeerd?' Kort nadat Moylan hem zelf had ontdekt had hij Denardi ingelicht over de zogenaamde pizzalijst, die Denardi fascinerend had gevonden. Zoals iedereen die wel eens telefonisch een pizza bestelt weet, is je telefoonnummer het eerste wat ze je vragen. En daarna vragen ze je naam. Dit databestand – afkomstig van de meeste, zo niet alle pizzeria's in het land – wordt verkocht aan diverse marketingbureaus en andere belangstellenden, zoals privédetectives. Het is een krachtig hulpmiddel om mensen op te sporen.

Maar Moylan schudde zijn hoofd. 'Nee.'

'Waarom niet?'

'Voornamelijk vanwege de kosten. U hebt me vier uur gegeven, en bovendien denk ik niet dat ze nog Gloria Gonzalvez heet.'

'En alleen Gloria?'

'Ja. Misschien.'

'Nou, dan zoek je toch op Gloria?'

'Tris, er zijn waarschijnlijk wel veertig of vijftig pagina's vol Gloria's. Enkele regelafstand. En als ik die al kan vinden, wil je dan dat ik ze allemaal ga bellen?'

'Als je nou eens begon met Californië?'

Moylan grinnikte. 'Ja, dan blijven er misschien ongeveer tweeduidend namen over. Als ik die allemaal moet bellen, dan praten we over een volle week, misschien wel twee. Dat is tachtig uur. En misschien levert het geen enkel resultaat op. Begrijp me niet verkeerd, ik wil het graag doen, maar je moet wel weten waar je aan begint.'

Denardi duwde zijn tong tegen zijn tanden. 'Mijn cliënten willen haar heel graag spreken, Mike. Ze is de laatste nog overgebleven getuige en ze denken dat er ze haar misschien van kunnen overtuigen dat het beter is om niet opnieuw te getuigen.'

'Dan wens ik ze succes. Maar trouwens,' vervolgde Moylan, 'als ze zo onzichtbaar is, dan betwijfel ik of de officier van justitie haar wél zal kunnen vinden.'

'Dat is een goed punt. Maar als ze haar toch vinden voordat wij dat doen, dan nemen ze haar weer op in een getuigenbeschermingsprogramma en dan zijn we de lul. Ik heb liever dat we ze vóór zijn.'

'Dus je wilt dat ik blijf zoeken?'

Denardi knikte. 'Besteed er een week aan. Laten we eens zien of dat iets oplevert.'

Sheila Marrenas liep de winkel van Michael Durbin binnen en ging in de rij staan, ogenschijnlijk rustig wachtend op haar beurt. Eenmaal bij de balie zette ze haar zonnebril af. Ze glimlachte naar Michael, liet haar perskaart zien en vroeg of hij een paar minuten had.

Hij trok wit weg toen hij haar zag. 'Ik denk het niet, nee.'

'Wil je dan niet dat jouw kant van het verhaal bekend wordt?'

'Mijn kant van welk verhaal?'

'De dood van je vrouw. Ik heb gehoord dat je met inspecteur Glitsky hebt gesproken...'

'Hoe weet je dat?'

Ze haalde haar schouders op. 'Het doet er niet echt toe hoe ik dat weet, Michael. Ik praat met mensen. Mensen praten met mij. Ik geef je nu een gelegenheid die je goed kunt gebruiken en volgens mij is het alleen maar in je eigen belang om jouw visie te geven op de dingen die ik heb gehoord.'

'Waarom? Zodat je me even fatsoenlijk kunt behandelen als je de vorige keer hebt gedaan?'

'Ik heb je toen alle kans gegeven jezelf te verdedigen en toen maakte je dezelfde vergissing die je nu opnieuw dreigt te begaan.'

'En wat voor vergissing is dat dan? Moet ik mezelf verdedigen tegen beschuldigingen die geen greintje waarheid bevatten?'

'Wou je beweren dat je destijds nooit iets van je toenmalige werkgever hebt gestolen? Papier, kantoorbenodigdheden, dat soort dingen? Heb je nooit een vervalste urenstaat ingediend?'

'Ik ben nog steeds niet van plan daarover te praten. Wat ik ook heb gedaan, en god weet dat het niet veel voorstelde, het hoorde bij de bedrijfscultuur. Iedereen deed waar ze mij van beschuldigden.'

'En "iedereen", dat betekent inclusief jijzelf, waar of niet?'

'Of dat nu waar is of niet, ik heb er al genoeg voor geboet. Weet je, alle vragen die je mij stelt zijn van het niveau "wanneer ben je opgehouden je vrouw te slaan". Welk antwoord je ook geeft, het is altijd verkeerd.'

'Goed dan,' zei ze, 'nu we het daarover hebben. Wanneer ben je daarmee opgehouden?'

Durbin boog zich voorover en beet haar zachtjes toe: 'Eruit. Nu!'

Plotseling verscheen Liza Sato van ergens achter de balie vlak naast Durbin. 'Is er een probleem?' vroeg ze. 'Michael, is alles in orde?'

'Niet echt,' zei hij. 'Vanaf nu wordt deze mevrouw hier niet meer bediend. Ik wil dat ze het pand verlaat.'

Maar Sheila Marrenas, die het naamplaatje op Liza's borst zag, was niet van plan zonder slag of stoot te vertrekken. Ze richtte haar aandacht nu op de officemanager. 'Mevrouw Sato,' vroeg ze, 'is het waar dat meneer Durbin afgelopen vrijdagochtend laat op het werk is verschenen?'

'Geen antwoord geven, Liza! Wat je ook zegt, ze gaat het verdraaien.'

Sato keek Marrenas aan en schudde haar hoofd. 'Ik heb geen commentaar,' zei ze, 'behalve dat mijn baas wil dat u weggaat.' Ze richtte zich tot Michael. 'Moet ik het alarmnummer bellen?'

De vier andere klanten en de vijf baliemedewerkers hadden hun best gedaan de woordenwisseling te negeren, maar plotseling was het doodstil geworden in de winkel.

'Goed dan,' zei Marrenas, terwijl ze een stap achteruit deed. 'Maar dan moet je het me straks niet kwalijk nemen als jouw versie van het gebeurde niet in mijn column terechtkomt. Ik doe alleen maar mijn best.'

'Je doet je best om mij een loer te draaien, meer niet. Je hebt nog twee seconden en dan belt Liza de politie.'

'Je graaft je eigen graf,' zei Marrenas. 'Je doet het helemaal zelf.' Daarna draaide ze zich om en liep de winkel uit.

'Nee.' Bracco zat met zijn voeten op zijn bureau op de afdeling Moordzaken. 'Dat klopt niet helemaal. Ik zei dat het onderzoek gaande is. Verder heb ik geen commentaar.'

'Maar,' vroeg Marrenas, 'het is dus waar dat je Ro gisteren hebt verhoord in verband met deze moorden?'

'Ja.'

'En je houdt vol dat dit geen onderdeel is van het patroon van machtsmisbruik dat zich de afgelopen weken in verband met Ro heeft afgetekend?'

'Absoluut niet. Er is geen sprake van machtsmisbruik ten opzichte van Ro Curtlee of wie dan ook.'

'Dus jullie hebben behalve Ro ook andere potentiële verdachten onder de loep genomen?'

'We nemen de hele wereld onder de loep.'

'Inclusief Michael Durbin?'

Bracco zweeg even. 'We hebben geen bewijsmateriaal gevonden dat erop wijst dat de heer Durbin iets met dit misdrijf te maken heeft.'

'Maar jullie hebben ook geen bewijs tegen Ro.'

'Ik heb alles al gezegd wat er te vertellen is over deze zaak.'

'Waarom was het dan nodig hem te verhoren?'

'Om hem de kans te geven zichzelf als verdachte te elimineren.'

'En is hem dat gelukt?'

'Nou, zoals je weet heeft hij ons een alibi verstrekt voor het tijdstip van de moord op Janice Durbin.'

'Dus daarmee is hij als verdachte geëlimineerd. Ja toch?'

'Tenzij het alibi geen stand houdt.' Bracco tilde zijn voeten van het bureau. 'Luister, Sheila, het spijt me, maar ik moet er een eind aan maken. Het onderzoek is nog gaande. Dat is alles wat ik je kan vertellen.'

'Geldt dat ook voor het onderzoek naar de zaak Matt Lewis?'

'Ik geef geen leiding aan dat onderzoek,' antwoordde Bracco.

'Maar heb je ook gevraagd waar Ro was toen die misdaad werd gepleegd?'

'Als er een opsporingsambtenaar wordt vermoord dan gooien we een breed net uit.'

'Maar nogmaals: zonder dat er enig bewijs is tegen Ro?'

'De beide onderzoeken zijn nog gaande,' zei Bracco. 'We hebben nog niemand als verdachte uitgesloten.'

Zodra hij het gesprek met Marrenas had beëindigd realiseerde Bracco zich dat het klopte wat hij haar had verteld – Glitsky had in de zaak van de moord op Janice Durbin nog geen enkele verdachte geëlimineerd. Glitsky en Becker mochten er dan honderd procent zeker van zijn dat Ro Curtlee haar had vermoord – en Ro leek ook zeker schuldig te zijn aan de moord op Matt Lewis – maar het was een feit dat Ro Bracco een alibi had verstrekt voor het tijdstip van de moord op Durbin; een alibi dat door vier mensen werd bevestigd. Toegegeven, dit bewijsmateriaal – de verklaringen van zijn ouders, Eztli en Linda, de huishoudelijke hulp of de kokkin van die ochtend, was niet volstrekt betrouwbaar. Maar stel nou eens dat ze de waarheid spraken. Als Ro inderdaad niet in het huis van Durbin was geweest – en er was geen enkel fysiek of ander bewijs dat daarop wees – betekende dit dat iemand anders Janice had vermoord.

'Aarde naar Darrel Bracco. Over.'

Hij keek verrast op toen hij in de gaten kreeg dat Glitsky voor zijn bureau stond. 'Abe. Hallo.' Hij schoot rechtop in zijn stoel.

'Dat trucje moet je mij ook eens leren,' zei Glitsky, 'slapen met je ogen open.'

'Ik sliep niet. Ik dacht na.'

'Mooi. Nadenken valt onder het reguliere takenpakket. Waarover?'

'Nou, Sheila Marrenas belde me. Ik leg net neer.'

'Ik hoop dat je haar niet te veel hebt verteld.'

'Ik heb gezegd dat onze onderzoeken in de zaken Durbin en Lewis nog gaande zijn. Dat we in geen van beide zaken al verdachten hebben.'

'Geloofde ze je?'

'Het kon haar niet schelen. Ze schrijft toch wat ze wil, of ze daarmee de waarheid verdraait of niet.'

'En waar dacht je nou over na?'

'Nou, dat ik ben gaan uitzoeken of Ro een alibi voor Durbin heeft, en dat het ernaar uitziet dat hij dat heeft.'

'Als jij dat gelooft.'

'Hij beweert dat er vier mensen zijn die het kunnen bevestigen.'

'De ouders en twee bedienden,' zei Glitsky.

'Klopt. Dat spreek ik ook niet tegen, Abe. Ik wil alleen maar zeggen...'

'Nee. Dat is een goed punt,' gaf Glitsky toe. Hij had een bil op Bracco's bureau geparkeerd. Zijn ogen waren half dichtknepen. Hij hield zijn mond stijf dicht en een spier in zijn kaak bewoog. 'Ik zal het onthouden.'

'En nu we het er toch over hebben,' zei Bracco aarzelend, 'is er nog iets.'

'Wat?'

'Ro's arm.'

'Wat is daarmee?'

'Die zit in het gips. Nog steeds. Gebroken tijdens een schermutseling met jou. Eigen schuld. Ja, toch?'

'Klopt.'

'Oké, dus jij hebt me verteld dat Janice Durbin is gewurgd. Dat klopt toch? Handmatig gewurgd. Niet met een band.' Met een 'band' bedoelde hij een werktuig om iemand te wurgen, zoals een stuk touw of een riem.

Bracco zweeg, keek zijn baas aan en wachtte totdat de betekenis van zijn woorden zou doordringen. Hij hoefde het niet uit te tekenen. Iedere politieman die moordzaken behandelt weet hoe ontzettend moeilijk het is om iemand met beide handen door wurging om het leven te brengen, zelfs als de omstandigheden ideaal zijn. Meestal vindt er een wilde en langdurige worsteling plaats. De gedachte dat iemand zoiets met één hand kon doen was nogal vergezocht, al was een bijzonder sterk en gemotiveerd persoon er waarschijnlijk in theorie wel toe in staat.

Toen hij aan de veranderde uitdrukking op het gezicht van zijn baas kon zien dat het kwartje bij Glitsky gevallen was, maakte Bracco zijn betoog af. 'Heeft Strout enige aanwijzing gevonden dat ze buiten bewustzijn is geslagen voordat ze werd gewurgd? Waren er schrammen, bulten of blauwe plekken op het hoofd?'

'Ik zou het voor de zekerheid na moeten kijken, en dat ga ik ook doen, maar volgens mij was dat niet het geval.'

Bracco leunde achterover. 'Dus Ro houdt haar tegen de grond met zijn knieën,' zei hij. 'Ze ligt onder hem te spartelen en te trappen, maar toch slaat hij haar niet bewusteloos – ik bedoel, hij heeft tenslotte zwaar gips om zijn arm, nietwaar? In plaats daarvan grijpt hij haar bij de nek en wurgt hij haar met één hand? En dit terwijl we weten dat hij in het bezit is van een vuurwapen, want dat heeft hij immers gebruikt om Lewis mee dood te schieten. Waarom gebruikt hij het niet?'

25

Glitsky, meer van slag door Bracco's twijfels over Ro als moordenaar van Janice dan hij wilde laten merken, nam de trap omlaag naar de tweede verdieping, waar hij soms midden op de dag even bij Treya langsging om gedag te zeggen, voor een praatje, om even tot zichzelf te komen. Toen hij bij het halletje van het kantoor van de officier van justitie was aangekomen bleef hij even staan bij de deur van de receptie, de werkplek van Treya. Het viel hem op dat haar bureau niet was bezet – geen vervanging, nog niet in ieder geval. Vanuit de deuropening van de receptie hoorde hij de stem van Farrell. Met een paar stappen passeerde hij Treya's werkplek en door de geopende deur van Farrells kamer zag hij de officier van justitie op een van de banken zitten, met een telefoon aan zijn oor. 'Nee, ik heb geen commentaar,' zei hij. 'Nee, het spijt me, geen commentaar. Het spijt me, maar daar kan ik niets over zeggen.'

Glitsky klopte op de deurpost. Farrell keek op, wees naar de telefoon, schudde misprijzend zijn hoofd en gebaarde Glitsky binnen te komen en op een van de stoelen te gaan zitten. Hij luisterde even en zei toen: 'Dat zal best, maar we zullen nog moeten zien hoe dat verder verloopt... Nou, nee... ik bedoel ja, natuurlijk moet je doen wat je nodig vindt. Maar hetzelfde geldt voor mij... Dat weet ik, en het spijt me, maar ik heb een afspraak die net binnen komt lopen en bovendien heb ik er weinig meer aan toe te voegen, dus... Goed. Goed, bedankt.'

Farrell hing op, stak zijn middelvinger op naar de telefoon en keek Glitsky aan, die nog niet was gaan zitten. 'De een of andere klootzak heeft het grand jury-verhaal gelekt.' Hij gebaarde naar de telefoon en voegde eraan toe: 'En dat was Marrenas, als je dat nog niet geraden had.'

'Ze maakt snel vorderingen,' zei Glitsky. 'Twintig minuten geleden had ze Bracco aan de lijn, maar toen ging het nog niet over de grand jury.'

'Nou, dan moet ze ondertussen iemand anders hebben gesproken, want wat je zojuist hoorde ging uitsluitend over de grand jury. Ze was zelfs op de hoogte van ons plan om de zaken aan elkaar te koppelen en via de verzwarende omstandigheden de borgtochtkwestie aan te pakken.'

Glitsky liep naar Farrells leestafel, klopte een paar maal nadenkend op het hout en draaide zich toen om. 'Chomorro kan het niet geweest zijn. Volgens mij is hij niet tot zoiets in staat. Hij kon ons geen huiszoekingsbevel geven, maar ik kreeg de indruk dat hij aan onze kant stond.'

Farrell knikte instemmend en zei: 'Maar herinner je je nog wie er in zijn kamer aanwezig was toen we bij hem arriveerden? De man met wie hij net had staan smoezen?'

'Baretto.'

'Dat is het goede antwoord. Je mag door voor de duizend dollar.'

'Denk je dat hij haar heeft gebeld? Marrenas?'

'Ja, maar het doet er niet toe wie wie heeft gebeld. Er zijn een heleboel mogelijke kandidaten. Iemand bij de griffie, een gerechtsdienaar, een rechtbankverslaggever. Hoe dan ook, ze heeft de informatie nu en die gaat ze publiceren, wat betekent dat Ro en Denardi het straks ook weten, als ze tenminste nu al niet op de hoogte zijn.'

'Nou, dan weten ze het. Wat dan nog? We hebben dit niet voorzien, maar het maakt toch niets uit.'

'Nee?'

'Niet echt. Ik zou niet weten hoe.'

'Maar stel nou eens dat Ro een van de juryleden te grazen neemt, of Amanda. Of misschien zelfs mij?'

Glitsky leunde achterover tegen de tafel. Hij keek nadenkend rond in de kamer en richtte zijn blik ten slotte weer op Farrell. 'Je zou Marrenas kunnen bellen om te zeggen dat ze het bij het verkeerde eind heeft. Degene die het haar heeft verteld, wie het ook was, had het bij het verkeerde eind. Je hebt erover nagedacht nadat je had opgehangen en je wilt haar nadrukkelijk laten weten dat je niet naar de grand jury gaat. Punt uit. Het plan om de zaken aan elkaar te koppelen is onhaalbaar. Er is niet genoeg bewijs. Dat werkt gewoon niet. Je wacht gewoon op het nieuwe proces.'

'En dan?'

'En dan ga je tóch gewoon naar de grand jury.'

'Wil je zeggen dat ik moet gaan liegen?'

'Nee, zeg. Stel je voor! Maar je bedenkt je gewoon opnieuw nadat je hebt opgehangen. Oeps, sorry. Dat vergeet je haar te vertellen.'

Farrell leunde achterover, bracht een hand naar zijn slaap en begon die te masseren. 'Dus om het even verder uit te werken,' zei hij, 'ga ik dan naar de grand jury om Ro in staat van beschuldiging te stellen zodat hij gearresteerd kan worden, waarna Marrenas de hele wereld kan gaan vertellen dat ik haar willens en wetens heb voorgelogen. Wat voor gevolgen gaat dat hebben voor mijn geloofwaardigheid bij de media?'

'Wat kan jou dat dan nog schelen? Dan is hij in ieder geval in staat van beschuldiging gesteld. Dan zit Ro in de gevangenis en kan hij ondertussen niemand meer vermoorden. Dat klinkt mij als een winnende strategie in de oren.'

Farrell schudde zijn hoofd. 'Ik kan niet liegen, Abe. Ik moet het houden bij "geen commentaar". Het is een geheime procedure, godbetert. Daar kan ik helemaal niet over praten. Dat is het hele punt. En waarom? Om te voorkomen dat leden van de grand jury door het gajes tegen wie ze getuigen worden bedreigd of erger. Om ervoor te zorgen dat ik mijn zaken kan voorbereiden zonder bang te hoeven zijn voor represailles. En ik moet je eerlijk zeggen dat ik momenteel al bang genoeg ben. Als ik niet wist dat ze Ro vierentwintig uur per etmaal in de gaten houden dan was ik nu waarschijnlijk zo ongeveer verlamd van angst.'

'Nou, wat dat aangaat,' zei Glitsky, 'kan ik je melden dat het eerste observatieteam hem al kwijt is.'

Ro en Eztli waren een beetje high en ze lachten zich suf over het gemak waarmee ze de opvallende, ongemarkeerde auto die al sinds de vroege ochtend aan de overkant van de straat stond geparkeerd waren ontweken. Ro was gewoon achterin plat op de vloer gaan liggen terwijl Eztli halverwege de middag in de 4Runner de oprit af reed, naar de rechercheurs wuifde en de weg op draaide om zijn dagelijkse boodschappen te gaan doen. Drie straten verderop was hij gestopt om Ro de gelegenheid te geven op de passagiersstoel te gaan zitten. Als het niet zo grappig was, hadden ze tegen elkaar gezegd, was het domweg zielig geweest.

Nu stonden ze in een loods op het industrieterrein even ten noorden van San Bruno, een van de buitenwijken van het schiereiland. Later die avond zouden er in de loods pitbullgevechten worden gehouden. De eerste van zes rondes zou beginnen om ongeveer acht uur en het spektakel zou duren tot middernacht, maar Ro had eerder die dag een telefoontje gekregen van Tristan Denardi over de moeite die zijn privédetective had om Gloria Gonzalvez te traceren, en Ro was van nature niet erg geduldig. Als deze vrouw niet werd gevonden en geneutraliseerd moest hij weer de gevangenis in. En als Denardi niet in staat was haar te vinden dan moest Ro zich er zelf maar mee gaan bemoeien.

Dus had hij de kwestie besproken met Eztli, die zoals gewoonlijk op de proppen was gekomen met een bruikbaar idee waarmee ze daadwerkelijk resultaten zouden kunnen boeken. Eztli had lang geleden een relatie opgebouwd met Lupe Garcia, die niet alleen hondengevechten organiseerde, maar bij wie je ook moest zijn als je in de Bay Area om wat dan ook wilde wedden, als je verlegen zat om een lening, een wapen, drugs, of wanneer je een vrouw zocht om voor je te werken als huissloof, seksslavin of allebei.

Toen Ro en Eztli door twee van zijn lijfwachten bij hem werden gebracht, bevond Lupe zich in de loods, een enorme uit golfplaten opgetrokken ruimte die aan de binnenkant deed denken aan een circustent, compleet met een tribune rondom de ring van vierenhalve meter doorsnee waarin de gevechten plaatsvonden. Lupe was bezig het tapijt schoon te spuiten dat de honden nodig hadden om zich goed op te kunnen afzetten. Hij kon dat natuurlijk door een van zijn ondergeschikten laten doen – het was eigenlijk geen werk voor iemand van zijn niveau – maar hij genoot ervan de geur op te snuiven van het bloed en het zweet van de gevechten van de vorige avond.

Ez, Ro en de lijfwachten keken rustig toe totdat hij klaar was, de kraan dichtdraaide, zijn handen afdroogde aan een handdoek en met een warme glimlach op hen af liep. Lupe was pezig maar niet groot van stuk, misschien iets boven de een meter zeventig. Hij had lang, achterovergekamd haar en droeg een spijkerbroek, een geruit hemd, een katoenen jack en cowboylaarzen. Aan zijn linkeroorlel hing een zilveren kruis dat er zwaar uitzag. Op de ruggen van zijn handen waren tatoeages zichtbaar die doorliepen onder zijn hemdsmouwen. Eztli en hij begroetten elkaar met een stevige handdruk en een eenarmige omhelzing.

Ze spraken vanzelfsprekend in het Spaans. Lupe deed Ro denken aan de leden van de La Eme-bende in de gevangenis. Ze hadden zich daar niet zoveel bemoeid met de blanke bajesklanten, maar dat leek hier geen rol te spelen. Terwijl Eztli vertelde waarom hij Ro had meegenomen en wat ze kwamen doen, keek Lupe af en toe met een begripvolle gelaatsuitdruking naar Ro. Alleen al uit Ro's houding kon hij afleiden dat hij in de gevangenis had gezeten en de jongen bood niet alleen duizend dollar voorschot voor de te verrichten diensten – zijn gezicht straalde toen Eztli hem de envelop overhandigde – maar nog eens vijfduizend voor de persoon of de personen die hem de verblijfplaats konden onthullen van de vrouw die tien jaar geleden Gloria Gonzalvez had geheten, een van de twee kroongetuigen in de zaak tegen Ro.

Toen ze weer in de auto zaten en over de onbestrate wegen in de richting van de snelweg reden nam Eztli een lange haal van de joint en zei: 'Ik mag Lupe graag, maar ik geloof dat we er goed aan hebben gedaan dat we die andere vijfduizend niet hebben meegenomen. Je zag hoe hij reageerde op de hoogte van die beloning.'

'Volgens mij had hij ze misschien wel zelf willen houden als we ze hem hadden gegeven,' zei Ro.

'Laat dat "misschien" er maar af.' Eztli's schouders schokten een beetje terwijl hij zijn donkere schaterlach liet horen. 'Hij is nu waarschijnlijk al aan het uitvogelen hoe hij ze in zijn eigen zak kan steken. Maar dat is onze zaak niet. Reken maar dat hij vanaf morgen een heel legertje van zijn mannen heeft werken aan de oplossing van ons probleem.'

'Hoe lang dacht hij dat het ging duren?'

'Hij zei dat het hem zou verbazen als hij binnen een week niet iets zou horen. Het is een hoop geld voor dit soort jongens.'

'Voor dat bedrag werkt Denardi hoogstens twee dagen,' zei Ro. 'Het stelt niks voor.'

'Ja, dat zei ik je toch.' Eztli nam opnieuw een lange trek en blies de rook uit. 'Het zijn andere werelden.'

Toen hij als advocaat werkte kon Farrell gebruikmaken van de diensten van Phyllis, de onverzettelijke poortwachter van zijn kantoor. Gedurende de afgelopen zes jaar had hij op zijn werk nooit een telefoon opgepakt zonder precies te weten wie de beller was. Sinds zijn aantreden als officier van justitie had Treya dezelfde functie vervuld.

In de korte tijd dat ze afwezig was, waren de telefoontjes voor Farrell een constante bron van problemen geworden. Hij moest beslist iemand anders zien te vinden om de receptie te bemannen, maar ondanks zijn waarschuwing aan Treya dat hij haar niet kon garanderen dat ze haar baan terug kon krijgen, wilde hij het liefst dat ze weer terugkwam zodra ze het gevoel had dat het veilig was.

En hij voelde er beslist niets voor iemand tijdelijk aan te stellen om de telefoon op te nemen en tot op zekere hoogte zijn geheimen te delen, want als ze er eenmaal zaten, konden ze heibel maken en misschien zelfs de vakbond inschakelen als Treya weer op het toneel verscheen; en bovendien begon hij in te zien hoe belangrijk het was dat daar iemand zat die je kon vertrouwen. En Treya vertrouwde hij. Degene die ervoor koos Treya tijdelijk te vervangen zou heel goed een spion van zijn politieke vijanden kunnen zijn. Of op zijn minst kunnen worden aangespoord dat te worden.

Dat risico wilde Farrell niet lopen.

Maar nu ging de telefoon op de tafel in zijn kamer en hoewel hij niet wist wie het was kon hij het zich niet permitteren niet op te nemen. Dus zuchtte hij en nam op. 'Justitie,' zei hij. 'Met Wes Farrell.'

'Meneer Farrell' – een stem die hij onmiddellijk herkende. 'Ik heb nogal verontrustende berichten gehoord. Met Cliff Curtlee.'

'Meneer Curtlee, hoe maakt u het.'

'Nou, niet zo verdomd goed, als u het echt wilt weten. Ik dacht dat we een soort van afspraak hadden, u en ik.'

'In welk opzicht?'

'In het opzicht dat u een eind zou maken aan al die ongein met betrekking tot mijn zoon. Ik dacht dat het tijdens die nogal lachwekkende voorgeleiding van afgelopen week redelijk goed was verlopen. Ro is op borgtocht vrij, terwijl ik heel goed weet dat u tegen de rechter had kunnen zeggen dat daar geen sprake van kon zijn. Dus omdat de borgtocht in stand is gebleven dacht ik dat we – u en ik – nog steeds opereerden binnen de grenzen van onze afspraak. Dat u moest doen wat politiek gezien nu eenmaal niet anders kon, maar dat Ro hoe dan ook tot aan het nieuwe proces uit de gevangenis zou blijven. Zo was het toch? Ik weet zeker dat het zo was.'

'Nou, niet precies...'

'Nee, maar daar kwam het wel op neer. En het is natuurlijk ten hemel schreiend wat die halfgare Glitsky mijn jongen heeft aangedaan toen hij hem arresteerde, maar oké, die heeft dan zijn vergeefse poging gedaan en ik dacht dat we het daarmee wel gehad hadden, dat u hem daarna wel een beetje in bedwang zou houden tot aan het nieuwe proces, wanneer dat ook mag plaatsvinden. Maar plotseling moesten mijn advocaat, Theresa en ik weer een nieuw verhoor van Ro meemaken.'

'Dat was een beslissing van de politie, meneer Curtlee. Niet van mij.'

'Goed, oké. Daar ga ik met u niet over muggenziften. Maar waar ik me zorgen over maak en waarom ik u nu bel, is dat een van mijn verslaggevers hier me heeft verteld dat u van plan bent met een of ander geraffineerd trucje naar de grand jury te gaan om mijn jongen weer achter de tralies te krijgen.'

'Daar kan ik geen commentaar op geven, meneer Curtlee. De procedures van de grand jury zijn vertrouwelijk.'

'Dus u wilt niet bevestigen dat u van plan bent de zaak aan de grand jury voor te leggen en Ro weer de gevangenis in te slepen?'

'Dat kan ik bevestigen noch ontkennen. Daar geef ik geen commentaar op.'

'Nou, u zult begrijpen dat ík dan een beetje het idee krijg dat u dat gewoon gaat doen.'

'Geen commentaar, meneer Curtlee. Hoe het ook is, ik kan de integriteit van de grand jury niet ondermijnen.'

'Mijn verslaggeefster had het uit zeer betrouwbare bron,' zei Curtlee.

'Nou, wie haar dat heeft wijsgemaakt heeft een veel te grote mond. Wilt u me vertellen wie dat is geweest?'

'Zelfs als ik het wist, wat niet het geval is, dan zou ik de bron van mijn verslaggever niet kunnen onthullen. Dat weet u best.'

'Goed dan,' zei Farrell. 'Dan hebben we naar het zich laat aanzien allebei onze geheimen.'

Er viel een stilte. En daarna: 'Laat ik jou iets héél duidelijk maken, Farrell. Jij en ik hadden de afspraak dat mijn zoon niet terug zou gaan naar de gevangenis...'

'Niet dat ik dat wil bevestigen, meneer Curtlee, maar áls het al zo was, dan was dat voordat hij mensen begon te vermoorden.'

'Gebruik toch je verstand, Farrell. Geloof je dat?'

'Het bewijsmateriaal wijst wel in die richting.'

'Gelul. Als er werkelijk bewijs was dan had Ro al een ketting om zijn enkels. Dus kom bij mij niet aan met gezanik over bewijs. En luister goed. Ik wil niet dat dit gedoe met de grand jury doorgaat. Het zou voor jou persoonlijk zeer nadelig zijn als het wél doorging.'

'Bedreig je me nou, Cliff? Want we hebben hier recent grondig onderzoek verricht naar de strafbaarheid van bedreigingen in de richting van leden van de staande magistratuur.'

'Nu bedreig je míj. Ik zeg alleen maar dat je je een stuk beter zult voelen als dat gedoe met de grand jury onmiddellijk stopt. Gesteld dat het al speelt, natuurlijk. En als dat niet zo is, dan hoeft geen van ons beiden zich zorgen te maken.'

Eztli en Ro zaten aan de bar van MoMo's, een populair restaurant tegenover het honkbalstadion waar de Giants speelden. Eztli dronk niet veel, maar hoewel het nog vroeg in de namiddag was had Ro al vier glazen Jack Daniel's en een paar tapbiertjes achter de kiezen en had hij samen met Eztli al twee van diens uitstekende joints gerookt. Maar het was de jongeman nauwelijks aan te zien.

Ro flirtte met een van de cocktailserveersters, een jonge vrouw met een fris gezicht, lichtbruin haar, een verpletterende glimlach en een stevige borstpartij. Ze heette Tiffany. 'Nee, écht waar,' zei hij. 'Ik heb negen jaar gezeten.'

'Je méént het.' Ze keek langs hem heen naar Eztli. 'Is dat waar?'

'Jazeker,' zei hij. 'Hij is pas onlangs vrijgelaten in hoger beroep.'

'Jeetje,' zei ze, 'ik bedoel, het is mooi dat ze je uiteindelijk hebben vrijgelaten, bedoel ik, maar negen jaar! Hoe heb je dat volgehouden?'

'Ik ben niet opgehouden iedereen die wilde luisteren te vertellen dat ik onschuldig was,' zei Ro. 'Ik denk dat ik nooit het geloof heb verloren dat dit misschien wel het enige land ter wereld is waar het recht uiteindelijk zegeviert als je echt niet schuldig bent. Soms duurt het misschien wat lang, maar ik geloof heilig dat het systeem uiteindelijk zijn werk doet.'

Tiffany raakte met een gelakte en perfect gemanicuurde vingernagel de rug van zijn hand aan die op de bar rustte. 'Nou, volgens mij zit jij dan heel goed in je vel. Veel beter dan ik, in ieder geval. Als het mij was overkomen dan zou ik alleen nog maar kunnen denken aan al die jaren die me waren afgenomen. Volgens mij zou ik dan ontzettend verbitterd zijn.'

'Zo had het ook kunnen uitpakken, dat weet ik best, maar ja, dat zou goedbeschouwd enorm zonde zijn. Ik bedoel, hier zit ik, in een geweldig restaurant in de mooiste stad ter wereld, jong en gezond, en in gesprek met een mooie vrouw...'

'Nou, dat valt wel mee...'

Ro stak zijn goede hand op. 'Ik probeer je heus geen complimentje te maken, lieverd. Ik hoop dat je me niet te opdringerig vindt, maar het is gewoon een feit. En wat ik eigenlijk wilde zeggen is dat ik niet van plan ben ook maar één dag van mijn leven om te zien in wrok. Die ellende heb ik achter me gelaten. Ik kijk liever hoopvol naar de toekomst. En het leven is nu zó goed voor me. Mijn enige doel is het altijd zo te houden. Mag je trouwens drinken als je dienst hebt? Kan ik een drankje voor je bestellen?'

Ze schudde haar haar los en produceerde een glimlach van een paar duizend watt. 'Het spijt me, dat kan niet.' Opnieuw raakte ze de rug van zijn hand aan met haar vingers. 'Eén seconde,' zei ze, ik moet even mijn tafels langs.'

Toen ze verdwenen was draaide Ro zich om naar Eztli. 'Je had gelijk. Ik dacht dat ze er als een speer vandoor zou gaan als ik de gevangenis ter sprake bracht.'

Hij haalde zijn schouders op. 'Sommigen doen dat. De meesten niet. Het hangt ervan af hoe je het speelt.'

'Als dit verder goed loopt,' zei Ro, 'dan neem ik bij haar wel een taxi naar huis. Of ik blijf en dan zie ik je morgen wel.'

'Prima. Ik merk het wel.' De mobiele telefoon aan zijn riem ging over. Eztli pakte hem, keek op het scherm en zei: 'Je vader.'

'Hij woont samen met een vrouw die Sam Duncan heet,' zei Cliff. 'Ze geeft leiding aan het crisiscentrum voor slachtoffers van verkrachting in Haight Street.'

'Je neemt me toch niet in de maling?' zei Eztli. 'Dat is bijna te perfect, als je er goed over nadenkt.'

'Ik weet het. Je had het niet beter kunnen bedenken. Maar wat ze doet maakt verder niet uit. Waar het om gaat is dat Sheila een paar van haar contactpersonen in het Paleis van Justitie heeft gesproken en ze heeft me verteld dat Farrell nog wat meer juridische trucjes uit de kast gaat halen, nu met de grand jury. Op die manier denkt hij Ro in de gevangenis te kunnen krijgen zonder enige kans op vrijlating onder borgtocht.'

'Hoe vaak denken ze dat ze ons dit nog kunnen aandoen?'

'Zo vaak als ze willen, kennelijk.'

'Hoe wil je dat ik het aanpak?'

'Nou, het idee is dat we een duidelijke boodschap aan Farrell willen afleveren, maar zonder dat we hem de gelegenheid geven ons van persoonlijke dreigementen te kunnen beschuldigen, zoals Glitsky heeft gedaan. Ze zijn daar momenteel allemaal zo opgefokt, zegt Sheila, dat iemand maar zijn teen hoeft te stoten of Ro krijgt de schuld en moet weer naar het bureau. Dus ik denk dat we een manier moeten vinden om Farrell te laten inzien dat het in zijn eigen belang is om het circus af te blazen, dat gedoe met de grand jury te vergeten en zijn gezonde verstand te gebruiken.'

'En je denkt dat we hem via deze vrouw kunnen aanpakken?'

'Ik geloof niet dat we willen dat haar iets overkomt, Ez. Ik denk niet dat we daarmee iets zouden bereiken, behalve dat ze zich dan nog meer gaan opwinden. Maar ik dacht, misschien kan er wat schade worden aangericht aan dat centrum waar ze werkt? Niets ernstigs, maar wel iets waardoor Farrell snapt dat het menens is. Ik laat het verder aan jou over.'

'En hoe snel moet dat gebeuren?'

'Kijk maar wat jou het beste uitkomt. Doe wat je kunt doen, maak een plan. Misschien binnen een dag of drie, maar het komt er niet zo nauw op aan.'

Glitsky praatte met Bob Grassilli van de afdeling Vermiste Personen. Aan de andere kant van Bobs raam was het weer opnieuw stormachtig geworden en in de kleine kamer was het aanhoudende fluiten van de wind goed hoorbaar. Grassilli was een ervaren politieman van halverwege de veertig, kalend en ongeveer achttien kilo boven zijn ideale vechtgewicht. Hij glimlachte breed onder zijn borstelige roodbruine snor.

'Ik zou niet eens weten waar ik zou moeten zoeken, Abe. Acht of negen jaar, dat betekent dat het spoor hartstikke koud is. Ik neem aan dat je alle voor de hand liggende databestanden hebt geprobeerd.'

Glitsky knikte. 'Rijbewijs, uitkering, immigratie, noem maar op. Ik ben er een paar uur mee bezig geweest. En nu vraag ik me af of ze misschien getrouwd is en haar naam heeft veranderd.'

'Dan zou het nummer van haar rijbewijs nog steeds hetzelfde moeten zijn. En dat van haar paspoort ook, neem ik aan. Dus volgens jou is ze legaal?'

'Ze is uit Guatemala gekomen met een arbeidsgerelateerde verblijfsvergunning. Die was nog geldig toen ze in het getuigenbeschermingsprogramma werd opgenomen. Wat er daarna is gebeurd weet ik niet.'

'Heeft ze inmiddels de Amerikaanse nationaliteit gekregen?'

'Nogmaals, ik heb geen idee.'

'Nou, als dat zo is dan moet dat ergens te vinden zijn. Al is dergelijke informatie natuurlijk waardeloos als ze later haar naam heeft veranderd. Maar is het wel bij je opgekomen dat ze misschien gewoon terug naar huis is gegaan? Ze is hier tenslotte slachtoffer geworden van een misdrijf. Misschien wilde ze hier helemaal niet meer blijven.'

'Eerlijk gezegd lijkt me dat ook waarschijnlijk, Bob. Maar hoe moet ik in Guatemala iemand gaan zoeken die Gonzalvez heet? Dat is alsof je hier iemand probeert op te sporen die Smith heet.'

'Nou, welkom bij de afdeling Vermiste Personen,' zei Grassilli met zijn karakteristieke glimlach. 'Als iemand werkelijk wil verdwijnen en onzichtbaar wil blijven dan is dat helemaal niet zo moeilijk. Alhoewel, je zou natuurlijk een privédetective kunnen inhuren. Die kan gegevensbestanden inzien of downloaden die wij niet mogen gebruiken. Dat mag zo'n personage natuurlijk ook niet, maar wie let daarop in de privésector?'

'Dat is geweldig nieuws, Bob. Hartverwarmend, zelfs.'

Grassilli haalde zijn schouders op en ontblootte zijn tanden onder zijn snor. 'Ik ben alleen maar de boodschapper, Abe. Het is niet anders.'

'Ja, maar goed, ik heb niet eens genoeg budget voor mijn eigen mensen. Hoe kan ik dan verantwoorden dat ik een privédetective wil inhuren?'

'Waarschijnlijk kun je dat ook niet.'

'Waarschijnlijk heb je gelijk.'

26

OUR TOWN

Door Sheila Marrenas

Over de neiging van de politie van San Francisco om buitenproportioneel te handelen, de burgers van deze stad lastig te vallen en ze onheus te bejegenen, is in deze column de afgelopen jaren al veel gepubliceerd. Het besluit van burgemeester Leland Crawford om de Afro-Amerikaanse Vi Lapeer te benoemen tot hoofdcommissaris gaf enige hoop dat deze praktijken onder het bewind van de nieuwe burgemeester niet langer zouden worden getolereerd. Maar deze hoop is de afgelopen weken grotendeels de bodem in geslagen, vooral door de behandeling die de politie Ro Curtlee, de zoon van de uitgevers van deze krant, heeft gegeven.

Zoals de lezers van deze column al weten is de heer Curtlee recent uit de gevangenis vrijgelaten op bevel van het Hof van Beroep voor het 9e Arrondissement. Vervolgens oordeelde rechter San Baretto in deze stad dat de heer Curtlee op borgtocht moest worden vrijgelaten in afwachting van zijn proces in hoger beroep, een beslissing die slecht viel bij zowel de officier van justitie Wes Farrell als bij het hoofd van de afdeling Moordzaken, inspecteur Abe Glitsky. Slechts enkele dagen na de vrijlating van de heer Curtlee produceerde Glitsky een aantal nieuwe valse aanklachten, om de heer Curtlee vervolgens te arresteren na hem eerst zo ernstig te hebben mishandeld dat hij moest worden opgenomen in een ziekenhuis, een incident dat veel publiciteit heeft gekregen.

En opnieuw oordeelde een rechter van het Hooggerechtshof – Erin Donahoe – dat de heer Curtlee geen gevaar voor de samenleving opleverde. Ook zij liet hem weer vrij op borgtocht. Maar in onze stad lijkt het wel alsof de regels en procedures van het strafrecht niet van toepassing zijn zodra openbare aanklagers en politiemensen vooringenomen op-

vattingen hebben over iemands schuld, of die nu in strijd zijn met gerechtelijke uitspraken of niet. En daarom werd de heer Curtlee gisterochtend opnieuw geconfronteerd met een sterk staaltje machtsmisbruik door de politie: een verhoor – dat ditmaal gelukkig geweldloos verliep – met betrekking tot de moord afgelopen vrijdag op een vrouw die Janice Durbin heette. Dit verhoor, waaraan de heer Curtlee vrijwillig en zonder reserves zijn medewerking verleende, leverde op dat de heer Curtlee een waterdicht alibi had voor het tijdstip van de moord. Bovendien vertelde de rechercheur die de heer Curtlee ondervroeg deze verslaggeefster dat er geen bewijsmateriaal voorhanden was waaruit zou blijken dat de heer Curtlee iets met dit misdrijf te maken had. Met deze kennis zou men – zoals deze verslaggeefster ook deed – de vraag kunnen stellen: 'Als er geen bewijs was, op grond van welke overwegingen hebt u dan besloten de heer Curtlee te verhoren? Hoe kun je dit zien als iets anders dan machtsmisbruik?'

Hierop had rechercheur Bracco geen commentaar.

De politie heeft echter vastgesteld dat mevrouw Durbin slachtoffer is geworden van een moord. Omdat er toch iemand moet zijn die haar heeft vermoord en de heer Curtlee heeft aangetoond dat hij dat niet kan zijn geweest, waarom blijft de politie zich dan toch richten op zijn mogelijke betrokkenheid? Zou de oplossing van dit mysterie, zoals meestal het geval is in dit soort zaken, niet eerder liggen in de directe persoonlijke relatiekring van mevrouw Durbin? Een vluchtig onderzoek door deze verslaggeefster heeft bijvoorbeeld al aan het licht gebracht dat Michael Durbin, de echtgenoot van het slachtoffer, niet kan vertellen waar hij was toen zijn vrouw werd vermoord. Daar komt nog bij dat anonieme tipgevers op zijn werk deze verslaggeefster hebben verteld dat de heer Durbin wellicht een verhouding heeft met een van zijn personeelsleden.

Het is uitdrukkelijk niet de bedoeling de heer Durbin hiermee te beschuldigen van enig strafbaar feit, maar wel mag duidelijk zijn dat er andere onderzoeksrichtingen bestaan die de politie tot nu toe bewust schijnt te negeren en dat Glitsky en Farrell hun persoonlijke en onwettige vete tegen Ro Curtlee voortzetten.

'Je moet een aanklacht indienen,' zei Chuck Novio. 'Tegen haar, tegen de krant en tegen Cliff en Theresa Curtlee persoonlijk. Dit is de meest walgelijke vorm van laster die ik ooit heb gelezen.'

Het was een paar minuten over zeven in de ochtend en ze zaten allemaal rond de eettafel: Michael, Chuck en de drie kinderen van het gezin Durbin. Kathy en de tweelingzusjes waren in de aangrenzende keuken bezig eieren met spek en toast te maken. Om elf uur zou Janice worden gecremeerd, dus hadden de kinderen en Chuck allemaal een dag vrij genomen. Durbins jongste zoon Peter was het eerst wakker geworden. Hij had het artikel al gelezen voordat hij ermee de trap op rende om het aan zijn vader te laten zien.

'Maar ze zegt dat het uitdrukkelijk niet haar bedoeling is me ergens van te beschuldigen,' zei Durbin.

'Dat is gelul. Gewoon gelul,' zei Peter. 'Ze beweert dat jij het hebt gedaan, pap. Dat jij mama hebt vermoord.'

'Daar laat je haar toch zeker niet mee wegkomen, pa?' vroeg Jon. 'Als je er niet hard tegenin gaat dan geef je toe dat ze gelijk heeft.' De oudste zoon liet zich achterovervallen in zijn stoel, sloeg zijn armen over elkaar en staarde in het niets met de oprecht verontwaardigde blik van een achttienjarige.

'Ik ben het met Jon eens,' zei Chuck. 'Je moet haar aanpakken.'

De dertienjarige Allie die aan de andere kant van de tafel zat en haar tranen tot nu toe nauwelijks had kunnen inhouden, had de hele ochtend gezwegen, maar nu vroeg ze met bevende stem: 'Je hebt het toch niet écht gedaan?'

Durbin strekte zijn arm uit en legde zijn hand op die van zijn dochter. 'Nee, lieverd, natuurlijk niet. Ik hield van je moeder en ik mis haar vreselijk.'

'Ik ook, ik mis haar echt al ontzettend.' En Allie begon te huilen.

Kathy, de ogen bloeddoorlopen en betraand door verdriet en gebrek aan slaap, liep vanuit de keuken de eetkamer binnen en sloeg haar armen om haar nichtje heen. 'Er is helemaal niemand die gelooft dat jouw vader iets verkeerds heeft gedaan,' zei ze. 'Dat soort dingen moet je helemaal niet denken.'

'Maar Marrenas doet dat wél,' zei Jon. 'En misschien doet de halve stad dat nu óók wel. Dus pa moet het ontkennen. Dat spreekt vanzelf.'

'Ik hoef helemaal niet te reageren op wat ze heeft geschreven. Daarmee zou ik me tot haar niveau verlagen en dat ben ik niet van plan.'

'Dat moet je wél doen, pa. Je moet duidelijk zeggen dat je het niet hebt gedaan, áls je het niet gedaan hebt...'

Michael onderbrak Jon door met zijn vlakke hand op de tafel te slaan. 'Natuurlijk heb ik het niet gedaan, verdomme! Ik hoop dat we niet zo diep zijn gezonken.'

'Nee,' mengde Chuck zich erin. 'Natuurlijk niet, doe niet zo mal.'

'Ontken het dan gewoon,' zei Jon. 'Je moet het meteen ontkrachten.'

Michael, die zich steeds meer opwond, schudde zijn hoofd toen de stem van een van de tweelingzusjes in de keuken klonk. 'Hé, er rijdt een televisiebusje de oprit op.'

'Verdomme.' Chuck stond op en rekte zich uit om door het raam van de eetkamer te kijken. 'Hoe kan iemand nou weten dat jullie hier logeren?'

'Het zou me helemaal niet verbazen als Marrenas het wist,' zei Michael. Hij stond ook op. 'En als zij het eenmaal weet dan weet iedereen het. Misschien kan ik beter gaan kijken wat ze willen.'

'Je weet al wat ze willen,' zei Peter. 'Je hebt gelijk, pa. Ik zou ze niets vertellen.'

'Fout, Peter,' zei Jon. 'Waar hebben we het nou net over gehad? Hij moet het ontkennen, anders denken ze dat hij het heeft gedaan. Daarom huilt Allie. Zij denkt het óók. En dan zou iedereen het denken.'

Durbin draaide zich met een ruk om naar zijn oudere zoon. Het volume van zijn stem ging omhoog. 'Wát zeg je? Praat geen onzin!'

'Ik zeg alleen maar...'

En toen ging de telefoon.

'Godallemachtig, wat een gekkenhuis,' zei Chuck. 'Wil jij even opnemen, Les?'

Leslie, een van de tweelingzusjes, nam de telefoon op in de keuken. 'Een ogenblikje,' zei ze. 'Oom Mike, het is voor u. Hij zegt dat hij Jeff Elliot is, van de *Chronicle*.'

'Jezus,' zei Peter.

'Ik ga wel even naar die gasten in de voortuin,' zei Chuck.

'Ik praat tegen niemand van de *Chronicle*.'

'Misschien denken ze wel dat er niets van waar is,' zei Jon.

'Er ís ook niets van waar. Dat zég ik je toch.'

'Vertel hem dat dan, als het inderdaad zo is,' zei Jon.

'Dat zou ik niet doen,' zei Peter. 'Je moet niets tegen ze zeggen.'

'Jon, wacht eens even. Kijk me aan,' zei Durbin. 'Hoe bedoel je: "als het inderdaad zo is"? Jouw toon bevalt me niet, net zomin als wat je ermee impliceert. Ik heb geen schuld aan de dood van je moeder.'

'Ja, dat zeg je steeds. Maar wat bedoelde Marrenas dan met diegene op je werk met wie je iets hebt? Waarom zou ze dat zeggen als er niets van waar is?'

'Jon!' viel Kathy uit. 'Hou daar onmiddellijk mee op. Dit is belachelijk!'

'Ja, dat zal wel.' De slungelige jongen uitte een verwensing, duwde zijn stoel naar achteren, stormde de kamer uit en rende de trap op.

'Jon!' riep Durbin hem achterna. 'Jongen!'

Maar ze hoorden hoe hij doorliep naar zijn kamer en de deur met een klap dichttrok.

'Wat heeft híj?' vroeg Peter.

Durbin schudde alleen maar zijn hoofd en maakte een wanhopig gebaar.

'Oom Mike!' Het was de stem van Leslie, die hem riep vanuit de keuken. 'Hij wacht nog steeds.'

'Laat hem maar wachten. Nee, zeg maar dat ik niet met hem wil praten. Nee, wacht, dat vertel ik hem zelf wel.'

'Laat je niet van de wijs brengen, pa,' zei Peter.

'Maak je geen zorgen, dat gebeurt niet. Jezus.'

Allie, haar gezicht nat en vlekkerig, duwde zich los uit de omhelzing van haar tante. 'Ik wil dat dit stopt,' snikte ze. 'Ik wil mijn mammie terug. Ik wil mijn mammie.'

Eztli was die donderdagochtend ook vroeg op.

Ro had zijn beste beentje voorgezet bij Tiffany van MoMo's en toen Eztli in zijn eentje om ongeveer halfvier was vertrokken, was Tiffany klaar met haar dienst en had Ro haar getrakteerd op een paar tequila shots. En het zag ernaar uit dat er nog wel meer zouden volgen.

Dat kwam Eztli niet slecht uit. De nogal opvallende agenten in burger die bij de Curtlees voor de stoep stonden geparkeerd zagen eruit alsof ze voorlopig bleven, ook al was de prooi hun gisteren ontglipt. Dus hoe langer Ro van huis wegbleef, hoe meer bewegingsruimte hij had, tenminste totdat ze hem weer in de kijker hadden.

Gelukkig volgden ze hem niet, al begreep Eztli niet precies waarom ze dat niet deden. Misschien kwam het omdat hij gisteren ogenschijnlijk alleen was weggereden en vervolgens ook weer alleen was teruggekomen. Zouden ze denken dat Ro zich nog steeds in het huis schuilhield? Hoe dan ook, zijn probleem was het niet. Hem volgden ze niet, dat was het voornaamste.

Even voor acht uur was hij op deze heldere en kille dag met de Z4 – hij was gek op die wagen! – naar Haight Street gereden, waar hij een parkeerplaats had gevonden schuin tegenover de glazen gevel waarop stond aangegeven dat daarachter het crisiscentrum voor slachtoffers van verkrachting was gevestigd. Hij stapte uit, stak de straat over en liep langs de ingang. Ernaast stond een zwaar uitziende parkbank van hout en metaal die met een ketting en een hangslot aan de voorgevel was bevestigd. Het centrum ging officieel pas over ongeveer een halfuur open, maar binnen brandde al licht en er was wat beweging waarneembaar.

De glazen voorgevel bood aantrekkelijke mogelijkheden. Hij kon later terugkomen – 's avonds, als het donker was – om het raam eruit te schieten, maar hij was er niet van overtuigd dat dit de ondubbelzinnige boodschap was die hij Farrell via diens vriendin Sam wilde bezorgen. Iedereen kon wel een wrok koesteren tegen het beleid of het personeel van dit centrum. Het was niet het duidelijke signaal dat Cliff Curtlee wilde afgeven.

Eztli liep door naar de volgende hoek, stak vervolgens over en liep aan de overkant van de straat terug, terwijl hij zich vertrouwd maakte met de ligging en de omgeving. Het was een typisch stukje Haight Street, waar bijna uitsluitend kleine winkels waren gevestigd. Toen hij terugliep naar zijn auto keek Eztli op zijn horloge en zag dat het centrum over twintig minuten open zou gaan. Nu hij hier toch was, leek het hem verstandig nog even te wachten. Dan kon hij naar binnen lopen, vragen naar Sam Duncan en haar vertellen dat het belangrijk was dat Wes Farrell zijn plan om Ro voor de grand jury te slepen liet varen. Omdat hij zoiets al veel vaker had gedaan wist hij dat het simpele feit van zijn aanwezigheid al wonderen kon verrichten.

Maar toen reed er plotseling een zwarte Town Car-limousine de straat in, die pal voor het centrum parkeerde. Na een seconde of twee stapte Wes Farrell in hoogsteigen persoon uit de auto, gevolgd door de gele labrador die hij hem eerder 's avonds bij zijn huis had zien uitlaten. Terwijl Eztli toekeek liepen baas en hond naar de deur van het centrum. Farrell klopte en een donkere, aantrekkelijke vrouw deed open en nam de riem over. Na slechts een paar seconden met elkaar te hebben gepraat – kennelijk hadden ze al eerder afgesproken dat hij de hond zou brengen, dus dit moest Sam zijn – liep Farrell terug naar de limousine, die vervolgens weer wegreed.

Eztli zat achter het stuur van de BMW na te denken over verschillende mogelijkheden, toen de deur van het centrum een paar minuten later weer openging en de vrouw het trottoir op liep met de hond aan de riem, die ze vervolgens vastmaakte aan een van de poten van de bank. Toen ze op de latten van de zitting van de bank tikte sprong de hond er gehoorzaam op en ging liggen.

Eztli wachtte nog een paar minuten en observeerde de situatie. De straat begon langzaam tot leven te komen. De vrouw in het centrum draaide het bordje GESLOTEN om naar OPEN en kwam toen naar buiten gelopen om twee rode bakken – een met voer en een met water – op het trottoir onder de bank neer te zetten. Toen, zoals honden dat nu eenmaal doen, begon het dier te snuffelen en bewaterde ze een van de poten van de bank voordat ze er weer op sprong om een dutje te gaan doen in de ochtendzon.

Als de driekamerflat van Glitsky al een opvallend kenmerk had, dan was het dat hij met ruim honderdtwintig vierkante meter altijd te klein aanvoelde. Toen Glitsky er ruim dertig jaar geleden voor het eerst met Flo was ingetrokken hadden ze al twee jongens, Isaac en Jacob, en na een jaar kwam Orel. Nadat Flo was overleden aan eierstokkanker, bezetten de drie jongens de twee slaapkamers achter de keuken en had een huishoudster, Rita, zich bijna fulltime geïnstalleerd achter een scherm in de tamelijk onpraktische woonkamer. Toen Treya en haar dochter Raney later bij Abe en Orel introkken, weerklonk in het huis het lawaai van de twee tieners, die nu ook waren uitgevlogen, waarna hun plaatsen spoedig werden ingenomen door Rachel en Zachary, die ook niet bepaald muisstil waren.

Nu was er geen spoor te bekennen van de kinderen – ook niet van Treya trouwens – en dronk Glitsky zijn ochtendthee aan de tafel in zijn kleine keuken in een ongebruikelijke stilte die hij ervoer als tastbaar en onheilspellend.

Toen de telefoon ging had hij juist zijn kop opgepakt. Het gerinkel was hard en onverwacht genoeg om te bewerkstelligen dat hij een ongecontroleerde beweging maakte en wat thee op zijn schoot morste. Kwaad op zichzelf sprong hij op en terwijl hij met zijn hand het vocht van zijn broek probeerde te vegen liep hij naar de telefoon die aan de muur hing, nam op en snauwde zijn naam in het toestel.

'Abe, met Vi. Sorry dat ik je thuis bel, maar je was nog niet op het bureau, vandaar dat ik op het idee kwam het even thuis te proberen.'

De impliciete berisping maakte Glitsky's humeur er niet bepaald beter op. 'Geen probleem,' zei hij. 'Wat is er?'

'Ik vroeg me af of je die "Our Town"-column van vandaag al had gelezen.'

'Nee, nog niet.'

'Dan is het goed dat ik je te pakken heb gekregen zodat ik je vast op de hoogte kan brengen. Ze veegt nogal de vloer aan met de manier waarop je de zaak-Janice Durbin hebt aangepakt. Of "verprutst" zou ik beter kunnen zeggen. Ik heb vanochtend een telefoontje gekregen van meneer de burgemeester – thuis inderdaad, mocht je je dat afvragen – en hij ging er behoorlijk over tekeer. Ik moet zeggen dat ik nooit had kunnen denken dat ik de eerste maanden in mijn nieuwe baan mezelf en mijn hoofd Moordzaken voortdurend zou moeten verdedigen, elke keer dat ik even niet oplet.'

'Ze is een onverantwoordelijke gek,' zei Glitsky.

'Dat kan wel zijn, maar Leland eet kennelijk uit haar hand en hij schreeuwt nog net niet om jouw ontslag.'

Glitsky zuchtte diep. 'Weet je wat, Vi, ik kom zo onderhand bijna in de verleiding hem dan maar zijn zin te geven. Waarom zou ik me nog langer druk maken? Als je het me vraagt dan dien ik nu mijn ontslag in.'

'Breng me alsjeblieft niet in de verleiding. Ik wil niet dat je je ontslag neemt. Zeker niet hierom, want als je het mij vraagt heb je gewoon geprobeerd je werk te doen. En bovendien, hoe zou mijn toekomst eruitzien als ik meteen toegeef aan dit soort idiote waanzin, zodra die een keer de kop opsteekt. Maar ik moet wél een verhaal hebben tegenover Leland en het publiek voordat dit verder uit de hand loopt.'

Opnieuw zuchtte Glitsky diep. 'Wat zei ze? Marrenas?'

'In de kern is het hetzelfde oude liedje. In jouw bezetenheid om Ro Curtlee weer achter de tralies te krijgen negeer je een veel betere verdachte die zich pal voor je neus ophoudt.'

'En dat is...?'

'Durbins echtgenoot, die geen alibi heeft en iets schijnt te hebben met een van zijn medewerksters.'

'Heeft ze dat geschreven?'

'Daar komt het wel op neer. En de vraag dringt zich dan natuurlijk op waarom je je niet op hem concentreert in plaats van Ro lastig te vallen.'

'Misschien omdat Ro het gedaan heeft. Voor de goede orde moet je overigens weten dat ik die echtgenoot al minstens twee keer heb verhoord en dat ik van plan ben dat nog een keer te doen, gewoon omdat ik dat zo lollig vind. Ondertussen zal het je ook zijn opgevallen dat ik nog niemand heb gearresteerd – Ro of Michael Durbin of wie dan ook – en dat wijst er doorgaans op dat ik nog geen serieuze verdachte heb.'

'Nou, in dat geval zou je er misschien baat bij hebben een soort van verklaring op te stellen waar dat in staat. Dan zal ik dat ook doen.'

'Maar dat zou toch vanzelfsprekend moeten zijn?'

'Ja, dat kan wel, maar zo werkt het kennelijk momenteel niet.'

'En als we nu eens gewoon zeggen dat we geen commentaar kunnen geven omdat het onderzoek nog loopt?'

'Hoe is dat de laatste keer toen je het probeerde afgelopen? Ik geloof dat we ze iets meer tegemoet moeten komen. Ik meen het, Abe. Ik weet niet hoe lang ik mijn eigen baan nog kan houden als dit zo doorgaat. Ik loop nu al op eieren. Laten we proberen op tijd een verzoenend gebaar te maken, wat dacht je daarvan? Een klein toneelstukje in ons eigen belang.'

27

Er waren achtenvijftig mensen aanwezig bij de crematiedienst. Glitsky zat op de achterste rij. Hij luisterde en maakte aantekeningen terwijl de familieleden en kennissen van Janice Durbin opstonden om te spreken. Michael Durbin, betraand maar tevens beheerst, kwam overeind en prees zijn vrouw als een partner, kostverdiener, hulp in nood en moeder. Kathy Novio, die meerdere malen in tranen uitbarstte, nodigde iedereen uit na afloop op de receptie bij haar thuis te komen en sprak daarna over de jeugd van haar zusje, haar passie voor haar gezin, haar patiënten en haar loopbaan, en haar overtuiging dat de wereld een mooie plek was; een veilige plek. Ondanks het gebeurde was Kathy er zeker van dat Janice niet zou willen dat de mensen deze plechtigheid zouden verlaten in een negatieve stemming of met gevoelens van wanhoop. Twee vriendinnen, een van de hogeschool en een van de universiteit, vertelden hoeveel plezier ze met haar hadden gehad en dat ze een trouwe vriendin was geweest. Haar dominee, die de indruk wekte haar tamelijk goed te kennen, oreerde met een galmende bariton over haar vrijwilligerswerk voor verstandelijk gehandicapten, haar edelmoedigheid en haar geloof.

Het was, in de optiek van Glitsky, in grote trekken het gebruikelijke werk. Maar terwijl hij luisterde naar al deze loftuitingen op het leven van Janice Durbin, bleef hij zich afvragen bij wie van de gasten hier – en hij was er vrij zeker van dat het één van hen moest zijn geweest – ze chlamydia had opgelopen. Of wie degene in dit vertrek was aan wie Janice chlamydia had gegeven.

Toen het napraten was afgelopen liep hij naar buiten en bleef hij bij de achterdeur staan om de vertrekkende gasten aan zich voorbij te laten trekken. Hij wist niet of iemand hem herkende, maar in ieder geval ontving hij van geen van hen vijandige signalen omdat hij het onderzoek naar de moord op Janice zou verprutsen.

De afgelopen zaterdag had Glitsky alle kinderen en het echtpaar Novio al ontmoet, en nu de beide gezinnen achter de rest van de menigte naar buiten kwamen, zag hij dat het trauma van de afgelopen dagen een zware tol had geëist.

Kathy, in sterk contrast tot de woorden die ze binnen had uitgesproken, zag bijna lijkbleek van woede en verdriet. Ze hield haar beide dochters bij de hand vast en haar vochtige ogen keken recht vooruit. Vlak achter haar liep haar echtgenoot, in een wat formele, stijve pas. De oudste zoon van de Durbins, Jon, liep abrupt weg van de deur en de menigte, zijn gezicht een donderwolk van woede. Achter hem volgde Michael Durbin, met aan de ene hand zijn zoon Peter en aan de andere zijn dochter Allie. Hij riep iets naar zijn oudste zoon Jon, maar die draaide zich half om, maakte een afwijzend gebaar en bleef doorlopen.

Glitsky was naar de dienst gekomen in het kader van de verzoeningsstrategie van zijn baas, die vermoedde dat er wel een verslaggever van de *Courier*, de *Chronicle* of een van de televisiezenders zou zijn die zijn aanwezigheid hopelijk zou interpreteren als een facet van zijn onderzoek dat niets te maken had met Ro Curtlee. Inderdaad was hij naar de crematieplechtigheid gekomen met de vaste bedoeling Michael Durbin apart te nemen om te proberen wat meer duidelijkheid te krijgen over zijn alibi voor het tijdstip van de moord of zijn relatie tussen hem en Liza Sato, als daar al sprake van mocht zijn. Misschien kon hij zelfs de vinger krijgen achter de chlamydia-invalshoek om te zien of die ergens toe leidde.

Maar nu hij zag hoe kwetsbaar het gezin was en omdat alle kinderen nog in de buurt waren, maakte hij alleen maar oogcontact met Durbin en gaf hij een knikje dat kon worden uitgelegd als een uiting van sympathie, terwijl hij doorliep en iedereen in de wachtende auto's liet stappen.

'Volgens mij moet je Jeff Elliot terugbellen.' Chuck, in gesprek met Michael Durbin terwijl de receptie in de woonkamer in volle gang was, zat op het aanrecht in zijn keuken en dronk een biertje. 'Geef die man een interview in de *Chronicle*. Ga in de tegenaanval.'

'Wat heb ik daaraan?' vroeg Michael. Hij had een vol glas whisky in de hand en nam een slok. 'Wat Peter vanochtend zei is waar: hoe meer ik het ontken, hoe meer het klinkt alsof ik iets te verbergen heb.'

'Mike.' Chuck legde een hand op de schouder van zijn zwager. 'Luister nou eens. We weten wie het heeft gedaan, oké? Dus heb jij dan niet iets gemist in die column van Marrenas? Bijvoorbeeld alle redenen waarom wij weten dat Ro het heeft gedaan. Heeft ze vermeld dat jij de juryvoorzitter was in Ro's proces? Nee. Iets over de moord op die andere vrouw, de getuige? Nee. Of welke andere heel goede reden dan ook die Glitsky zou kunnen hebben om zich te concentreren op Ro in plaats van op jou? Er is heel wat dat je Elliot zou kunnen vertellen dat tot dusver niet naar voren is gekomen, denk je ook niet?'

'Ik weet het niet. Ik kan niet meer nadenken. Ik bedoel, zelfs Jon begint te vermoeden dat ik...'

Maar Chuck kapte hem af. 'Nee, dat vermoedt hij helemaal niet. Hij is gewoon kapot van de dood van zijn moeder. Wie kan hem dat kwalijk nemen? Hij gelooft niet echt dat jij er iets mee te maken hebt, dat verzeker ik je. Hij is verdorie pas achttien. Hij probeert al die gevoelens die hij liever niet zou hebben een plaats te geven en dan komt Marrenas ineens met een idee op de proppen waarmee hij zich op jou kan afreageren.'

'Zo dom is hij heus niet.'

'Dat kan wel zijn, maar hij is behoorlijk opgefokt. Laat hem dit zelf maar even verwerken.'

'Wat voor keus heb ik anders? Ik weet niet eens waar hij naartoe is.'

'Hij komt heus wel terug, maak je daar geen zorgen over. Ondertussen bel jij de *Chronicle*. Je weet dat ze met je willen praten. Zorg dat Ro in dat verhaal het aandeel krijgt dat hij verdient.'

'Die hufter. Maar stel dat hij dan achter mij aan komt, of achter de kinderen?'

Chuck nam een flinke slok bier en liet dit tot zich doordringen. 'Daar had ik nog niet aan gedacht,' zei hij.

'Ik heb nauwelijks aan iets anders gedacht.' Hij zette het glas aan zijn lippen en dronk het halfleeg. 'Ik weet wat ik zou moeten doen, ik zweer het je.' Op gedempte toon zei hij: 'Ik moet die gast zelf doodmaken.'

Chuck schudde zijn hoofd. 'Nee, dat is een slecht idee.'

'Ik heb verdomme een geweer in mijn garage. Dat ligt er al eeuwen, uit de tijd toen ik nog jaagde. Een geweer kunnen ze niet natrekken. Ik ga gewoon op een avond naar Ro's huis, bel aan en begin te schieten. Dan gooi ik het geweer in de baai. En ik vertel Glitsky dat ik de hele tijd bij jou heb gezeten om mijn verdriet te verdrinken.'

'Ik heb al gezegd dat het een slecht idee is. En nu zeg ik het nóg een keer. Dat is een verdomd slecht idee.'

'Er schiet me even niets beters te binnen.'

'Nou, maar dít plan moet je in ieder geval laten varen. Het is waardeloos. Jij bent geen moordenaar, Michael. Zoiets zou je helemaal niet kunnen doen. Het zou je leven verwoesten.'

Durbin hief zijn glas en dronk het leeg. 'Ten opzichte van hoe het er nu voor staat, bedoel je?'

Sheila Marrenas zat te wachten naast de deur van de hal van het kantoor van de hoofdcommissaris toen Vi Lapeer terugkwam van haar lunchafspraak. Ze was in gesprek met een van haar afdelingshoofden en zag de journaliste pas toen ze opstond en vóór haar ging staan. 'Neem me niet kwalijk, hoofdcommissaris. Ik heb een korte vraag voor u.'

'En die zal ik graag beantwoorden,' zei Lapeer. Ze keek op haar horloge. 'Over drie kwartier, op mijn persconferentie. Daarvoor hebben we persconferenties. Om de pers te woord te staan. Als u nu even...'

Ze wilde doorlopen, maar Marrenas deed een stap opzij en versperde haar de weg. '*Dit kan niet wachten!*'

'Nou, dat zal toch moeten, vrees ik, want...'

Marrenas ging pal vóór haar staan. 'Is het waar dat u opdracht hebt gegeven Ro Curtlee rond de klok te schaduwen? En dat u voor deze surveillance budget en zelfs overwerkuren hebt vrijgemaakt? En dat ondanks al dit tijdsbeslag en deze overdreven inspanningen niemand schijnt te weten waar Ro op dit moment is? Is dat waar of niet? En is dat efficiënt gebruik van een politiebudget dat al onder druk staat? Hoe kunt u een dergelijke verspilling van geld en personeel verantwoorden?'

Lapeers mond viel zowat open van verbazing, maar ze herstelde zich snel. 'Ik heb geen commentaar,' zei ze. 'Geen commentaar. En als u me nu wilt excuseren...'

Vervolgens pakte het eveneens door de situatie overvallen afdelingshoofd haar bij de arm, loodste haar zonder Marrenas aan te raken de hal in en deed de deur dicht.

Hector Murillo was niet op de hoogte van de theorie van de zes stappen van scheiding. Hij was een zevenentwintigjarige dagloner die in 2004 uit Mexico was gekomen en nog steeds geen geldige papieren had. Gedurende de afgelopen acht maanden had Hector deel uitgemaakt van het team van vier medewerkers van het hoveniersbedrijf van Roberto Serrano. Hij was een ondergeschikte omdat hij het kortst voor Roberto werkte en omdat hij Mexicaan was in plaats van Guatemalaan.

Maar dat was in principe in orde.

Het verschil tussen een ondergeschikte en een meerdere was sowieso niet zo groot, want zijn baas Roberto pakte zelf ook alles aan wat gedaan moest worden – niet alleen maaien, bladeren blazen en snoeien, maar ook zwaar werk zoals het schoonmaken van goten of het verspreiden van kubieke meters granietgruis. Hoe dan ook, Hector was blij dat hij vast werk had en iedere week contant werd uitbetaald.

Hector woonde op een caravanterrein even ten oosten van de 101 Freeway in Mountain View en vaak dronk hij 's avonds bier met andere mannen, voor het merendeel Mexicanen, die zich in ongeveer dezelfde situatie bevonden als hijzelf. Dat had hij ook de vorige avond gedaan toen Jorge Cristobal, die ook op het terrein woonde, had verteld over de vijfduizend dollar beloning die Lupe García had uitgeloofd voor het vinden van een vrouw die vroeger Gloria Gonzalvez had geheten. Kennelijk was haar moeder in Guatemala overleden en had ze wat geld geërfd, zodat haar advocaten contact hadden opgenomen met de goed ingevoerde Lupo, in de hoop dat die haar in ruil voor een deel van de erfenis kon opsporen zodat iedereen zijn geld kon krijgen.

Zo luidde in ieder geval het verhaal.

Aanvankelijk dacht Hector er niet verder over na; alleen probeerde hij zich voor te stellen hoeveel vijfduizend dollar in werkelijkheid was. Hij verdiende tweeënzestig dollar per dag, zes dagen per week, ongeveer vijftienhonderd dollar per maand, en dat was genoeg voor het eten, de huur, kleding en bier, maar niet veel meer. Hij had geen eigen auto en deelde er ook geen met anderen, en hij was niet verzekerd. Desondanks had hij na acht maanden vast werk precies nul dollar gespaard.

Pas toen hij in bed lag en probeerde in slaap te komen met dat enorme bedrag in zijn hoofd, realiseerde hij zich plotseling dat Roberto's vrouw Gloria heette. Ze kwam ook uit Guatemala – tenminste dat veronderstelde hij, omdat dat de nationaliteit van Roberto was. Het zou zeker vreemd zijn als ze niet uit Guatemala kwam.

Hij werd wakker met het mogelijke plan nog vers in zijn geheugen en hij dacht er goed over na tijdens de eerste zes huizen die ze die ochtend deden. Hij wilde zijn kennis niet met iemand anders delen. Hij kende Roberto en als hij hem vertelde van de beloning, en als zijn vrouw inderdaad vroeger Gloria Gonzalvez had geheten, dan zou Roberto zelf naar Lupe gaan om de beloning op te eisen en dan mocht Hector zich gelukkig prijzen als hij er nog een heel klein beetje van zou krijgen. Hetzelfde gold voor zijn drie collega's. Als ze ook maar enig idee hadden waar het over ging zouden ze in ruil voor de informatie die ze hem eventueel konden geven ook een deel van de beloning willen hebben. Het was al erg genoeg als Jorge Cristobal van het caravanterrein zou fungeren als contactpersoon tussen Hector en Lupe. Maar het zag ernaar uit dat degene die de beloning opeiste niet om iemand als Jorge heen kon. Maar als Hector bij Jorge aan kon komen met de waarheid – als het inderdaad klopte – over de vrouw van Roberto, dan had hij tenminste nog iets in de melk te brokkelen en kon hij Jorges aandeel in de vijfduizend dollar misschien tot een minimum beperkt houden.

Vijfduizend dollar! Het was niet te bevatten.

Ze namen weinig tijd om te lunchen, niet meer dan twintig minuten, maar Hector zorgde dat hij naast Roberto kwam te zitten, die normaal gesproken altijd een beetje afstand hield van de ploeg, en toen ze hun eten voor de helft op hadden begon hij een praatje met zijn baas, onder het voorwendsel dat hij zelf een vriendin had en erover dacht met haar te gaan trouwen.

'Hoe lang,' vroeg hij in het Spaans, 'ben jij al getrouwd?'

Roberto haalde zijn schouders op. 'Acht jaar.'

'En hoe bevalt het?'

'Goed. Ik heb geluk gehad. Gloria werkt hard en ze is een goede moeder. Trouw nooit met een meisje dat niet van kinderen houdt.'

'Dat is het probleem niet,' zei Hector.

'Als je nu al een probleem hebt, dan moet je misschien nog maar even over deze beslissing nadenken. Je hoort geen problemen te hebben als je nog niet getrouwd bent.'

'Nou, misschien is het geen probleem. Ik weet het niet. Daarom wilde ik het aan jou vragen.'

'Wil je zeggen dat je niet weet of je een probleem hebt?'

'Ik weet wat ik heb. Ik weet niet of het een probleem is.'

Roberto zweeg.

'Ze is...'

'Hoe heet ze?'

'Maria.'

'Oké.'

'Maria woont hier al zeven jaar.'

'Is ze staatsburger? Als dat zo is dan moet je zeker met haar trouwen.'

'Nee, nog niet. Ze is net zoals ik. Maar de vrouwen die ze kent maken haar van alles wijs. Ze zeggen dat het verkeerd is dat ik haar dwing haar naam te veranderen als we trouwen.'

Dit leek Roberto even van de wijs te brengen. 'Waarom zou ze haar naam veranderen? Er is geen betere naam dan Maria.'

'Haar achternaam,' zei Hector. 'In de mijne. Murillo.'

'Murillo is een prima naam. Waarom zou ze die niet willen hebben?'

'Het gaat niet om de naam. Het gaat erom dat ze een moderne Amerikaanse vrouw wil zijn.'

'Maar ze is helemaal geen Amerikaanse.'

'Nee, maar ze spreekt goed Engels. Ze wil zich hier graag aanpassen. Dat is de nieuwe cultuur, zegt ze.'

Roberto fronste zijn wenkbrauwen. 'Ze zal hier nooit bij de cultuur passen. Weet ze dat niet? Haar kinderen misschien, of hún kinderen, maar misschien ook niet. Ik wil je niet zeggen wat je met deze vrouw moet beginnen, maar ik zal eerlijk zijn. Dit klinkt helemaal niet goed, vind ik.' Hij nam een hap van zijn burrito en kauwde erop alsof hij de verschillende aspecten van de kwestie overdacht.

Hector maakte van de gelegenheid gebruik verder te gaan. 'Dus voor jouw vrouw was het geen probleem? Die veranderde gewoon haar naam?'

Roberto knikte. 'Natuurlijk. Het was nooit een punt van discussie. Ik zou het ook nooit hebben besproken. Ze is mijn vrouw, dus ze heeft mijn naam.'

'Dat is precies wat ik ook dacht,' zei Hector. 'Alleen vraag ik me af of het alleen maar komt omdat ze vindt dat het niet goed klinkt: Maria Murillo.'

'Onzin. Wat maakt het nou uit hoe een naam klinkt? Hoe heet ze nu?'

'Gonzalvez,' zei Hector. 'Maria Gonzalvez.'

Roberto zei: 'Hé!' en hij stak zijn handen in een triomfantelijk gebaar omhoog. 'Gonzalvez, dat was de naam van mijn vrouw, wist je dat? Nadat ze hem heeft veranderd heeft ze hem nooit meer gemist. Vertel dat maar tegen die vrouw, van jou. En als ze het dan nog steeds niet wil, dan adviseer ik je dat huwelijk te vergeten. Een vrouw die jouw naam niet wil aannemen, die kan je een hoop problemen bezorgen.'

Eztli kocht twee piroshki – met vlees gevulde pasteitjes – bij een van de Russische winkeltjes in de buurt. Hij begon er één van op te eten terwijl hij terugliep naar Haight Street en toen hij hem op had pakte hij de andere uit en duwde vier van de tabletjes erin die hij bij de doe-het-zelfwinkel had gekocht. Hij gooide het waspapiertje en de verpakking waar de pilletjes in hadden gezeten in een afvalbak, twee straten voorbij het winkeltje waar hij de piroshki had gehaald.

Toen hij Haight Street weer had bereikt wandelde hij ontspannen langs de winkels, terwijl hij schijnbaar doelloos de etalages bekeek. Twee panden voor het centrum bleef hij staan om de vakantieaanbiedingen in de etalage van het reisbureau te bekijken. Hij zag hoe een paar oudere vrouwen bij de leuke gele labrador bleven staan, die nu klaarwakker was en enthousiast hun handen likte terwijl zij haar aaiden.

28

Farrell stond halverwege de middag in zijn zonderlinge werkruimte, die iets weghad van een studentenkamer, en draaide ongeïnspireerd aan de stangen van zijn voetbaltafel om de bal in het spel te houden.

Iemand klopte op zijn deur. Hij keek op, waardoor zijn verdediging kansloos werd en de bal in de rechtergoal verdween. Hij zei: 'Kom binnen.'

'Waar is Treya?'

'Pijnlijk onderwerp. Wil je de deur dichtdoen?'

Amanda Jenkins pronkte vandaag niet met haar benen. Ze droeg een gebleekte spijkerbroek en een eenvoudig zwart T-shirt. Zo te zien had ze haar haren niet gekamd sinds ze was opgestaan en het leek er ook niet op dat ze veel had geslapen. Toen hij haar zo zag binnenkomen kwam het even bij Farrell op haar gekscherend terecht te wijzen vanwege haar slonzige verschijning op het werk, maar toen hij haar roodomrande ogen zag besefte hij dat zoiets niet tactisch of verstandig was. Dus zei hij in plaats daarvan: 'Ik verwacht helemaal niet dat je komt werken, Amanda. Wil je niet een paar dagen vrij nemen om een beetje tot jezelf te komen?'

'Ben je gek?' zei ze. 'Ik ben juist hier om ervoor te zorgen dat de zaken niét tot rust komen. Ik wil die klootzak ophangen aan zijn ballen.'

'Dus je gaat voor de grand jury?'

'Reken maar. En eerder dan jij had gepland.'

'Dat betwijfel ik.' Hij liep om en leunde tegen de voetbaltafel. 'Zou je de zaak al eerder rond kunnen krijgen?'

'Als ik niet slaap, en dat is momenteel het geval.'

'Nou, laat het in ieder geval niet ten koste gaan van je voorbereiding. Je wilt niet dat je straks voor de grand jury staat en dat het dan mislukt.'

'Het mislukt beslist niet. Ik zal hem krijgen, ik zweer het je.'

'Weet je dat zeker? Aanstaande dinsdag al?'

'Nou, ik heb al het bewijsmateriaal van Sandoval, ik heb getuigenverklaringen over de werkopdracht van Matt, ik heb Nuñez en Janice Durbin en het wraakmotief, en dan moet ik nog zien wat Abe me te bieden heeft, maar...'

'Over Abe gesproken, heb je de column van Marrenas gezien, vanmorgen?'

'Die kan doodvallen.'

'Jawel, maar heb je haar column gelezen?'

'Nee. Hoezo?'

'Ze heeft Abe behoorlijk onder vuur genomen.'

'Abe? Waarom in 's hemelsnaam?'

'Hij betrekt Michael Durbin niet in het onderzoek. Hij is gefixeerd op Ro. Het is een wraakoefening, blablabla. En raad eens wie me gisteren belde over ons plan met de grand jury, juist toen het hier een beetje saai begon te worden?'

Jenkins streek met een hand door haar haar. 'Wat is dit in 's hemelsnaam voor flauwekul, Wes? Is dit *Alice in Wonderland?*'

'Daar lijkt het wél op. Welkom in San Francisco.'

'En wie heeft je gebeld over de grand jury? Marrenas?'

'Ja, die natuurlijk ook. Zij was de eerste. Maar het leukst was meneer Cliff Curtlee in hoogsteigen persoon, die scheen te denken dat het uiten van persoonlijke dreigementen een effectieve onderhandelingsstrategie is.'

'Het zit in de familie.'

'Kennelijk. Hoe dan ook, er bestaat geen beknopte handleiding voor deze baan bij justitie, waar ik me voor heb laten kiezen. Hij bedreigt me en ik zit hier opgesloten op kantoor zonder enig idee hoe ik hem kan aanpakken. Niet bepaald het krachtdadige optreden dat het publiek van me verwacht. Ik begin te geloven dat ik helemaal niet over de juiste kwaliteiten beschik, hoe ik ook mijn best doe.'

'We krijgen hem er heus wel onder. Echt waar.'

'Nou, íemand delft straks het onderspit, dat staat wel vast.' Ten slotte liep Wes naar de andere kant van de kamer en plofte op de bank. 'En denk niet dat ik me niet realiseer dat dit grotendeels mijn eigen schuld is.' Hij keek omhoog naar zijn belangrijkste hulpofficier. 'Het spijt me echt vreselijk, Amanda, voor Matt, en voor jou. Om maar niet te spreken van de andere slachtoffers. Ik zou wegens wanprestatie moeten worden afgezet.'

'Nou, wacht daar nou maar even mee,' zei Amanda in een poging de sfeer wat op te vrolijken. 'Je begint net een beetje de slag te pakken te krijgen.'

'Hou jezelf niet voor de gek,' zei Farrell. 'Ik kan er helemaal niets van.' De mobiele telefoon aan zijn riem telefoon ging. Hij haalde hem uit de houder, keek op het schermpje en zei tegen Amanda: 'Het is Sam. Ik moet opnemen. Eén minuutje.' Hij drukte op de beltoets. 'Hoi... Nee, ik ben net... Rustig, rustig. Wat? ... Ze is wat? ... Bel de politie, laat onmiddellijk iemand komen. Ik kom er ook aan.'

Farrell klapte de telefoon dicht. Op zijn gezicht stonden verbijstering en paniek te lezen.

'Wat?' vroeg Amanda? 'Wat is er nú weer aan de hand?'

'Jezus, iemand heeft mijn hond doodgemaakt,' zei Farrell. Zijn stem brak. 'Ze hebben verdomme mijn prachtige, lieve hond doodgemaakt.'

Na de crematieplechtigheid reed Glitsky naar Polk Street, waar hij parkeerde en in de rij ging staan voor Swan Oyster Depot. Anderhalf uur later stond hij op van zijn plaats aan het uiteinde van de bar en liep met een volle maag het zonlicht weer in, na ongeveer alle dieetvoorschriften met voeten te hebben getreden die golden voor een bij vlagen koosjere jood en een herstellend slachtoffer van een hartaanval. Hij had twee dozijn oesters op, een half dozijn sint-jakobsschelpen, een half zuurdesembrood met veel te veel boter, een halve Dungeness-krab met mayonaise en nog meer gesmolten boter, en zijn eerste twee biertjes in een alcoholvrije periode van meer dan drie jaar.

Toen hij weer in zijn auto zat belde hij Treya in Los Angeles. Ze voerden een kort gesprek dat niets oploste. Ze wilde nog steeds niet naar huis komen en de kinderen maakten het goed. Hij vertelde haar over het stukje dat Marrenas geschreven had en ze zei: 'Nou, wat had je anders verwacht?' En toen, na vijf minuten, had hij gezegd dat hij van haar hield. 'Oké,' had ze geantwoord.

Toen hij wegreed van zijn parkeerplaats slaagde hij er daadwerkelijk in wat rubber te verbranden. In kille woede reed hij naar het huis van de familie Curtlee. Niets wees op vierentwintiguurs surveillance, maar toen realiseerde Glitsky zich dat het team misschien weg was om Ro te achtervolgen. Omdat Ro mogelijk zou terugkomen, al wist hij absoluut niet wat hij moest doen als dat gebeurde, bleef Glitsky ongeveer twintig minuten aan de overkant van de straat in zijn auto zitten totdat zijn hoofd te zwaar voelde om het overeind te kunnen houden.

Toen hij na veertig minuten gedesoriënteerd en met een droge mond weer wakker werd, startte hij de motor, maakte hij een U-bocht en reed terug naar het stadscentrum, de maximumsnelheid continu met minstens twintig kilometer per uur overschrijdend, waarbij zijn duistere kant bijna hoopte dat de een of andere politieagent hem zou aanhouden, hem een bon zou willen aansmeren of hem zou proberen op een andere manier dwars te zitten.

De bebaarde en forsgebouwde Jeff Elliot zat in zijn rolstoel in zijn glazen kantoor op de begane grond van het gebouw van de *Chronicle*. Toen hij hoorde dat Glitsky aan de balie stond gaf hij vanzelfsprekend opdracht de inspecteur meteen naar hem toe te brengen. Dat zou hij altijd hebben gedaan, want sinds de mannen elkaar kenden – al meer dan twintig jaar – waren ze stilzwijgende bondgenoten geweest. Maar op dit moment was Glitsky groot nieuws, en als hij tijd wilde vrijmaken voor Jeff, dan had Jeff zeker tijd voor hem.

En daar stond hij in de deuropening, ademend door zijn neus, de lippen stijf op elkaar geklemd, het litteken dat zijn lippen doorsneed felwit. Glitsky's gevaarlijk uitziende gezicht vertoonde een splinternieuwe, angstaanjagende uitdrukking die Elliot niet kon plaatsen. De aanblik was zó dreigend dat Elliot onwillekeurig een eindje achteruitreed voordat hij zich herstelde en een welkomstglimlach produceerde die misschien ontwapenend was bedoeld.

'Eerwaarde Glitsky,' zei hij. 'Waaraan dank ik dit genoegen?'

'Off the record, tot ik het zeg.'

'Oké, geen probleem.'

'Ik heb zin om iemand om te leggen, Jeff. En dat bedoel ik letterlijk. En ik dacht: als ik niet zorg dat ik ergens binnenloop, dan doe ik het misschien nog ook.'

'Ro Curtlee?'

'Dat zou een mooi begin zijn.'

'Sheila.'

'Ja, die ook. Ik dacht, misschien kun jij het me uit mijn hoofd praten.'

'Waarom zou ik dat willen?' Jeff, die eindelijk weer rustig ademde, wees naar een stoel links van de deur. 'Wil je zitten?'

Nu leek Glitsky zich iets te ontspannen en knikte hij, alsof hij zichzelf ertoe probeerde over te halen. 'Ja, ik kan gaan zitten,' zei hij. En hij nam plaats op de stoel. Kaarsrecht.

Jeff keek hem opnieuw even onderzoekend aan. 'Beroerde dag gehad?'

Glitsky schudde zijn hoofd. 'Je moest eens weten.'

'Als je me jouw kant van het verhaal vertelt zorg ik dat het in de krant komt.'

'Om volstrekt duidelijk te zijn,' zei Glitsky, 'moet ik je zeggen dat ik nog niemand in de Durbin-moordzaak van verdenking heb uitgesloten. Haar echtgenoot niet en ook Ro Curtlee niet. Maar om, zoals Marrenas, net te doen alsof Ro geen goed motief heeft is gewoonweg krankzinnig. Hij heeft Michael Durbin de vorige week tijdens zijn voorgeleiding gezien en herkend. Het is algemeen bekend dat Michael de juryvoorzitter was tijdens zijn proces en dat hij een paar twijfelende juryleden heeft overgehaald hem schuldig te verklaren. Dus er is een wraakmotief en iedereen die dat niet gelooft houdt zichzelf voor de gek.'

Elliot pakte de dictafoon die op zijn bureau lag en hield hem omhoog.

'Betrouwbare bronnen?' vroeg Glitsky.

'Wat dacht je van een hooggeplaatste bron bij de politie?'

'Bronnen met kennis van het onderzoek.'

'Verkocht,' zei Elliot, waarop hij de dictafoon aanzette.

Weer terug in de 4Runner haalde Eztli Ro rond vier uur op bij Mo-Mo's, waar hij opnieuw had geluncht, zittend op dezelfde barkruk die hij de vorige dag ook al had bezet. Tiffany had late dienst en Ro was niet van plan te blijven wachten tot een uur of twee, of wanneer ze dan ook klaar was, dus had hij Eztli gebeld met het verzoek hem te komen ophalen.

'Vertel eens wat ik allemaal heb gemist?' vroeg Ro hem terwijl ze over de Embarcadero reden. 'Het voelt alsof ik een week ben weggeweest. Die griet is me een partij gretig in bed! Nog één keer en ze had mijn ding gebroken, ik zweer het je.'

Eztli keek hem aan met een ietwat vertederde blik. De houding van deze jongen beviel hem. 'Je meent het,' zei hij. 'Hoe dan ook, er zijn een paar ontwikkelingen geweest. De belangrijkste is dat onze achtervolgers zijn teruggefloten.'

'Heb je misschien toevallig wat te blowen bij je?'

'Zeker weten.' Eztli haalde een joint uit zijn binnenzak en gaf die aan hem. 'Ik bedoel de agenten die ons hadden moeten schaduwen.'

'Nou, die deden toch al niets.' Ro stak de joint aan en zoog zijn longen vol. Vervolgens blies hij de rook uit en zei: 'Maar ik snap niet waarom ze teruggefloten zijn. Niet dat het wat uitmaakt, overigens.'

'Sheila is bezig geweest. Ze heeft tegen Lapeer gezegd dat ze morgen over dat observatieteam zou gaan schrijven. Dat ze je op die manier bleven lastigvallen. En dat kan Lapeer er echt niet meer bij hebben.'

'Die vrouw zou ik best eens willen neuken.'

'Lapeer?'

'Nee. Nou, misschien. Maar ik heb het over Sheila. Wil je?' Hij gaf Eztli de joint. 'Zo. Dus dat betekent dat we weer de vrije hand hebben?'

Eztli nam een trek. 'Daar lijkt het wel op.

'Heb jij een idee?'

'Niet per se.'

'Nou, ik heb even nagedacht,' zei Ro, 'en ík weet wel iets.'

Glitsky praatte ruim een uur met Jeff Elliot en ging toen langs het Paleis van Justitie om zijn gezicht te laten zien. Farrell was er niet en de meeste van Glitsky's rechercheurs werkten op de automatische piloot, bezig met de administratieve verwerking van hun zaken. Van alle aanwezigen op de afdeling had hij informele en hartverwarmende blijken van steun ontvangen en omdat hij die wel kon gebruiken had hij besloten nog even te blijven om wat bij te kletsen.

Nu reed hij rondjes in een poging een parkeerplaats te vinden binnen vijf of zes blokken van zijn huis, terwijl hij de hoop langzaam begon te verliezen.

Wat ook niet hielp was een mistbank in de verte, die het eind aankondigde van het kille en heldere weer. Daarop volgde nu een kil en nat programma, vermoedde Glitsky. Daar kwamen ze al: donkere, onheilspellende wolken, zo'n dertig blokken verderop.

Toen zijn mobiele telefoon ging kwam hij even in de verleiding hem uit te zetten zonder te kijken. Hij had er al een lange en slopende dag op zitten en voelde zich uitgeput. Maar bij nader inzien bedacht hij dat het Treya wel eens zou kunnen zijn, dus keek hij toch omlaag naar het schermpje.

Michael Durbin.

'Inspecteur,' zei Durbin. 'U moet echt komen. U zult niet geloven wat hij nu weer heeft geflikt.'

29

Toen Glitsky Rivera Street eenmaal had bereikt had het slechte weer de buurt al in zijn greep. Met zwiepende ruitenwissers tegen de motregen en lichten aan vanwege de dichte mist stopte Glitsky bij Durbins adres. Hij kon de omtrekken van het huis vanaf de stoeprand nauwelijks ontwaren.

Er zat iemand achter het stuur van de auto waarachter Glitsky was gestopt en zodra hij tot stilstand was gekomen ging het portier open en zag hij in zijn koplampen dat Michael Durbin was uitgestapt. Glitsky deed zijn lampen uit, draaide de contactsleutel om en stond al buiten voordat Durbin hem had bereikt.

'Bedankt dat u bent gekomen. Ik denk écht dat dit iets is.'

Glitsky sloeg zijn armen over elkaar tegen de kou. 'Nou, laten we dan maar gaan kijken.'

Zwijgend ging Durbin hem voor over de oprit. Hij liep in de richting van een vrijstaande garage die de helft van de achtertuin in beslag nam. Doordat de garage niet aan het huis was vastgebouwd was die aan het vuur ontsnapt. Terwijl de glasscherven en de as onder hun schoenen kraakten liepen ze eromheen totdat ze een deur aan de zijkant bereikten. Boven de deur brandde een kale peer.

Durbin haalde een sleutelbos uit zijn zak en stak een van de sleutels in het slot. 'Ik had er waarschijnlijk aan moeten denken de deurknop niet aan te raken,' zei hij, 'maar het is nooit in me opgekomen dat hier iets te zien zou zijn.'

Glitsky keek omlaag naar de doorsnee koperen deurklink, materiaal waaraan een vingerafdruk uitstekend zou hechten. 'Wacht even. Bedoelt u dat u al via deze deur naar binnen bent gegaan?'

'Alleen maar één keer.'

Glitsky draaide aan de sleutel en pakte de deurknop vast met zijn gehandschoende hand, waarna hij hem omdraaide en duwde. De deur ging gemakkelijk open en hij liep naar binnen, voelde rechts van de deur naar de lichtschakelaar en drukte die in, waarop de ruimte plotseling baadde in het licht van drie rails met spotjes.

Hoewel hij min of meer verwachtte iets bijzonders aan te treffen, was Glitsky toch niet helemaal voorbereid op wat hij nu aantrof. Durbin had deze ruimte kennelijk gebruikt als schildersatelier. Hij stond oog in oog met tussen de twaalf en twintig grote, kleurrijke en – in de ogen van Glitsky – professioneel uitziende portretten van mensen die hem levensecht aanstaarden. De doeken stonden op de grond tegen de achterwand en de zijwanden. In het midden van de brede, lege ruimte rustten drie kennelijk in ontwikkeling zijnde werken op houten statieven of ezels.

Maar iemand had zich hier toegang verschaft om ze allemaal kapot te snijden. Soms met maar één snee, soms met vijf of zes zodat het doek eenvoudigweg was versnipperd. Voorzover Glitsky kon zien was geen enkel doek onbeschadigd gebleven. De kwaliteit van de schilderijen maakte dit vandalisme extra stuitend. Glitsky beschouwde zichzelf niet als een kunstkenner, maar deze schilderijen – allemaal minstens negentig bij honderdtwintig centimeter en een paar wel twee meter breed of meer – waren duidelijk van de hand van een op zijn minst bijzonder talentvolle kunstenaar. Hoe hij ook over Durbin dacht, het werk van deze man had een onmiskenbare kracht en kwaliteit. Glitsky, die twee stappen naar binnen had gedaan, stond er gehypnotiseerd naar te kijken, tot hij merkte dat Durbin naast hem was komen staan. Toen hij de man aankeek verbaasde het hem nauwelijks dat hij tranen in zijn ogen zag verschijnen.

'Denkt u dat Ro dit heeft gedaan?' vroeg Glitsky.

'Absoluut.'

'Maar hoe had hij überhaupt kunnen weten dat ze hier waren?

'Marrenas. In de periode waarin ze ons allebei door het slijk wilde halen heeft ze geschreven over mijn onoriginele, amateuristische, belachelijke schilderwerk. Dit is al sinds jaar en dag mijn atelier. Daar heb ik nooit geheimzinnig over gedaan. Waarom zou ik? Wie zou het iets kunnen schelen?'

Glitsky's aandacht werd onwillekeurig getrokken door een van de onafgemaakte schilderijen. Het was een vrouwengezicht dat vrijwel het gehele doek vulde. Durbin had haar geschilderd terwijl ze met haar schitterende, mysterieuze ogen achteromkeek. De huid zag er zó echt uit dat je de neiging kreeg die aan te raken. Zelfs ondanks de snee die door haar rechteroog omlaag liep en verderop haar neus en lippen spleet, en ondanks het feit dat het portret nog niet af was, zag ze er adembenemend uit, zeker in deze houding. 'Is dat Liza Sato?' vroeg hij.

'Ja. Of dat was ze, in ieder geval.'

'Is ze hier voor u komen poseren?'

'Nee, nee, natuurlijk niet. De mensen hebben geen tijd om te poseren. En ik heb trouwens ook geen tijd om op die manier met ze te werken. Meestal begin ik gewoon aan de hand van een foto.' Hij keek naar het schilderij. 'Ze is mooi, nietwaar?'

Glitsky knikte. 'Ja, dat is ze zeker. Heeft uw vrouw dit ooit gezien?'

Durbin schudde zijn hoofd. 'Ik blijf het herhalen, inspecteur. Ik heb Janice niet vermoord. En tot het aan flarden snijden van mijn schilderijen ben ik ook niet in staat. Ik heb hier tien jaar aan gewerkt.'

Dat mocht zo zijn, maar het was Glitsky niet ontgaan dat hij de vraag niet had beantwoord. 'Heeft uw vrouw dit ooit gezien?' vroeg hij opnieuw.

Verslagen liet Durbin zijn schouders hangen. 'Dat weet ik echt niet. Ze was niet de grootste fan van mijn schilderkunst, inspecteur, en dat kan ik haar ook nauwelijks kwalijk nemen. Toen we het geld echt nodig hadden kon ik deze dingen niet verkopen.'

'Als u het mij vraagt zijn ze anders zeer goed te verkopen.'

'Nou, dank u wel, maar dan kent u de markt niet. In ieder geval weet u niet hoe die werkt. Het is hopeloos als je fotorealistisch werk maakt. En dat is helaas wat ik doe, wat ik altijd heb willen doen. Maar je kunt er de rekeningen niet van betalen. En daar gaat het om als je een vrouw en kinderen hebt. Jammer maar waar. Dus ik heb al jarenlang niet eens meer een poging gedaan iets te verkopen.' Hij liet zijn blik over zijn vernielde werk dwalen. 'Maar dat betekent niet dat ik hier niet kapot van ben. Dat dit niet bijna het ergste is wat ik me kan voorstellen.'

Glitsky kon het zich uitstekend voorstellen; dit was een hartverscheurend staaltje van onmenselijkheid. Glitsky's voelde kramp in zijn maag bij de aanblik van deze zinloze vernietiging. Maar hij was zich er ook van bewust dat Michael Durbin dit vandalisme zelf kon hebben gepleegd in een poging de aandacht gevestigd te houden op Ro Curtlee als een geloofwaardige verdachte van de moord op Janice. Het tijdstip – zo kort nadat Ro een alibi had verstrekt voor het tijdstip van de moord – was verdacht, net zoals het feit dat Michael Durbin degene was geweest die de vernielde schilderijen had ontdekt.

Wat leidde tot Glitsky's volgende vraag: 'En wanneer hebt u dit allemaal ontdekt?'

'Vlak voordat ik u belde.'

'Schoot het u toen pas te binnen dat ze hier nog stonden?'

'Nee, inspecteur. Natuurlijk wist ik allang dat ze hier stonden. En ik wist ook dat de brand de garage niet had bereikt, zodat er geen directe noodzaak was om te gaan kijken hoe ze erbij stonden.'

'Dus u kwam hier vandaag terug om te gaan schilderen?'

'Doet het er iets toe waarom ik hierheen ben gekomen? Mijn vrouw is dood. Mijn kinderen zijn er stuk van. Het leven dat ik heb geleid is afgelopen. Na wat Marrenas vanochtend heeft geschreven – dat zou u net zo goed moeten weten als ik – is de sfeer bij mij op de zaak ook nauwelijks draaglijk meer. Bovendien ziet het ernaar uit dat een van mijn medewerkers naar haar lekt.'

'Waarom zegt u dat?'

'Iemand heeft haar verteld dat ik afgelopen vrijdag wat later op de zaak was.'

'Weet u wie het is? Of waarom?'

'Liza Sato denkt dat het een kerel is die Peter Bassey heet. Die zou jaloers zijn omdat ze me leuk vindt.' Hij keek alsof hij zich enigszins in verlegenheid gebracht voelde. 'Ja, wat kan ik zeggen? We vinden elkaar leuk. Dat is nog niet verboden als ik goed ben geïnformeerd. Die Peter vergiftigt de sfeer op het werk en ik had de hele middag niets te doen. Dus ben ik hierheen gekomen.' Hij gebaarde in de richting van de vernielde werken. 'En dit trof ik aan. Daarna belde ik u. Als Ro hier is geweest heeft hij misschien een spoor achtergelaten. Wat denkt u?'

Glitsky antwoordde niet. Hij toetste een nummer in op zijn mobiele telefoon. Hij bracht het toestel naar zijn oor en zei: 'Met Abe Glitsky van Moordzaken. Ik heb zo spoedig mogelijk een team van de technische recherche nodig.'

Sam Duncan zat ontroostbaar op een van de doorgezakte banken in de haveloze ontvangstruimte op haar werk, haar wangen nat van de tranen. Wes Farrell, die al uitgehuild was, zat naast haar en hield haar hand vast. Het lichaam van Gert lag aan de andere kant naast hem, met de kop op zijn schoot, terwijl hij haar met zijn andere hand zachtjes aaide. De dierenambulance was onderweg en Sam probeerde nog steeds te begrijpen wat er nu eigenlijk precies was gebeurd. Voor Wes was dat geen mysterie.

'Ik bedoel,' zei Sam, ze heeft de hele ochtend op de bank in de zon gelegen, zoals ze altijd doet.'

'Heb je iemand gezien die bij haar is blijven staan?'

'Wes, iedereen blijft bij haar staan. Kleine kinderen, oude vrouwtjes, iedere dakloze die voorbijkomt. Dit was Gert, snap je? De hond van wie iedereen hield, dat weet je toch?'

'Dat weet ik. Maar toch is iemand blijven staan om haar te vergiftigen.'

'Dat weten we niet. Niet zeker.'

'Ik wel.'

'Hoe dan?'

'Ik weet het gewoon. Ze was – wat was het? – vijf jaar oud. Volledig gezond. En nu komt er plotseling schuim uit haar bek en is ze dood. Dat gebeurt niet zomaar.'

'Soms wél. Waarom zou iemand zo'n lieve hond dood willen maken?'

'Het heeft niets met haar te maken. Herinner je je dat paardenhoofd nog in dat bed in *The Godfather*? Dit is precies hetzelfde. Dit is afkomstig van Cliff Curtlee.'

'Maar die heb ik ontmoet, Wes. Dat is een heel charmante man. Hij heeft nota bene geld aan het centrum gegeven. Zoiets zou hij nooit doen.'

'Niet zelf, nee. En hij is inderdaad charmant, maar hij zou hier zonder blikken of blozen opdracht voor geven en ik wil er een miljoen om verwedden dat hij dat ook heeft gedaan.'

'Maar waarom?'

'Om me te waarschuwen dat hij het meent. Dat hij geen grapjes maakt. En om me duidelijk te maken wat zijn volgende stap zal zijn. Maar de volgende keer zal het iemand zijn die me nog meer na staat, zoals jij. Of misschien ikzelf wel.

'Wanneer is voor hem dan de volgende keer?'

'Als ik doorga met mijn pogingen zijn kleine jongen voor de grand jury te slepen.'

Ze streek met haar vrije hand over haar hoofd en door haar haar. 'God, ik kan dit niet geloven. Hoe is het mogelijk dat dit gebeurt.'

'Het antwoord kennen we allebei, Sam. Ik heb onvoldoende mijn best gedaan om ervoor te zorgen dat Ro niet op borgtocht is vrijgelaten. Nu heeft hij weer van de vrijheid geproefd en hij is niet van plan die zonder slag of stoot weer op te geven. Hij zal zich er met alle middelen tegen verzetten. Hij keek omlaag naar zijn hond. 'Verdomme!'

Sam boog zich over hem heen en raakte de kop van Gert zachtjes aan, waarna ze haar hand op Farrells dij liet liggen. 'En wat ga je nu doen?'

'Ik weet het niet. Ik heb nog geen idee. Ro nu meteen arresteren. De grand jury bijeenroepen voor een spoedzitting, morgen bijvoorbeeld, en de zaak gewoon presenteren zoals Amanda hem in grote lijnen heeft voorbereid.'

'Maar je zei dat het niet Ro maar Cliff Curtlee was.'

'Ik weet het. Dat is waarschijnlijk ook zo. Ik weet niet eens of het wel iets uitmaakt. Het is zo'n puinzooi. Misschien is er daarom wel een andere stem in me die zegt dat ik Cliff beter maar kan bellen om hem mee te delen dat ik de boodschap heb ontvangen en dat hij wint. We trekken alles terug wat te maken heeft met Ro, behalve het nieuwe proces, dat toch pas in augustus is gepland. Misschien zal het bloedvergieten dan ophouden.'

'Geloof je dat?'

Farrell schudde zijn hoofd. 'Nee. Ro zal nog steeds die andere belangrijke getuige willen vinden, een vrouw die Gloria Gonzalvez heet. Die zou dan ook nog in gevaar kunnen zijn. Nee, die is hoe dan ook in gevaar, en ook daarom kan ik niet opgeven, afgezien van het feit dat ik dat ook helemaal niet wil. Opgeven is niet aan de orde. Ik moet druk op deze klootzakken blijven zetten. Ze moeten begrijpen dat ze de verkeerde te pakken hebben als ze denken dat ze dit soort dingen kunnen doen en ermee weg kunnen komen.'

'Maar stel dat ze dan nog iets ergers gaan doen in jouw richting?'

'Iets tegen een van ons beiden, bedoel je?' Hij schudde zijn hoofd. 'Daar zal ik ze geen tijd voor gunnen. Al weet ik dat er niets is waarvoor ze zullen terugdeinzen als ze in staat zijn tot zoiets als dit. Ik zou ervoor kunnen zorgen dat jij op een veilige plek wordt ondergebracht totdat dit achter de rug is.'

'Dat wil ik niet.'

'Nee, maar het zou wel eens verstandig kunnen zijn.'

Sam liet Wes' hand los, stond op en liep naar de deur. Zoals ze daar stond, met de armen over elkaar, kijkend naar het duister en de mist, leek ze op een standbeeld, afgezien van de beweging van haar schouders die ze lichtjes optrok en weer ontspande. Ten slotte haalde ze diep adem en draaide zich om. 'Nee, verdomme. Als ze jou niet weg krijgen, dan laat ik me ook niet wegjagen.'

'Ja, maar jij hebt dit niet gezocht en ik wél. Dat is niet hetzelfde.'

'Maar het scheelt niet veel.'

'Dat is niet waar. En ben jij niet degene die me een paar dagen geleden heeft verlaten omdat ik mijn werk zo slecht deed? En zal ik je eens wat zeggen? Je had gelijk. Ik had het de afgelopen weken onmogelijk slechter kunnen doen, hoe hard ik dat ook zou hebben geprobeerd.'

Ze was weer teruggelopen en liet een knie vlak voor hem op de bank rustten. 'Dat ging niet over je baan, Wes. Het ging over hoe jij en ik communiceren over wat je doet, wat er zich in je leven afspeelt. Zoals we nu zijn, bijvoorbeeld. En je kunt deze mensen niet laten wegkomen met zoiets als... zoiets als dit. En erger.'

Hij keek haar indringend aan. 'Ik moet eerlijk tegen je zijn. Ik weet niet precies hoe ik ze kan tegenhouden, Sam, wat ik precies ga doen, maar ik ga het absoluut proberen. Al klopt het dat ik waarschijnlijk niet de beste man ben voor deze klus.'

'Maar dat ben je wél, Wes. Jij bent de enige die dat op dit moment kan doen.'

'Heb je ook enig idee hoe?'

'Nu nog niet, maar daar komen we wel uit. Dat beloof ik je.'

'We?'

'Ja, we. Natuurlijk. Wij samen. Wat dacht je dan?'

30

Durbin bleef twee uur lang in de garage met Glitsky en het team van de technische recherche. Het team werkte snel en efficiënt. De rechercheurs namen vingerafdrukken af van voor de hand liggende oppervlakken, zochten naar vezels, haren en wat ze verder konden gebruiken, waarbij ze een hoop stofwolkjes veroorzaakten. Ze vonden niets wat onmiddellijk wees in de richting van Ro Curtlee of wie dan ook – geen voorwerp dat voor het snijden kon zijn gebruikt, bijvoorbeeld – en omdat de volgende stappen in het onderzoek plaats zouden vinden in het politielaboratorium, deelden ze mee dat ze klaar waren en vertrokken. Glitsky was de hele tijd een onbestemde, enigszins dreigende aanwezigheid geweest die Michael uit de buurt van de teamleden had gehouden, nauwelijks had uitgelegd wat er gebeurde en niet erg spraakzaam was geweest.

Nu, rond een uur of acht, liep Durbin via de keukendeur het huis van de familie Novio binnen. Het was er donker en tamelijk rustig, al stond er zo te horen ergens een televisie aan. Michael was een beetje verbaasd toen hij Kathy in haar eentje op een stoel achter het granieten werkblad zag zitten, met een glas voor zich.

Toen hij binnenkwam keek ze op en hij zag dat ze had gehuild. 'Hé,' zei ze, zo zachtjes dat hij het maar net had kunnen verstaan.

'Hé.' Hij liep naar het aanrecht en bleef staan. 'Gaat het wel?'

Ze trok haar schouders een paar centimeter op.

'Wat drink je?' vroeg hij.

'Ik weet het niet. Whisky, geloof ik.'

'Heb je behoefte aan gezelschap? Ik weet dat je de hele dag al mensen om je heen hebt gehad, dus als je er geen...'

'Nee joh, ga je gang. De fles staat daar op het aanrecht. Vul mij ook maar bij, als je wilt.'

Michael pakte een glas, deed er ijs in, vulde het met whisky, liep toen naar Kathy en vulde haar glas bij. Hij ging op de kruk naast haar zitten en nam een slokje. 'Is Jon al terug?' vroeg hij.

'Nog niet. Hij heeft me een sms'je gestuurd om te zeggen dat hij nog wegblijft.'

'Tot wanneer?'

Ze keek hem aan. 'Tot hij terugkomt, neem ik aan. Het komt wel goed, Michael. Hij redt het wel.'

'Hij denkt dat het mogelijk is dat ik Janice heb vermoord.'

Ze schudde haar hoofd. 'Dat betwijfel ik. Hij is gewoon van streek. Iedereen is van streek en iedereen laat dat op een andere manier merken.'

Hij nam nog een slokje van zijn whisky. 'En waar zijn alle anderen?'

'De meisjes kijken televisie. Peter ligt al boven te slapen, geloof ik. Chuck is op de universiteit.'

'Op de universiteit?'

'Hij moet scripties nakijken.' Ze nam een slokje. 'Het houdt nooit op.'

'Ik snap niet waar hij de energie vandaan haalt.'

Ze draaide haar hoofd opzij en keek hem aan met een uitdrukking die hij niet goed kon plaatsen. 'Die spaart hij op andere fronten.'

Michael, die niet goed wist wat hij met deze opmerking aan moest, zei: 'Dat moet wel.'

Ze namen allebei weer een slok.

'Dat had ik niet moeten zeggen,' zei Kathy. 'Ik zal wel dronken zijn.'

'Dat geeft niks. Dat mag best een keertje.'

'Dat weet ik wel, maar ik mag Chuck niet afvallen. Maar soms is het gewoon zo moeilijk, op een dag als vandaag bijvoorbeeld, met al die mensen die in en uit lopen en zoveel emoties. Dan denk je soms: zou het niet fijn zijn als je man niet naar zijn werk hoefde te gaan maar gewoon bij jou kon blijven, en dat we misschien... Ik weet het niet. Gewoon onszelf konden zijn.' Hoewel ze niet snikte liepen plotseling de tranen weer over haar wangen. 'Ik bedoel,' zei ze, 'ik moet gewoon denken aan Janice die zomaar is gestorven; de ene minuut leefde ze nog en ineens was ze voor altijd verdwenen, en je vraagt je af wat er nu eigenlijk écht belangrijk is, waarom je de dingen doet die je doet en waarom je niet meer tijd doorbrengt met diegene van wie je zogenaamd houdt als ze je zo verschrikkelijk nodig heeft, in plaats van de stomme scripties van die stomme studenten te corrigeren.'

Ze veegde de tranen van haar wangen, pakte haar glas, nam een nieuwe slok en zette het weer neer. 'Het spijt me, Michael. Het spijt me verschrikkelijk. Ik weet even niet wat ik zeg. Ik ben gewoon nog zo in de war. Ik voel me zo eenzaam. Zo volkomen eenzaam. Ik weet dat jij dat begrijpt.'

'Dat klopt.'

'Ik zou helemaal niet boos op Chuck moeten zijn. Het gaat ook niet om hem. Het gaat om de hele wereld.'

'Daar kun je heel goed boos op zijn,' zei Michael. 'Daar ben ik ook behoorlijk boos op.' Hij pakte zijn glas en dronk het leeg.

Dismas Hardy, de managing partner van Wes Farrells advocatenkantoor, was de beste vriend van Abe Glitsky. Samen met zijn vrouw Frannie woonde hij op 34th Avenue vlak bij Clement Street. En hoewel het niet direct op de route naar huis lag, hoefde Glitsky er ook niet ver voor om te rijden. Toen hij langs het huis reed zag hij dat er licht brandde in de woonkamer. De rook die uit de schoorsteen kwam was een paar seconden vaag zichtbaar voordat hij verdween in de mist. Een parkeerplaats aan de overkant gaf de doorslag. Glitsky maakte een U-bocht en zette zijn wagen langs de stoep.

Hardy, gekleed in een oude, versleten spijkerbroek, afgetrapte bootschoenen en een verschoten blauwe trui die betere dagen had gekend, opende de voordeur van zijn vrijstaande Victoriaanse huis. 'Het spijt me,' zei hij. 'Geen colporteurs. Misschien heeft u het bordje bij het hek niet gezien.'

En hij deed de deur voor zijn neus dicht.

Glitsky kon eenvoudigweg op de deur hebben geklopt of opnieuw op de bel hebben gedrukt, maar dit had vanzelfsprekend op de een of andere obscure maar belangrijke manier betekend dat hij had verloren, dus stak hij zijn handen in zijn jaszakken en besloot te wachten zolang het nodig was. Hardy hield het bijna een minuut vol en het had misschien nog wel langer geduurd als Frannie zich er niet op de een of andere manier mee had bemoeid en ten slotte de deur opende, kennelijk verrast hem te zien.

'Abe. Jezus, jongens toch. Hoe lang was je daar blijven staan?'

'Zo lang als het nodig was. Diz zou de deur uiteindelijk wel open hebben gedaan.'

'Absoluut niet,' zei Hardy. Waarna hij eraan toevoegde: 'Hij had alleen maar even hoeven kloppen.'

'Vergeet het maar,' zei Glitsky.

'Maar wil je nu dan binnenkomen?' vroeg Frannie. 'In plaats van hier de hele tijd in de kou te blijven wachten?'

'Dat zou leuk zijn.'

'Laat hem dan wel even "alsjeblieft" zeggen,' zei Hardy. 'Dat levert tenminste nog vijftien minuten nadenken op.'

Ze draaide zich om naar haar man. 'Jij hebt echt een probleem, weet je dat?'

'Niet echt een probleem,' antwoordde Hardy, 'maar eerder iets ongrijpbaars, iets vergankelijks of etherisch; iets ondefinieerbaars in de beste betekenis van het woord.'

'Ik kies jouw kant, Fran,' zei Glitsky. 'Ik zou het ook een probleem noemen. Dat vertel ik hem al jaren.'

'Oké, nu is de maat vol. Nu moet hij écht "alsjeblieft" zeggen.'

'O, in godsnaam!' Frannie pakte Glitsky bij de arm, trok hem naar binnen en deed de deur achter hem dicht.

'Daarom hou ik nou van haar,' zei Hardy. 'Dankzij haar lijken de moeilijkste beslissingen ineens gemakkelijk.'

Vijf minuten later zaten Hardy en Glitsky ieder in een leunstoel voor de open haard, Hardy met een glas whisky zonder ijs en Glitsky met een kop groene thee die Frannie voor hem had gezet. 'En natuurlijk,' zei Glitsky, 'ik weet wat je vanochtend hebt gelezen, hoe ik me met betrekking tot deze moorden helemaal richt op Ro Curtlee...'

'Ik lees de *Courier* uitsluitend onder zware druk.'

'Nou, ik ben blij dat te horen. Maar het blijft een feit dat Ro kennelijk een alibi heeft in het geval van Janice Durbin, en haar echtgenoot niet.'

'Denk je dat hij het heeft gedaan?'

'Ik denk dat hij het gedaan zou kúnnen hebben. Maar dat geloof ik echt niet. Ik bedoel, die man is een kunstenaar met veel talent. Ik kan me niet voorstellen dat hij zijn eigen schilderijen kapot snijdt en Ro ervoor probeert te laten opdraaien, zonder iets achter te laten dat naar Ro wijst. Is dat logisch?'

'Niet echt.'

'Dus ja, ik geloof nog steeds dat Ro waarschijnlijk de dader is, maar als ik het bij het verkeerde eind heb en Wes mijn zaak aan de grand jury voorlegt... Begrijp je mijn probleem?'

'Natuurlijk. Als hij van één aanklacht wordt vrijgepleit stort de hele boel in elkaar. Dus Janice zou ik niet gebruiken.'

'Maar zonder haar kunnen we niet hard maken dat Ro een motief heeft.'

'Natuurlijk wel. Die getuige – hoe heet ze ook alweer? – de eerste vrouw die hij vermoord heeft na zijn vrijlating.'

Glitsky knikte. 'Felicia Nuñez. En dat is één zaak waarin een relatie bestaat met zijn proces, maar zonder Janice Durbin is dat alles wat we hebben. De enige zaak. Dan is er geen patroon.'

Hardy keek naar het vuur en nipte van zijn glas. 'En Matt Lewis?'

Glitsky stak zijn hand uit en bewoog zijn handpalm heen en weer. 'Zwak, om het voorzichtig te zeggen. Bovendien hebben Ro en zijn butler allebei een alibi. Kennelijk hadden deze twee astronomieliefhebbers besloten naar het planetarium te gaan.'

'Nou, dát is nog eens geloofwaardig,' antwoordde Hardy spottend. Op serieuzere toon voegde hij eraan toe: 'Te veel perfecte alibi's, dat wekt bij mij altijd argwaan. Dat riekt naar voorbedachten rade.'

'Ja, toch?'

'Dus wat ga je nu doen?'

'Ik weet het niet. Het ziet ernaar uit dat het vooral gaat om Janice Durbin, maar we hebben geen enkel solide bewijs tegen Ro in die zaak. In ieder geval wil ik mijn twijfels over de echtgenoot wegnemen voordat Wes naar de grand jury gaat.'

'Nou, er moet toch op enig moment wel iets boven water komen.'

'Ja, maar ik heb liever niet dat dat gebeurt in de vorm van een nieuw moordslachtoffer.'

'Aan wie denk je dan bijvoorbeeld?'

'Ik weet het niet. Wie dan ook. Wes, Amanda, ikzelf. Ik meen het. Of die andere en nu laatste getuige uit zijn proces, als hij haar kan vinden.'

'Wie is dat?'

'Gloria Gonzalvez. Een van de vrouwen die hij heeft verkracht.'

'Heb je haar in een beschermingsprogramma?'

'Nee.' De frustratie was van Glitsky's gezicht af te lezen. 'En ik kan haar ook niet vinden.'

Er verscheen een frons op Hardy's voorhoofd. 'Dus zoals de zaken er nu voorstaan zal ze niet getuigen in het nieuwe proces?'

'Niet als we haar niet kunnen traceren.'

'Dus zelfs straks in dat nieuwe proces... dan heb je wel een verklaring, maar geen daadwerkelijke getuige die komt opdagen?'

'Klopt.'

Hardy schraapte zijn keel en Glitsky wist precies wat hij dacht –

zonder getuigen was ook het nieuwe proces een hachelijke zaak. Er was een grote kans dat Ro nooit meer achter de tralies terecht zou komen. Hardy nam nog een slokje whisky. Frannie verscheen in de deuropening en vroeg Abe of hij nog thee wilde.

'Nee, dank je, ik heb genoeg.'

Frannie knikte, aarzelde even en zei toen: 'Ik weet dat het een beetje kort dag is, maar we zijn er juist achter dat onze kleine schatjes dit weekend allebei thuis zijn. Misschien kun je zaterdag met Treya en de kinderen gezellig komen eten.'

Glitsky aarzelde even voordat hij antwoordde. 'Ze zijn allemaal naar haar broer in Los Angeles. Dat heeft ook met Ro Curtlee te maken. Treya is bang dat hij een van de kinderen iets zal aandoen.'

'Treya is nergens bang voor,' zei Frannie.

'Nee, meestal niet,' gaf Glitsky toe. 'Maar Ro Curtlee heeft haar aandacht gevangen. Ze is absoluut bang voor hem.'

'En wanneer komt ze terug?' vroeg Frannie.

'Dat,' zei Glitsky, 'is een goede vraag. Hopelijk ooit.'

Hardy reageerde onmiddellijk. Hij schoof naar het puntje van zijn stoel en leunde voorover naar zijn vriend. 'Zeg, kom nou, Abe. Natuurlijk komt ze terug.'

Glitsky knikte bedachtzaam, alsof hij erover nadacht. Ten slotte zuchtte hij even. 'Laat ik het hopen,' zei hij. 'Maar helemaal zeker ben ik er niet van.'

Toen ze aan de stem uit de intercom hoorde dat Michael Durbin voor haar deur stond, wist Liza aanvankelijk niet wat ze daarvan moest denken.

Hij had haar nog nooit opgezocht in haar woning, een gerieflijke tweekamerwoning in Chestnut and Laguna, niet ver van de zaak. Liza was nu al meer dan een jaar verliefd op hem. Het was begonnen met een onschuldig gevoel van verwantschap – ze had in het begin een andere vriend gehad – die zich gedurende de jaren waarin ze samenwerkten had ontwikkeld tot vriendschap.

Totdat ze uiteindelijk, op het kerstfeest twee decembers geleden, na het diner met zijn allen waren gaan poolen in een van de bars aan North Beach. Toen ze daar vooroverleunde om te stoten – ze droeg een lage hals maar niet echt een diep decolleté – merkte ze op hoe hij naar haar keek. Janice was al naar huis gegaan en Liza had beslist te veel gedronken. Michael had geglimlacht en zijn schouders opgehaald alsof hij wilde zeggen: 'Je hebt me betrapt.' Ze keek hem strak aan, richtte zich op, liep om de tafel heen, stevende recht op hem af en vertelde hem zonder omhaal dat ze van hem hield.

Hij vertelde haar dat hij ook van haar hield, boog zich voorover en gaf haar een lange, hartstochtelijke tongzoen die haar de adem benam.

Maar toen, vrijwel onmiddellijk daarna, terwijl ze elkaar nog steeds vasthielden, realiseerde hij zich wat hij had gedaan. Hij maakte zich los, verontschuldigde zich en zei dat hij dat niet had moeten doen en dat het een vergissing was.

Toen ze de maandag daarop weer op het werk waren had hij haar uitgenodigd voor de lunch en opnieuw zijn verontschuldigingen aangeboden. Het was niet dat hij haar niet aantrekkelijk vond, vertelde hij haar, en natuurlijk hield hij van haar als mens, maar hij was getrouwd met Janice en had een verantwoordelijkheid ten opzichte van haar en zijn gezin. Hij had een plotselinge verliefdheid jegens Liza gevoeld die hij in een onbewaakt ogenblik niet had kunnen weerstaan, maar dat was alles wat er ooit tussen hen zou kunnen zijn.

Als het te ongemakkelijk voor haar was nog langer voor hem te blijven werken zou hij daar begrip voor hebben en haar zo goed mogelijk helpen een baan te vinden met minstens hetzelfde salaris en dezelfde secundaire arbeidsvoorwaarden. Maar als ze wilde blijven dan zou hij haar vanzelfsprekend graag houden. Er kon echter geen herhaling zijn van wat die bewuste avond had plaatsgevonden.

Zo'n herhaling was er ook niet meer geweest.

Zonder te aarzelen drukte ze op de knop die de voordeur beneden opende om hem binnen te laten. En nu deed ze de deur van haar appartement open terwijl hij uit de lift kwam en haar zag staan. Toen hij haar naderde liep ze recht in zijn armen. Ze omhelsden elkaar zo stevig dat het leek alsof hun levens ervan afhingen.

31

Het idee dat Ro eerder die dag had gehad was min of meer een spelletje. Hij had met Tiffany gesproken over sommige dingen die veranderd waren gedurende zijn jaren in de gevangenis; niet alleen iPods, telefoons en al die technologie, maar ook de andere ontwikkelingen in de wereld, waardoor het leven van alledag zo anders aanvoelde.

De enorme winkelcentra en megadiscountwinkels waar je alles wat je nodig had op één plaats kon kopen. Of, aan de andere kant van het spectrum, alle onafhankelijke boekwinkels die de deuren hadden moeten sluiten. Als je tegenwoordig een boek nodig had, zei Tiffany, had je slechts de keuze uit twee verkooppunten: Borders en Barnes & Noble, en die leken als twee druppels water op elkaar. Of neem nu coffeeshops – op iedere hoek een Starbucks. Wie had dat kunnen voorspellen. Voor koffie, nota bene.

Maar dat voorbeeld had Tiffany ertoe gebracht hem te vertellen over een ander verschijnsel dat zich de laatste tijd voordeed in de stad. Iets dat ze eerst nauwelijks had kunnen geloven, tot vrienden van haar die het daadwerkelijk hadden gezien, haar hadden verteld dat het helemaal niet ongewoon was – mensen die openlijk wapens bij zich droegen. Volgens Tiffany leek dit voornamelijk mogelijk te worden gemaakt door Twitter, Facebook en andere dingen op het internet waar Ro geen verstand van had, en hadden deze mensen de gewoonte op de een of andere manier allemaal met elkaar af te spreken in een bepaalde vestiging van Starbucks, waar ze zich met een beroep op het Tweede Amendement vertoonden met wapens in holsters. Net als in het Wilde Westen.

Zoiets gebeurde nu iedere dag, zei ze, maar waarom het vooral in Starbucks plaatsvond wist ze niet. Het gebeurde overigens niet alleen in de coffeeshops. Het vorige weekend was er nog een groep van zeventig mensen komen opdagen op Baker Beach, allemaal met een pistool. Vet, toch?

Dat vond Ro ook.

De grap was dat de wapens niet geladen mochten zijn. Dat zou illegaal zijn, omdat de gemeentewetten, de county-wetten en de staatswetten het dragen van geladen wapens verboden. Maar tot Ro's verbazing was het dragen van de wapens zelf niet strafbaar. Zolang iedereen maar kon zien dat je er een bij je droeg werd je uitdrukkelijk beschermd door het Tweede Amendement.

Wat nergens op sloeg, want je kon het wapen ongeladen bij je dragen, met een magazijn met vier patronen los in je zak, zodat het laden van het wapen ongeveer even weinig tijd kostte als het doorladen. Maar het belangrijke punt voor hem was niet waarom het gebeurde, maar dát het gebeurde. Mensen die rondliepen met volledig bruikbare wapens op hun heupen? Hij had Eztli voorgesteld samen eens de stad in te gaan om te kijken of ze de bewuste plaatsen konden vinden, en dat hadden ze gedaan.

Tegen vijf uur, vlak voordat ze het wilden opgeven, hadden ze plotseling beet bij een Starbucks vlak bij MoMo's bij Fisherman's Wharf, waar ze hun zoektocht waren begonnen. Toen ze erlangs reden zagen ze niet alleen dat het er veel drukker was dan normaal, maar ook dat er drie zwart-witte patrouillewagens voor de zaak stonden geparkeerd. Eztli en Ro waren geen van beiden bang voor de politie en bovendien wisten ze dat de politiemensen in deze Starbucks wijkagenten waren. Hun aanwezigheid maakte het gebeuren hooguit nog wat spannender. Dus reed Eztli een straat verderop een parkeergarage binnen, verwijderde de kogels uit zijn eigen wapen en stak het pistool achter zijn riem. Hij trok bovendien zijn colbertje uit en legde dat op de zitting van de stoel, zodat er geen misverstand kon ontstaan over de vraag of het wapen al dan niet verhuld was.

Vervolgens waren ze naar Starbucks gelopen om de boel te gaan bekijken.

Inderdaad waren er zo'n vijfendertig of misschien wel veertig mensen die wachtten op hun koffie of dronken van hun extra grote macchiato – of wat het ook mocht zijn; en allemaal droegen ze een wapen. De geüniformeerde agenten – nu acht in getal – controleerden beleefd maar grondig of geen van de wapens geladen was. Alle demonstranten waren betrekkelijk goed gekleed en gedroegen zich fatsoenlijk. Een groot deel leek goed opgeleid. Het waren grotendeels mannen, al waren er meer vrouwen bij dan Ro had verwacht, ongeveer zes of acht.

Toen Ro de zaak binnenliep was hij waarschijnlijk de enige aanwezige in dit nette gezelschap die ongewapend was.

Nog high van hun joint, bleven ze lang genoeg om hun koffie op te drinken en wachtten ze totdat de menigte langzaam afdroop. Zoals ze hadden verwacht werden ze door geen van de agenten herkend. Toen ze weer terug waren bij de garage wachtten ze op het trottoir totdat ze zagen hoe een van de demonstranten hen passeerde en de garage binnenliep. Het was een corpulente, kalende man van middelbare leeftijd die was gekleed in een onopvallend zakenkostuum. In een holster tegen zijn heup droeg hij iets dat leek op een groot semi-automatisch pistool met een handgemaakte kolf.

Eztli, die hem snel en geluidloos achterna was gegaan, velde hem met een enkele nekslag, en minder dan vijf minuten later droeg Ro het pistool op zijn heup en had hij de kogels die de man bij zich had gedragen in zijn zak. Bulderend van het lachen na dit geintje scheurden ze de garage uit.

Nu, om ongeveer halftwaalf, zette Ro de televisie op zijn kamer uit. Hij was niet zozeer moe maar eerder verveeld, en als hij zich verveelde werd hij onveranderlijk geil. En hij had beslist geen zin te wachten tot ongeveer twee uur, het tijdstip waarop de dienst van Tiffany erop zat. Bovendien was hij niet van plan met één meisje een vaste relatie aan te knopen. Niet als er veel dichterbij zoveel andere mogelijkheden waren.

Ro's kamer bevond zich op de derde verdieping, aan de andere kant van het huis en één verdieping boven de slaapkamer van zijn ouders. De kamers van Eztli, de kok en de twee dienstmeisjes bevonden zich twee verdiepingen lager in het souterrain. Om de communicatie in het huis met een oppervlakte van zeshonderdvijftig vierkante meter te vergemakkelijken, had de familie Curtlee een geavanceerd intercomsysteem laten aanleggen tussen de verschillende verdiepingen en kamers.

Opgewonden over het plannetje dat hij had bedacht, stond Ro op van zijn bed en liep naar zijn dressoir. Hij opende een van de laden en pakte het pistool dat hij eerder die middag had bemachtigd. Hij liet het op zijn hand rusten en bewonderde het gewicht en uiterlijk. Het was een schoonheid, vond hij. Splinternieuw, althans zo zag het eruit. Een groot ding met een fors magazijn voor zeventien kogels, ongeveer dertig centimeter lang, met een zacht glanzende roestvrijstalen loop en een handgemaakte kolf. Het soort pistool dat ook vanaf de andere kant van de kamer voldoende zou opvallen.

De twintigjarige Linda Salcedo hoorde de zachte toon van de intercom door de dekens heen. Even kon ze het geluid niet plaatsen. Toen ze helemaal wakker was wachtte ze in de duisternis van haar kamer. Had ze het zich verbeeld of had een van de Curtlees haar inderdaad ergens voor nodig, zelfs op dit late tijdstip? Dat zou ongewoon zijn, omdat ze was aangenomen om de kamers schoon te houden, een taak die haar hele dag in beslag nam. Nadat ze had helpen afruimen na het avondeten had ze de avonden doorgaans voor zichzelf. Maar mocht iemand haar op welk tijdstip dan ook nodig hebben – om toiletpapier aan te vullen, een haar uit een wasbak te verwijderen, een lamp te verwisselen of wat dan ook – dan was ze verplicht dat te doen.

En inderdaad, daar klonk het geluid opnieuw. Het was de intercom.

Met een zucht gooide ze de dekens van zich af, waarna ze blootsvoets naar de deur van haar kamer liep en op de antwoordknop drukte. '*Sí?*'

'Hoi, Linda. Met Ro. Ik ben boven. Sorry dat ik je zo laat nog lastigval.'

'Dat geeft niet.' *Nee, ik zat hier gewoon om middernacht te wachten tot ik eindelijk iets te doen zou hebben, hopend dat iemand me zou roepen.*

'Goed. Luister. Toen ik zojuist uit de douche kwam heb ik de shampoofles omgestoten en nu ligt er shampoo op de vloer. Zou je even boven kunnen komen om het op te ruimen? Anders glij ik er vannacht misschien over uit.'

'Oké,' zei ze, met een gefrustreerde en vermoeide zucht. *Heb je een beetje shampoo gemorst? Het is zeker te veel moeite dat zelf even op te ruimen, nietwaar? Nee, stel je voor.* 'Over twee minuten, *sí?*'

'*Sí,*' zei hij. 'Twee minuten is goed. Drie ook. Neem rustig de tijd.'

'*Gracias.*'

'*De nada.*'

Ze had geslapen in haar nachtjapon en even overwoog ze die uit te doen en haar uniform aan te trekken, maar dat leek veel moeite als ze alleen maar even naar boven moest om wat gemorste shampoo op te ruimen, wat waarschijnlijk niet langer dan een minuut zou duren. Dus besloot ze alleen haar ochtendjas en haar Crocs aan te trekken. Binnen vijf minuten was ze klaar en dan kon ze weer gaan slapen.

Niemand anders leek wakker te zijn in het huis, maar de gangen werden verlicht door kleine nachtlampjes, en in dit vage licht nam ze de drie trappen naar de bovenste verdieping, waarna ze linksaf liep naar de dichte deur van Ro's kamer aan het eind van de gang. Ze klopte zachtjes aan.

'Kom maar binnen.'

Toen ze de deur opende was ze even verrast toen ze merkte dat Ro het licht al had uitgedaan. Waarschijnlijk was hij weer gaan slapen omdat hij geen reden meer had om met haar te praten; hij had haar immers al verteld wat ze moest doen.

'Wil je de deur achter je dichtdoen?' Ze wist waar zijn bed stond, en dat was de plaats waar zijn stem vandaan klonk.

Ze deed wat haar gevraagd werd en nu was er niets anders dan duisternis. Ze bleef doodstil staan in de kamer om haar ogen aan het donker te laten wennen zodat ze naar de badkamer kon gaan waar hij de shampoo had gemorst.

'Je kunt het licht aandoen,' zei hij.

Opnieuw deed ze wat haar werd gevraagd, waarbij ze zich half omdraaide naar de lichtknop naast de deur. Toen ze weer in zijn richting keek sprong ze van schrik een stukje naar achteren. Ze slaakte een kreetje en bracht haar hand naar haar mond, de ogen opengesperd van angst.

Ro zat naakt op de dekens met een volledige erectie. Hij hield een pistool vast, de loop gericht op haar hart. Met zijn andere hand, die onder het gips uitstak, tikte hij naast zich op het bed. Hij glimlachte breed en zei: 'Er zal je niks overkomen als je verstandig bent. Kom maar hier en doe die ochtendjas uit. Dan gaan jij en ik gezellig liggen en lekker genieten.'

Toen hij van Liza terugreed naar het huis van Chuck en Kathy wist Michael maar één ding zeker: zijn leven was een puinhoop.

Er was schuldgevoel, maar zonder twijfel ook opgetogenheid na de tijd die hij zojuist met Liza had doorgebracht. Hij prentte zichzelf in dat het niet zijn bedoeling was geweest met haar naar bed te gaan, maar dat hij gewoon iemand nodig had gehad om mee te praten. Iemand die hij vertrouwde en die hem geloofde. Maar had hij toen hij naar haar huis reed al geweten dat ze waarschijnlijk seks zouden hebben? En zelfs al had hij dat geweten, was daar dan iets op tegen? Misschien was het wel érg vroeg na de dood van Janice. Dát was erop tegen, dacht hij. Maar Janice was nu echt dood. Gecremeerd. Hij was haar trouw geweest tot aan de dood, zoals hij destijds had gezworen. En daarna was hij haar niets meer verschuldigd.

Er was zoveel dat hij niet begreep van alles wat hij nu doormaakte en hij dacht dat Liza gevoelig en intelligent genoeg was om het allemaal met hem door te praten. Janice weg. Zijn schilderijen nu ook weg. Zijn oudste zoon die dacht dat hij in staat was een moord te plegen. En nu hij toch bezig was kon hij er ook nog het feit aan toevoegen dat hij voor het eerst sinds twintig jaar met een andere vrouw had geslapen. En dat hij rondreed met een geweer in de kofferbak van zijn auto.

Hij had het niet nodig gevonden Glitsky te vertellen wat de ware reden was geweest waarom hij die bewuste avond, toen de crematieplechtigheid was afgelopen, naar zijn garage was gegaan. Hij was alleen maar bij toeval op zijn vernielde schilderijen gestuit; hij was niet naar de garage gegaan om te schilderen. Hij was erheen gegaan om zijn geweer te halen. Of hij dat vooral had gedaan om zichzelf te beschermen of om iemand om te leggen wist hij niet helemaal zeker, maar zodra de gedachte het wapen bij de hand te hebben eenmaal bij hem was opgekomen, had hij de verleiding niet kunnen weerstaan.

Toen hij zijn wagen parkeerde op de oprit van het huis van de familie Novio, keek hij op het dashboardklokje voordat hij de motor uitzette: 01.21 uur. Hij stapte uit, liep naar achteren en opende de kofferbak. Daarin lag nog steeds het geweer, samen met de doos met kaliber 12-munitie die erbij hoorde. Hij pakte ze allebei en droeg ze naar de deur van de keuken. Het was zinloos een wapen te hebben als je er in een noodgeval niet bij kon, dacht hij.

In de woonkamer brandde één lamp. Michael liep de kamer binnen vanuit de keuken en Chuck keek op van zijn leesstoel. Op zijn schoot lag een stapel papieren. Een tweede stapel lag naast hem op de vloer.

'Ben je nog op?' vroeg Michael.

'Ik kon niet slapen.' Hij gebaarde vaag naar het geweer. 'Wat doe je met dat ding?'

'Dat hou ik bij de hand.'

'Is het geladen? Ik geloof niet dat ik het een prettig idee vind een geladen geweer in huis te hebben.'

Bij wijze van antwoord opende Michael het geweer en keek in beide lopen. 'Allebei leeg.' Toen hield hij de kleine kartonnen doos omhoog. 'Hier is de munitie.'

'Waar ga je het bewaren?'

'Ergens bij mij in de buurt. Heeft Kathy je het laatste nieuws al verteld?'

'Ik heb haar niet gezien. Ze sliep al toen ik thuiskwam. Wat is het laatste nieuws?'

Michael ging zitten, legde het geweer tussen hen in op de salontafel en vertelde hem over de vernielde schilderijen.

'Allemaal?' Chuck zat nu op het puntje van zijn stoel.

'Stuk voor stuk.'

'Godallemachtig,' zei Chuck. 'Waarom heeft hij dat gedaan?'

'Waarom heeft hij Janice vermoord? Om dezelfde reden. Om zich op mij te wreken.'

Chuck leunde achterover alsof hij uitgeput was. Hij keek omlaag naar het geweer en vervolgens naar zijn zwager. 'Begrijp me niet verkeerd,' zei hij. 'Ik snap dat het verleidelijk voor je is.'

'Het is meer dan verleidelijk, Chuck. Als de kinderen er niet waren... Hij maakte zijn zin niet af, alsof zijn gedachtestroom plotseling was onderbroken. 'Wat de kinderen betreft, heb je Jon vanavond nog gezien?'

'Nee, maar ik heb niet bij ze in de kamers gekeken. Hoezo?'

'Toen ik vanavond vertrok was hij nog niet thuis. Hij heeft Kathy ge-sms't dat hij later zou komen. Ik kan maar beter even gaan kijken.' Met die woorden stond hij op en verdween uit de kamer.

Chuck schoof weer naar voren op zijn stoel, strekte zijn armen om het geweer te pakken, opende het op zijn knie en controleerde de lopen opnieuw. Daarna klapte hij het wapen dicht.

Michael verscheen weer in de deuropening. 'Hij is er nog steeds niet, verdomme.'

'Hij is oud genoeg, Mike. Hij loopt heus niet in zeven sloten tegelijk.'

'Ik haat dit. Ik haat al dit gedoe.' Hij zette een stap in de kamer. 'Wat doe je met dat geweer?'

'Ik wilde me ervan overtuigen dat het niet geladen was. Je moet hier niet gaan rondlopen met een geladen geweer, Mike. Straks komt Jon laat thuis en dan schiet je hem misschien bij vergissing neer.'

'Dat lijkt me sterk. Waar hang hij uit?'

'Hij zal wel bij vrienden logeren. Waarom stuur je hem geen sms om te zeggen dat je bezorgd om hem bent?'

Durbin, die weer terug was gelopen naar de bank, liet zich erop vallen. 'Je hebt gelijk. Je hebt gelijk.'

'En misschien moet je eens zorgen dat je een beetje slaap krijgt.'

'Jij ook.' Hij zweeg even en voegde er toen aan toe: 'Ik geloof dat Kathy je heeft gemist.'

Chuck keek abrupt op, met een frons op zijn voorhoofd. 'Wat wil je daarmee zeggen?'

'Ze heeft iets laten doorschemeren.'

'Dat gaat niemand anders iets aan.'

'Dat wilde ik ook niet beweren. Ik geef het alleen maar door. Doe ermee wat je wilt. Zie het als een tip van een man die zijn vrouw net is kwijtgeraakt aan een man die er nog een heeft.'

Gedurende een paar lange seconden keek Chuck Michael aan met een blik waarin de woede nauwelijks verholen was. Vervolgens liet hij zijn ogen dwalen over de papieren op de grond en de kleinere stapel op zijn schoot. Hij glimlachte zuinig. 'Sorry, Mike. Volgens mij zijn we allebei moe. Laten we er maar een punt achter zetten.'

32

CITYTALK

Door Jeffrey Elliot

Bronnen met kennis van het onderzoek hebben gisteren een onderhoud gehad met deze journalist om een toelichting te geven op de gebeurtenissen van de afgelopen weken in verband met Ro Curtlee en de moord op Janice Durbin. San Francisco's veelgeplaagde hoofd Moordzaken, inspecteur Abe Glitsky, ligt al geruime tijd onder vuur van zowel burgemeester Leland Crawford als van een concurrerende krant, die hem in diverse artikelen heeft beschuldigd van tunnelvisie en machtsmisbruik.

Het is algemeen bekend dat Glitsky en Curtlee al diverse malen de degens hebben gekruist, te beginnen met Glitsky's arrestatie van Curtlee op verdenking van verkrachting en moord in 1998, misdrijven waarvoor de heer Curtlee uiteindelijk een straf van 25 jaar tot levenslang opgelegd kreeg. Eerder dit jaar heeft het Hof van Beroep voor het 9e Arrondissement die veroordeling ongedaan gemaakt en de zaak terugverwezen naar de rechter, waarna de heer Curtlee op borgtocht is vrijgelaten. Sinds de heer Curtlee is vrijgelaten zijn drie personen die op een of andere manier verbonden waren met het eerdere proces vermoord. Deze personen zijn Felicia Nuñez, een belangrijke getuige tegen de heer Curtlee; Matt Lewis, een inspecteur die werkte voor de officier van justitie; en Janice Durbin, de echtgenote van de juryvoorzitter van het vorige proces tegen de heer Curtlee, Michael Durbin.

En vorige week nog arresteerde inspecteur Glitsky de heer Curtlee opnieuw wegens aanklachten die varieerden van doodsbedreigingen en verzet bij een arrestatie tot poging tot moord. Tijdens zijn arrestatie vocht de heer Curtlee met de politie, waarbij hij meerdere verwondingen opliep, waaronder een gebroken arm. Twee politiemannen die betrokken waren bij de arrestatie raakten eveneens gewond. En opnieuw werd Ro Curtlee op borgtocht vrijgelaten.

De gemeenschappelijke noemer in al deze misdaden is Ro Curtlee. Politiemensen verzochten de heer Curtlee om een vrijwillig verhoor in aanwezigheid van zijn advocaat, om duidelijkheid te krijgen over zijn handel en wandel ten tijde van deze laatste twee moorden, in een poging hem als verdachte voor beide misdrijven te elimineren. Hij heeft de politie voor beide zaken een alibi verstrekt. En dat is de stand van zaken op dit moment.

Ondanks de hysterie die is veroorzaakt door de Courier, *een krant van de familie Curtlee die zelden op goede voet staat met de politie, lijkt niets erop te wijzen dat dit iets anders is dan een regulier moordonderzoek. De politie heeft noch in de zaak-Matt Lewis, noch in de zaak-Janice Durbin verdachten genoemd.*

Wat in sommige kringen breed is uitgemeten als machtsmisbruik door de politie is in plaats daarvan wellicht niet meer dan een simpele poging van rijke en machtige burgers hun invloed in de media en de politiek te gebruiken om immuniteit te verwerven in het onderzoek naar een reeks ernstige misdaden.

Aan de keukentafel knikte Glitsky dankbaar en opgelucht bij het lezen van deze laatste woorden. Zoals altijd had Jeff Elliot het perfect begrepen en op redelijke toon verwoord. Misschien, dacht hij, terwijl hij een slokje van zijn thee nam, zou dit ertoe bijdragen de commotie wat te dempen, zodat hij op een normale manier zijn werk kon doen.

Hij sloeg de *Chronicle* dicht en spoelde zijn kop om, klaar om het appartement te verlaten en naar zijn werk te gaan, toen de telefoon overging. Het was even na zes uur, wat de ervaren inspecteur in hem een idee gaf wie het (hopelijk) was. Hij zette de twee stappen naar het toestel en nam op voordat het voor de tweede maal rinkelde.

'Hallo?'

'Hoi.'

'Hoi. Is iedereen oké?'

'Iedereen maakt het prima, maar ik mis je.'

'Echt waar?'

'Natuurlijk. Natuurlijk mis ik je.'

'Ik dacht dat je woedend op me was.'

'Kwaad. Niet woedend. Gefrustreerd. Maar daar ben ik nu overheen en nu mis ik je alleen nog maar.'

'Ik mis jou ook. Als je blijft kan ik dit weekend naar jullie toe vliegen.'
'Als ik blijf.'
'Blijf je?'
'Ik weet het niet. Ik heb nog geen besluit genomen. Het lijkt allemaal zo stom en melodramatisch nu we hier zijn, maar daar voelde het heel echt en angstig. Ik weet gewoon niet waar hij toe in staat is, Abe.'
'Dat weet niemand. Dat maakt hem zo griezelig.'
'Ik bedoel, hoe groot is de kans dat hij écht zal proberen een van ons iets aan te doen?'
'Als er al een kans is, dan is die hoe dan ook te groot.'
'Nu klink je net zoals ik.'
'Mooi, dan ben jij duidelijk de verstandigste.' Hij zweeg even. 'Weet je, bij nader inzien moet je misschien nog maar een paar dagen blijven. Dan pak ik het vliegtuig en maken we er een vakantieweekend van. Houdt Sixto het een beetje vol met de kinderen?'
'Mijn broer? Doe niet zo gek. Die wil ze het liefst voor altijd bij zich houden.'
'Misschien kunnen we het zó regelen dat je een avondje vrij krijgt.'
'Dat zal wel lukken.'
Glitsky zuchtte opgelucht. 'Ik wist niet dat alles nog goed was tussen ons. Is alles nog goed?'
'Het is anders, maar nog steeds goed. Ik kan niet zo goed tegen risico's.'
'Dat hoeft ook helemaal niet.'
'Jij zou er ook niet mee te maken moeten hebben.'
'Nou, dan zou ik een andere baan moeten nemen.'
'Maar dat wil je niet.'
'Nee, dat wil ik niet. Iemand moet op zijn post blijven om dit werk te doen, en het past gewoon bij mijn karakter. Het is een vloek, maar zo ben ik nou eenmaal.'
'Ik weet het. En ik wil je niet veranderen. Ik hou van je om wie je bent.'
Hij werd overmand door een golf van emotie waardoor hij zich plotseling licht in het hoofd voelde. Hij plaatste een hand tegen de muur om zijn evenwicht te bewaren. 'Ik bel je zodra ik weet hoe laat ik in Burbank arriveer,' zei hij.

Lou de Griek opende zijn zaak iedere dag 's ochtends om zes uur, behalve zondag. De bar, die ook fungeerde als restaurant, was gevestigd in een semihygiënische, semiondergrondse ruimte pal tegenover het Paleis van Justitie en door deze locatie was het een favoriete ontmoetingsplek voor politiemensen, juryleden en juristen. Tijdens de lunch waren de kleine tafels doorgaans volledig bezet en waren ook de zitjes voor zes personen moeilijk te krijgen, dit ondanks het feit dat het enige gerecht op het menu de dagschotel was, een soms eetbare, soms niet te genieten en soms verrukkelijke combinatie van smaken en substanties die waren ontleend aan de nogal verschillende culinaire culturen van zowel Griekenland als China. Lous vrouw Chiu, die de *Chronicle* een paar jaar geleden had bestempeld als de 'Meest Creatieve Chef van de Stad' beschikte over een onmiskenbare handigheid, die resulteerde in schotels als souvlaki char siu bao, moussaka pangang, een dolmaschotel met gepeperde en zure lemoncurd, pitabroodjes met geroosterde pekingeend en het even vermaarde als mysterieuze lamsstoofpotje.

Maar vóór de lunch, en vooral 's ochtends vroeg, was Lou de Griek een toevluchtsoord voor stevige drinkers, niet zozeer voor behoeftige of dakloze alcoholisten, maar voor een goedgeklede cliëntèle van slaperig ogende mannen en enkele vrouwen die vaak nog voordat Lou de zaak bij het krieken van de ochtend opende al in de rij stonden voor het trapje dat omlaag leidde naar de ingang. De krukken aan de bar, die nog maar vier uur tevoren was gesloten, waren doorgaans allemaal al bezet voordat Lou de eerste bestelling kon aanslaan.

Maar op deze vrijdagochtend vond de belangrijkste gebeurtenis niet plaats aan de bar, maar in de zithoek aan de rechtermuur die het verst van de bar was verwijderd. En niemand dronk alcohol. Een opgeladen Farrell, die voor deze speciale gelegenheid zijn Armani-pak had aangetrokken, had een paar belangrijke beslissingen genomen. Hij was in feite de vorige avond al in actie gekomen en had ten slotte contact opgenomen met de personen voor wie een belangrijke rol was weggelegd bij de uitvoering van zijn plan, om hun te verzoeken zich om zeven uur 's ochtends te melden bij Lou de Griek.

Nu zat hij naast Amanda Jenkins tegen de muur, met aan de andere kant van de tafel Glitsky en Vi Lapeer, die er niet op haar gemak uitzag. Allemaal hadden ze al hun medeleven en woede betuigd met betrekking tot Gert, de hond van Wes, en vervolgens waren er goedkeurende woorden gesproken in de richting van Abe over de CityTalkcolumn van die ochtend. Nadat deze onderwerpen waren behandeld nam Farrell een slok van zijn koffie, schraapte zijn keel en nam het woord. Hij sprak bijna op fluistertoon, maar zijn stem klonk vastberaden.

'Dit is het meest vertrouwelijke gesprek dat ik ooit met jullie zal voeren. Ik zou er veruit de voorkeur aan geven dat geen woord ervan uitlekt. Is dat acceptabel voor jullie allemaal?'

De wenkbrauwen van de overige aanwezigen gingen omhoog, maar niemand protesteerde en binnen een paar seconden knikte iedereen instemmend.

'Goed dan,' vervolgde Farrell. 'Ik heb jullie hier vanmorgen allemaal uitgenodigd vanwege alles wat we de afgelopen paar weken dankzij hem en zijn familie hebben moeten doormaken. Ik heb besloten dat het genoeg is geweest. Het is mijn bedoeling Ro Curtlee nog vanavond achter de tralies te krijgen.'

'Yes!' zei Jenkins, die een haar vuist balde en een pompend gebaar met haar elleboog maakte. 'Héél goed!'

Hoewel hij instemmend knikte produceerde Glitsky zijn gebruikelijke frons terwijl hoofdcommissaris Lapeer, die tegenover Farrell zat, verbaasd met haar ogen knipperde. Ze keek Glitsky even aan en concentreerde zich toen weer op Wes. 'Hoe wilde je dat voor elkaar krijgen?'

'Het komt erop neer dat ik hem ga vervolgen.' Hij bracht iedereen kort op de hoogte van de situatie met betrekking tot de grand jury en het pasgevormde plan Ro's eerdere veroordeling via het motief te koppelen aan de nieuwe misdrijven waarvan hij werd verdacht, om zodoende de verzwarende omstandigheden te creëren die Farrell nodig had om hem vrijlating onder borgtocht te kunnen ontzeggen.

Toen hij was uitgesproken had Amanda een stomverbaasde uitdrukking op haar gezicht. 'Ik kan de strategie volgen, Wes, maar de grand jury komt pas dinsdag weer bijeen en zelfs dan...'

Maar Farrell schudde zijn hoofd. 'Ik heb ze bijeengeroepen voor een spoedvergadering, vanmorgen om acht uur.'

'Vanmorgen? Maar hoe heb je...?' begon Amanda.

'Ik heb ze gisteravond thuis gebeld. Van veertien leden heb ik de toezegging gekregen dat ze er zullen zijn en voor de andere zes heb ik een boodschap achtergelaten. Ik heb er maar twaalf nodig, dus dat is geregeld.'

'Maar zonder nieuw bewijs hebben we niet genoeg.'

'We hebben keihard bewijs afkomstig uit het oorspronkelijke proces. Voor Sandoval heb ik geregeld dat de goede oude dokter Strout komt verklaren dat ze is verkracht. Ik heb iemand van de technische recherche die zal zeggen dat het sperma dat in haar is gevonden afkomstig is van Ro. En aangezien Nuñez dood is kunnen we haar transcript aan het dossier toevoegen. Dat is alles wat we voor haar nodig hebben.'

'Dan kan Strout iets verklaren over de dood van Nuñez, de technische recherche zegt dat het lichaam naakt was op de schoenen na, en Arnie Becker verklaart dat het brandstichting was. We hebben een rechercheur die verklaart dat Ro op borgtocht vrij was in afwachting van een proces waarin Nuñez had moeten getuigen. Dat levert meervoudige moord op, en moord op een getuige om te voorkomen dat die een verklaring zal afleggen.'

Hoewel ze duidelijk enthousiast was over deze mogelijkheden, had Jenkins nog wel wat twijfels. 'Maar Janice Durbin dan? Daar hebben we een Johnson-probleem.' Ze refereerde aan de zaak die had aangetoond dat de officier van justitie verplicht was de grand jury te wijzen op mogelijk ontlastend bewijs. 'Als we Curtlees alibi voor Durbin inbrengen en zijn ouders dagvaarden, dan weten die waar we mee bezig zijn. Denardi zal er op zijn minst in slagen de hele zaak te vertragen, wie weet tot in het oneindige.'

'Klopt,' zei Farrell. 'Dus we doen het als volgt. We zorgen ervoor dat hij eerst in staat van beschuldiging wordt gesteld voor Sandoval en Nuñez. We starten bij de grand jury met Durbin, presenteren als het nodig is een paar getuigen, en dan dagvaarden we het alibi van Ro – zijn ouders en werknemers – maar tegen die tijd zit hij al vast voor de eerste twee, en dan kunnen ze doen wat ze willen. Als we hem eenmaal in staat van beschuldiging stellen voor de moord op Durbin, dan kunnen we die koppelen aan de andere twee. En als dat niet lukt dan hebben we hem nog steeds vastzitten voor meervoudige moord zonder borgtocht.' Hij keek om zich heen en zag sceptische gezichten. 'Luister, ik hoor nu al dertig jaar dat je als officier van justitie geen knip voor de neus waard bent als je er niet in slaagt een broodje ham bij de grand jury in staat van beschuldiging gesteld te krijgen. Nou, dan zullen we er snel achter komen of ik een knip voor de neus waard ben en of dit ons gaat lukken.'

'Maar betekent dit dan niet dat je hem voor al die aanklachten moet vervolgen?' vroeg Lapeer.

'Uiteindelijk wel, misschien.'

'Ik dacht dat zoiets dan binnen zestig dagen moest,' zei Glitsky.

Farrell veroorloofde zich een zelfingenomen glimlachje. 'Ja, en weet je wat? Stel dat de advocaten van Ro dan beweren dat ze aan zestig dagen voorbereidingstijd genoeg hebben? Dan zijn ze op dat moment ook klaar om hem te verdedigen in het nieuwe proces, nietwaar? Want dat is immers dezelfde zaak? Het is het een of het ander.'

Glitsky stak een vinger op. 'Begrijp me niet verkeerd, ik zie hem liever gisteren dan vandaag in de gevangenis. Maar ik heb nog steeds wat bedenkingen over de zaak-Janice Durbin.'

'Hoezo?'

'Nou, Ro heeft tenslotte getuigen die zijn alibi zullen bevestigen. Zelfs als die allemaal liegen dan weegt dat zwaar voor een jury. Zelfs voor een grand jury...'

Tegen de tijd dat ze iets horen van die alibigetuigen, dan zit hij al vast voor onze twee sterkste zaken,' zei Farrell. 'Ik denk dat ze hem ook ondanks dat alibi wel in staat van beschuldiging zullen stellen, maar als ze dat niet doen dan is er nóg geen man overboord.'

'Oké,' hield Glitsky vol, maar voor het echte proces...'

'Dan kom ik weer terug op wat ik eerder zei. Het is het een of het ander. Als ze klaar zijn voor het ene proces zijn ze het ook voor het andere. En ondertussen is Ro van de straat, en dat is een resultaat waar we geloof ik allemaal blij om kunnen zijn.'

'Amen,' zei Glitsky.

'Mijn idee,' voegde Jenkins eraan toe.

Eindelijk nam Lapeer het woord. 'En wat verwacht je van mij, Wes?'

Farrell haalde diep adem en draaide zijn koffiekop met beide handen rond. 'Ik weet dat u al onder vuur ligt sinds uw aantreden, hoofdcommissaris. Ik begrijp ook waarom u onder druk hebt besloten het observatieteam dat u op Ro had gezet naar huis te sturen.'

Lapeer fronste haar wenkbrauwen. 'Hoe weet je dat trouwens?'

'Ik hoor wel eens wat, hoofdcommissaris. Zo werkt dat nu eenmaal. Maar hoe dan ook, ik had het gewaardeerd als u me op de hoogte had gesteld.'

'We moeten hier ook allemaal een beetje aan onze baan denken, meneer Farrell,' zei ze. 'Als de burgemeester nóg een excuus vindt om me de laan uit te sturen, en dit observatieteam was al zo'n excuus...'

Farrell stak zijn hand op. 'Ik zei dat ik begrip heb voor uw situatie. En nu vraag ik begrip voor wat ik van plan ben.'

'En dat is?'

'Dat we allemaal net doen alsof dit – datgene waar we hier vanochtend vertrouwelijk over spreken – helemaal niet gebeurt. Doen alsof we de grand jury niet gaan inschakelen. We zijn verslagen en gedragen ons gehoorzaam. En we doen net alsof we Ro niet schaduwen.'

'Maar dat doen we ook niet.'

'Nee, maar dat gaan we wél doen.' Farrell zweeg even en liet met een duidelijk hoorbare zucht de adem ontsnappen die hij kennelijk al een tijdje had ingehouden. 'Mijn voorstel is dat we vanochtend een aantal ongemarkeerde wagens naar het huis van de familie Curtlee sturen, zodra we hier klaar zijn. Ze hebben daar vijf auto's – drie in de garage en twee identieke SUV's die doorgaans worden gebruikt door hun butler en ander huishoudelijk personeel. Als een van deze wagens het terrein verlaat dan volgen we die. En zodra ze ergens stoppen, plaatst iemand een gps-zender onder de bumper.'

Lapeer hield haar handen strak ineengevouwen vóór zich op tafel. 'En waarom doen we dit nu meteen al?' vroeg ze.

'Om twee redenen. Ten eerste, afgaand op wat hij tot dusver heeft gedaan, is Ro bijna zeker op zoek naar de andere getuige in zijn proces, een vrouw genaamd Gloria Gonzalvez, en als hij haar vindt dan ziet het er waarschijnlijk niet fraai voor haar uit. En natuurlijk zoeken wij haar ook, omdat we willen dat ze tijdens het nieuwe proces opnieuw getuigt. Er is een redelijke kans dat hij ons naar haar toe leidt en als dat gebeurt dan willen we haar opnemen in een getuigenbeschermingsprogramma.'

'Dus je wilt zeggen dat je hem weer wilt schaduwen?' vroeg Lapeer.

'Nee,' gaf Farrell toe. 'Ik denk niet dat we dat kunnen doen. Dat vergt te veel personeel, het is te duur en het valt te veel op.'

'Oké, maar als we hem niet schaduwen, hoe weten we het dan als hij bij haar in de buurt is? En bovendien, wie zegt dat hij de hele tijd in de auto blijft? Wat doen we als hij hem achterlaat bij een BART-parkeergarage?'

Glitsky schraapte zijn keel. 'Ja, en Wes, ik heb ook een probleem.'

'Vertel.'

'Als we iedere wagen moeten volgen die het huis verlaat dan zullen ze dat vroeg of laat merken en erover praten. Er is een redelijke kans dat iemand dan denkt aan de mogelijkheid van een gps-zender.'

'Ik wil er niet eens aan denken hoe de media zullen reageren als dat uitkomt,' zei Lapeer. 'Dan wordt de grond ons nog veel heter onder de voeten...'

Het scheelde niet veel of het antwoord van Amanda klonk ronduit bits. 'We kunnen het zonder meer verantwoorden een veroordeelde verkrachter en moordenaar in de gaten te houden. Want dat ís Ro, laten we dat vooral niet vergeten. Welke draai Sheila Marrenas er ook aan geeft, dat is een redelijke en verdedigbare strategie.'

Lapeer beet van zich af. 'Dat geldt ook voor al het andere wat we tot nu toe hebben ondernomen, maar helaas lijkt dat niet veel uit te maken. Zeker niet in de ogen van de burgemeester.'

'Ik heb maling aan de burgemeester,' zei Amanda. 'Die probeert alleen maar stemmen te winnen, net als altijd.'

'Nou, het spijt me wel, maar ik wil hem niet nóg meer uitdagen dan ik al heb gedaan. Als we dit niet volgens de regels spelen...'

Glitsky vertolkte de stem van de rede. 'Dit ís volgens de regels,' merkte hij op. 'Er is niets illegaals aan om hem te schaduwen of een gps-zender aan te brengen, mits de wagen zich in de openbare ruimte bevindt en we hem aanbrengen aan de buitenkant van het voertuig. Dat is niet in strijd met het Vierde Amendement. Het is domweg legaal. Zelfs het Hof van Beroep voor het 9e Arrondissement denkt er zo over, en daar zijn ze doorgaans niet zo enthousiast over wat wij doen.'

Farrell gaf een korte roffel op de tafel. 'Waar het om gaat, mensen, is dat hij ons gewoon niet meer mag ontglippen. Zeker niet als het ons lukt hem vandaag in staat van beschuldiging te laten stellen, en daartoe ben ik vastbesloten. We willen het onmiddellijk betekenen. En om dat te kunnen doen moeten we weten waar hij is.' Hij keek de aanwezigen rond de tafel aan. 'Kan iedereen zich daarin vinden?'

Amanda en Glitsky knikten allebei, waarna Farrell de blik richtte op Lapeer. 'Vi?'

Ten slotte nam ze haar beslissing. 'Maar laten we wél verdomd voorzichtig zijn met het aanbrengen van die gps-dingen, oké?'

33

Om exact tien uur liep Eztli de trap op. Hij trof Ro alleen aan de ontbijttafel, waar hij ontbeet met koffie, fruit en bacon. Hij was blootsvoets, ongeschoren en ongekamd en droeg een grijze trainingsbroek waarin hij misschien ook had geslapen.

'Ik ben zojuist gebeld door Lupe García,' zei Eztli. 'Er is iemand die beweert dat hij Gloria Gonzalvez heeft gevonden.'

Ro legde het stukje meloen dat hij net aan zijn vork had geprikt neer. 'Je neemt me in de maling.'

'Nee, dat dacht ik niet.'

'Binnen twee dagen?'

'Ik zei het je al, geld doet wonderen.'

'Te gek,' zei Ro. 'Waar woont ze?'

'Dat vertelt die gast ons pas als hij het geld ziet. Dat is natuurlijk ook slim van hem.'

'En wat doen we nu?'

'Hij is op dit moment bij Lupe.'

Ro nam een hapje bacon en kauwde enige tijd nadenkend. Vervolgens schoof hij zijn stoel naar achteren en nam een laatste slokje koffie. 'Tijd is geld,' zei hij met een overwinnaarsglimlach. 'Laat me even wat kleren aantrekken, dan ben ik zo weer beneden.'

'Ik wacht op je,' zei Eztli. 'En, Ro?'

'Ja?'

'Je zult het niet leuk vinden, maar het is beter als je je pistool thuislaat.'

Ro bleef in de deuropening staan. 'Mijn pistool thuislaten? Waar heb je het over? Ik ben gek op dat ding.'

'Dat weet ik wel, maar ik wil niet dat je het bij je hebt, voor het geval we voor het een of ander worden aangehouden. Iets dat gemakkelijk kan gebeuren, zoals je hebt gemerkt. Je ouders vermoorden me als je voor zoiets onbenulligs gearresteerd zou worden.'

'Ze gaan me heus niet arresteren. Dat durven ze niet eens te proberen.'

'Als je een wapen bij je draagt hebben ze geen keus.'

'En jij dan?'

'Hoe bedoel je?'

'Jij neemt je pistool toch ook mee?'

'Ik heb er een vergunning voor. En natuurlijk neem ik niet hetzelfde wapen mee als de vorige keer. Dat ligt in een kluis in mijn kamer totdat ik de gelegenheid heb het te laten verdwijnen.'

'Maar dat van mij heb ik net. Heb je enig idee hoe lang ik al geen wapen meer heb gedragen? Een echte man voelt zich dan naakt, en niet op een plezierige manier.'

Eztli zuchtte een beetje ongeduldig. 'Dat snap ik. Ik weet dat het een teleurstelling voor je is. Maar het versieren van dat wapen gisteren was een oefening. Het was leuk en leerzaam. Je weet waar het is als je het nodig hebt. Maar vandaag hebben we het niet nodig. Goed?'

'Ik ben er niet blij mee, maar oké. Goed.'

Omdat ze langs de bank moesten om contant geld op te nemen arriveerden ze pas rond het middaguur bij Lupe. Toen ze er eenmaal waren reden ze langs de achterkant van de inmiddels vertrouwde opslagloods, waar aan de achterkant van een grote parkeerplaats, aan de voet van een afgegraven heuvel, een dubbelbrede caravan stond. Ze stapten uit de SUV. De hemel was staalgrijs en terwijl ze de trap op liepen naar de voordeur voelden ze de kille wind. Ze drukten op de bel en er werd opengedaan door een kleine, gezette Latijns-Amerikaanse vrouw. Met een simpel knikje als begroeting leidde ze hen langs de keuken en de eethoek via een korte gang naar het gedeelte van de trailer dat de man kennelijk in gebruik had als kantoor.

Lupe en de drie andere Latijns-Amerikaanse mannen zaten, elk met een flesje Modelo-bier in de hand, in een grote zitkamer die zonder alle rommel een ruime indruk zou hebben gemaakt. Naast een enorme flatscreentelevisie, een salontafel met een zwartglazen blad, een metalen bankje, twee zitbanken en drie verstelbare leren fauteuils, lag de vloer bezaaid met geopende en ongeopende dozen met blikjes bier en flessen tequila, lege pizzaverpakkingen en stapels tijdschriften voor liefhebbers van vrouwelijk schoon, hondengevechten en opgevoerde auto's. Lupo of wie dan ook hield er kennelijk van de spullen die hij bewaarde in het oog te houden. Voor de drie ramen – twee in een van de muren en één in de andere – hingen geen gordijnen en zelfs ondanks de bewolkte hemel was het tamelijk licht in het vertrek.

Toen Eztli en Ro binnenkwamen stond Lupe op. Eztli en hij begroetten elkaar met een omhelzing. Lupe knikte zakelijk naar Ro en zei iets in het Spaans dat Eztli beantwoordde en vervolgens voor Ro vertaalde. 'Hij zegt dat een beloning een goede manier is om mensen te vinden.'

Ro haalde zijn schouders op. 'Als het maar werkt,' zei hij.

'Hier is je man. Hector.' Ten behoeve van Ro stapte Lupe over op het Engels. Hij draaide zich om en wees naar een van de mannen, die in een van de leunstoelen naar voren was geschoven en na het horen van zijn naam opstond met een hoopvolle en behulpzame uitdrukking op zijn gezicht, de beide handen gevouwen voor zijn lichaam.

Ro keek naar hem en lachte. 'Deze gast ziet eruit alsof hij op het punt staat het in zijn broek te doen.' Hij imiteerde het geblaf van een hond en deed tegelijkertijd een schijnuithaal in de richting van Hector, zodat de schriele arbeider opsprong alsof hij een elektrische schok had gekregen. Iedereen behalve Hector zelf moest erom grinniken. Ro ging rechtop zitten en lachte opnieuw, waarna hij zich tot Lupe wendde. 'Zeg maar tegen hem dat ik niet bijt.' En daarna, tegen de man zelf: 'Rustig maar, José, ik bijt niet.'

'Hector,' zei de man met trillende stem.

'Hector, José, wat maakt het uit. Waar het wél om gaat is: waar is Gloria?'

Hector wierp een vragende blik in de richting van Lupe, die het vertaalde en zei: 'Eerst het geld.'

'Eerst het geld. Natuurlijk.' Ro knikte, zuchtte dramatisch en haalde een dikke stapel biljetten van honderd dollar uit een van de zakken van zijn spijkerbroek. Hij gaf ze aan Lupe en vroeg: 'Wil je dat ik ze tel?'

'Nee,' zei Lupe. 'Als het niet klopt dan vertelt híj ons dat wel.' Hij keek Hector weer aan, die geobsedeerd naar de bankbiljetten keek. 'Goed dan, Hector, ze zijn helemaal hierheen gekomen om met jou te praten. Tijd om te vertellen wat je weet.'

Hector haalde zijn mobiele telefoon tevoorschijn. 'Dit is de vrouw die u zoekt, *sí*?' Hij liet Ro de foto zien.

Hij herkende haar onmiddellijk. 'Dat is ze inderdaad. Waar woont ze?'

Maar Hector, die wellicht begreep dat hij al zijn macht inleverde als hij zijn informatie prijsgaf, trok een verontschuldigend gezicht. 'Het spijt me, maar ik wil éérst het geld hebben,' zei hij in het Engels.

'Daar is het geld,' zei Ro, terwijl hij ernaar wees. Daarna, tegen Lupe: 'Geef hem dat stomme geld.'

'Wat gaat hij doen met al dat geld?' protesteerde Lupe in de richting van Ro. 'Waar gaat hij het bewaren? Heeft hij wel een bankrekening? Ik probeer hem een hoop moeite te besparen.'

'Wat kan mij dat allemaal schelen?' zei Ro.

Met enige terughoudendheid stak Lupe de stapel bankbiljetten naar voren en zei iets in het Spaans tegen Hector, die de bankbiljetten aannam, tevreden knikte en ze in zijn broekzak stopte.

Ro richtte zich weer tot Hector. 'Goed. Je hebt je geld. Vertel op.'

Uit zijn andere broekzak haalde Hector een dichtgevouwen stuk papier tevoorschijn. Hij vouwde het open en gaf het aan Ro. In met pen geschreven blokletters las hij de naam GLORIA SERRANO en een straatadres met het woord 'Sunnyvale' eronder. Hij wees naar de naam en vroeg Hector: 'Dus ze heet Gloria Serrano?'

'*Sí.*'

'Weet je zeker dat ze op dit adres woont?' Toen schoot hem iets te binnen. 'Stel nou eens dat ze het niet is?'

Hector trok een vastberaden gezicht. 'Ik weet zeker dat dit het goede adres is. Ik ken haar man.'

'Weet je waar deze klootzak woont, voor het geval hij het bij het verkeerde eind heeft?'

Lupe draaide zich om en zei iets in het Spaans tegen de twee andere mannen. 'Vlak bij Jorge,' zei hij. 'Die weet waar hij hem kan vinden.'

'Dat is hem geraden.'

'Echt waar,' zei Lupe. 'Geen probleem.' Hij wees naar het stuk papier. 'Dit is de vrouw die je zoekt.'

Hector sprak nog wat meer zinnen in het Spaans, waarna de andere mannen elkaar aankeken en lachten.

'Wat is er zo grappig?' vroeg Ro, terwijl hij Eztli aankeek.

'Hector zei dat Lupe hier misschien nog wat geld aan kon overhouden door de vrouw, nadat ze haar erfenis heeft gekregen, op te zoeken en te vragen of ze hem iets wil geven. Als beloning voor het feit dat hij haar in staat heeft gesteld de erfenis op te eisen.'

Nadat hij dit een minuut op zich had laten inwerken keek Ro Hector smalend aan en zei: 'Goed idee, José.' Daarna: 'Laten we gaan, Ez. We zijn hier klaar.'

Lupe, zijn mannen en Hector waren in de kamer gebleven. Lupe liep naar een van de ramen om te zien hoe Eztli en Ro in hun wagen stapten en het terrein af reden.

Toen ze om de hoek van de loods waren verdwenen draaide Lupe zich om en liep naar de plaats waar Hector stond te wachten op wat er verder zou gebeuren, met Jorge Christobal en Lupe's compagnon, een pezig stuk staaldraad genaamd Daniel.

'Hé, man,' zei Lupe in het Spaans tegen Hector. 'Je ziet er nog steeds uit alsof je het in je broek gaat doen. Moet je piesen? Is dat het?' Murillo wiegde heen en weer en hield zijn handen in zijn zakken alsof hij het koud had. Lupe's gezicht vertoonde een flauw glimlachje en geen enkele waarschuwing toen hij plotseling uithaalde met zijn rechtervuist en Hector een kaakslag uitdeelde.

De knieholtes van de jongeman raakten het glazen blad van de salontafel en hij viel over de tafel heen achterover op zijn rug op de grond. Voordat hij ook maar de tijd had zich te herstellen, was Daniel al boven op hem gesprongen. Hij plaatste zijn knieën op Hectors armen zodat hij zich niet kon verdedigen, waarna hij zijn gezicht met een reeks vuistslagen begon te bewerken. Nadat hij iedere kans op verzet uit de jongeman had gebeukt sprong hij overeind. Nog steeds woedend trapte hij twee, drie, vier keer tegen zijn hoofd.

Totdat Lupe ten slotte ingreep en hem vastpakte. '*Daniel! Bastantes!*'

Kennelijk niet in staat zichzelf onder controle te krijgen gaf Daniel Hector opnieuw een trap met zijn laars, waarna hij zich met tegenzin zwaar ademend terugtrok. Hij bleef achteruitlopen terwijl Lupe naar de tafel liep en zich over het nu vrijwel bewegingsloze lichaam van Hector boog. Hij stak een hand in de broekzak van de jongeman en haalde het pak bankbiljetten eruit, waarna hij weer overeind kwam en Murillo nog eens hard in de zij trapte. '*Idiota.*'

Toen draaide hij zich om naar Jorge en Daniel, terwijl hij hardop tellend een aantal biljetten van honderd dollar van de stapel trok: '... *dos, tres, quatro, cinco...*' Hij gaf de eerste vijfhonderd aan Jorge en overhandigde Daniel een even groot deel. Daarna keek hij omlaag naar Hector, die nog steeds bewusteloos was. 'Ik bied deze lul tweeduizend dollar en hij zegt nee, ik wil al het geld hebben?' Hij zette weer een paar stappen in de richting van de tafel, rochelde en spuwde op hem, waarna hij Daniel aankeek. 'Gooi dit vuilnis maar ergens weg,' zei hij. 'Jorge, pak voor ons allebei eens een biertje, als je wilt.'

Farrell had aan twaalf juryleden genoeg om Ro in staat van beschuldiging gesteld te krijgen, maar het bleek dat hij veertien leden van de grand jury had weten te overreden op hun vrije vrijdag te komen opdraven voor een spoedzitting. Nu zaten ze al anderhalf uur tegenover Amanda aandachtig te luisteren en aantekeningen te maken, terwijl ze haar zaak tegen Ro Curtlee toelichtte.

Jenkins wist dat dit een dubbeltje op zijn kant was, ondanks de eerdere veroordeling in de zaak-Sandoval. Ze had twaalf stemmen nodig om Ro in staat van beschuldiging gesteld te krijgen en ze was er bijna zeker van dat ze er al tien binnen had, maar de vier meer sceptische juryleden hadden op elk van de getuigen tot dusver een reeks lastige vragen afgevuurd over het gebrek aan tastbaar bewijs in de zaak-Nuñez.

En een van hen, een gepensioneerde leraar genaamd Julian Ross, was in de loop van zijn vragen overgestapt van specifieke naar meer algemene vragen en Amanda was bang dat dit de overige juryleden misschien op andere gedachten zou kunnen brengen: Waarom had het zo lang geduurd voordat deze tien jaar oude zaak aan de grand jury was voorgelegd? Jenkins had hun verzekerd dat ze niet kon ingaan op de bijzonderheden, maar dat dit was veroorzaakt door oponthoud dat niets te maken had met de kracht van het bewijs en dat ze daar geen conclusies aan mochten verbinden. Vond inspecteur Glitsky het niet ongebruikelijk dat de politie in het geval van de moord op Nuñez geen tastbaar bewijs had gevonden dat belastend was voor de heer Curtlee? Glitsky had gewezen op het motief, de staat waarin ze het lichaam hadden aangetroffen en andere overeenkomsten tussen de moorden.

Amanda was bijna aan het eind van haar betoog.

Farrell had haar gezegd een korte pauze in te lassen voordat ze hun instructies ontvingen en begonnen met hun beraadslagingen. Hij had nóg iets dat hij aan de grand jury wilde presenteren.

En nu zat Farrell daar, op de getuigenbank. Hij was verschenen tijdens de pauze, nadat Amanda hem met haar mobiele telefoon had gebeld. Een paar bodes van justitie hadden hem vergezeld. Een van hen duwde een steekwagen met daarop een tamelijk grote kartonnen doos, die ze hadden opgepakt en op de bewijstafel vóór hem hadden geplaatst.

Farrells aanwezigheid hier was op zijn zachtst gezegd bijzonder problematisch. Hij was zich ervan bewust dat de juridische gevolgen van het feit dat een officier van justitie optrad als getuige in zijn eigen zaak enorm konden zijn, als het al niet neerkwam op politieke zelfmoord.

De rechtbanken zouden vanzelfsprekend oordelen dat deze officier van justitie, nu hij zelf optrad als getuige, de zaak helemaal niet meer zou mogen behandelen. Ze zouden een eventuele in staat van beschuldigingstelling zelfs nietig kunnen verklaren op grond van onwettige vervolgingsmethoden. Hij zag de woorden 'onethisch' en 'onverdedigbaar' al voor zich in de uiteindelijke beslissing.

Farrell wist dat hij de zaak eigenlijk moest voorleggen aan de afdeling van het ministerie van Justitie die zich met dit soort conflicterende belangen bezighield. En als hij dat niet had geweten dan had Jenkins hem dat in de vijf minuten voordat hij plaatsnam als getuige al drie keer hebben kunnen vertellen.

Maar het kon hem geen zier schelen. Als ze me uit het ambt zetten, dacht hij, dan kan ik in ieder geval weer elk T-shirt dragen dat ik wil.

Dus hadden ze iedereen uit de zaal weggestuurd behalve Amanda, Farrell en de leden van de grand jury. Wat hier passeerde bleef geheim totdat er een transcript van was gemaakt dat aan de verdediging moest worden overhandigd. En ondertussen zou Ro Curtlee hopelijk achter de tralies zitten en konden ze een plan bedenken om hem daar ook te houden. Zelfs als de zaak ten slotte zou belanden bij het ministerie van Justitie dan hadden Farrell en zijn medewerkers in ieder geval hun best gedaan.

En toen begon het.

Aan de hand van vragen van Jenkins vertelde Farrell de grand jury waarom hij voor hen verscheen. 'Gisterenmiddag ben ik opgebeld door Cliff Curtlee, de vader van Ro. Hij had vernomen dat ik van plan was deze grand jury op het gebruikelijke tijdstip volgende week dinsdag bijeen te roepen, om daar het bewijsmateriaal te presenteren dat u vandaag is voorgelegd, met als doel Ro in staat van beschuldiging te doen stellen zonder de mogelijkheid van borgtocht.'

'Wilt u de leden van de grand jury vertellen wat hij tegen u heeft gezegd?' vroeg Jenkins.

'Hij zei tegen me, en ik herinner het me letterlijk: "Ik wil niet dat dit gedoe met de grand jury doorgaat. Het zou voor u persoonlijk zeer nadelig zijn als het wél doorging."'

Plotseling moest Farrell zich vasthouden aan de reling voor de getuigenbank, bijna alsof hij op het punt stond flauw te vallen. Hij slikte, probeerde zijn emoties te verbergen en zijn waardigheid niet te verliezen. 'Neemt u me niet kwalijk,' zei hij. 'Dit is moeilijk.'

Jenkins had de doos die eerder de rechtszaal was binnengebracht aangemerkt als bewijsstuk en zette hem vóór Farrell neer. 'Wilt u ons alstublieft vertellen of u de inhoud van deze doos herkent?'

'Jazeker.'

'Wilt u de inhoud alstublieft tonen aan de leden van de grand jury.'

Farrell opende het deksel van de doos, stak zijn handen erin, tilde het stoffelijk overschot van Gert eruit en legde dat voorzichtig op de tafel. Nadat hij haar een laatste liefkozende aai had gegeven keek hij de leden van de jury aan. Veel van hen leken geschokt.

'Dit was mijn hond Gert. Ze bevond zich gisteren op straat, voor het pand van de organisatie waar mijn vriendin werkt.'

Vervolgens vroeg Jenkins: 'Meneer Farrell, heeft u iets met het stoffelijk overschot van uw hond gedaan? En zo ja, wat?'

'Ik heb het gisteren vroeg in de avond naar het politielaboratorium gebracht om het te laten testen.'

Amanda draaide zich om naar de juryleden en legde uit: 'De heer Farrell kan geen verklaring afleggen over de resultaten van de test omdat hij die niet zelf heeft uitgevoerd, maar wat de medewerkers van het laboratorium hem hebben verteld verklaart wat hij vervolgens heeft gedaan. Vandaar mijn volgende vraag. Meneer Farrell, wat heeft men u in het laboratorium verteld?'

Farrell slaagde er niet in zijn emotie te verbergen. 'Iemand heeft mijn hond vergiftigd.'

'Meneer Farrell, u sprak eerder over de organisatie waar uw vriendin werkt. Welke organisatie is dat?'

Ze heeft de leiding van het crisiscentrum voor slachtoffers van verkrachting in Haight Street.'

'Beschikt dit centrum over camerabewaking?'

'Zeker.'

'Bent u, naar aanleiding van wat het laboratorium u heeft verteld, naar dit centrum gegaan om wat beelden van die camera's te downloaden?'

'Dat heb ik inderdaad gedaan.'

Jenkins haalde een 18 x 24 zwart-witfoto van de BMW Z4 tevoorschijn en liet die vastleggen als bewijsmiddel. 'Wanneer is deze foto volgens het computersysteem van de bewakingscamera genomen?'

'Ongeveer op het tijdstip waarop mijn hond werd vergiftigd,' zei hij.

'Kunt u het kenteken van het voertuig lezen?' Jenkins liet een document zien waaruit bleek op wiens naam de auto stond geregistreerd en liet het aanmerken als bewijsmiddel. 'Kunt u de leden van de grand jury aan de hand van de foto en deze gegevens vertellen wiens auto vlak bij het crisiscentrum voor slachtoffers van verkrachting stond geparkeerd vlak voordat uw hond werd vergiftigd?'

'Uit de gegevens blijkt,' zei Farrell, 'dat het de wagen was van Ro Curtlee.'

Jenkins liet een lange minuut stilte vallen voordat ze afrondde. 'Heeft de grand jury nog vragen? Meneer Farrell, dan bent u geëxcuseerd.'

Nadat hij er, net als iedere andere getuige, door de juryvoorzitter op was gewezen dat hij met niemand over zijn verklaring mocht spreken, stond Farrell op. Hij knikte even toen hij Jenkins passeerde en verliet de rechtszaal.

Eenmaal in zijn werkkamer deed Farrell de deur achter zich op slot. Zijn hele lichaam trilde als gevolg van de cynische enormiteit die hij zojuist had begaan. Hij liep naar zijn voetbaltafel, greep twee willekeurige hendels en liet zijn hele gewicht erop rusten. Hij sloot zijn ogen, haalde diep adem en moest een paar keer slikken tegen de aandrang om over te geven.

Hij had al eerder moeilijke momenten doorstaan in zijn rechtszaken, in zijn mislukte huwelijk, in de relatie met zijn kinderen, in de rest van zijn leven, maar nog nooit eerder had hij zo radicaal in strijd gehandeld met zijn geweten. Dát was precies wat hij nu, willens en wetens, had gedaan.

Hij hield zichzelf niet voor de gek. Hij wist dat wat hij de grand jury had gezegd en had laten zien misschien van marginaal belang was geweest – al bevond hij zich zelfs wat dat betreft op glad ijs. Maar hij wist ook dat de manier waarop hij het had gedaan, door als getuige te verschijnen in een zaak waarin hij zelf als officier van justitie fungeerde, op zijn best onprofessioneel was, zo niet ronduit onethisch. Hij had iets gedaan waarvan hij wist dat hij het niet behoorde te doen.

In de rechtszaal, tegenover de grand jury, was er niemand die zijn macht betwistte. Die was in feite absoluut, en dat gegeven had hem zonder enige twijfel gecorrumpeerd. Hij herinnerde zich wat Treya Glitsky hem een paar dagen na zijn aantreden had verteld: dat zijn voorganger Clarence Jackman in functie was gebleven omdat hij verslaafd was geraakt aan de macht. En nu begreep Farrell precies wat ze had bedoeld.

Dit was zijn Rubicon – hij bedroog het systeem, dat wist hij, en hij zou het onder soortgelijke omstandigheden opnieuw doen.

En toen, plotseling, hield het trillen in hem op en voelde hij een kalme berusting. Hij ontspande zijn doodsgreep op de hendels en verplaatste zijn gewicht weer naar zijn voeten. Het was alsof hij van grote hoogte neerkeek op de scherven van zijn geweten. Hij voelde schuld noch pijn, alleen maar een milde heimwee naar het streven naar rechtvaardigheid en eerlijkheid die er de hoekstenen van hadden gevormd, naar de grondslagen van zijn idealistische jeugd.

Wat er nu het meeste toe deed was dat Jenkins, na de met sacrale geheimzinnigheid omgeven besluitvorming in de kamer van de grand jury, haar twaalf stemmen kreeg.

34

'Het spijt me, Abe,' zei Amanda Jenkins, 'het lijkt wel alsof ik gewoon niet kan ophouden met huilen.'

'Huilen mag. Het is hier geen honkbalvereniging. Onder wetshandhavers is het toegestaan. We hebben zelfs verschillende divisies.' Hij probeerde het luchtig te houden.

Het werkte niet. 'Ik weet niet of het komt door de hond, die stomme, mooie hond. Of de opluchting. Of misschien Matt... Ik kan nog steeds niet geloven...' Ze kon haar zin niet afmaken en depte haar ogen met haar zakdoek.

Glitsky sloeg een arm om haar heen. Ze was naar zijn kamer gekomen om hem op de hoogte te stellen van het feit dat ze goed nieuws verwachtte van de grand jury, maar zodra ze erover begon te praten waren de emoties haar te veel geworden. Uiteindelijk kon ze het niet meer verdragen nog langer opgesloten te moeten zitten in het Paleis van Justitie. Ze had Glitsky's regenjas geleend en samen waren ze via de trap aan de achterkant naar buiten geglipt. Nu wandelden ze aan het begin van de middag door de mist, de kou en de wind in oostelijke richting door Bryant Street.

'Weet je wat ik ook niet kan loslaten? Ik blijf maar denken hoe graag ik hem zou doodschieten,' zei ze. 'Ik wil zo graag dat hij in staat van beschuldiging wordt gesteld, en als dat gebeurt hoop ik dat hij zich zal verzetten tegen zijn arrestatie en dat ze hem zullen doodschieten.'

'Misschien doen ze dat ook wel.'

Ze liepen een paar honderd meter zwijgend verder. Glitsky sloeg een arm om haar schouders, trok haar even tegen zich aan en liet haar toen weer los. Zij aan zij liepen ze verder.

'Gesteld dat we in de grand jury voldoende stemmen hebben, denk je dan dat we hem echt te pakken krijgen?' vroeg ze.

'Ik zou niet weten waarom niet. We hebben hem de laatste keer ook te pakken gekregen. Het kostte wel enige moeite, maar we hebben hem gearresteerd. Dat lukt nu ook wel weer.'

'Wie gaan het doen?'

'Lapeer stelt een speciaal arrestatieteam samen. Ervan uitgaand dat de grand jury snel genoeg beslist zullen ze hem opwachten als hij thuiskomt.'

'Jij niet?'

Glitsky's mondhoeken gingen een halve centimeter omhoog. 'Van hogerhand is een andere beslissing gekomen.'

'Ik had gedacht dat je er wel bij zou willen zijn.'

'Dat is ook zo. Ze heeft mijn verzoek in overweging genomen.'

Een half blok verder. Een restaurant vol met mensen die het begin van het weekend vierden. Een autoreparatiebedrijf. Een tattooshop. Vier daklozen.

'Thuiskomt waarvandaan?' vroeg Jenkins.

'Van waar ze naartoe zijn gegaan.'

'Ze?'

'Hij en zijn butler. Ze zijn om ongeveer halfelf vertrokken. Toen ze tien minuten later stopten bij zijn bank is er een gps-zender onder de auto geplaatst.'

'En waar zijn ze vervolgens naartoe gegaan?'

'Ze zijn ongeveer een halfuur in San Bruno geweest, en nu zijn ze al een tijdje in Sunnyvale. Ik heb het vlak voordat je kwam nog even nagevraagd. Toen was hij er nog.'

'Wat heb je daar?'

'Ik weet het niet. Misschien een lunchrestaurant. Een hoerentent. Ik...'

Glitsky bleef plotseling staan en legde zij hand op Jenkins' arm.

'Wat is er? Abe?'

'Ik kreeg net een gruwelijk idee,' zei hij. 'Ik zou me kunnen vergissen. Waarschijnlijk heb ik het bij het verkeerde eind.'

'Wat?'

Glitsky had zich al omgedraaid om terug te lopen naar het Paleis van Justitie. 'We moeten terug om het uit te zoeken,' zei hij.

'Abe? Wat?' vroeg ze opnieuw.

'Niet wát,' antwoordde hij. 'Maar wíe. Gloria Gonzalvez.'

Gloria richtte haar werk zodanig in, dat ze zoveel mogelijk tijd kon doorbrengen met haar kinderen. Ze kon er niet onderuit haar dochtertje, de drie jaar oude Bettina, iedere dag achter te laten bij Angela, een lot uit de loterij en met haar achttien jaar eigenlijk meer een vriendin dan een babysitter. Maar nu de jongens, Ramón en de zes jaar oude Geraldo, allebei de hele dag naar school gingen, kon ze nadat ze de bus van acht uur hadden genomen weg van huis om haar vijf of zes werkhuizen schoon te maken – op vrijdag maar vier! – en weer thuis zijn als ze om ongeveer halfvier weer terugkwamen.

Vandaag was ze iets vroeger gestopt dan normaal en nadat ze haar twee hulpjes naar hun appartementen had gereden had ze, voordat ze bij Angela was langsgegaan om Bettina op te halen, wat boodschappen gedaan voor het avondeten en het weekend. Nu ze haar straat in reed had ze nog ongeveer een uur voordat de jongens thuiskwamen. Genoeg tijd om het avondeten voor te bereiden en rustig even met haar dochtertje te spelen, een zeldzame en speciale traktatie waarvan ze allebei genoten. Haar straat in het getto ten westen van de snelweg droeg vandaag zijn sleetse winterjas: kale bomen, kleine vrijstaande huizen in vale, verschoten pastelkleuren en gazons die er net zo grijs uitzagen als het loodgrijze wolkendek.

Dit was een wijk voor de arbeidersklasse en de dichte rij auto's die parkeren langs de stoeprand 's avonds en in de weekends zo moeilijk maakte ontbrak nog, wat de straat een nóg desolater karakter gaf. Het verbaasde Gloria een beetje een paar huizen verderop een gloednieuwe SUV langs het trottoir geparkeerd te zien staan. De mensen hier kochten geen gloednieuwe Toyota of Lexus of wat voor merk het ook was. De auto viel zó uit de toon dat ze even naar binnen keek toen ze hem passeerde, maar het feit dat er een Latijns-Amerikaanse man achter het stuur zat stelde haar gerust. Hij was weliswaar goed gekleed, maar hij was duidelijk een van hen, iemand die hier thuishoorde. Misschien iemands neef, dacht ze. Of iemands nieuwe vriendje.

Ze draaide haar eigen roestige Honda uit het midden van de jaren negentig de oprit van haar huis op en reed zover mogelijk door zodat ze meteen via de keukendeur naar binnen kon. Bettina zat achter haar vastgesnoerd in haar tegen de rijrichting in geplaatste kinderzitje. Ze liep naar het achterportier, opende het en bukte om haar snel een kusje op de wang te geven – '*Momento, chica.*' Toen opende ze de bijrijdersportier om haar twee boodschappentassen te pakken en sloeg het weer dicht toen ze ze allebei had.

Met in iedere hand een boodschappentas draaide ze zich om en nam de drie treden naar de achteringang van het huis. Ze zette de boodschappentassen neer, zocht even in haar handtas naar de sleutels en opende toen de achterdeur. Ze pakte de tassen weer op, droeg ze naar binnen en zette ze op het aanrecht, waarna ze zich herinnerde dat ze een potje Dulce de Leche van Häagen-Dazs had gekocht, de favoriete smaak ijs van Roberto. Ze wilde niet dat die warm werd en begon te smelten, dus haalde ze hem uit een van de tassen en liep naar de andere kant van de keuken om het kartonnen bakje in de vriezer te leggen.

De hele tijd had ze zachtjes in zichzelf geneuried, iets wat ze altijd deed als ze zich gelukkig voelde, maar nu dacht ze plotseling dat ze iets hoorde. Ze sloot de vriezer en luisterde ingespannen, het hoofd schuin.

Wat voor geluid was dat geweest?

In een flits wist ze het thuis te brengen – een autoportier dat werd geopend! Ze draaide zich razendsnel om en rende door de keukendeur naar buiten, het trapje af.

Daar was een man die alweer aan de andere kant – de kant van Bettina – uit haar auto kwam, rechtop ging staan en zich omdraaide, met haar dochtertje in zijn armen.

Ze bleef als aan de grond genageld staan, de ogen wijd opengesperd van angst.

Ro Curtlee hield haar baby vast.

'Hé, Gloria,' zei hij met zijn verschrikkelijke grijns. 'Zoveel jaar verder en je ziet er nog steeds verdomd lekker uit.'

Glitsky belde met zijn mobiele telefoon naar het politiebureau in Sunnyvale terwijl hij terugrende naar het Paleis van Justitie. Doordat hij het alarmnummer niet had gebruikt zette de telefonist hem in de wacht voordat hij kon vertellen wat er aan de hand was. Twee straten verder, vlak bij de trappen van het Paleis van Justitie, gaf hij het op. Hij verbrak de verbinding en probeerde het alarmnummer. Dat was in gesprek.

Eenmaal binnen had hij geen bereik meer.

Hij rende door de gang naar Southern Station, het districtsbureau op de begane grond van het Paleis van Justitie, waar een brigadier genaamd Mildred Bornhorst de signalen van de gps-zender volgde. Hier vernam Glitsky dat Ro's wagen nu al langer dan een uur in Sunnyvale stond geparkeerd. Toen Glitsky de relevante informatie had wilde hij die doorgeven aan de telefonist van het alarmnummer, maar die was nog steeds in gesprek.

Pas toen hij weer op zijn kamer was – na zich door de massa in de hal te hebben gewurmd en de langzaamste lift ter wereld naar boven had genomen – kon hij het alarmnummer weer op zijn vaste telefoon intoetsen. Dit keer kwam hij erdoorheen en na twee minuten had hij een zekere brigadier Bransen van de politie van Sunnyvale aan de lijn.

'De verdachte is Ro Curtlee,' legde Glitsky uit. Hij spelde de naam. 'Hij is op borgtocht vrij in een moord-en-verkrachtingszaak...'

'Er bestaat geen borgtocht in een moord- en verkrachtingszaak,' zei de brigadier.

'Begin daar alsjeblieft niet over,' beet Glitsky hem toe. 'Hoe dan ook, hij is gewapend en gevaarlijk. Hij wordt binnen een paar uur naar alle waarschijnlijkheid in staat van beschuldiging gesteld voor meervoudige moord, dus als jullie je even aan hem kunnen vertonen zouden jullie ons daar een groot plezier mee doen.'

'Ons vertonen? Wat betekent dat? Is hij nou in staat van beschuldiging gesteld of niet?'

'Tegen de tijd dat jullie hem vinden wél, als het goed is.'

'En als dat dan nog niet zo is?'

'Dan kunnen jullie hem in ieder geval hinderen.'

Na opnieuw een aarzeling hoorde Glitsky: 'En wat is hij ook alweer aan het doen?'

'Ik geloof dat hij een van de slachtoffers die tegen hem gaan getuigen bedreigt of haar iets aandoet.'

'Wie is dat?'

'Gloria Gonzalvez, hoewel ze inmiddels misschien anders heet. Het kan zijn dat ze is getrouwd of gewoon haar naam heeft veranderd.'

'Goed. Dus Gloria nog wat.'

'Precies.'

'En waar bevindt hij zich volgens die gps-zender?'

Glitsky had die informatie opgeschreven. Hij keek in zijn notitieboekje en zei: 'Waarschijnlijk in de buurt van Dennis Drive 900, tussen Burnham en Agnes.'

'Oké. En bij welk adres staan ze nu?'

'Dat weet ik niet precies.'

'Het kenteken van die wagen?'

Glitsky gaf het hem.

'Oké. En waar woont die vrouw? Wat is haar adres?'

'Dat weet ik ook niet.'

Aan de andere kant van de lijn was een kleine aarzeling te beluisteren en iets dat klonk als een zucht van ongeduld.

Glitsky voelde het bloed naar zijn hoofd stijgen. 'Luister eens, die gast is zo gevaarlijk als een hartaanval en hij is daar nu. Waarschijnlijk loert hij op die Gloria. Stuur er gewoon een paar eenheden op af om het te onderzoeken. Zorg dat jullie zichtbaar aanwezig zijn. Als jullie iemand zien die eruitziet alsof hij daar niet hoort, vraag hem dan om zijn identiteitspapieren. Als het Curtlee is, hou hem dan bezig en zet hem vast als hij in staat van beschuldiging is gesteld.'

'Moeten we een buurtonderzoek doen?'

'Ja. Absoluut. Als het nodig is.'

'Mag ik nog even weten hoe ik jouw naam spel?'

'Natuurlijk. Glitsky ademde zwaar uit om wat van zijn eigen frustratie kwijt te raken, en spelde de naam toen voor hem. 'Ik ben hoofd van de afdeling Moordzaken in San Francisco.'

'Goed. Begrepen. Ik stuur er wel een eenheid naartoe.'

'Een paar zou beter zijn.'

Opnieuw een aarzeling. 'Ik zal zien wat ik kan doen.'

Hoewel het zelfs voor een politieman als Glitsky verboden was tijdens het rijden zijn mobiele telefoon te gebruiken belde hij onderweg naar Sunnyvale opnieuw met brigadier Bransen. Die had een paar patrouillewagens naar Dennis Drive gestuurd, maar daar was niets verdachts geconstateerd en zijn agenten hadden geen aanleiding gezien een buurtonderzoek te houden.

Glitsky belde ook nog een keer met Southern Station in het Paleis van Justitie, waar brigadier Bornhorst van de politie van San Francisco al vanaf de ochtend de gegevens van de gps-zender in de gaten hield. Van Bornhorst hoorde hij dat Ro's wagen de locatie in Sunnyvale had verlaten en nu via de 280 Freeway in noordelijke richting reed, terug naar de stad. De wagen werd niet gevolgd door de verkeerspolitie of de plaatselijke politie, maar Bornhorst verzekerde Glitsky ervan dat de politie in staat was de wagen te onderscheppen en Ro op te pakken, zodra hij in staat van beschuldiging was gesteld. Het zou enige coördinatie vergen, maar het was te doen.

Glitsky was er zeker van dat ze gelijk had. Maar gezien zijn eigen geschiedenis met Ro, en omdat de nieuwe hoofdcommissaris niet kon hebben dat het erop leek dat de arrestatie zou worden bezoedeld door persoonlijke vetes, had Lapeer Glitsky nogal nadrukkelijk buiten de besluitvorming gehouden over de manier waarop ze Ro de uitspraak zou betekenen en hoe ze hem zouden arresteren. De hoofdcommissaris was bezig een arrestatieteam samen te stellen en afgaande op wat Glitsky had gehoord zou de aanhouding plaatsvinden in de buurt van of in het huis van Ro, waar hij logischerwijs uiteindelijk wel zou opduiken.

Gesteld natuurlijk dat de grand jury het er voor het eind van de dag over eens kon worden dat hij in staat van beschuldiging moest worden gesteld voor de eerste twee moorden.

Inmiddels had Glitsky al twee derde van de afstand naar Sunnyvale afgelegd. Hij kon zich er nog steeds nuttig maken. Hij had zijn eigen redenen om Gloria Gonzalvez op te sporen.

Tijdens zijn rit naar het schiereiland was de bewolking dichter geworden en inmiddels, terwijl hij Dennis Drive in reed, kletterde de regen in harde, koude druppels tegen zijn voorruit. Nu hij de straat had bereikt, die gelukkig maar één huizenblok lang was, was er nog maar net genoeg licht om zichzelf ervan te kunnen vergewissen dat geen van de twee meest waarschijnlijke auto's waarin Ro zou kunnen reizen langs de stoep stond geparkeerd.

Hij parkeerde op een willekeurige plaats en bleef een minuut zitten, in de hoop dat het even zou ophouden met regenen, omdat hij tot zijn ergernis ontdekte dat hij alleen maar zijn gewone Mountain Hardwear-jack droeg – hij had zijn regenjas uitgeleend aan Amanda Jenkins toen ze in de stad waren gaan wandelen en die had ze ongetwijfeld nog steeds. Omdat het bleef regenen gaf hij het uiteindelijk op, stapte uit en rende van zijn auto naar het dichtstbijzijnde huis waar licht brandde. Hij schuilde onder het afdak voor de deur en drukte op de bel.

Na een ogenblik ging de deur achter de hordeur een stukje open. Een vrouwenstem zei: 'Ja?'

Glitsky, een grote zwarte man met een imposant voorkomen en een lang litteken dat dwars over zijn mond liep, kon vrijwel nooit rekenen op een bijzonder enthousiast welkom als hij onaangekondigd bij iemand aan de deur kwam, en niet zelden was de reactie er een van pure angst. Deze vrouw vertoonde de typische respons. Dus haalde hij zijn politielegitimatie tevoorschijn, stelde zich voor en vervolgde: 'Ik ben op zoek naar een vrouw met de voornaam Gloria die in deze straat woont. Haar familienaam was ooit Gonzalvez en is dat misschien nog steeds. Ik geloof dat ze gevaar loopt en ik zou haar graag willen spreken.'

De vrouw opende de deur niet verder, zei eenvoudigweg 'sorry', en deed hem dicht.

Glitsky besloot geen tijd te verspillen met een poging haar aan het verstand te brengen hoe je behoorde te reageren als politiemensen bij je langskwamen met een verzoek om informatie. In plaats daarvan, ervan uitgaande dat ze in ieder geval de namen van haar directe buren wel zou weten, sloeg hij de twee volgende huizen over en rende door de regen naar een huis verderop waar ook licht brandde en probeerde het opnieuw. Dit keer was de bewoner een Afro-Amerikaanse man van middelbare leeftijd. Hij opende de deur en glimlachte zowaar toen hij Glitsky zag. 'Is het wel nat genoeg voor je, daarbuiten?' vroeg hij.

'Zo ongeveer.' Glitsky hield zijn politiepenning omhoog en stak zijn verhaal af.

De man hoefde er nauwelijks over na te denken. 'Dat moet Gloria Serrano zijn.' Hij liep zelfs naar buiten om Glitsky vanaf zijn kleine veranda behulpzaam te zijn door te wijzen. 'Ze woont vijf huizen verderop aan de andere kant. Dat huis met die blauwe luiken. Er is haar toch niets overkomen?'

'Ik hoop van niet,' zei Glitsky. 'Dank u.'

'Hebt u misschien hulp nodig?'

'Nee. U hebt me al genoeg geholpen. Bedankt.'

Een halve minuut later belde Glitsky bij haar aan. Het was duidelijk dat er binnen verscheidene mensen aanwezig waren. Er ontstond enige commotie – hij hoorde geroep van kinderen en vervolgens een strenge mannenstem. Toen de deur openging – Glitsky had zijn politielegitimatie alweer in de hand – stond hij oog in oog met een duidelijk geagiteerde en ongeruste Latijns-Amerikaanse man van een jaar of vijfendertig. Hij hield een kachelpook in zijn rechterhand en zag eruit alsof hij die bij de eerste de beste provocatie zou gebruiken.

'*Si?*'

'Abe Glitsky, afdeling Moordzaken van de politie van San Francisco,' zei hij. '*Homocidio. Comprendo?*'

De kleine woonkamer achter hem was goed verlicht. Twee jonge jongens keken Glitsky van achter de benen van hun vader nieuwsgierig aan, en Glitsky ving ook een glimp op van een vrouw op de bank met een peuter op haar schoot. Zodra ze Glitsky's naam hoorde stond ze op en verscheen in het volle licht. 'Roberto, het is goed,' zei ze. 'Ik ken hem. Laat hem maar binnen.'

Ze bood Glitsky een kleine handdoek aan om zijn hoofd en gezicht mee af te drogen en hing zijn doorweekte jack over een stoel die ze vlak bij een verwarmingsradiator zette. Het huis was proper, eenvoudig ingericht en warm; de ramen waren bedekt met condens. Glitsky ging naast Roberto tegenover haar zitten aan een formicatafel die in een hoek van de woonkamer stond. Ze nam de peuter weer op schoot, terwijl de vader tegen de jongens zei dat ze op de bank moesten gaan zitten en zich rustig moesten houden, wat ze zonder tegenspraak deden.

'Ik ben zó blij dat ik je heb gevonden,' begon Glitsky.

Ze forceerde een beleefd glimlachje. 'Ik vind het ook leuk om ú te zien. Is er iets aan de hand?'

'Wat zal ik zeggen.' Glitsky was enorm opgelucht te zien dat ze nog leefde en ongedeerd was. 'Misschien wél. Ik weet niet of je het hebt gehoord, maar Ro Curtlee is vrijgelaten uit de gevangenis.'

Ze wierp een blik in de richting van haar echtgenoot – een waarschuwing? – waarna ze het kind dichter naar zich toe trok en op haar knie heen en weeg bewoog, de armen beschermend om haar heen. Ze schudde van nee. 'Hoe kan dat nou?'

'Hij heeft beroep aangetekend tegen de schuldigverklaring en ze gaan hem opnieuw berechten. Ondertussen hebben ze hem op borgtocht vrijgelaten.'

'Waarom hebben ze dat gedaan?'

'Daar heb ik geen goed antwoord op. Maar ze hebben het gedaan. Heb je misschien nog iets van hem gehoord?'

'Nee, waarom zou ik iets van hem gehoord moeten hebben?'

'Het zou kunnen dat hij je wil overreden niet opnieuw tegen hem te getuigen. Want als er een nieuw proces komt, dan is het nodig dat je opnieuw optreedt als getuige.'

'Maar dat heb ik de laatste keer toch al gedaan?'

'Ja, dat weet ik.'

'Telt dat dan niet meer? Wat ik eerder heb gezegd?'

'Ja. Maar het is overtuigender als je het opnieuw aan de jury vertelt.'

'Het spijt me,' zei ze, 'maar ik denk niet dat ik dat nóg een keer kan doen.'

Glitsky had natuurlijk nooit gedacht dat dit gemakkelijk zou worden. 'Ik kan begrijpen dat je er zo over denkt,' zei hij. 'Maar je bent op dit moment de belangrijkste getuige uit het vorige proces, onze laatste hoop als we hem weer achter de tralies willen krijgen.'

Gloria keek opnieuw naar haar echtgenoot, die zijn ogen geen moment van Glitsky had afgewend en geen spier had bewogen nadat hij was gaan zitten. 'Hoe is het zover gekomen? Hoe zit het met de andere getuigen? En Felicia dan?'

Glitsky haalde snel adem en gooide het eruit. 'Felicia is dood.'

Gloria sloeg met trillende lip een kruis.

'Ze is om het leven gekomen tijdens een brand,' zei Ro.

'Nadat Ro is vrijgekomen uit de gevangenis?'

Glitsky aarzelde even en knikte. 'Ja.'

'Hij heeft haar vermoord.'

'Misschien. Dat is niet uitgesloten.'

Plotseling nam Roberto het woord. 'Ze kan dit niet opnieuw doen,' zei hij. 'Punt uit.'

'Goed, maar dat is niet alles. Ik probeer Gloria al bijna een maand te vinden. Nu ik haar gevonden heb, nu ik jullie gevonden heb, wil ik haar – en nu ook jullie hele gezin – tot aan het proces opnemen in een getuigenbeschermingsprogramma.'

'Nee, dat kunnen we niet doen,' zei Gloria. 'Dat heb ik de laatste keer gedaan toen ik alleen was, maar nu hebben we banen. Een leven, zoals u kunt zien. Ik kan niet opnieuw zomaar verdwijnen.'

'Het zou alleen maar nodig zijn tot na je getuigenverklaring, net zoals de vorige keer.'

'En wanneer zou dat dan zijn?'

'Op zijn vroegst pas in augustus. Misschien later.'

Ze moest bijna lachen om de absurditeit van dit verzoek. 'Nee,' zei ze. 'Ik vorm geen bedreiging voor hem, en hij vormt geen bedreiging voor mij als ik niet ga getuigen. Dus dat doe ik niet. Dat is nogal eenvoudig.'

Glitsky werd bevangen door een plotselinge kilte die hem deed huiveren. Hij wilde deze vrouw niet onnodig onder druk zetten, maar hij moest haar ervan overtuigen hoe gevaarlijk haar situatie was. 'Weet je hoe ik je hier heb gevonden?' vroeg hij haar. Toen ze nee schudde vervolgde hij: 'We hebben een zendertje aan de auto van Ro bevestigd, een gps-apparaat. Hij is vandaag naar deze straat gereden en is hier bijna twee uur gebleven.'

Roberto en Gloria wisselden opnieuw een snelle blik uit. 'Ik was er niet,' zei ze.

'Heb je hem niet gezien? Heeft hij niet met je gepraat?'

Dit keer hield de blik van Gloria een duidelijke boodschap aan haar man in: *Zeg niets.* 'Nee,' zei ze. 'Ik ga gewoon zijn ouders bellen om ze te vertellen dat ik niet zal getuigen. Dan komt hij niet terug.'

Glitsky liet zijn handen strak ineengeklemd op de tafel vóór zich rusten. Hij werd zich plotseling bewust van zijn gespannenheid en dwong zichzelf ze te ontspannen. Hij wilde voorkomen dat hij tegen haar zou uitvallen of met haar in een conflict zou raken, omdat er dan geen weg terug meer was. Hij keek Gloria in de ogen en probeerde zijn eigen gelaatsuitdrukking, waarvan hij wist dat die van nature nors was, te verzachten. 'Hij is hier vanmiddag langs geweest en hij heeft je kinderen bedreigd, nietwaar?' zei hij zachtjes. 'Is dat niet wat er écht is gebeurd?'

Ze was een buitengewoon slechte leugenaar. Nadat ze haar ogen wijd had opengesperd, keek ze haar echtgenoot aan om steun hij hem te vinden. Maar die kon alleen maar berustend zijn schouders ophalen. Ten slotte schudde ze veel te nadrukkelijk een paar keer nee. 'Dat heb ik toch net gezegd.'

'Ja, dat heb je net gezegd. Je hebt me verteld dat hij dat helemaal niet heeft gedaan.' Glitsky boog zich naar haar toe. 'Maar is dat de waarheid?'

Opnieuw wierp ze een smekende blik naar haar man, alsof ze hem wilde vragen tussenbeide te komen, maar hij begreep haar verkeerd of wist niet wat hij met de situatie aan moest. Haar blik dwaalde naar de twee jongens die aan de andere kant van de kamer op de bank zaten. Ze sloeg haar armen nog beschermender om de peuter op haar schoot heen. Ten slotte schudde ze opnieuw haar hoofd. 'Ik heb hem niet gezien,' zei ze. 'Ik weet niet waarom hij zijn auto hier heeft geparkeerd.'

Glitsky bracht het volume van zijn stem omlaag naar een nauwelijks verstaanbare fluistertoon. 'Ik wil je kinderen niet ongerust maken, Gloria, maar ik denk dat hij hierheen is gekomen om je te vermoorden, net zoals hij Felicia Nuñez heeft vermoord. Maar toen hij je kinderen zag, kreeg hij een beter idee.'

Ze staarde hem alleen maar aan.

'Hij moet terug naar de gevangenis,' zei Glitsky, 'om te voorkomen dat hij iemand anders kwaad kan doen.'

'Hij zal mijn kinderen geen kwaad doen als ik niet getuig,' zei ze. 'Dan heeft hij er geen reden voor.'

'Hoe weet je dat?' vroeg Glitsky. 'Hoe kun je daar zo zeker van zijn?'

'Alstublieft. Het heeft geen zin.' Ze bracht haar kin omhoog en keek hem aan. 'Dat weet ik gewoon.'

35

Tijdens de rit terug naar de stad via de Bayshore Freeway, terwijl de kachelventilator warme lucht naar binnen blies en zijn ruitenwissers op de hoogste snelheid heen en weer zwiepten, probeerde Glitsky zich te troosten met de gedachte dat hij nu tenminste een naam en adres had van Gloria Serrano en dat andere justitiemedewerkers met meer overtuigingskracht haar misschien nog konden bewegen tegen Ro te getuigen. Dat was niet uitgesloten, dacht hij, zeker niet als ze hem weer achter de tralies kregen en hij geen directe bedreiging meer vormde voor zijn kinderen.

Opnieuw probeerde hij er een verklaring voor te vinden dat Ro Gloria zo snel had gevonden, en opnieuw kwam het neer op het aloude thema van het stomme gemeentelijke politiebudget. Hij was er zeker van dat Ro's succes te danken was aan het feit dat hij particuliere en in sommige gevallen doodgewoon onwettige middelen kon gebruiken voor het traceren van vermiste personen of mensen die zich ergens verborgen probeerden te houden. Terwijl hij zich daarover opwond ging zijn mobiele telefoon, die op de passagiersstoel naast hem lag.

Hij zag de naam van Wes Farrell op het schermpje verschijnen en besloot de plichtplegingen over te slaan. 'Zeg dat hij in staat van beschuldiging is gesteld.'

'Beter laat dan nooit. Het is voor elkaar. Vijftien minuten geleden.'

'Halleluja!'

'Dat is precies wat ik ook zei. Het spijt me dat ik je niet eerder heb gebeld, maar ik vond dat Vi het eerst moest horen.'

'Lijkt me terecht. Heeft ze haar team gereed?'

'Nog niet. Ik heb haar pas net gebeld. Het laatste wat ze heeft gehoord van de mensen die de gps-zender volgen was dat hij op het schiereiland is geweest maar inmiddels weer terug is in de stad.'

'Sunnyvale,' zei Glitsky. 'Hij heeft Gloria Gonzalvez gevonden.'

'Jezus, nee toch? Verdomme.' Farrells stem klonk hol. 'Je gaat me toch niet vertellen dat...'

'Nee. Hij heeft alleen haar kinderen maar bedreigd omdat hij dat lolliger vond. En nu zegt ze dat ze niet meer tegen hem wil getuigen. Het zou nog wel eens moeilijk kunnen worden haar zover te krijgen dat ze weer meewerkt.'

'Nou, misschien als ze erachter komt dat hij weer in de gevangenis zit...'

'Daar hoop ik ook een beetje op. Heeft de hoofdcommissaris nog gezegd wanneer ze verwachten in actie te komen?'

'Ze zei dat ze nog bezig is de manschappen te mobiliseren. Een paar schijnen al naar huis te zijn gegaan, hoewel ze allemaal oproepbaar zijn. En dan wil ze eerst zeker weten waar Ro nu naartoe gaat. Ze vermoedt naar huis.'

'Dat vermoedt ze?'

'Hij rijdt nu op 19th Avenue, in de richting van zijn huis. Heb jij een beter idee?'

'Nee, ik denk het niet.'

'Nou, wat dan?'

'Niets.' Glitsky was niet van plan kritiek te leveren op de hoofdcommissaris, die het meestal voor hem opnam als híj zware kritiek te verduren kreeg. Maar in alle eerlijkheid maakte het hem bijna misselijk dat ze niet had besloten Ro's auto te laten volgen zodra hij weer in de stad was verschenen, of zelfs al eerder. Maar misschien had Lapeer nog wel meer last van budgetproblemen dan Glitsky. 'Ik wil hem gewoon van de straat hebben.'

'Dat zal waarschijnlijk niet veel langer dan een paar uur duren,' zei Farrell.

'Minder zou beter zijn.'

'Ga jij Vi bellen om haar dat te vertellen?'

'Nee,' zei Glitsky. 'Dat lijkt me zinloos.'

Toen Jon Durbin de vorige avond laat voor het eerst weer thuiskwam zag hij hoe zijn vader de oprit van zijn oom en tante af reed. Omdat hij geen idee had waar zijn vader zo laat op een donderdagavond nog heen moest, had hij hem gevolgd door Golden Gate Park, daarna rechtsaf via Geary Street naar Laguna Street, en ten slotte in noordelijke richting naar Chestnut Street, waar hij zijn auto langs de stoep had geparkeerd.

Jon, die zijn auto een halve straat verderop tot stilstand had gebracht, zag hoe zijn vader uit de auto stapte en naar de ingang van een groot appartementencomplex liep. Nadat hij had aangebeld ging de deur open en verdween hij naar binnen.

Jon volgde hem een minuut later en keek naar de rij brievenbussen met de namen van de bewoners. Toen hij de naam Sato zag kon hij het bijna niet geloven, totdat hij het vollédig geloofde, waarna zijn hand naar zijn maag bewoog en hij moest overgeven.

Zijn vader en Liza.

Wat ziek, wat afschuwelijk en wat verdomd doorzichtig.

Dacht zijn vader werkelijk dat hij hiermee kon wegkomen? Dacht hij dat ze allemaal goedgelovige idioten waren?

Daarna had hij het niet meer kunnen opbrengen weer naar huis te gaan. Hij logeerde bij zijn beste vriend Rich, en hij was met zijn kleren van de vorige dag en vrijwel zonder te hebben geslapen naar school gegaan.

Na zich de hele dag te hebben lopen opfokken begon hij zich van minuut tot minuut naargeestiger te voelen, en na school was hij eerst teruggegaan naar Rich, waarna hij had besloten dat hij er niet langer mee rond kon lopen en het openbaar moest maken. Dus was hij omstreeks kwart voor vijf teruggegaan naar het huis van de familie Novio, net toen het begon te stortregenen.

Hij wist nog niet precies wat hij ging doen. Maar dat hij iets moest doen stond vast.

Toen hij binnenkwam had hij tante Kathy nauwelijks iets hoeven uitleggen. Die was nog helemaal kapot – net als iedereen, behalve natuurlijk zijn stomme vader – van het naakte feit dat zijn moeder was vermoord. Hij beklom de trap naar de slaapkamer die hij deelde met Peter, nam een douche, trok andere kleren aan en ging met zijn ogen dicht op bed liggen.

Toen Peter een halfuur later binnenkwam deed hij ze weer open. 'Hé.'

'Waar heb jij uitgehangen?'

'Bij Rich geweest. Een beetje chillen. Behalve gisteravond. Weet je wat ik gisteravond heb gedaan?'

'Wat interesseert mij dat nou?'

'Dat interesseert je vast wel. Ik ben pa gevolgd.'

'Wanneer?'

'Toen hij uitging. Weet je niet dat hij de deur uit is gegaan?'

Peter schudde zijn hoofd. 'Ik ben vroeg in slaap gevallen. Ben je hem gevolgd? Waarom dan? En waarheen?'

'Omdat ik wilde zien waar hij naartoe ging. En zal ik je eens wat vertellen? Hij ging naar Liza Sato.'

Deze informatie bracht Peter tot zwijgen, totdat hij ten slotte een vraag kon formuleren. 'Waarom ging hij daarheen?'

'Wat denk jij?'

'Ik denk waarschijnlijk omdat ze een goede vriendin van hem is en omdat hij iemand nodig had om mee te praten.'

'Ja, dat kan. Of hij neukt haar.'

'Gelul! Dat weet je helemaal niet. Je weet helemaal niks.' Maar toen de volle betekenis van wat zijn broer zojuist had beweerd tot hem doordrong liep Peter naar Jon toe, die op het bed zat, en zei: 'Wil jij beweren dat jij denkt dat pap mam heeft vermoord? Wou je dát zeggen? Want als je dat bedoelt, dan is dat grote onzin.'

'Denk jij dat het onzin is dat hij een verhouding heeft en dat niemand erover praat? Volgens mij klinkt dat alsof hij een reden had om mam te vermoorden.'

'Hij hád geen reden om mam te vermoorden. Hij heeft mam niet vermoord. Hij hield van mam.' Peter barstte in tranen uit. *'Hij hield van haar, verdomme. Hij hield van haar!'* In een plotselinge woede-uitbarsting haalde hij met beide handen uit en raakte zijn broer tegen de schouders, waardoor hij achterover op het bed viel. 'Val dood!'

Jon trok zijn voeten omhoog en trapte Peter tegen zijn borst zodat hij achterover op de grond viel, waarna hij vloekend en tierend van het bed af kwam en wild om zich heen begon te slaan. Peter vocht terug, greep Jon bij zijn middel en smeet hem tegen een van de muren, waardoor er een lamp van het nachtkastje op de grond viel.

Jon kwam weer overeind, hervond zijn balans en sloeg Peter in het gezicht, waarna zijn jongere broer een dierlijke kreet uitte en zich, terwijl het bloed uit zijn neus spoot, met zijn volle gewicht op zijn broer stortte. Ze duikelden allebei over het bed en vielen er aan de andere kant weer af, waarbij ze terechtkwamen op het andere mahoniehouten nachtkastje, dat versplinterde terwijl de tweede lamp op de grond aan gruzelementen viel.

Michael Durbin bekeek de ravage in de kamer van de jongens. Hij had geen idee wat hij nu weer met déze calamiteit aan moest. Hij keek Chuck aan, die naast hem stond. 'Ik weet niet wat ik moet zeggen. Het spijt me verschrikkelijk. Natuurlijk zal ik alle schade vergoeden.'

'Dat is niet het belangrijkste.'

'Nou, in ieder geval hoort het erbij.' Hij nam de vernielingen nogmaals in ogenschouw. 'Jezus christus, wat heeft ze bezield?'

'Als ik Peter moet geloven,' zei Chuck, 'ging het over jou.'

'Over mij? Hoezo ging het over mij?'

Chuck legde een hand op zijn schouder. 'Misschien moet je met Peter gaan praten.'

'Ik ben bang dat ik een beetje te boos ben om met Peter te praten.'

'Als je al kwaad op iemand wilt zijn, Michael, kun je volgens mij beter voor Jon kiezen.'

'Ik ben pisnijdig op allebei.' Opnieuw bekeek hij de toestand in de kamer. 'Godallemachtig, het lijkt wel alsof er hier een bom is afgegaan. Waarom zou ik kwader moeten zijn op Jon?'

'Kennelijk heeft hij Peter verteld dat jij iets te maken zou hebben gehad met de dood van Janice.'

Durbins hoofd bewoog omlaag totdat zijn kin bijna zijn borst raakte. 'Hoe kan hij dat nou denken? Mijn eigen zoon. Hoe kan iemand die mij een beetje kent dat nou denken...?'

'Hij is je gisteravond achternagereden, Mike. Jon, bedoel ik. Toen je hiervandaan vertrok naar Liza Sato.'

Durbin draaide zich opzij en keek zijn zwager aan. 'Jezus,' zei hij. 'Jij ook al?'

Chuck schudde zijn hoofd. 'Helemaal niet, Michael. Ik vertel je alleen maar wat ik van je zoon heb gehoord.' Hij gebaarde naar de kamer. 'Wat de aanleiding van dit alles is geweest.'

'Ik had iemand nodig om mee te praten,' zei Durbin. 'Ik ben jou en Kathy al genoeg tot last geweest. Ik moest gewoon even weg hier, dat is alles.'

'Je hoeft je tegenover mij niet te verantwoorden. Wat mij betreft is Janice vermoord door Ro Curtlee en daarmee uit. En bovendien is er nog dat akkefietje met de schilderijen.'

'Jon kan toch niet geloven dat ik dat zelf zou hebben gedaan?'

En plotseling klonk er een nieuwe stem – de schorre en verstikte stem van Peter – achter hen. 'Dat gelooft-ie wél, pa. Om het te laten lijken alsof Curtlee het gedaan heeft.'

Durbin draaide zich om naar zijn jongere zoon. Die droeg nog steeds zijn gescheurde en bebloede hemd. Zijn gezicht was opgezet, zijn neus beschadigd en uit het lood, misschien wel gebroken. 'Peter.' Durbin, die schrok toen hij zag hoe zijn zachtaardige zoon was toegetakeld, sprak minder streng dan hij van plan was geweest. 'Godallemachtig.'

'Ik weet het. Het spijt me. Ik snap niet wat er is gebeurd. Jon begon rare dingen te zeggen en toen ben ik hem aangevlogen.' Hij keek langs zijn vader naar de schade die hij had aangericht. 'Het spijt me, oom Chuck, het spijt me heel erg.'

'Spijt is een goed begin,' zei Chuck, 'maar het is lang niet voldoende. Weet je waar Jon naartoe is?'

Peter schudde van nee. 'Hij heeft bij Rich gelogeerd, maar ik weet niet waar hij nu is. En het kan me niet schelen ook. Ik hoop dat hij nooit meer terugkomt.'

'Nee, dat hoop je niet. Hij reageert op deze manier omdat hij mam mist. We missen mam allemaal. Het heeft hem heel erg boos gemaakt. Hij weet niet wat hij met die boosheid aan moet en daarom reageert hij zich af op mij. En op jou. En misschien op ons allemaal.' Durbin raakte de arm van zijn zoon aan. 'Maar hoe heeft hij zich zoiets in zijn hoofd kunnen halen, Peter? Alleen maar omdat ik Liza Sato ben gaan opzoeken?'

Peter knikte. 'Hij gelooft dat je iets met haar hebt. Ik heb hem verteld dat dat onzin is. Je hield van mam.'

'Ik hield van je moeder, Peter. Ik hield vreselijk veel van haar. Ik hou nog steeds van haar.'

'Dat is precies wat ik hem heb gezegd. Ik heb gezegd dat jij en Liza gewoon goed bevriend zijn, meer niet. Dat is toch zo, of niet soms? Ik bedoel, dat is toch gewoon helemaal waar?'

'Natuurlijk,' zei Durbin. 'Dat is helemaal waar. Voor de volle honderd procent.'

Het horen van zijn vaders hartstochtelijke verklaring leek de jongen zichtbaar tot rust te brengen. Hij ademde zwaar uit door zijn mond en sloot zijn ogen, terwijl hij het antwoord tot zich door liet dringen. 'Oké,' zei hij. 'Oké dan.'

36

Eztli en Ro kwamen even na zes uur 's avonds thuis. Ro had eerst eigenlijk nog gewild dat Eztli hem afzette bij MoMo's. Daar had hij wat kunnen eten en drinken aan de bar totdat Tiffany vrij was, maar het was vrijdagavond en Eztli moest zich al haasten om op tijd weer in het huis van de Curtlees aanwezig te zijn om zijn smoking aan te trekken en hen vervolgens om acht uur naar het Saint Francis Hotel te rijden, waar ze aanwezig moesten zijn voor de een of andere wijnveiling voor een goed doel. Dit stond al een maand gepland en al gaf de omgang met Ro hem een ware kick, hij wist heel goed wie iedere maand zijn salaris betaalde. Als Cliff en Theresa wilden dat hij ergens aanwezig was, dan kwam hij ook netjes opdagen.

Stoned, en mild gestemd door de positieve wending die de zaken die middag met Gloria Serrano had genomen, had Ro niet geprotesteerd. Dus zaten Eztli en de drie leden van de familie Curtlee om zeven uur die avond bijeen in wat ze 'de kleine salon' noemden – een rustige, tamelijk kleine kamer vlak naast de eetkamer, met een open haard en veel boekenkasten.

Cliff en Theresa, allebei in avondkleding, zaten heup aan heup op de tweezitsbank tegenover de dansende vlammen in de open haard en dronken een glas Roederer Cristal-champagne. Ro, gezeten in een oorfauteuil schuin tegenover hen, had gedoucht en een blauw zijden hemd met lange mouwen en een kakibroek aangetrokken. Zijn blote voeten rustten op een poef, en zijn handen omklemden een groot loodkristallen glas met een ruime hoeveelheid Rémy Martin VSOP. Eztli, in zijn smoking, stond vlak bij de open haard, tegenover Ro en zijn ouders, zodat hij de enige ingang van het vertrek kon zien. Hij had geen marihuana van Ro aangenomen toen ze terugreden naar de stad en hij dronk ook niet. Omdat hij die avond een dubbele taak vervulde – chauffeur en lijfwacht – droeg hij een .40 kaliber semiautomatisch pistool in een schouderholster onder zijn oksel. Iets heel anders dan het wapen dat hij tegen Matt Lewis had gebruikt.

Ro onderhield zijn ouders over de gelukkige omstandigheid dat hij vandaag Gloria had weten te vinden. 'Het was echt ongelofelijk om te zien hoe ze is veranderd, jongens. Ik denk dat het komt doordat ze zo lang met een schuldgevoel heeft rondgelopen,' zei hij. 'Ze was gewoon een ander mens. Ze vertelde me dat ze alleen maar wroeging had vanwege de verklaring die ze de laatste keer tegen me heeft afgelegd.'

'Dat mag ik hopen,' zei Theresa. 'Ik dacht altijd dat het een aardig meisje was, totdat ze al die leugens vertelde in de getuigenbank natuurlijk.'

'Een heel aardig meisje,' zei Cliff instemmend. 'En een van de aantrekkelijkste, als je het mij vraagt.'

'Dat is ze nog steeds,' zei Eztli.

'Hoe dan ook,' vervolgde Ro, 'het belangrijkste is – en dat is echt het geweldigste nieuws – dat ze absoluut niet opnieuw gaat getuigen. Ze heeft me zelfs gevraagd of het niet mogelijk was om met Tristan te bespreken of ze de dingen die ze de laatste keer heeft gezegd gedeeltelijk of helemaal zou kunnen herroepen.'

'Ro,' zei Cliff, 'dat is fantastisch. Echt fantastisch!'

'Maar je maakt me nieuwsgierig. Hoe heb je haar gevonden?' vroeg Theresa. 'Ik heb van Tristan begrepen dat het nogal lastig bleek te zijn haar te traceren.'

'Nou, híj gebruikte een privédetective. Ik had Ez.'

Op wie alle ogen zich richtten. Hij haalde bescheiden zijn schouders op. 'Ik heb mijn oor te luisteren gelegd in onze gemeenschap. Het stelt niet zoveel voor. Er bestaat een netwerk van gelijkgestemde mensen. En ze was niet echt ondergedoken.'

'Ja, nou, hoe dan ook, jouw inspanningen waren wel wat effectiever dan de advocaten die wij betalen, waar of niet?'

Eztli glimlachte. 'We hebben geluk gehad. Maar ik verkies geluk altijd boven hersens.'

'Mijn idee,' zei Theresa. 'En deze Gloria, was dat niet de laatste? Ik bedoel de laatste getuige die ze zover hadden gekregen om tijdens je nieuwe proces te komen getuigen?'

Ro nipte tevreden van zijn cognac. 'Nou, het bleek dat ze haar helemaal nog niet zover hadden. Ze wist zelfs niet eens dat ik al uit de gevangenis was.'

Theresa's vrijwel onbewogen gezicht vertoonde even een lichtelijk verbaasde uitdrukking. 'Hoe zou ze dat niet kunnen weten?'

Ro glimlachte naar haar. 'Ik geloof niet dat ze veel kranten leest, moeder. Of veel naar het nieuws kijkt.'

'Ze heeft drie kleine kinderen,' zei Eztli. 'Het leek erop dat die haar voldoende bezighielden.'

'Nou, dan zal dat de verklaring wel zijn,' zei Theresa.

'Dus zo sterk ziet hun zaak er niet uit, zou ik denken,' voegde Cliff eraan toe.

'Laten we het hopen,' zei Ro. 'Ze hebben geen nieuwe getuigen en de oude zijn ook vrijwel helemaal weggevallen. Daar heeft Tristan de hele tijd op gehoopt, en het ziet ernaar uit dat het nu inderdaad zover is.'

'Dus misschien hoef je helemaal niet terug naar de gevangenis?' vroeg Theresa.

Ro nam nog een slokje cognac en keek zijn moeder vroom aan. 'Ik wil niet op de zaken vooruitlopen,' zei hij. 'Je weet dat ze het zullen proberen. Ik kan me niet voorstellen dat ze het zomaar zullen opgeven. Maar nu is er in ieder geval nog reden voor hoop.'

'Glitsky geeft het zeker niet op,' zei Theresa. 'Die man is zó hinderlijk. We moeten hem op de een of andere manier overgeplaatst zien te krijgen naar een andere afdeling of iets dergelijks.'

Maar Cliff schudde zijn hoofd. 'Het gaat niet om Glitsky. Het gaat om Farrell. Als hij geen zaak heeft dan komt er geen nieuw proces. En hem kunnen we aanpakken. Trouwens, dat hebben we inmiddels al gedaan. Alweer dankzij Ez hier.'

Eztli nam dit nieuwe compliment in ontvangst met een klein hoofdknikje. 'Ik zou denken dat we van Farrell niet veel last meer zullen hebben,' zei hij.

Cliff keek omlaag naar zijn lege champagneglas. 'Nou,' besloot hij, 'dit alles is reden voor een toost. En dat net nu mijn glas leeg is. Ez, misschien moet jij ook een slokje nemen om het te vieren.'

'Zoals u wilt. Ik zal bellen, meneer.'

In een straat op twee blokken afstand van het huis van de familie Curtlee stond Bracco buiten in de regen te wachten op de laatste twee mannen van het team dat Lapeer had samengesteld om de arrestatie van Ro Curtlee uit te voeren. Vanwege het verrassingseffect had hij de mannen nog geen posities rondom het huis laten innemen. Bovendien moest hij de komst van het tweetal afwachten omdat zij het arrestatiebevel bij zich hadden.

Uit een zijstraat verderop verschenen in de mist twee koplampen om de hoek. Bracco slaakte een zucht van verlichting toen de wagen achter het kleine busje parkeerde dat voor Bracco's wagen langs de stoep stond opgesteld. Bracco, die zijn zenuwen nauwelijks in bedwang kon houden, rende erheen en bereikte de wagen precies op het moment waarop de bestuurder zijn portier opende.

'Bevel?' was alles dat hij kon uitbrengen.

De bestuurder tikte met zijn knokkels tegen zijn borst – 'Hier' – en uit het geluid dat dit maakte leidde Bracco af dat deze jongens ook kevlar droegen, net als de rest van het team.

Niemand nam enig risico.

En nu was iedereen er klaar voor. Opnieuw ging er een golf van opluchting door hem heen. Het was zover. Hij telde de mannen, die hij nu allemaal om zich heen had verzameld, voor de laatste keer en constateerde dat ze compleet waren.

'Goed, jongens,' zei hij. 'Rustig en voorzichtig. Laten we gaan.'

Eztli liep naar een kleine tafel in een hoek van de salon waarop een redelijk geslonken assortiment noten en andere hartige versnaperingen stond uitgestald. Hij pakte het zilveren belletje – dat identiek was aan de belletjes in de keuken en de woonkamer – en schudde het, hetgeen een melodisch geklingel tot gevolg had.

En dat had weer tot gevolg dat een van de geüniformeerde jonge meisjes uit de keuken verscheen. Eztli nam niet altijd de moeite hun individuele namen te onthouden omdat hij weinig contact met ze had, en ook omdat ze meestal binnen ongeveer een jaar in dienst werden genomen bij een van de bevriende relaties van de familie. Hij dacht dat deze Linda heette, maar hij besloot haar niet bij haar naam te noemen voor het geval hij zich mocht vergissen. Eztli vond het belangrijk zich altijd beleefd te gedragen. 'Mag ik alsjeblieft nog een fles Cristal?' vroeg hij. 'De grote fles in de koelkast. O, ja, en ook twee extra champagneglazen.'

Ze keek naar de Curtlees, liet haar blik even op hen rusten en Eztli had het idee dat ze moeite had haar weerzin te onderdrukken. Hij realiseerde zich maar al te goed hoe moeilijk het was je altijd bewust te moeten zijn van de onoverbrugbare kloof tussen de bedienden en de bazen; enige weerzin was hem zelf ook niet vreemd.

Toen haar ogen zich weer op hem richtten, gaf hij haar een als begripvol bedoeld knikje dat ze beantwoordde, waarna ze een knicksje maakte zoals haar was geleerd. Vervolgens keek ze naar de bijna lege schaal met nootjes, liep naar de tafel, pakte hem op en nam hem mee. Zijn ogen volgden de perfecte ronding van haar heupen terwijl ze via de eetkamer in de keuken verdween, en heel even overwoog hij een uitzondering te maken op zijn stelregel nooit iets te beginnen met een personeelslid. Een stelregel die hij zijn hele leven had gevolgd. Deze jonge vrouw was zeker aantrekkelijk genoeg om een dergelijke poging de moeite waard te maken.

Maar hij bande die gedachte weer even snel uit zijn hoofd als hij was opgekomen. Kijk eens welke problemen Ro erdoor had gekregen. Hoewel het al jaren geleden was gebeurd had het nog steeds een desastreuze invloed op zijn leven. Er waren buitenshuis genoeg andere vrouwen van wie Eztli kon genieten. Hij had op dit gebied niet bepaald te klagen.

Al na dertig seconden kwam de jonge vrouw terug met de glazen en de champagnefles, gewikkeld in een eenvoudige witte theedoek. Het dragen van de champagne en de dure, breekbare glazen maakten haar zichtbaar nerveus – de glazen rinkelden vervaarlijk tegen elkaar – en toen ze alles zonder iets kapot te laten vallen op tafel had gezet leek ze duidelijk opgelucht. Met opnieuw een klein buiginkje draaide ze zich om en liep terug naar de keuken.

Eztli droeg de fles champagne naar de ouders van Ro. Nadat hij hun de fles had laten zien ter goedkeuring, kreeg hij een kort knikje van Cliff. Theresa zei: 'Dat lijkt me prima in orde.'

Met één oor luisterend naar de conversatie, die nu ging over Sheila Marrenas en haar laatste column over de nieuwe wind die er sinds het aantreden van Leland Crawford in de stad waaide en hoe zijn visie op het politieapparaat gaandeweg zijn vruchten begon af te werpen, liep Eztli terug naar de tafel. Geroutineerd verwijderde hij het folie van de fles en vervolgens de muselet, waarna hij de fles voorzichtig ronddraaide terwijl hij de kurk op zijn plaats hield. Met een bescheiden plop ging de fles zonder morsen open. Eerst schonk hij een van de nieuwe glazen in voor Ro en liep hij naar de andere kant van de kamer om het aan te reiken. Daarna zou hij Cliff en Theresa bijschenken, om pas dan zelf een half glaasje te nemen.

Toen hij Ro bijna had bereikt werd hij zich bewust van het feit dat de jonge vrouw weer achter hem was verschenen, dit keer met een schaal noten onder een rond zilveren deksel. Ze liet hem zwaar neerkomen op de kleine tafel, na er ruimte voor te hebben gemaakt, en bleef vervolgens even staan, terwijl ze met beide handen de zijkanten van de tafel vasthield, alsof ze dat nodig had om overeind te blijven.

Zich bewust van deze ongewone aarzeling draaide Eztli zich om. Hij wilde zich ervan vergewissen dat haar niets mankeerde, maar juist toen hij zich omdraaide tilde ze het deksel van de schaal met nootjes en plaatste het ervoor, zodat Eztli hem niet kon zien. Toen bukte ze zich en tilde een voorwerp op. Even was Eztli volledig van slag. Wat hij zag was in deze omgeving dermate bizar en onverwacht dat het hem tijdelijk verlamde. Met beide handen hield ze het grote, semiautomatische pistool vast, dat ze langzaam omhoog bracht.

Toen de verwarring plaatsmaakte voor een afschuwelijke en wanhopige zekerheid, liet Eztli de fles champagne uit zijn rechterhand vallen terwijl hij tegelijkertijd Ro's glas in de richting van de open haard smeet.

'Ez!' Cliff schrok op van de plotselinge beweging en het lawaai. 'Wat doe je nu, verdomme...'

Eztli bracht zijn hand naar zijn eigen wapen en draaide zich naar haar toe, waardoor hij haar ongewild een groter doelwit bood. Maar hij had geen keus. Toen hij de kolf eenmaal vast had, had zij het pistool al omhoog, de loop gericht op zijn borst.

Het geluid van het eerste schot, waarvan de kogel hem vlak boven het hart raakte en dat hem achterover op de vloer deed belanden, hoorde hij niet. Vervolgens, van heel ver weg, hoorde én voelde hij een volgend schot; een snijdende pijn in zijn schouder en vervolgens, terwijl alle geluiden in de wereld om hem heen steeds zachter werden, nog veel meer schoten, kort achter elkaar.

Totdat alles rustig werd.

En donker.

Ro kon niet geloven wat er gebeurde. Het kon niet de bedoeling zijn dat hij zó zou sterven. De marihuana en het glas cognac hadden zo'n ontspannende uitwerking op hem gehad dat het voelde alsof hij zat vastgeplakt aan zijn stoel, achteroverleunend tegen het kussen, klaar om zijn glas aan te pakken, toen Ez zich plotseling omdraaide, naar Linda keek, met de drank begon te gooien en een snelle beweging maakte naar zijn schouderholster.

Hij had het niet gered.

En zij bleef de trekker overhalen. Een volgend schot raakte Ez. Ro probeerde alles tegelijkertijd in zich op te nemen, maar hij zag geen enkele mogelijkheid te ontsnappen of zich ergens achter te verschuilen.

Nu hoorde hij zijn moeder gillen en Linda had opnieuw geschoten, nu op zijn vader, die eerst nog half overeind stond maar uiteindelijk viel. Toen draaide ze het pistool, in het wilde weg schietend, totdat ze het wapen recht op zijn borst richtte en...

Hij voelde hoe de eerste kogel zijn zij raakte, zijn ingewanden doorkliefde en er door zijn andere zij weer uit schoot, met zoveel kracht dat hij achteruit en zijwaarts in de stoel werd gesmeten.

Hij kon zijn ogen niet van haar afhouden. Ze hield dat ding nog steeds op hem gericht. Hij probeerde zijn handen omhoog te steken, maar die schenen hem niet te willen gehoorzamen.

'Niet...' begon hij.

Ze haalde de trekker nogmaals over en het voelde alsof iemand zijn rechterarm eraf had gerukt. In zijn ooghoek zag hij zijn moeder staan en terwijl hij toekeek draaide Linda zich om en vuurde éénmaal, waarop Theresa eerst in elkaar dook en vervolgens op haar knieën terechtkwam.

Maar Linda verspilde verder geen tijd aan zijn moeder. Ze liep nu naar hem toe, met het pistool voor zich uit, de loop gericht op zijn gezicht.

Hij keek haar in de ogen.

Ondanks de shock en de pijn probeerden Ro's hersens te begrijpen wat er zich afspeelde. Wat was haar probleem? Waarom deed ze zo moeilijk? Oké, ze was niet helemaal in de stemming geweest. Hij had haar een beetje moeten dwingen om haar zover te krijgen, maar wat zou het? Zo ging dat nu eenmaal. Hij kon zich niet voorstellen dat ze daar niet allang aan gewend was. Ze was een grote meid. Ze...

Hij voelde de druk van de loop, ergens aan de bovenkant van zijn linkerwang.

'*Adios,*' zei ze. 'Vuile klootzak!'

37

Glitsky kreeg het telefoontje van Bracco, die deel uitmaakte van het arrestatieteam. Het team had zich juist verzameld bij de ingang van het huis toen ze binnen hoorden schieten, waarna ze naar de deur waren gerend.

Glitsky zag zich genoodzaakt een paar straten verderop te parkeren, Het regende gestaag en het leek hem onmogelijk dat een dergelijke menigte – bestaande uit politiepersoneel, nieuwsgierige buren, omroepwagens, politici en verslaggevers – zich zo snel had gevormd. Maar wat zich hier kennelijk had afgespeeld leek al net zo onmogelijk. Al die mensen die het barre weer trotseerden met jassen en paraplu's, zich verdringend achter de gele politietape dat in de straat en rondom het huis was gespannen.

Glitsky baande zich een weg door de meute, dook onder het politielint door en liet zijn legitimatie zien aan een van de geüniformeerde agenten die onder aan de trap de wacht hielden. Toen hij zich eenmaal binnen de omheining bevond keek hij nog even achterom.

Hij schatte dat er zo'n vijftien zwart-witte patrouillewagens stonden, met roodblauwe zwaailichten die het duister doorkliefden. Iemand had al een paar filmlampen neergezet om de plaats des onheils nog wat beter te verlichten. Glitsky telde vier televisiewagens, die nog sneller moesten zijn gewaarschuwd dan hijzelf. Sheila Marrenas probeerde zich vanaf de afzetting aan het begin van de oprit naar binnen te bluffen, tot dusver zonder veel succes. Leland Crawford stond naast zijn limousine, waar hij een interview gaf aan een klein groepje televisieverslaggevers.

Glitsky liep in een drafje de trap op en vertraagde zijn pas bij de deur, waar Bracco op hem stond te wachten. 'Dat was snel,' zei de rechercheur.

Glitsky knikte. 'Ik was gemotiveerd. Waar heeft het plaatsgevonden?'

Bracco wees en begon te lopen, met Glitsky in zijn kielzog. 'Is de hoofdcommissaris er al?' vroeg hij.

'Nog niet, nee.'

'En de technische recherche?'

'Ja. En we hebben de verdachte vastgenomen in de keuken. Een van de dienstmeisjes, Linda Salcedo. Ze werkt behoorlijk mee.'

'Laten we hopen dat dat zo blijft. Hebben jullie het wapen?'

'Dat zit met label en al in een bewijszak. Het lag nog op de grond, waar ze het heeft laten vallen.'

'Ze heeft het laten vallen?'

'Ja. En daarna heeft ze de deur voor ons opengedaan en ons laten zien waar we moesten zijn. Je kon het cordiet nog ruiken. Het is het meest krankzinnige tafereel dat ik ooit heb gezien.'

Inmiddels hadden ze de gewelfde ingang bereikt van een klein vertrek dat werd bewaakt door twee andere leden van wat oorspronkelijk het arrestatieteam had moeten zijn. Glitsky bleef een halve pas achter Darrel staan en knikte naar de beide andere mannen. Een paar staande lampen en een kroonluchter zorgden voor ruim voldoende licht. De kamer was niet meer dan vijf meter lang en vier meter breed. Hij leek te zijn bezaaid met lijken.

En zelfs Glitsky was ondanks zijn uitgebreide ervaring onder de indruk van het aantal lichamen in de beperkte ruimte.

De metaalachtige geur van bloed mengde zich met een zoete alcohollucht. Glitsky liep naar binnen om het beter op zich te kunnen laten inwerken.

De butler lag op zijn rug bij de open haard, met zijn smokingjasje wijd open, waardoor de schouderholster zichtbaar was met het pistool dat er nog in stak. Er was een grote, cirkelvormige vlek zichtbaar op het hemd, met het middelpunt iets boven zijn hart. Het leek erop dat een andere kogel hem in de schouder had geraakt, maar die vlak bij het hart had hem de das omgedaan. Toen Eztli werd geveld, had hij het scherm voor de open haard meegetrokken, dat nu naast zijn hoofd op de grond lag. Aan de andere kant van zijn hoofd lag een fles champagne op zijn kant. De spiegel boven de open haard was verbrijzeld en de scherven lagen overal om hem heen.

Ro Curtlee hing onderuit in een oorfauteuil, letterlijk doorweekt van het bloed. Hij was twee of drie keer in de borst geraakt en één keer van heel dichtbij hoog in de linkerwang. De kracht van het schot had zijn hoofd naar rechts doen slaan en de hele rechterkant van zijn hemd was doorweekt als gevolg van de schade – om niet te zeggen de vernietiging – die de uitgangswond had toegebracht.

Cliff Curtlee bood de meest afschuwelijke aanblik. Hij was er kennelijk in geslaagd op te staan en zich om te draaien voordat hij – wellicht door het dodelijke schot – was geveld. De kogel die de meest zichtbare schade had veroorzaakt had hem geraakt in de zijkant van zijn keel – zodat het bloed uit zijn halsslagader op het tapijt en op de houten vloer van de aangrenzende eetkamer terecht was gekomen – maar hij was ook diverse malen geraakt in zijn zij en in zijn rug, waarschijnlijk toen hij had geprobeerd weg te komen. Afgaande op het bloedspoor was hij zeker één of anderhalve meter door zijn eigen bloed gekropen voordat de shock en het trauma van de verwondingen hem ten slotte hadden overmeesterd en hij was doodgebloed.

Bracco boog zich over Cliff en bekeek de wond belangstellend. Vervolgens richtte hij zich tot Glitsky en zei: 'Daar houdt hij een lelijk litteken aan over.'

Glitsky leek alles oppervlakkig in zich op te nemen, en zei tegen niemand in het bijzonder: 'Waar is mevrouw Curtlee?'

Een van de mensen van de technische recherche die bezig was Ro's lichaam in de stoel te fotograferen keek op. 'Andere kamer,' zei hij.

'Dood?'

In een perfecte imitatie van een van de Munchkins uit *The Wizard of Oz*, zei hij: 'Ze is niet zomaar dood, ze is zo dood als een pier.'

Glitsky, die er opnieuw aan werd herinnerd hoe verstandig de regel was dat journalisten nooit toegang hadden tot een plaats delict totdat de technische recherche er klaar was, draaide zich om en zag dat Vi Lapeer door de voordeur naar binnen kwam lopen. Hij zette zich in beweging om haar op te vangen. 'Hoofdcommissaris,' zei hij, 'wat u waarschijnlijk hebt gehoord is waar. Ze zijn allemaal dood, de Curtlees en hun butler. Van dichtbij neergeschoten. We hebben een verdachte in een kamer hier verderop. Ze gedraagt zich rustig en is gearresteerd.'

Lapeer trok haar gezicht in een professionele plooi. Ze ademde langzaam in door haar mond, klemde haar kaken op elkaar en liep door de eetkamer naar de gewelfde deuropening.

Om elf uur waren de technische rechercheurs nog steeds bezig in de kleine salon. De lichamen waren in lijkzakken met de bus van de lijkschouwer afgevoerd naar het mortuarium achter het Paleis van Justitie. Aangezien Bracco uitstekend Spaans sprak en al op de plaats delict aanwezig was had Glitsky het formele onderzoek naar de moorden aan hem overgelaten. Bracco had Linda Salcedo gewezen op haar rechten en haar een voorlopig verhoor afgenomen, waarna hij haar had meegenomen naar het bureau voor een volledig verhoor dat zou worden opgenomen op video. De menigte buiten was uiteindelijk grotendeels afgedropen. De burgemeester noch Sheila Marrenas had toestemming gekregen de plaats delict te betreden en uiteindelijk waren ze vertrokken, net als een stoïcijnse Vi Lapeer.

Amanda Jenkins had met een paar andere hulpofficieren zitten eten toen ze het nieuws via een extra uitzending op de televisie had gezien. Nu zat ze met Glitsky aan de tafel in de eetkamer. Allebei waren ze nog te opgewonden om al naar huis te gaan.

'Dus onze verdachte had al iets gehoord over de eerdere verkrachtingen, zodat ze min of meer gewaarschuwd was,' zei Glitsky, 'maar kennelijk nam ze het niet serieus genoeg.'

'Wil je beweren dat Ro alweer een van die meisjes had verkracht? Sinds hij is vrijgelaten?'

'Nee. Een van de andere dienstmeisjes had de verhalen gehoord en haar gewaarschuwd op haar hoede te zijn.'

'Maar dat was ze niet.'

'Niet voldoende, in ieder geval. Hij heeft haar gisteravond naar zijn kamer geroepen onder het voorwendsel dat ze iets moest opruimen...'

'Gisteravond? Heeft hij dit gisteravond nog uitgehaald? Terwijl we weten hoe we hem in de gaten houden?'

Een kort knikje. 'Hij dacht dat hij ons had verslagen. Met het doden van Farrells hond. Door het ons lastig te maken. Door Lapeer onder druk te laten zetten door de burgemeester. Dat was een mooi moment om weer eens te kijken wat er thuis te halen viel.'

'Wat een klootzak. Dus ze was gewaarschuwd, maar toch ging ze naar boven?'

Glitsky haalde zijn schouders op. 'Hij was al bijna een maand thuis en al die tijd heeft hij niets geflikt. Gisteravond vroeg hij haar via de intercom naar boven te komen omdat er iets opgeruimd moest worden, dus ging ze naar zijn kamer, waar ze hem naakt in bed aantrof met een pistool op haar gericht.'

'Dus ze...'

'Ze wilde blijven leven.'

Jenkins schudde haar hoofd in afgrijzen. 'Ik zou hem zo opnieuw kunnen vermoorden.'

'Wat je zegt.'

'En de schoenen?'

'Dat was deze keer kennelijk niet aan de orde. In ieder geval weet ik dat ze Darrel daar niets over heeft verteld.'

'Goed, maar hoe is ze aan het pistool gekomen?'

Glitsky's mondhoeken bewogen enigszins omhoog. 'Dat vind ik nog het mooiste,' zei hij. 'Dat heeft hij gewoon in zijn kamer laten liggen, in de la naast zijn bed. Geladen en wel. Waarschijnlijk dacht hij dat Linda ervan had genoten – van de seks, niet van het pistool. Misschien van de seks met het pistool. Dus vandaag gaat ze naar boven, verzekert zich ervan dat het pistool er nog ligt, en wacht op haar kans, die zich niet lang daarna aandient.'

'Maar waarom vermoordde ze ook de anderen? Waarom heeft ze hem niet gewoon in zijn kamer opgewacht toen hij thuiskwam?'

'Ik heb Darrel ook gezegd dat ik dat graag wilde weten. Ze zei dat het zelfverdediging was. Als je waar zij vandaan komt een lid van een belangrijke familie vermoordt, dan roeien zij jouw hele familie uit. Als ze Ro wilde vermoorden, wist ze dat ze ze allemaal moest doden.'

Jenkins dacht hier even over na. 'De familie Curtlee kennende, kon ze daar best eens gelijk in hebben.'

'Misschien. Hoe dan ook, ze wist dat Ez gewapend was, dus moest ze hem als eerste uitschakelen. En vervolgens Cliff en Theresa, omdat die van het begin af aan moesten hebben geweten wat Ro uitspookte, en omdat ze hem de gelegenheid boden. Zo heeft ze het zelf overigens niet geformuleerd. Ze waren medeplichtig, ze deden met hem mee, dus zij moesten er ook aan.'

'Maar godallemachtig,' zei Amanda. 'Ik wist niet dat er iemand bestond die zó goed met een pistool kon omgaan. Ze heeft ze alle vier gedood?'

'Iemand daarboven was haar kennelijk goedgezind.'

Amanda leunde achterover, keek omhoog naar het plafond en deed haar ogen even dicht. 'Ik wil vanavond nog een ballistisch onderzoek op het pistool laten uitvoeren, om te zien of het moordwapen overeenkomt met dat waarmee Matt is vermoord.'

Glitsky knikte. 'Dat lijkt me een goed idee.'

'En ook dat pistool van Ez, trouwens.'

'Alles wat je kunt vinden,' zei Glitsky. 'Ik denk dat een huiszoekingsbevel deze keer geen problemen zal opleveren.'

In het huis van de familie Novio werd de vreugde over het nieuws van de dood van Ro Curtlee getemperd omdat Jon Durbin tegen middernacht nog steeds niet thuis was gekomen. Hij had zijn mobiele telefoon niet opgenomen en ook niet geantwoord op sms-berichten, zelfs niet toen Michael Jons jongere zusje Allie vanaf haar eigen telefoon een sms'je had laten sturen met het verzoek haar te laten weten hoe het met hem ging.

De drie meisjes sliepen eindelijk. Ook Peter was op een bank in de familiekamer onder een van Kathy's dekbedden in slaap gevallen bij de televisie. De drie volwassenen zaten in de woonkamer; Chuck en Michael aan weerszijden van de bank en Kathy op een divan, allemaal zichtbaar vermoeid door de recente en lopende gebeurtenissen.

Ten slotte ging Michael wat rechter op zitten en sloeg met zijn arm op de bank. 'Nou is het genoeg geweest,' zei hij, terwijl hij aanstalten maakte op te staan. 'Ik ga de politie bellen.'

Chuck keek hem aan. 'En wat ga je ze dan vertellen?'

'Dat mijn zoon vermist is. Zodat ze misschien naar hem uit kunnen kijken.'

'Maar hij is niet echt vermist,' zei Kathy zachtjes. 'Net zomin als hij dat gisteravond was, Michael. Hij is gewoon in de war, bezig de zaken op een rijtje te krijgen.'

'De politie zal hem toch niet kunnen vinden. En bovendien gaat die hem helemaal niet zoeken, wat dacht jij nou?' voegde Chuck eraan toe. 'Hij is te oud en hij is nog niet lang genoeg weg. Ik geloof zelfs dat ze een volwassene pas als vermist aanmerken als niemand gedurende minstens drie dagen iets van hem gehoord heeft.'

'Nou, dat geeft iemand dan wel ruim voldoende tijd zich behoorlijk onvindbaar te maken, nietwaar?' Hij liet zich weer achterover in de kussens vallen. 'Ik wil alleen maar met hem praten, meer niet. Ik kan alle vragen die hij me wil stellen beantwoorden. Allemaal. Ik zweer het.'

'Natuurlijk kun je dat.' Kathy zuchtte uitgeput. 'Misschien dat het nieuws van vanavond hem tot andere gedachten brengt. Op het nieuws zeiden ze dat de politie de zaken waarbij Ro Curtlee betrokken is geweest laat rusten, en daar zal de moord op Janice toch zeker ook wel onder vallen?'

'Dat zou je denken,' zei Michael, 'maar misschien ook niet. Niet zoals Glitsky ernaar kijkt. Hij gelooft weliswaar nog steeds dat Ro het heeft gedaan, maar hij blijft maar praten over dingen die niet kloppen.

Wat nog steeds niet betekent dat ik het daarom gedaan moet hebben. Ik bedoel, voorzover ik weet heeft hij nog geen enkele moeite gedaan zelfs maar een blik te werpen op haar cliëntenbestand.'

'Ik weet helemaal niet of hij dat wel mag doen,' zei Kathy. 'Bestaat er niet zoiets als een beroepsgeheim? En trouwens, waarom zou hij met haar cliënten willen praten? Weet jij iets dat naar een van haar cliënten wijst?'

'Alleen maar dat ze...' Hij zweeg abrupt.

'Wat?' vroeg Kathy. 'Wat wilde je zeggen?'

'Niets.' Mike bracht een hand naar zijn hoofd en wreef over zijn slapen. 'Ik ben alleen zo verschrikkelijk moe. Ik weet niet wat ik zeg.'

Maar Kathy drong aan. 'Is er misschien iets bijzonders dat je weet over een van haar patiënten, Michael? Iets wat van belang zou kunnen zijn?'

'Ik weet helemaal niets, Kathy,' zei hij. 'Alleen dat het Ro Curtlee was. Maar dat andere kan het voor Glitsky misschien extra ingewikkeld maken.'

'Wat is dat dan, dat andere?' drong ze aan.

Nu nam Chuck het woord. 'Mike gelooft dat ze een verhouding had.'

'Wat? Janice? Dat kan niet, Mike.'

Durbin haalde zijn schouders op. 'Ja, Kathy. Dat kan heel goed, volgens mij.'

'Waarom denk je dat?'

'Nou.' Hij lachte schamper. 'Dat is een beetje persoonlijk, vind je niet...'

'Hebben jullie erover gepraat?'

'Nee.'

'Heeft ze gezegd dat ze bij je weg wilde of iets dergelijks?'

'Nee.' Hij aarzelde, keek het tweetal een voor een aan en zei toen tegen Kathy: 'We waren de laatste paar maanden niet bepaald intiem met elkaar.'

Kathy produceerde nu haar eigen schampere lachje. 'O, jee, volgens mij doen ze iets in het drinkwater.'

Chuck keek woedend op. 'Kathy!'

Ze keek hem uitdagend aan. 'Nou? Dat zou toch kunnen?' Toen richtte ze zich weer tot Durbin. 'En dat zou betekenen dat ze een verhouding had? Zelfs de meest gelukkige stellen maken dat soort turbulente periodes mee. Dat hoort er nu eenmaal bij.' Vervolgens, tegen haar man: 'Nietwaar, Chuck? Dat betekent toch niet dat je huwelijk gevaar loopt? Tenminste, dat hoop ik niet.'

'Ze heeft gelijk, Mike,' zei Chuck. 'Ze heeft volkomen gelijk. Maar nu even terug naar waar we het eerder over hadden. Ik ben benieuwd wat voor reserves Glitsky dan eigenlijk heeft. Ik bedoel, het is voor ons allemaal tamelijk duidelijk dat Janice is vermoord door Ro Curtlee. Nu hij dood is zou dat het einde van de zaak moeten betekenen. Of is er iets dat ons allemaal ontgaat?'

'Nou, deze verhouding, als daar al sprake van was,' zei Kathy.

'Maar zelfs als dat waar was,' zei Chuck, 'is er nog steeds niets wat erop wijst dat Ro Curtlee het niet heeft gedaan. Hij had een motief, en om precies dezelfde reden heeft hij de schilderijen vernield, Mike. Hij wilde zich op je wreken. Zelfs al had Janice een verhouding gehad, waarom zou die man dan jouw schilderijen aan flarden snijden? Dat kan alleen Ro maar gedaan hebben. Wat betekent dat Ro ook de brand aangestoken moet hebben. Waarom zeg je dat niet tegen Glitsky als hij er opnieuw over begint?'

Maar alle emoties en discussies, in combinatie met de bezorgdheid over zijn zoon, begonnen uiteindelijk hun tol te eisen. Durbin boog zijn hoofd en schudde het langzaam heen en weer. 'Laten we hopen dat hij dat niet meer doet,' zei hij. 'Dat hij geen reden meer ziet er opnieuw over te beginnen. Maar als jullie er geen bezwaar tegen hebben dan ga ik nu naar bed.'

'Ik denk dat wij dat ook maar moeten doen.' Kathy kwam overeind en keek haar man aan. 'Chuck?'

Hij keek op en glimlachte naar haar. 'Ik kom eraan,' zei hij.

'Je had gezegd dat ik altijd kon bellen.'

'Dat is ook zo,' zei Treya, 'maar ik wist niet dat je één uur 's nachts bedoelde. Je komt nooit pas om één uur 's nachts thuis.'

'Soms wel, zoals je ziet. Maar ik kan best ophangen als je wilt. Dan bel ik je morgenochtend wel terug.'

'Of je kunt me nu meteen vertellen hoe laat je aankomt, dan kan ik weer naar bed gaan, zodat ik op tijd kan opstaan om je een warm onthaal te bezorgen.'

'Nou, wat dat aangaat... Ik dacht dat jij en de kinderen misschien wel zin hadden om terug te komen zodat we ons normale leven kunnen hervatten.'

Ze bleef geruime tijd stil. 'Het is gelukt met de grand jury en je hebt Ro gearresteerd.'

'Nee. Bijna goed. Het is nog beter.'

‘Wat zou er nou beter kunnen zijn?’

‘Dat een van de dienstmeisjes die hij heeft verkracht hem heeft neergeschoten.’

‘Neem je me in de maling.’

‘Helemaal niet.’

‘Is hij dood?’

‘Morsdood.’

Hij hoorde haar uitademen. ‘Ik weet dat je niet blij mag zijn als er iemand is doodgegaan, maar...’

‘In sommige gevallen is dat toegestaan. En dit is zo’n geval. Dus, heb je zin om naar huis te komen?’

Ze zweeg opnieuw. ‘Hoe is het weer daar?’

‘Schitterend. Zeven graden en de regen komt met bakken uit de hemel. Wat wil je nog meer?’

‘Wat dacht je van vijfentwintig graden en zonnig, om maar iets te noemen.’

‘Vijfentwintig?’

‘Op mijn erewoord. Sixto heeft de kinderen beloofd dat we ze morgen mee naar het strand zullen nemen. Realiseer je je wel dat we met geen van beiden nog ooit naar het strand zijn geweest?’

‘Dat verbaast me niets. Waarom zouden we?’ Nu was het Abes beurt om te aarzelen. ‘Wordt het écht vijfentwintig graden?’

‘Misschien wel zevenentwintig.’

Na nog een korte stilte antwoordde Glitsky: ‘Ik vlieg met Southwest en land om kwart over elf op Burbank. Misschien kun je me op komen halen?’

‘Dat zou zomaar kunnen,’ zei Treya. ‘Ik zal zien wat ik kan doen.’

38

Toen Farrell van de gang via de receptie naar zijn kamer liep bleef hij plotseling stilstaan. Hij glimlachte breed en hief met een weinig subtiel theatraal gebaar zijn armen ten hemel. 'De zon schijnt, mijn secretaresse is terug, Ro Curtlee is op weg naar het grote Hof van Beroep in de hemel. Hoe kan het leven nog mooier worden?'

Treya stond op van achter haar bureau. 'Er liggen een paar vruchtentaartjes op je bureau,' zei ze. 'Helpt dat misschien?'

'Dat is in ieder geval een goed begin. Heerlijk, dank je wel.'

'Geen dank. Het is bedoeld als verontschuldiging. Het spijt me dat ik zo lang weg ben geweest en dat ik zo plotseling ben vertrokken. Ik wilde je niet aan je lot overlaten, maar...'

Hij wuifde het weg. 'Je hoeft het niet uit te leggen, Treya.' Zijn gezicht betrok. 'Ik had het zelf serieuzer moeten nemen. Misschien had ik Gert wel met je mee moeten sturen.'

'Ik vind het heel erg wat er is gebeurd.'

'Ik ook.' Hij probeerde vergeefs te glimlachen. 'Ik probeer me ermee te verzoenen door me voor te stellen dat ze een soort martelaar is geweest. Cliff, die smeerlap, heeft haar gedood om me angst aan te jagen en het heeft nog bijna gewerkt ook. Maar tot mijn eigen verbazing heeft dat me uiteindelijk gestimuleerd terug te vechten en er iets aan te doen. Hoewel het uiteindelijk allemaal weinig meer te betekenen had.'

'Nee, het heeft wel degelijk iets betekend. Hoe dan ook zou het vrijdagavond afgelopen zijn geweest. Je hebt in ieder geval gezorgd voor het vangnet.'

'Misschien. Zo kun je het ook stellen. Maar als iemand me had verteld dat ik Gerts leven kon ruilen voor dat van Ro dan weet ik nog niet zo zeker of ik het had gedaan. Al was ze dan maar een beest...'

'Dat was híj ook.'

'Nou, zo zie je maar.' Om over te gaan tot de orde van de dag gebaarde hij in de richting van zijn kamer. 'Is er nog iets anders dat ik moet weten, afgezien van die vruchtentaartjes?'

Treya keek in de agenda die naast haar computer lag. 'Vi Lapeer wilde je spreken zodra je binnen was. En Crawford ook.'

'De burgemeester zelf?'

'In hoogsteigen persoon. Daarna,' vervolgde Treya, 'heb je tot tien uur niets. Dan moet je twee nieuwe hulpofficieren beëdigen. Hun namen liggen in je map. Om twaalf uur ga je lunchen met de Odd Fellows en hou je een praatje over rampenplannen.'

Farrell grinnikte. 'Mijn specialiteit.'

'Maak je geen zorgen. Ik heb de samenvatting van de afdeling Voorlichting. Alles ligt in je map. Als je die niet vergeet zit je op rozen. Wil je een kop koffie?'

'Een kop koffie lijkt me heerlijk. En, Treya?'

'Meneer de officier?'

'Ik ben blij dat je weer terug bent.'

Glitsky zei: 'Volgens mij heb ik last van een overdosis aan vitamine D. Een vitamine D-kater, of hoe zoiets ook heet.'

Dismas Hardy moest die maandagochtend in de rechtbank zijn, maar door de vele achterstanden zag het er niet naar uit dat zijn hoorzitting spoedig zou beginnen. Dus was hij even bij Glitsky binnengelopen om pinda's te eten en wat pesterijtjes uit te wisselen met zijn beste vriend. 'Je kunt helemaal geen vitamine D-overdosis oplopen. En in mijn jarenlange evaring met katers ben ik er zó eentje nog nooit tegengekomen. Hoe voelt het precies?'

'Vreemd. Het lijkt wel een beetje alsof ik bijna – ik weet het niet – gelukkig ben, of zoiets.

'Jeetje.' Hardy pelde een pinda. 'Dat zou inderdaad érg vreemd zijn. En het is maar goed dat je het meteen weer helemaal kapot relativeert. "Een beetje, bijna, ik weet het niet." Zandzakken voor de deur! Glitsky is in een goeie bui!'

Glitsky negeerde de spot. 'Ik denk dat het komt door het strand. Al die zon.'

'Nou, de zon schijnt hier ook, hoor.'

Glitsky keek met een zuur gezicht omhoog naar de bovenlichten van zijn kamer. 'Ja, maar hier is het maar elf graden. Daar was het achtentwintig. Dat is zeventien graden verschil.'

'Gunst, en hij kan plotseling ook goed hoofdrekenen. Maar ik moet zeggen dat het een zeldzaam genoegen is je bijna een beetje gelukkig aan te treffen. Zou dat misschien iets te maken kunnen hebben met de familie Curtlee?'

Glitsky kauwde op zijn eigen pinda. 'Dat sluit ik niet helemaal uit.'

'Dus van hoeveel zaken ben je nu verlost?'

'Nou, als ik het nieuwe proces niet meetel, ten minste van Felicia Nuñez, Matt Lewis en Janice Durbin. Om nog maar niet te spreken van Gert, de hond van Wes. Plus het feit dat Ro nu Gloria Gonzalvez geen kwaad meer kan doen, of haar kinderen, of mijn kinderen, of wie dan ook.'

Hardy aarzelde een minuut. 'Niet om muggenzifterig te doen,' zei hij, 'maar toen ik je voor het laatst sprak, had je met die zaak-Janice Durbin toch nog een probleempje?'

'Niet echt.' Glitsky schudde zijn hoofd. 'Dat was vooral van logistieke aard. Voor het geval we het niet hard konden maken tegenover de grand jury. Die druk is nu van de ketel.'

'Oké,' zei Hardy.

'Oké, wat?'

'Niets.' Nog een pinda. 'Ik wil er niet de oorzaak van zijn dat je terugvalt in je gebruikelijke afgrijselijke humeur.'

'Vergeet het maar. Op dit moment dans ik op de golven van het leven. Ik zweef op de wolken.'

Hardy leunde achterover en grinnikte. 'Als je er nog bij gaat zingen bel ik een ambulance, ik zweer het je.'

'B.J. Thomas,' zei Glitsky.

'Ik wist wel dat je het gejat had. "Raindrops", "Good Time Charlie". Ik ken elk nummer van die man uit mijn hoofd.'

'Natuurlijk. Ik verwacht niets anders, met dat fotografische geheugen van je.'

'Oké, dan. Met dat fotografische geheugen van me ben ik wel gedwongen je vertellen dat ik me herinner dat Ro Curtlee een alibi had voor zowel Janice als Matt. Dat kun je nauwelijks logistiek noemen, zoals je net deed. Dat zijn feiten.'

'Nou, dat zullen we nooit meer helemaal zeker kunnen weten, want zijn ouders leverden het alibi voor Durbin en zijn butler dat voor Lewis. En aangezien ze nu alle drie dood zijn, ga ik er toch maar van uit dat van beide alibi's na een stevig verhoor niet veel zou overblijven. Soms moet je een presentje van hogerhand gewoon aanvaarden, het hoofd buigen en de Almachtige er nederig voor bedanken. Deze zaken zijn rond, Diz. Ze zijn allemaal rond. Halleluja, weet je wel?'

'Ik wil je niet tegenspreken,' zei Hardy. 'Jij zult het wel het beste weten.' Hij grijnsde breed en voegde eraan toe: 'Zoals de grote bassist Ray Brown ooit al zei: "Ik ben hier alleen maar even naartoe gekomen om te helpen met het geklooi."'

Amanda Jenkins voelde zich zo aantrekkelijk als een koolraap. Sinds ze had gehoord wat Matt was overkomen had ze niet langer dan drie uur achter elkaar geslapen, en het afgelopen weekend was zelfs nog erger geweest, ondanks de dood van de familie Curtlee en hun butler, wat je zou kunnen beschouwen als een gepaste afronding en een vorm van kosmische gerechtigheid. Hoewel ze al langer dan een jaar met Matt was omgegaan had ze zijn ouders nog nooit ontmoet, evenmin als zijn drie zussen of zijn oudere broer. Desalniettemin was ze door de familie uitgenodigd voor de drukbezochte uitvaartdienst in de Saints Peter and Paul op Washington Square en de begrafenis in Colma, waarna ze tijdens de condoleance in Fior d'Italia tussen zijn moeder Nan en zijn zus Paula had gezeten.

Dat was doorgegaan tot een uur of zeven, waarna ze met Nan – met wie ze inmiddels dikke maatjes was – stevig was gaan drinken in de buurt van North Beach. Ze was er een paar hulpofficieren en politiemensen tegengekomen die ook op de begrafenis aanwezig waren geweest. Ondanks de alcohol, of misschien juist daardoor, was ze de vorige avond – zondag – nog voor zonsopgang wakker geworden. Daarna had ze vrijwel aan één stuk door gehuild tot laat in de middag, toen haar hevige kater eindelijk een beetje wegtrok na een dutje van een uur of twee. Ze had de vorige avond rustig aan gedaan met de drank, thuis iets van de Chinees gegeten en pas na drie uur 's nachts had ze de slaap weer kunnen vatten.

Dus toen ze om halftien bij het politielaboratorium verscheen wist ze dat ze er niet bepaald op haar best uitzag. Maar je moest de kaarten gebruiken die je had gekregen en ze wist dat ze het moest hebben van haar benen. Ze droeg dus haar kortste minirokje – een donkergroen exemplaar – onder een diep uitgesneden groen truitje. En tien centimeter hoge hakken. Toen ze zichzelf had bekeken voordat ze het huis uit was gegaan was ze er tamelijk zeker van geweest dat niemand veel aandacht zou hebben voor haar bleke gelaatskleur, haar ingevallen wangen of haar rode ogen.

Ze had haar verzoek zaterdagochtend vroeg bij een van de mannen van de technische recherche ingediend, die had beloofd dat het met de eerstvolgende zending mee zou gaan naar het lab. Glitsky had gelijk gehad met zijn veronderstelling dat het geen moeite meer zou kosten een huiszoekingsbevel te krijgen voor de woning van de familie Curtlee. Rond twee uur 's nachts, toen Amanda er nog steeds was, hadden ze de kluis in de kamer van Eztli gevonden en opengebroken. Wat ze daar vonden bracht het totale aantal vuurwapens in het huis op zes – het wapen waarmee de Curtlees en Eztli waren omgebracht, het wapen dat Eztli onder zijn oksel had gedragen, een Smith&Wesson .357 in zijn kluis en nog drie andere pistolen in een onafgesloten kluis achter de hoofdsteun van het bed van Theresa en Cliff Curtlee. Vier van de wapens hadden kaliber .40 en konden zijn gebruikt om Matt Lewis te vermoorden.

Om de een of andere reden was Amanda er alles aan gelegen om zoveel mogelijk details van de moord op Matt boven water te krijgen. Ze dacht te weten dat Ro hem had vermoord, maar ze hechtte er sterk aan dat met absolute zekerheid vast te stellen, al was het maar om het beter te kunnen begrijpen. Tenslotte ging het om een daad die ze nooit volledig zou kunnen doorgronden.

Afgaande op de verklaring van Linda Salcedo was de slachting op vrijdagavond aangericht met Ro's eigen pistool. Daarom had Amanda het lab gevraagd een ballistisch onderzoek uit te voeren om te zien of de kogel die Matt had gedood ermee kon zijn afgevuurd. Omdat ze erbij had gezegd dat het hoge prioriteit had hoopte ze dat er iemand had overgewerkt, zodat ze maandagochtend uitsluitsel had.

Maar toen ze om acht uur belde om het resultaat te vernemen, waren ze nog niet eens aan het onderzoek begonnen. Toen de ballistisch specialist haar zijn naam gaf – Vincent J. Abbatiello – en ze zich realiseerde dat hij door de telefoon klonk als iemand van achter in de twintig die waarschijnlijk hetero was aangezien hij bij de politie werkte, trok ze haar minirok uit de kast.

Nu nodigde Abbatiello haar uit hem te volgen. Hij liet haar met nauwelijks verholen trots het nog tamelijk nieuwe laboratorium zien in Gebouw 606 van de voormalige scheepswerf in Hunters Point. Het was een enorm groot en modern complex dat in niets leek op het kleine en overvolle lab van vroeger. Amanda slaakte op tijd de nodige kreetjes van ontzag terwijl ze achter hem aan liep, en toen ze eenmaal op zijn werkplek waren aanbeland had haar verzoek zijn hoogste prioriteit.

Het feit in aanmerking genomen dat niemand het nodig had gevonden er in het weekend iets aan te doen, verbaasde het Amanda hoe weinig tijd het onderzoek kostte. De faciliteiten in het lab waren werkelijk drastisch gemoderniseerd. Het schieten en uitvoeren van de computeranalyse van de ballistische resultaten duurden niet meer dan vijf minuten per test.

Ze vocht tegen de zenuwen en de resterende alcohol in haar bloed; de spanning tijdens het wachten op de resultaten van de eerste test – die met het pistool van Ro, een Smith&Wesson M&P 9mm – werd haar bijna te veel. Ze zat naast de microscoop die Abbatiello gebruikte en terwijl hij het apparaat kalibreerde boog ze zich even voorover en drukte haar handen tegen haar buik. Het resultaat van de eerste test was duidelijk, en niet wat ze had gehoopt. Er was geen overeenstemming.

'Godallemachtig,' zei ze tegen Abbatiello. 'Hoe kan dat nou?'

'Dat geeft niks. We gaan het nog drie keer proberen.'

De tweede keer gaf zekerheid.

Glitsky leunde tegen een van de archiefkasten in de kamer van Amanda op de tweede verdieping. Hij had de deur achter zich gesloten. 'Dat betekent nog niet dat Ro het niet gedaan heeft,' zei hij.

'Maar het was het pistool van die Ez. Ik bedoel, het lag in zijn kluis. Het staat op zijn naam en hij heeft er een vergunning voor. En trouwens, kun jij me vertellen hoe dat in 's hemelsnaam mogelijk is? Dat zo iemand aan een wapenvergunning kan komen?'

'Hij is een normale burger, nietwaar? Genaturaliseerd, maar toch. Hij werkt in de beveiliging. Hij heeft geen strafblad. Maar vooral heeft hij iemand als Cliff Curtlee achter zich die aan de touwtjes trekt en hier en daar wat druk uitoefent als het nodig is. Makkelijk zat.'

'Maar dat levert een probleem op. Ik kan me niet voorstellen dat hij zijn pistool aan Ro zou geven. Ik kan me niet voorstellen dat er ook maar iemand is die Ro een pistool zou laten vasthouden, laat staan hem ermee laten schieten. Hij zou het zomaar op jou kunnen richten en dan voor de gein de trekker kunnen overhalen.'

'Inderdaad.' Glitsky kauwde op de binnenkant van zijn wang. 'Zitten er vingerafdrukken van Ro op het pistool?'

'Nee.'

'En van die andere kerel?'

'Meerdere.'

'Hmm.'

'Dus wat betekent dat, Abe? Als Ro niet op hem heeft geschoten...'

'Toch geloof ik nog steeds dat Ro het waarschijnlijk heeft gedaan.'

'Dat weet ik. Maar stel nu eens dat het niet zo is? Ik bedoel, wat zou dat dan betekenen?' Opnieuw was ze bijna in tranen.

Glitsky kon er niet veel opbeurends tegen inbrengen. 'Luister,' zei hij, 'wie de trekker ook heeft overgehaald, Ro was ervoor verantwoordelijk. Hij is verantwoordelijk voor alles wat er is gebeurd.'

Glitsky's overdosis vitamine D, als het al zoiets was geweest, was volledig uitgewerkt tegen de tijd dat hij was aangekomen bij het bureau van Darrel Bracco, in het midden van de recherchekamer van de afdeling Moordzaken. Zijn rechercheur was bezig met een of ander administratief rapport waar hij volledig in leek op te gaan, toen Glitsky een bil op de hoek van zijn bureau parkeerde, het zich gemakkelijk maakte en zei: 'Ik vrees dat ik een vraag heb die ik je liever helemaal niet zou stellen.'

Bracco keek op. 'Doe dat dan niet.'

'Ja, maar het zit zó. Toen ik vanochtend op het werk kwam zag de wereld er rooskleurig uit. We zijn voorgoed af van Ro Curtlee. Al zijn zaken kunnen we sluiten. Dat is toch tamelijk zeker, nietwaar?'

'Absoluut. Geen twijfel over mogelijk.'

'Goed. Maar dan komt Amanda Jenkins vanochtend binnen, nadat ze op het lab is geweest voor het ballistisch onderzoek naar de kogel die haar vriend heeft gedood.'

'Oké.'

'Nee, allesbehalve oké. Want die kogel kwam helemaal niet uit het pistool van Ro. Hij kwam uit het pistool van de lijfwacht.'

Bracco haakte zijn handen in elkaar achter zijn hoofd. 'Betekent nog niet dat Ro niet heeft geschoten.'

'Dat is precies wat ik ook zei. Het betekent niet dat Ro niet heeft geschoten. Maar weet je wat het wél betekent? Het betekent dat het niet zéker is dat Ro het heeft gedaan. Het kan ook die andere gast zijn geweest, de butler.'

Bracco knipte met zijn vingers. 'Dáárom wilde hij die leugendetectortest doen. De klootzak was er nog doorheen gekomen ook.' Plotseling glimlachte hij breed. 'Maar het goede nieuws is dat ik, na veertien jaar bij de politie te hebben gewerkt, eindelijk kan zeggen: "De butler heeft het gedaan." Geweldig!'

'Ik wil helemaal niet dat de butler het heeft gedaan, dus zo geweldig vind ik het niet.'

'Ik zou me er maar niet druk over maken, Abe. Waarschijnlijk was het Ro. En wat doet het er trouwens toe? Iedereen voor wie het iets zou uitmaken is dood.'

'Niet waar. Míj maakt het iets uit.'

'Hoezo?'

'Omdat ik er zo volstrekt zeker van was dat Ro Matt Lewis had vermoord. Ik bedoel, hij had een motief. Hij had de gelegenheid. Hij had de mogelijkheid. Er was geen twijfel mogelijk: hij had het gedaan. Maar nu is er twijfel. Misschien niet zo heel veel, maar wel verdomd reële twijfel. Het zou zomaar kunnen dat hij het niet heeft gedaan.'

'Maar opnieuw, Abe. Wat dan nog? Waarom maakt dat nu nog uit?'

'Het maakt uit omdat ik nu ook ga twijfelen aan die andere zaak waar ik net zo zeker van was. Janice Durbin.'

'Nee,' zei Bracco. 'Daar is geen twijfel over mogelijk. Met die schoenen, de brand, en de kapotgesneden schilderijen. Dat kan alleen maar Ro zijn geweest.'

'Klopt,' zei Glitsky. 'Behalve als hij er helemaal niet is geweest.'

'Maar hij wás er.'

'Nou, herinner je je dat gesprek met hem nog op het kantoor van Denardi, waarbij hij met zoveel woorden toegaf dat hij Matt Lewis had vermoord, terwijl dat nu misschien toch heel anders blijkt te liggen?'

'Zeker. Maar ik geloof nog steeds dat hij die trekker heeft overgehaald.'

'Nou, je kunt geloven wat je wilt, maar in datzelfde verhoor gaf hij ons ook een alibi voor de ochtend van de moord op Janice Durbin. Weet je nog?'

'Natuurlijk. Zijn ouders, de butler en het dienstmeisje.'

'Het dienstmeisje,' zei Glitsky. 'Dat zal Linda Salcedo geweest zijn, denk je niet?'

Bracco leunde zo ver mogelijk achterover in zijn stoel en sloot zijn ogen. 'Dit was de vraag die je me niet wilde stellen.'

'"Niet wilde" is nog zwak uitgedrukt.'

'Dan zeg ik het je opnieuw: doe het niet.'

'Ik moet wel. Zij is wel de laatste persoon op de wereld die Ro aan een alibi voor wat dan ook zou willen helpen. Ze is nog niet voor de rechter verschenen en ze heeft nog geen advocaat. Ik wil dat je naar de gevangenis gaat. Kijk of ze met je wil praten. Vraag haar of ze zich herinnert of Ro gedurende de afgelopen weken een keer vroeg van huis is weggegaan. Ze heeft ons al verteld dat hij laat naar bed gaat. Als zij zijn alibi ondersteunt... als hij daar echt niet had kunnen zijn...'

'Hij wás daar, Abe, bij Janice Durbin. Hij moet daar geweest zijn.'

'Ja, dat weet ik wel. Maar het is beter om het zeker te weten. Veel beter.'

39

Jon Durbin werd om kwart over elf uit zijn Engelse les geroepen met het verzoek zich te melden bij het kantoor van de directeur. Toen hij daar aankwam stuurde de secretaresse hem naar een van de spreekkamers in de kleine gang die uit kwam op de hal. Met maagkrampen en een licht gevoel in zijn hoofd – *wat zou er nu weer aan de hand zijn?* – arriveerde hij bij de derde deur rechts. Hij klopte aan.

De deur ging naar binnen open. Hij betrad het vertrek en zag zijn vader pas toen de deur al weer bijna achter hem was dichtgedaan. Jon, die het gevoel had dat hij in de val was gelopen, keek woedend en gefrustreerd om zich heen. 'Ik hoef hier niet te blijven. Laat me eruit.'

Michael Durbin liet zich niet van de wijs brengen en hield zijn hand tegen de deur achter zich. 'Ik wil een paar dingen met je bespreken,' zei hij. 'Daarna mag je weer weg.'

'Ik mag nu ook al weg. Ik heb je niets te zeggen.'

'Nou, dat geldt misschien voor jou. Maar ík heb jóú wél wat te zeggen, al zal ik het kort houden. Ik heb je moeder niet vermoord. Ik weet niet waar je dat idee vandaan hebt...'

'O, nee? Dacht je dat we dat geruzie de hele tijd niet hebben gehoord?'

'Het was niet de hele tijd. We hadden een paar problemen. Die hebben ouders soms. Ik heb haar niet vermoord. We probeerden er samen uit te komen zodat we bij elkaar konden blijven. Misschien waren we af en toe een beetje luidruchtig.'

'Een beetje? Laat me niet lachen!'

'En wat dan nog, Jon? Echt waar, wat dan nog? Het ging over belangrijke onderwerpen, oké?'

'Ik weet over welke onderwerpen het ging. Of beter gezegd, over welk onderwerp.'

O, weet je dat? Kun je me dat dan misschien vertellen?'

'Jij en Liza, dáár ging het over. Wat dacht je daarvan?'

'Nou, dat heb je dan helemaal bij het verkeerde eind, jongeman.' Michael had zijn armen over elkaar geslagen – om de deur af te schermen, en zichzelf – en nu liet hij ze langs zijn lichaam vallen. 'Denk je dat we misschien even een minuutje kunnen gaan zitten?'

In de kamer stonden een tafel en vier stoelen. Jon aarzelde, maar deed ten slotte een stap opzij naar de dichtstbijzijnde stoel en liet zich erop zakken. Zijn vader bleef staan waar hij stond en trok een stoel van de muur naar zich toe. Hij wilde zijn zoon niet de gelegenheid geven een duik te maken naar de deur. Maar nu hij die blokkeerde, plaatste hij zijn ellebogen op zijn knieën, boog zich voorover en keek Jon recht in het gezicht. 'Ik weet niet hoe ik je hiervan moet overtuigen, maar Liza is een vriendin van me. Meer niet. Meer dan een vriendin is ze nooit geweest.'

'Ja, dat zal wel. Je bent er de avond na de uitvaart van ma naartoe geweest. Ga je dat ook ontkennen?'

'Nee. Ik ben naar haar toe gegaan. Ik had verdriet, Jon. Ik heb nog steeds verdriet. Ik had iemand nodig om mee te praten en ik vond dat ik Chuck en Kathy al voldoende tot last was geweest. Ik wist dat Liza zou luisteren. Waarom is het zo moeilijk voor je dat te begrijpen? Ik dacht dat juist jij dat wel zou snappen. Jij weet hoe ik in elkaar zit. Jij kent me als geen ander.'

De rustige toon waarop Michael sprak sloeg een bres in Jons schild van vijandigheid. Hij leunde achterover in zijn stoel, de handen op schoot gevouwen, zijn blik gericht op de vloer. Ten slotte keek hij op. 'Nou, waar gingen die ruzies dan over? Tussen jou en mam?'

'Ik weet niet welke ruzies je precies bedoelt, maar sommige gingen waarschijnlijk over geld. Je moeder wilde een groter huis, het soort huis dat Chuck en Kathy hebben. Ze wilde dat ik probeerde een tweede zaak te openen. Daar voelde ik niets voor. Ik wilde juist liever minder werken zodat ik misschien weer wat tijd aan het schilderen kon besteden. En dat is het andere punt; geloof je nou werkelijk dat ik mijn eigen schilderijen kapot heb gesneden?'

'Ik weet het niet. Als het de enige manier was om de politie op een dwaalspoor te brengen...'

'Jezus.' Michael liet zijn hoofd zakken en schudde het langzaam heen en weer. 'Ik weet niet wat ik jou heb misdaan dat je kunt denken dat ik tot zoiets in staat zou zijn. Dat is niet zo, ik zweer het je. Geen relatie met Liza. Geen kapotgesneden schilderijen. En ik heb je moeder ook niets aangedaan.'

'Maar waarom kon je dan niet eens zeggen waar je die ochtend was?'

'Ik was op weg naar mijn werk, ik dacht na over mijn werk, over hoe ik meer geld kon verdienen, ik was ongerust over hoe het ging tussen je moeder en mij, en ik maakte me zorgen omdat Ro Curtlee uit de gevangenis was vrijgelaten. Ik lette niet op waar ik reed; ik merkte helemaal niet dat ik opgehouden werd. Weet jij nog precies wat er allemaal om je heen gebeurde toen je vanmorgen naar school ging?'

'Maar wie heeft haar dan vermoord?'

'Ro Curtlee heeft haar vermoord, Jon. Ik was er de voornaamste oorzaak van dat hij zo lang vast heeft moeten zitten en hij heeft haar vermoord en mijn schilderijen vernield om me te straffen. Waarom kun je dat niet geloven?'

'Omdat hij verdomme een gebroken arm had, pa. Wat dacht je anders? Dat de politie zijn arm heeft gebroken toen ze hem arresteerden heeft in alle kranten gestaan. Je kunt iemand niet wurgen als je een gebroken arm hebt, in ieder geval niet iemand zoals mam. Ze was behoorlijk sterk, dat weet je toch? Ze kon Peter nog steeds verslaan met armpje drukken. Dus zo kan het gewoon niet gegaan zijn. En wie blijft er dan over?' Hij sloeg met zijn vlakke hand op het blad van de tafel naast hem, met een uitdrukking van woede en verwarring op zijn gezicht. 'Dacht je dat ik hier niet lang genoeg over heb nagedacht? Dacht je dat ik graag wil geloven dat mijn eigen vader… dat jij zoiets zou doen en ons allemaal in de vernieling zou helpen? Dus als Ro Curtlee het niet is geweest, wie blijft er dan over? Nou? Zeker als je je niet eens kunt herinneren wat je die ochtend hebt gedaan…'

'Dat herinner ik me wél. Dat weet ik allang weer. Ik kon er gewoon niet opkomen toen het nodig was.'

'Luister nou eens naar jezelf. Wat is dat nou voor een slap verhaal…'

'Zo is het toch echt gegaan, Jon. Zo is het gegaan.' Bang dat hij hem opnieuw zou verliezen, en misschien definitief, schoof Michael opnieuw naar voren op zijn stoel. 'Luister,' zei hij, rustig maar met nadruk. 'Je zult dit vast niet willen horen, maar ik was niet degene die een verhouding had.'

'Wou je zeggen dat het mam was?'

'Je moeder, ja.'

'Gelul.'

'Nee. De waarheid. Dan weet je in ieder geval dat er nog iemand anders in beeld is.'

'Wie?'

'Dat weten we niet. Inspecteur Glitsky weet het niet. Misschien een van haar patiënten. Maar het vervelende is dat Glitsky er waarschijnlijk niet veel aandacht meer aan zal besteden nu Ro dood is. Hij denkt dat Ro het gedaan heeft.'

'Dat kan hij onmogelijk denken. Dat ligt veel te veel voor de hand en bovendien klopt het voor geen meter.'

'Hij denkt van wel. Maar waar het op neerkomt is dat we misschien wel nooit zullen weten wie haar heeft vermoord. Die gedachte maakt me zowat kapot, maar daar moeten we wél rekening mee houden.' Hij stak een hand uit en raakte de knie van zijn zoon aan. 'Kom terug naar huis, Jon. Alsjeblieft.'

Jon hield zijn lippen stevig op elkaar. Hij bleef stijf rechtop zitten, schijnbaar zonder een krimp te geven. In zijn ogenhoeken vormden zich tranen die ten slotte over zijn wangen liepen.

'Waar zat je trouwens?'

'Bij Rich.'

'Maar ze zeiden dat je er niet was.'

'Dat weet ik.'

Michael zuchtte uit frustratie over de ouders van Rich. 'Hoe dan ook, woensdag verhuizen we van Chuck en Kathy naar een motel. Ik denk dat het hoog tijd is dat we weer een gezin gaan vormen. Denk je dat je dat zou kunnen doen?'

Boos veegde Jon de tranen weg van zijn wangen. 'Ik weet het niet, pa. Ik weet alleen maar dat ik degene die haar heeft vermoord wil doodmaken.'

'Dat wil ik ook, Jon. Dat wil ik ook. En ik zweer bij God dat ik het niet ben geweest. Ik ben het niet geweest. Je moet me geloven. Denk je dat je dat kunt doen?'

Jon liet zich achterover zakken, sloeg zijn armen over elkaar en keek zijn vader uitdrukkingsloos aan. Na een aantal lange seconden realiseerde Michael zich dat hij vandaag niet veel meer van zijn zoon te verwachten had. Hij stond op, legde zachtjes een hand op Jons schouder, opende de deur en verliet de kamer.

Darrel Bracco formuleerde zijn vragen aan Linda Salcedo zodanig dat ze geen idee had dat hij informeerde naar het alibi van Ro Curtlee voor de ochtend waarop Janice Durbin was vermoord. Hij deed het voorkomen alsof hij uit was op algemene achtergrondinformatie over het dagelijkse leven in huize Curtlee, en ze had er geen enkele twijfel over laten bestaan. Sinds hij de eerste keer op borgtocht was vrijgelaten, en afgezien van die keer dat hij door de politie in hechtenis was genomen en één ochtend de afgelopen week, had Ro Curtlee iedere nacht in zijn bed doorgebracht en was hij nooit voor negen uur of halftien 's ochtends opgestaan. Linda wist dat zeker omdat ze zelf altijd om halfzeven opstond, waarna ze eerst boven schoonmaakte om vervolgens naar beneden te gaan en te helpen met het ontbijt. Ze liep iedere ochtend langs de slaapkamer van Ro, klopte altijd zachtjes op zijn deur en opende hem dan even om te kijken of hij al was opgestaan en of ze al kon gaan poetsen en het bed kon opmaken. Maar nee, hij had iedere dag nog in zijn bed gelegen. Dat wist ze zeker. En hij was ook altijd beneden verschenen om samen met Cliff en Theresa Curtlee, of na hen, te ontbijten.

Dit was niet wat Glitsky had gehoopt te horen.

Nadat Bracco zijn kamer had verlaten bleef Glitsky bijna een halfuur in gedachten verzonken zitten. Ten slotte stond hij op en liep om zijn bureau heen naar het whiteboard met de actieve zaken en de werkverdeling. In het schone witte vak waarin tot die ochtend de naam Felicia Nuñez had gestaan schreef hij met grote blokletters de naam Janice Durbin, en in het lege vak rechts ernaast schreef hij: GLITSKY.

Het zou een lang, slepend proces worden om de rechter een vertrouwenspersoon te laten benoemen die de patiëntendossiers in het kantoor van Janice Durbin moest gaan doorlopen om te proberen aanwijzingen te vinden voor een seksuele relatie tussen de psychiater en een van de mensen die haar beroepshalve bezochten. Dat kon weken of misschien wel maanden duren; en dan wist je nog niet of het iets zou opleveren, want de waarheid was nu eenmaal dat er oneindig veel mannen en misschien zelfs vrouwen waren met wie Janice Durbin een verhouding kon hebben gehad zonder dat ze ooit bij haar op consult waren geweest.

En dan was het ook nog mogelijk dat het Michael Durbin was geweest die de verhouding had gehad, chlamydia had opgelopen en zijn vrouw had vermoord – per ongeluk misschien – nadat ze geïnfecteerd was geraakt en er ruzie met hem over had gemaakt. Als hij geloofde dat Michael Durbin zijn vrouw had vermoord moest Glitsky natuurlijk ook geloven dat hij zijn eigen kunstwerken aan repen had gesneden, maar een dergelijke buitenissige spitsvondigheid kon je verwachten van een wanhopige moordenaar.

Hoe dan ook, hij had al te veel tijd verloren laten gaan dankzij zijn fixatie op Ro Curtlee. Dit was de elfde dag na de dood van Janice en het was een understatement te zeggen dat het spoor koud was geworden.

Om 14.30 uur, na een uur bezig te zijn geweest met de papieren rompslomp die het regelen van een huiszoekingsbevel en een vertrouwenspersoon met zich meebracht, was Glitsky aangekomen in de hal van het langwerpige, lage kantoorgebouw halverwege de Stonestown Mall en de San Francisco State University, waar Janice Durbin kantoor had gehouden. Het was een tamelijk modern gebouw met gepleisterde buitenmuren, zonder veel opsmuk. Janice had haar praktijk uitgeoefend in eenheid nr. 204, vlak tegenover de lift op de tweede verdieping, en Glitsky stond daar nu in de gang door de halfopen lamellen naar binnen te turen. Tenzij hem iets ontging – wat hem sterk leek – kon hij het hele kantoor zien.

In de ruimte, waarin zich geen receptie bevond, stonden twee eenvoudige, functionele banken; één tegen de muur aan de rechterkant en één onder het enorme, vierkante raam dat het grootste deel van de muur aan de achterzijde besloeg en waarvan de lamellen ook slechts half waren gesloten. Links stond een laag, donker houten dressoir, waar ze waarschijnlijk haar dossiers in bewaarde. Tegenover de twee banken stond een grote, roodleren fauteuil met een telefoontafel en een vloerlamp ernaast. In een hoek van de kamer stond een grote, paarse zitzak. Aan de beide zijmuren hingen een paar ingelijste afbeeldingen, maar door het licht dat er via het raam op viel spiegelden ze te veel om te kunnen zien wat voor kunst daar was opgehangen.

Veel zou het niet uitmaken, dacht hij. De ruimte zag er schoon, opgeruimd en functioneel uit.

'Kan ik u helpen?'

Glitsky rechtte zijn rug en toen hij zich omdraaide stond hij oog in oog met een aantrekkelijke, stevig gebouwde zwarte vrouw in uniform van wie hij vermoedde dat ze achter in de twintig was. Nadat hij zichzelf had voorgesteld en zijn legitimatie had laten zien, zei hij: 'Zoals u misschien weet is mevrouw Durbin ongeveer een week geleden vermoord. Ik hoopte een paar van haar buren in dit gebouw te kunnen spreken, om te zien of iemand misschien wat licht op de zaak kan werpen.'

'Waar denkt u dan in het bijzonder aan?'

'Het maakt me eigenlijk niet zoveel uit. We zijn er nog niet erg mee opgeschoten. Kende u mevrouw Durbin?'

'Niet echt. Ik kwam haar wel eens tegen op het toilet of in de gang.

Maar ik kon mijn oren niet geloven toen ik hoorde wat er was gebeurd. Niemand kon het geloven. Je denkt dat zoiets niet kan gebeuren met iemand die je kent. Of met iemand zoals zij.'

'Wat voor iemand was het dan?'

'Nou, wat zal ik zeggen... Beleefd, aardig, keurig, geen dikdoenster. Een doodgewoon iemand.'

'Weet u misschien of ze hier in het gebouw vrienden had? Mensen met wie ze regelmatig omging?'

'Nee, niet echt. Ik wil niet zeggen dat ze die niet had, maar als het zo was dan heb ik er niets van gemerkt. Het is hier niet bepaald één collegiaal samenwerkingsverband, zoals u waarschijnlijk al hebt gemerkt. Iedereen heeft hier zijn eigen bedrijfje, meestal maar één eenheid. Ik ben van Bayview Security, verderop, op nummer 207. Alleen meneer Mitchell van beneden, een tandarts, heeft drie eenheden samengevoegd. Hij is ook wel de grootste. Veel apparatuur, snapt u? Waarschijnlijk de voornaamste reden waarom dit gebouw bewaking nodig heeft, al zijn we hier natuurlijk voor iedereen.'

'Dank u vriendelijk,' zei Glitsky. 'Misschien breng ik hier en daar wel even een bezoekje, als u daar geen bezwaar tegen hebt.'

'Ga gerust uw gang,' zei ze. 'Succes.'

Glitsky begon met nummer 201, aan de andere kant van de gang, werkte de eenheden tot aan 215 snel af en ging toen verder met de kantoorruimtes aan de westkant – de kant van Janice –, de helft van het gebouw die grensde aan de parkeerplaats aan de achterkant. Zoals hem was voorspeld leverde het niet veel informatie op. In zes van de ruimtes hielden therapeuten en coaches kantoor, van wie er twee bezig waren met een sessie toen hij langskwam, maar geen van de anderen wist meer over Janice te vertellen dan de vrouw die hij eerder in de gang had ontmoet, en hetzelfde gold voor de mensen van het verzekeringskantoor op nummer 203.

Het was hetzelfde aan de kant van Janice, totdat hij was aangekomen bij nummer 208, een pilatesstudio. Glitsky sloeg hem bijna over, omdat het een sportschooltje leek waar mensen op wisselende tijden opdoken. Hij wist niet eens of er wel sprake was van één huurder die de zaak runde. Maar uiteindelijk kreeg zijn ingeboren neiging om grondig werk te leveren de overhand en klopte hij aan.

Zelfs zonder zichtbare make-up en ondanks de lichte glans van het transpiratievocht op haar huid, bezorgde de vrouw die opendeed hem bijna een knoop in zijn tong. Ze droeg een rood stretchpakje en de rode hoofdband, die het schouderlange haar in toom hield, benadrukte haar brede voorhoofd en haar ogen, die van pure jade leken. Glitsky schatte haar voor in de veertig; ze had kleine rimpeltjes in de hoeken van haar onderzoekende ogen, maar voor het overige leek haar gezicht op dat van een twintigjarige. 'Hoi,' zei ze, terwijl ze haar hand naar hem uitstak. 'Ik ben Holly.'

'Hallo.' Glitsky schudde haar hand, liet haar zijn legitimatie zien en hield het simpel. 'Ik ben Abe Glitsky, afdeling Moordzaken van de politie van San Francisco. Zou u misschien een paar vragen willen beantwoorden?'

Ze wierp een blik over haar schouder naar de duidelijk lege studio en haalde haar schouders op. 'Waarom niet. Dit gaat zeker over Janice, nietwaar?' En plotseling schoten haar ongelofelijke ogen vuur. 'Dat stuk vuil.'

De plotselinge felheid verbaasde Glitsky. 'U bedoelt mevrouw Durbin?'

'Nee, nee, nee.' Ze zwaaide met haar handen heen en weer voor haar gezicht. 'Natuurlijk bedoel ik Janice niet. Ik bedoel het stuk vuil dat haar heeft vermoord.'

'Dus u kende haar?'

'Ja, dat wil zeggen, zo lang waren we nog niet bevriend – ik ben deze studio pas twee maanden geleden begonnen – maar ze was... Ik dacht dat we vrienden voor het leven waren geworden. Kent u dat gevoel? Dat je iemand ontmoet en dat alles klopt?'

'Dat heb ik niet erg vaak,' zei Glitsky.

'Nee, ik weet wat u bedoelt. Zoiets gebeurt je zelden.'

'Dus u had het idee dat u haar goed leerde kennen?'

Ze knikte. Somber, nu. 'Ik had het gevoel dat ze op het punt stond mijn beste vriendin te worden. Soms had ze wel eens een uur of twee over tussen twee afspraken door, en zoals u ziet loopt het hier ook niet altijd storm, en dan kwam ze hier. Dan praatten we met elkaar.'

'Waarover?'

'Alles. Kinderen. Onze conditie, ouder worden, hoe het is om je eigen zaak te hebben, boeken, films. Van alles en nog wat.'

'Mannen?'

Ze hield haar hoofd een tikje schuin. 'Zeker.'

'Niet alleen haar echtgenoot?'

'Niet altijd, nee.' Ze verplaatste haar gewicht van de ene op de ande-

re voet en voegde eraan toe: 'Ik neem aan dat u wilt weten of ze een verhouding had. Die had ze.'
'Heeft ze u verteld of hij een van haar patiënten was?'
'Nee. Ik bedoel, ja, dat heeft ze me verteld. En nee, hij was geen patiënt.
'Weet u het zeker?'
'Ja, tenzij ze tegen me heeft gelogen, maar dat deed ze niet.'
'Wie was het? Heeft u hem wel eens ontmoet? Of gezien?'
'Nee.'
'Heeft ze zijn naam ooit genoemd?'
'Nee. Eerlijk gezegd vond ze het moeilijk erover te praten. Het was alsof ze het eigenlijk niet wilde, maar niet wist hoe ze er een eind aan moest maken. Ze was er niet bepaald trots op.'
'Dus ze wilde die verhouding beëindigen.'
'Dat weet ik niet. Dat geloof ik eigenlijk niet. Ze was eerder bang dat het uit zou komen. Ze wilde haar gezin niet verliezen. En haar man ook niet. Maar ze was verliefd op die man, zelfs al was ze er tamelijk zeker van dat hij een player was.'
'Een player?'
'U weet wel. Iemand die veel partners heeft. Een versierder.'
'Veel partners? Hoe zou hij aan veel partners moeten komen?'
Deze vraag amuseerde haar kennelijk. 'Hallo! Een echte man in San Francisco, en hetero? Dan heb je echt geen probleem om aan partners te komen, geloof me. U kijkt een beetje gefrustreerd.'
Glitsky knikte. 'Dat klopt. Als dit geen patiënt van haar was, dan heb ik geen idee waar ik moet beginnen met zoeken. Hij kan wel overal uithangen.'
'Denkt u dat hij haar heeft vermoord?'
'Hij zou een motief kunnen hebben, of misschien vormde zijn bestaan een motief voor haar echtgenoot. Weet u misschien waar ze elkaar ontmoetten? In een motel misschien? Of in een appartement?'
'Waarom?'
'Als hij een creditcard heeft gebruikt dan hebben we hem. En als je contant betaalt dan moet je een legitimatie laten zien, en die gegevens worden bewaard. Ik klamp me vast aan strohalmen.'
Na een korte stilte zei ze: 'Ik weet niet of u daar iets aan heeft, maar Janice vertelde me dat hij een paar keer hier is langsgeweest, nadat ze klaar was met haar afspraken. Misschien heeft iemand hem toen gezien.'

'Dat zal ik zeker uitzoeken,' zei Glitsky. Daarna bedankte hij Holly en vervolgde hij zijn rondgang langs de kantooreenheden, zich verwijtend dat hij dit niet al veel eerder had gedaan.

Na afloop had hij bij alle vierentwintig in het centrum gevestigde bedrijven iemand gesproken, maar afgezien van Holly was Janice Durbin voor hen niet meer dan een medehuurder die ze wel eens in het gebouw tegenkwamen.

40

Wachtend tot Michael Durbin na zijn werk in het huis van de familie Novio zou arriveren, zat Glitsky even alleen aan de eettafel achter de kop thee die Kathy voor hem had gezet. Toen verscheen ze weer in de deuropening van de keuken met een dienblad met koekjes en een porseleinen koffiekopje op een bijpassend schoteltje. Glitsky keek toe hoe ze het blad op tafel zette. Ze ging tegenover hem zitten en tilde haar kop en schotel op alsof ze bang was dat die uit haar handen zouden vallen.

'Hoe gaat het met de verwerking?' vroeg Glitsky op begripvolle toon.

Ze glimlachte flauwtjes. 'Is dat niet duidelijk? Ik krijg om de minuut het gevoel dat ik instort. Ze was meer dan mijn zus, weet u. Ze was mijn beste vriendin.'

'Hebt u overwogen om met iemand te praten?'

'Een rouwverwerkingstherapeut, bedoelt u?' Ze schudde haar hoofd. 'Een paar vrienden hebben me dat aangeraden. Misschien moet ik dat eens uitzoeken. Maar mijn gevoel zegt me dat het voornamelijk een kwestie van tijd is. Alleen voelt het net alsof de tijd momenteel stilstaat, dus die gedachte geeft me ook niet veel houvast.'

'Dat gevoel kun je gemakkelijk krijgen. Ik weet het.'

Ze tilde haar kopje op en zette het weer neer. 'Dat klinkt alsof u er ervaring mee hebt.'

Hij knikte. 'Mijn eerste vrouw,' zei hij. 'Kanker.'

'Het spijt me.'

Glitsky haalde zijn schouders op. 'Dat is alweer een hele tijd geleden.'

'Zo te horen doet het nog steeds pijn.'

'Op sommige momenten. Maar meestal herinner ik me alleen de goede tijden.'

'De goede tijden. Soms heb je het gevoel dat die nooit meer terugkomen. Dat zoiets nooit meer mogelijk is.'

'Ik weet het.'

'Ik bedoel, als ik eraan denk hoe kort geleden het is. Nog maar een maand geleden zaten Chuck en ik hier aan tafel met de meiden. We hadden het fijn, we lachten met elkaar. We hielden van elkaar. Ik zou een week later veertig worden en Chuck had een liedje gemaakt dat ze allemaal zouden zingen tijdens het grote feest waarop mijn monsterlijke verjaardag zou worden gevierd. "Oud, oud, verschrikkelijk oud." Zo ging het refrein. En de meiden schreven elk hun eigen gemene, geestige, hilarische couplet. We bleven er bijna in van het lachen. En als ik nu zie hoe triest de meiden eraan toe zijn, en wat Chuck en ik doormaken.' Ze keek hem aan vanaf de andere kant van de tafel. 'Ik kan me niet voorstellen dat we ooit nog zoiets meemaken; zo'n zorgeloze en gelukkige periode. Dat lijkt gewoon onmogelijk.' Plotseling rechtte ze haar rug en bette ze haar ogen met haar servet. 'Het spijt me,' zei ze. 'Dat hoeft u allemaal niet te horen.'

'Het geeft niet,' zei hij. 'Dat hoort erbij.'

'Ik snap niet hoe u ertegen kunt.' Ze tilde haar kopje op en nam een slokje. 'Al die slachtoffers en hun families. Ze lijken allemaal een beetje op ons, neem ik aan.'

'Een beetje. Iedereen verwerkt het op zijn eigen manier, maar makkelijk is het nooit.'

'Dat zal wel goed zijn voor uw motivatie. In uw werk, bedoel ik. Het leed van de slachtoffers.'

Glitsky onderdrukte een glimlach. 'Dat speelt wel mee,' zei hij.

Allebei namen ze een slokje. 'Mag ik u iets anders vragen?' vroeg Kathy.

'Ik geloof niet dat u me al een vraag heeft gesteld, maar ga uw gang.'

'Waarom wilt u met Michael spreken? Ik dacht dat het tamelijk duidelijk was dat dit – de moord op Janice – het werk is van Ro Curtlee.'

Glitsky bleef een paar seconden in de weer met zijn thee en antwoordde toen: 'Er zijn wat onopgehelderde kwesties.'

'Wat voor kwesties zijn dat dan?' Ze bracht haar hand naar haar mond. 'Bedoelt u dat Ro het misschien niet heeft gedaan? U gelooft toch zeker niet dat het Michael was?'

'Niet per se. Ik heb een paar vragen voor hem, dat is alles.'

Ze legde haar armen op de tafel. 'Hij heeft dit niet gedaan, inspecteur. U kent hem niet, maar hij kan dit niet gedaan hebben. Hij hield van Janice.'

'Oké.'
'Dat is geen goed antwoord.'
'Het spijt me,' zei Glitsky. 'Een beter antwoord heb ik niet.'

'Ze had chlamydia,' zei Glitsky.

Ze zaten in de werkkamer annex bibliotheek, met de deur dicht om te voorkomen dat de overige aanwezigen het gesprek konden volgen. Glitsky leunde tegen het bureau van Chuck terwijl Michael op de leren bank zat, met zijn voeten op de salontafel.

'Wat?' Hij haalde zijn voeten van de tafel en schoof naar voren op de bank. 'Wat wilt u daarmee zeggen?'

'Het is een seksueel overdraagbare...'

'Nee, nee. Ik weet wat chlamydia is. Wilt u beweren dat Janice dat had?'

'Wist u dat niet?'

'Nee, hoe zou ik?'

'Als we via de rechter uw medische gegevens opvragen dan ontdekken we niet dat u zich heeft laten behandelen voor chlamydia?'

'Absoluut niet. Hoe bent u erachter gekomen?

'De sectie.'

'Waarom heeft u me daar niets over verteld?'

'Op dat moment leek het ons beter u onnodige pijn te besparen. Dat was toen we nog dachten dat Ro Curtlee haar had vermoord.'

'Denken jullie dat dan nu niet meer?'

'Nee, niet echt. Zijn alibi klopt. Hij was niet op de bewuste plaats.'

'Ik ook niet.'

'Dat heeft u inderdaad verklaard. Heeft Janice u verteld dat ze een seksueel overdraagbare ziekte had?'

'Nee. Ik heb u al gezegd dat we al twee maanden geen seks meer hadden gehad. Dat was een van de redenen waarom ik dacht dat ze een verhouding had. Dus is het wel duidelijk waarom ze geen seks wilde, nietwaar? Dan zou ik chlamydia van haar hebben gekregen, en dan zou ik het zeker hebben geweten, ja toch?'

'En met die wetenschap, met de wetenschap hoe Ro Curtlee zijn slachtoffers aanpakte, en met de wetenschap dat hij op borgtocht vrij was... Als u het had willen doen voorkomen alsof hij het had gedaan dan had u contact met Ro moeten opnemen en ervoor moeten zorgen dat hij geen waterdicht alibi had. Misschien had u hem met de een of andere smoes bij u thuis moeten uitnodigen, of iets moeten achterlaten dat erop kon wijzen dat hij er geweest was...' Glitsky keek hem aan en wachtte af.

Michael Durbin trotseerde zijn blik. 'Luister eens, inspecteur, ik heb er vrijwillig in toegestemd u vanavond te woord te staan, maar ik moet u zeggen dat ik geen zin heb hiernaar te luisteren. Ik probeer wat er over is van mijn gezin heel te houden en de tragedie van de dood van mijn vrouw te verwerken, en ik heb domweg geen energie om hier nog verder met u over te redetwisten. Als u me wilt arresteren, zorg dan dat u wat bewijsmateriaal vindt en neem me mee naar het bureau. Maar anders wil ik dat u uit mijn ogen verdwijnt zodat ik kan doorgaan met mijn pogingen de draad van mijn leven weer op te pakken en er nog iets van te maken.'

Bij het avondeten, toen de acht leden van de uitgebreide familie aan de grote eettafel op het punt stonden te gaan opscheppen van de enorme schaal met spaghetti en gehakt, tikte Michael tegen zijn wijnglas en nam enigszins onzeker het woord. 'Om te beginnen,' zei hij, 'voordat we woensdag vertrekken, willen wij Durbins jullie Novio's bedanken voor de enorme gastvrijheid die jullie ons de afgelopen dagen hebben betoond. Dat heeft ons doen inzien hoe waardevol het is om een echte familie te hebben en elkaar te blijven steunen, ook als het werkelijk moeilijk wordt.

'Ten tweede,' vervolgde hij, 'ben ik blij dat Jon weer bij ons terug is.' Michael keek naar zijn oudste zoon. 'Ik weet dat je nog steeds bedenkingen hebt, maar ik heb er alle vertrouwen in dat die allemaal zullen worden weggenomen. Ik wil je bedanken dat je je vertrouwen in mij hebt hervonden.'

Michael bleef Jon aankijken, hoewel dit vooral een boodschap was in de richting van Peter en de meisjes, bedoeld om de rust enigszins te herstellen. Jon leek niet bepaald overtuigd door de woorden van zijn vader, maar voor het moment gaf hij hem het voordeel van de twijfel en dat was voldoende voor Michael; hij zou het er hoe dan ook mee moeten doen. Hij richtte zijn blik nu op Peter. 'En ik ben blij dat jullie de strijdbijl hebben begraven.'

'En ten slotte,' zei Kathy, 'zou ík dan nog graag een toost willen uitbrengen op Janice. We missen je en we zullen altijd van je blijven houden.'

'Inderdaad,' zei Chuck en hief zijn glas.

'En nu,' zei Kathy, 'kunnen we beter aan het eten beginnen voordat het koud wordt.'

Maar nog voordat iedereen zijn pasta had opgeschept nam Jon het woord. 'En, pa, waar wilde die Glitsky je over spreken?'

Michaels gezicht betrok. 'Hij is gefrustreerd omdat hij kennelijk niet kan bewijzen dat Ro Curtlee die ochtend in ons huis is geweest.'

'Waarom niet?' vroeg Chuck.

'Nou, het schijnt dat zijn dienstmeisje beweert dat hij thuis was. Glitsky gelooft haar. Dus nu zoekt hij iets anders waarmee hij zijn critici de mond kan snoeren. Hij krijgt veel kritiek over zijn aanpak van Ro, van mensen die vinden dat hij hem overal de schuld van heeft gegeven zonder dat hij daar veel bewijs voor heeft.'

'En hoe zou jij daar verandering in kunnen brengen?' vroeg Jon.

'Dat kan ik niet,' zei Michael. 'Hij heeft hetzelfde probleem met mij, maar ik krijg de indruk dat hij wanhopig begint te worden. Alsof hij zelf in de problemen dreigt te raken als hij niet snel met een nieuwe theorie op de proppen komt.' Hij legde zijn vork neer. 'Eigenlijk,' vervolgde hij, 'had ik liever niet gehad dat dit ter sprake kwam, maar nu kan ik het net zo goed meteen zeggen. Ik acht het niet helemaal uitgesloten dat Glitsky zal besluiten me te arresteren.'

'Papa, nee!' riep Allie uit. Ze sprong op uit haar stoel, liep om de tafel heen en sloeg haar armen om haar vader heen. 'Hoe kan hij dat nou doen? Je hebt niets gedaan.'

'Dat klopt. Ik heb niets gedaan, dus kan hij onmogelijk bewijzen dat ik iets heb gedaan, maar we zullen elkaar allemaal moeten steunen als hij achter me aan komt. En dat geldt zeker voor jullie, kinderen.' Hierbij keek hij achtereenvolgens Jon en Peter aan.

'Je gelooft toch zeker niet écht dat hij dat zal doen?' vroeg Kathy.

'Ik zie niet in hoe hij het kan doen zonder dat er enig bewijs is. Maar hij was van plan Ro te arresteren met even weinig bewijs. Ik weet niet wat hij gaat doen. Ik weet niet eens of hij dat zélf al weet. Maar het kan geen kwaad om op alles voorbereid te zijn.'

'De politie heeft zoveel macht,' zei Chuck. 'Het is gewoon griezelig.'

Michael en Chuck zaten aan de bar in de keuken met wat er over was van de wijn, terwijl Kathy de afwas deed. De kinderen waren naar hun kamers gegaan om te beginnen met hun huiswerk en het inpakken van hun spullen voor de verhuizing op woensdag. De woorden die hij had gesproken over zijn onwaarschijnlijke maar mogelijke arrestatie waren gedurende het diner steeds zwaarder op Michael gaan drukken en hij dronk nu zijn zesde glas wijn.

'Ik weet niet wat ik dan met de kinderen zou moeten doen,' zei hij, terwijl hij in het glas tuurde.

'Doe niet zo mal,' antwoordde Kathy. 'Je weet best dat wij ze dan weer zouden nemen.'

Michael lachte bitter. 'Dat is precies wat jullie nodig hebben. Vijf kinderen in plaats van twee.'

'Dat zouden we zó doen, Michael,' zei Chuck. 'Maar zover zal het heus niet komen.'

'Ik ben blij dat je daar zo zeker van bent.'

'Je zei het zelf al. Hij kan geen bewijs tegen je hebben omdat je niets hebt gedaan. Geen bewijs, geen proces.'

'Ja, maar als ik word gearresteerd dan zit ik al die tijd voorafgaand aan het proces wél vast.'

Kathy reageerde onmiddellijk. 'Dan betalen wij de borgsom, Michael.'

'Bedankt, maar alleen als dat geen probleem voor jullie is.'

'Nou,' zei Chuck, 'dat is allemaal nog veel te voorbarig. Ik geloof dat Glitsky nog lang niet zover is dat hij jou gaat arresteren.'

'Hij was vandaag hier, Chuck. Ik heb hem gesproken. Hij is er dichterbij dan je denkt. En mezelf even buiten beschouwing gelaten, wat zou dat met de kinderen doen? Jon gelooft al dat ik het gedaan zou kunnen hebben. Als ik ze allemaal zou verliezen vanwege deze toestand...' Hij pakte zijn glas en nam een slok. 'Ik weet niet wat ik dan zou doen. Ik kan het ze niet aandoen dat ze dat zouden moeten meemaken.'

'Natuurlijk wel,' zei Kathy. 'Dan ga je terugvechten. Dan vechten we met zijn allen terug.'

'Ik weet niet of dat de moeite wel waard zou zijn.'

'Natuurlijk is dat de moeite waard.' Kathy liep naar de rand van de bar, pakte Michaels nog halfvolle glas, kuste hem op de wang en liep ermee terug naar het aanrecht. Ze goot het glas leeg. 'Het is duidelijk dat dit rode spul momenteel niet erg goed is voor je gemoedstoestand. Om te beginnen gaat helemaal niemand jou arresteren. En mocht dat wél gebeuren, dan staan we allemaal aan jouw kant en zullen we ons uiterste best doen je weer vrij te krijgen. Oké? Hoor je me?'

'Oké.' Hij slaakte een diepe zucht. 'Ik ben gewoon zó moe. Moe van alle verdachtmakingen, moe van de twijfels van mijn zoon, moe van Glitsky en moe om zonder Janice te moeten leven. Eigenlijk gewoon moe van het leven zelf.'

'Zo moet je niet praten, Michael.'

Hij keek haar aan met een wazige, benevelde blik. 'Nou, oké,' zei hij. 'Dan niet.'

Er ging een schok door Glitsky's lichaam. Hij slaakte een onderdrukte kreet, ging rechtop in bed zitten en drukte zijn hand tegen zijn hart. Hij ademde zwaar.

Treya, naast hem, was onmiddellijk wakker, hield één hand tegen zijn rug en reikte met haar andere hand naar zijn hartstreek. 'Schat, wat is er? Is er iets niet in orde?'

Hij schudde zijn hoofd heen en weer en bleef zwaar ademen.

'Abe! Geef antwoord. Is het je hart weer? Moet ik een ambulance bellen?'

Eindelijk wist hij een paar woorden uit te brengen. 'Nee, nee. Niets aan de hand.' Hij haalde opnieuw diep adem en blies langzaam helemaal uit. 'Maar ik moet eruit.' Hij maakte aanstalten op te staan.

'Nee, geen sprake van. Je blijft hier. Ga nou maar liggen.'

'Dat kan niet.'

'Ja, dat kan je verdomme wél. Rustig nou.'

Maar hij bleef rechtop zitten. Langzaam tilde hij zijn hand op en bedekte die van zijn vrouw, die nog steeds tegen zijn hart drukte. 'Oké,' zei hij opnieuw, alsof hij het tegen zichzelf had. 'Oké.'

'Maar wat was dat dan, als het geen hartaanval was?' fluisterde Treya. 'Een nachtmerrie?'

'Nee, geen nachtmerrie,' zei Glitsky. 'Ik sliep niet.'

'Wat is er dan?'

'Janice Durbin,' zei hij. 'Nóg iets dat ik over het hoofd heb gezien, maar dit keer kon het wel eens écht belangrijk zijn.' Hij draaide zich opzij en keek haar aan. 'Ik moet opstaan.'

'Abe, het is midden in de nacht. Wat ga je doen?'

'Ik weet het niet, maar slapen zit er niet meer in.'

41

Hij wachtte op de ruime parkeerplaats achter het gebouw waar Janice Durbin kantoor had gehouden en zag een paar minuten voor acht de Afro-Amerikaanse vrouw die hij eerder had ontmoet uit haar auto stappen. Glitsky verzamelde al het geduld dat hij kon opbrengen en gaf haar tien minuten om op gang te komen, waarna hij naar de deur liep, het gebouw binnenging en de trap nam naar kantooreenheid 207.

Ze herkende hem onmiddellijk en begroette hem met een warme glimlach. 'Het spijt me, maar ik ben uw naam vergeten.'

'Glitsky,' antwoordde hij. 'Inspecteur Abe Glitsky.'

'En ik ben Roberta. Wat kan ik voor u doen, inspecteur Abe Glitsky?'

'Nou, misschien herinnert u zich nog dat ik gisteren heb geïnformeerd of er mensen in het gebouw waren die Janice wat beter hadden gekend. Ik heb Holly gesproken, hier verderop in de gang, en die vertelde me dat Janice haar had toevertrouwd dat ze een buitenechtelijke relatie had en dat de bewuste persoon na werktijd hierheen is gekomen, misschien wel diverse malen. Het is me opgevallen dat jullie videocamera's boven de deuren hebben hangen en ik vroeg me af of die misschien beelden van de bewuste man of zijn auto hebben vastgelegd.'

Roberta trok een teleurgesteld gezicht. 'Dit moet vast langer dan een week geleden zijn geweest?'

'Inderdaad. Minstens elf dagen en misschien nog wel veel langer geleden.'

Ze klakte met haar tong. 'Het spijt me, maar dan ben ik bang dat u pech hebt. We bewaren alles niet langer dan zeven dagen in dit gebouw, net als in de meeste andere gebouwen die we bewaken. Als het nodig is dat we iemand identificeren horen we dat doorgaans de volgende dag, als u begrijpt wat ik bedoel, als er melding is gemaakt van een beroving of vandalisme. Zoiets duurt hooguit drie dagen, bijvoorbeeld als er een weekend tussen zit. Weet u zeker dat het zo lang geleden is?'

'Minstens zo lang, vrees ik.' Gefrustreerd klemde Glitsky zijn lippen op elkaar. 'Kunt u me misschien vertellen wat jullie nog meer doen om het gebouw in de gaten te houden? Ik zag dat jullie een alarmsysteem bij de deuren hebben. Moeten de mensen een code intoetsen als ze komen en gaan?'

'Inderdaad, maar alleen buiten de reguliere tijden. Gedurende kantoortijd kan iedereen in- en uitlopen.' Roberta veerde plotseling op en knipte met haar vingers. 'Maar wacht even, er is misschien nog iets anders.' Ze stond op van achter haar bureau en liep naar een rij archiefkasten die naast Glitsky tegen de muur stonden. 'Tussen zes uur 's avonds en acht uur 's ochtends rijdt er om de twee uur een auto met bewakers langs voor een fysieke inspectie van het gebouw en de parkeerplaats. Patiënten, cliënten en huurders mogen de parkeerplaats altijd gebruiken als ze willen, maar 's avonds en 's nachts staan er meestal maar weinig auto's. En als er een auto geparkeerd staat van iemand die geen huurder is dan noteren ze het kentekenen, het merk en het model van de auto. Dat is in ieder geval de bedoeling.' Ze trok een archiefkast open en haalde er twee relatief dunne mappen uit. 'Hier zijn de uitgeprinte gegevens van afgelopen januari en van december vorig jaar. Februari hebben ze waarschijnlijk nog niet ingeleverd. U mag ze gerust even inzien.'

Zodra hij om kwart voor vier die middag na zijn laatste college in zijn kamer arriveerde zette Novio zijn mobiele telefoon aan. 'Chuck, met Michael,' hoorde hij. Durbins stem op de voicemail klonk hees van emotie. 'Bel me alsjeblieft zodra je dit hoort. Het is dringend.'

Met gefronste wenkbrauwen vanwege de spanning in de stem van zijn zwager tikte hij op het terugbel-icoontje van zijn iPhone en wachtte op de verbinding. Die kwam vrijwel onmiddellijk tot stand. 'Chuck. Godzijdank. Waar ben je?'

'Op de universiteit. In mijn kamer. Ik sta op het punt om te vertrekken.'

'Zou je meteen naar me toe willen komen? Ik ben in de praktijk van Janice.'

'De praktijk van Janice?'

'Ja.'

'Natuurlijk. Wat is er aan de hand?'

'Het is helemaal mis. Ik heb Glitsky net gesproken. Ik geloof dat hij op weg is naar jouw huis om me te arresteren. Ik moest daar weg. Ik ga niet naar de gevangenis.' Hij zweeg even. 'Ik heb mijn geweer bij me.'

Novio vloekte en zei toen: 'Doe nou geen domme dingen, Michael. Ik kom meteen. Hou vol.'

Minder dan tien minuten later klopte Chuck op de deur van de praktijkruimte van Janice.

'Kom binnen.'

Michael zat achterovergeleund op het uiteinde van de bank die onder het raam stond. Hij had zijn handen ineengevouwen op zijn schoot en zijn gezicht zag er bleek en afgetrokken uit van de vermoeidheid en de stress. Zijn dubbelloopsgeweer lag opengeklapt op de archiefkast naast hem. De koperen achterkanten van de patronen waren duidelijk zichtbaar.

Het wapen was geladen.

Chucks blik schoot van Michael naar het geweer en weer terug naar Michael. Bedachtzaam deed hij de deur achter zich dicht, waarna hij zich weer omdraaide. 'Wat ben jij van plan?' vroeg hij, gebarend naar het geweer. 'Wat doet dat ding daar?'

'Ik zei je al dat ik niet naar de gevangenis ga, Chuck.'

'Natuurlijk ga je niet naar de gevangenis.'

'Nee. Ik bedoel dat ik wérkelijk niet van plan was naar de gevangenis te gaan. Als Glitsky het op mij voorzien had, dan zou ik hem echt de genoegdoening niet gunnen. Dan zou ik hem niet toestaan de kinderen mee te sleuren in die hele ellende van een proces, met mij als moordverdachte.'

'Dat trekken de kinderen heus wel, Michael. Ze zouden een stuk slechter af zijn als je er helemaal niet meer voor ze was.'

'Dat weet ik niet zo zeker.'

'Nou, laat mij je dan verzekeren dat het wél zo is.' Chuck draaide zich half om en ging op het puntje van de gemakkelijke leren fauteuil zitten. 'We regelen de beste advocaat die er in de stad te krijgen is en...'

Maar Michael stak zijn hand op en schudde van nee. 'Dat gaat niet gebeuren. Niets van dit alles gaat gebeuren.'

'Niets van wat? Waar heb je het over?'

'Wat ik wil zeggen is dat ik hierheen ben gekomen met de gedachte dat dit een goede plek zou zijn om er een eind aan te maken, begrijp je? Zo is de cirkel rond. Janice heeft me bedrogen en ik schiet me in haar praktijk voor mijn kop. Snap je waar ik het over heb?'

'Je hebt geen reden om er een eind aan te maken, Michael. Als je het niet gedaan hebt...'

'Hoe bedoel je, áls ik het niet gedaan heb?' Michael schoof naar het puntje van de bank en vervolgde met schorre stem. 'Jij wist immers het beste van iedereen dat ik het niet had gedaan? En je weet toch precies waarom dat zo is?'

'Nee, dat weet ik helemaal niet.' Chuck bleef een toonbeeld van kalmte en bezorgdheid voor het welzijn van zijn zwager. 'Behalve dan dat ik je geloof als je zegt dat je het niet hebt gedaan.'

Michael liet zich zowat achterovervallen op de bank. 'Jezus, jíj bent goed, zeg!' zei hij.

Chuck hield zijn hoofd een beetje schuin, als een nieuwsgierige vogel. 'Waar heb je het over, Michael? Waar ben ik goed in?'

Michael hervond zijn zelfbeheersing en ging weer rechtop zitten. 'Misschien komt het omdat ik er inderdaad bijna van overtuigd raakte dat ik me in deze situatie maar het beste van kant kon maken, Chuck. Terwijl ik wist dat ik onschuldig was. Wat zonde zou dat zijn geweest. Dus toen ik hier zat te bedenken of er misschien redenen waren om het niet te doen moeten mijn hersens in een stroomversnelling zijn geraakt en herinnerde ik me plotseling iets wat je hebt gezegd.'

'Iets wat ik heb gezegd?'

Michael knikte. 'Het eerste weekend nadat Janice was vermoord. Je vertelde me dat Glitsky je iets had gevraagd over al die telefoontjes tussen jou en Janice. Je zei dat jullie allebei bezig waren met het voorbereiden van een feestje voor Kathy's verjaardag, waar ze zelf niets van af mocht weten omdat het een verrassing moest blijven. Dat zou de reden zijn geweest waarom jullie elkaar zo vaak belden. Weet je dat nog?'

'Jazeker.'

'Nou, het punt is, Chuck, dat jij helemaal niet bezig was met een verrassingsfeestje voor Kathy. En Janice was ook niet bezig met een verrassingsfeestje voor Kathy.'

Chuck keek Michael schuldbewust aan. 'Ik weet het,' zei hij. 'Ze was erachter gekomen en toen konden we het verrassingselement vergeten. Maar ik zie helemaal niet in wat daar zo verdacht aan is. Ik heb niets verborgen gehouden.'

'Nee? Dat is grappig, want zodra ik begon na te denken over die telefoontjes en me begon te realiseren dat jij wel eens degene kon zijn die een verhouding had met Janice...'

Chuck stak zijn beide handen omhoog alsof hij met een veeprikker was geraakt. 'Hé! Je bent gek, Michael. Janice en ik hebben geen...'

Michael kapte hem af. 'Dus ik begon te geloven dat jullie elkaar hebben ontmoet, al die keren dat ze mij vertelde dat ze naar een patiënt moest en dat jij nog zo laat moest werken op de universiteit. En waar zouden die ontmoetingen hebben plaatsgevonden? Waarschijnlijk hier. En omdat ik hier tóch was, ben ik een paar uur geleden even langsgeweest bij het beveiligingsbedrijf hier verderop in de gang. Wist jij dat ze noteren welke auto's hier 's avonds geparkeerd staan, als het tenminste geen auto's van huurders zijn? Dat staat allemaal zwart op wit, Chuck. Compleet met kenteken. Wat dacht je daarvan? Dus ga je me nou vertellen dat je al die keren iemand anders hier in het gebouw hebt opgezocht? Of dat je misschien gewoon patiënt bij haar was geworden? En je was tamelijk snel hier nadat ik je belde, nietwaar? Je had geen routebeschrijving nodig.'

De beide mannen ademden zwaar in de gespannen stilte die was gevallen. Na geruime tijd liet Chuck zijn schouders zakken. 'Het is nooit onze bedoeling geweest dat dit zou gebeuren, Michael,' zei hij. 'Het is gewoon een van die dingen die je overkomen. We probeerden er een eind aan te maken. We wilden onze gezinnen geen pijn doen. Het spijt me zo verschrikkelijk.'

Geschokt door de ernst van deze bekentenis liet Michael het hoofd hangen. Toen hij weer opkeek, vroeg hij op hese fluistertoon: 'Maar waarom moest je haar nou vermoorden?'

Chuck sperde zijn ogen wijd open alsof hij deze beschuldiging niet kon geloven. 'Michael, ik héb haar niet vermoord. Bij God, ik zweer het je. Waarom zou ik haar vermoorden? Ik hield van haar.'

'Je hield van haar, maar je neukte ook nog iemand anders?'

'Dat is niet...'

'Chuck, ze had chlamydia. Dat heeft ze niet van een toiletbril opgelopen en ik heb het haar ook niet gegeven. Ze heeft het van jou gekregen. En van wie heb jíj het? Een van je studentes?'

Chuck trotseerde Michaels blik totdat het hem te veel werd, en nu was het Chuck die met een diepe zucht zijn hoofd liet hangen. Toen hij weer opkeek, zag hij dat Michael de tranen uit zijn ogen wreef. Plotseling, snel als een slang, sprong hij op uit de stoel, dook door het kleine vertrek naar de archiefkast, pakte het geweer, klapte de dubbele loop dicht en richtte het wapen op Michaels borst.

'Jij vervloekte idioot,' zei hij. 'Waarom moest je hier nou in gaan wroeten, klootzak!' Hij produceerde een ééntonig, bitter lachje. 'Jij en Janice zijn wél aan elkaar gewaagd. Wil je weten wat er is gebeurd? Een van mijn studentes is bij haar terechtgekomen voor een therapiesessie en heeft haar allemaal lulkoek verteld over zogenaamd misbruik.'

Terwijl Novio verder praatte leek hij zich steeds meer op te winden. 'Ze waren alleen maar uit op hogere cijfers, snap je? En als tegenprestatie lieten ze zich maar al te graag pakken. Maar volgens Janice was dat verkeerd. Dat was geen seks. Het was misbruik maken van die arme studentes.'

Zijn knokkels werden wit terwijl hij het geweer bleef vastklemmen. 'Dus nu was ze niet alleen maar boos op me. Nu werd het een morele kruistocht. En weet je wat ze van plan was te doen? Ze ging het niet alleen aan Kathy doorvertellen, maar ook aan de universiteit. Aan de decaan. Hoor je me?'

'Jazeker, ik versta je goed.'

'Nou, dan was het afgelopen geweest met me. Snáp je dat? Want die kleine teef bleek zeventien te zijn. Alsof ík dat kon weten.'

Het volume van zijn stem ging omlaag terwijl hij tot de kern kwam. 'En dat betekent verkrachting van een minderjarige, beste vriend. Janice wilde de politie bellen om me aan te geven. Ze wilde niet eens toegeven dat ze het deed uit persoonlijke rancune. Ze zei dat ze als therapeut beroepsmatig verplicht was seksueel misbruik aan te geven.'

Michael deinsde terug op de bank, zijn blik gericht op de twee lopen. 'En wat ga je nu doen? Ga je mij ook vermoorden?'

Chuck produceerde opnieuw een humorloos lachje. 'Ik? Ik ga helemaal niets doen. Ik ben bang dat ik hier niet op tijd heb kunnen arriveren. Net op het moment dat ik binnenkwam schoot mijn arme zwager zich overhoop, in de veronderstelling dat hij zou worden gearresteerd wegens de moord op zijn vrouw.'

Chuck kwam een stap dichterbij. 'En nog bedankt trouwens voor die tip dat het zo moeilijk is een geweer te traceren.' Hij kwam nog dichterbij, zodat de afstand tussen hem en Michael nog slechts ongeveer een meter was, spande de hanen en liet zich op één knie zakken. 'Deze lage hoek bevalt me het beste,' zei hij. 'Zo ziet het eruit alsof je het ding tegen je eigen keel hebt gezet.'

Toen haalde hij de beide trekkers over.

Glitsky had Bracco en de drie andere rechercheurs voor de deur van de praktijk van Janice Durbin verzameld en ze stonden klaar de kamer te bestormen toen ze de knal hoorden. Met getrokken wapens renden ze naar binnen. 'Gooi het geweer op de grond en doe je handen omhoog!' riep Glitsky. 'Het geweer!'

Chuck Novio liet het geweer los, dat met een doffe klap op de grond belandde. Hij stond als aan de grond genageld en keek de ongedeerde Michael Durbin aan alsof hij een geestverschijning was. 'Godverdomme.'

Sterke handen grepen hem bij de armen, trokken zijn handen op zijn rug en deden hem de handboeien om.

Glitsky was al om Novio heen naar Durbin gelopen, die nog steeds op de bank zat. Hij zag geen brandwonden of andere tekenen van lichamelijk letsel.

'Volgens mij heb ik niets,' zei Durbin. 'Ik ben alleen nog een beetje doof.'

'Je hebt het goed gedaan,' zei Glitsky. 'Geweldig.'

Achter hen vertelde Bracco Chuck Novio dat hij was gearresteerd, dat hij het recht had om te zwijgen en dat alles wat hij zei tegen hem gebruikt kon en zou worden.

Glitsky richtte zich opnieuw tot Durbin. 'Het spijt me dat we niet sneller binnen waren. We dachten dat hij ons iets meer tijd zou geven, maar hij liet er geen gras over groeien. Het goede nieuws is dat je niets mankeert en dat we alles hebben gehoord. Dat was een ijzersterke bekentenis.'

Terwijl de rechercheurs met Novio de kamer uit marcheerden en hem naar de wachtende auto brachten, probeerde Durbin overeind te komen. Maar hij merkte dat hij daar de kracht niet voor had. 'Ik moet hier nog even blijven zitten, inspecteur,' zei hij. 'Mijn benen willen niet. Ik voel me alsof ik elk moment kan flauwvallen. Jezus christus. Die arme Kathy. Die arme meiden.'

'Haal maar even diep adem,' zei Glitsky. 'En doe je hoofd tussen je knieën. Er is later nog tijd genoeg om het allemaal te verwerken. Voorlopig ben je in ieder geval een echte held.'

'Ik voel me allesbehalve een held.'

'Welkom bij de club,' zei Glitsky. 'Dat geldt voor de meesten.'

42

'Er was geen bewijs,' zei Glitsky. 'Nadat ik ervan overtuigd was geraakt dat hij waarschijnlijk de dader was, had ik uiteraard nog bewijs nodig. Maar dat was er niet. Ik moest hem in de val lokken.'

Hij zat met zijn gezelschap in een van de zithoekjes bij Lou de Griek, twee dagen later. De lunchtijd was al voorbij, dus kwam de vraag of ze de specialiteit van de dag namen (al voor de tweede keer in twee weken het lamsstoofpotje) niet aan de orde. Abe dronk ijsthee en Vi Lapeer en Amanda Jenkins nipten van hun cola light. Ze zaten er niet uitsluitend voor de gezelligheid. Lapeer had Glitsky op het werk opgezocht om erachter te komen waarom hij voor deze nogal bijzondere aanpak had gekozen zodat ze die tegenover Leland Crawford kon verdedigen, terwijl Jenkins – die was belast met de vervolging van Chuck Novio – alleen maar zoveel mogelijk informatie wilde hebben.

'Maar hoe kwam je überhaupt op het idee dat hij het gedaan kon hebben?' vroeg Lapeer.

'Hoewel ik me dat in het begin niet realiseerde en het bijna helemaal aan mijn aandacht was ontsnapt, heeft hij tegen me gelogen. Toen ik hem de allereerste keer sprak, vroeg ik hem waarom hij het mobiele nummer van Janice zo vaak had gebeld. Hij zei toen dat Janice en hij een verrassingsfeestje voor zijn vrouw aan het voorbereiden waren. Maar later vertelde Kathy, zijn vrouw, me in geuren en kleuren hoe ze met zijn allen bezig waren iets bijzonders te maken van de dag waarop ze zo monsterachtig oud zou worden. Ze was er zelf bij betrokken, dus het was helemaal geen verrassing. Gelukkig viel het kwartje nog op tijd.'

Het zat Lapeer nog niet helemaal lekker. 'En op basis van die leugen heb je het leven van een burger in de waagschaal gesteld, Abe?'

'Laat ik daar twee dingen op zeggen. Op de eerste plaats was er meer dan alleen die ene leugen. Die bracht me ertoe me het een en ander af te vragen over Novio en Janice, en dat zorgde er weer voor dat ik ontdekte dat zijn auto bij haar op de parkeerplaats had gestaan.'

'Dat wijst nog nauwelijks op moord.'

'Mee eens. En als dat alles was geweest had ik daarvoor geen enkel leven, van een burger of van wie dan ook, in de waagschaal gesteld. Maar er was meer. Nadat ik die bewuste nacht wakker was geworden met Novio in mijn gedachten – en ik geef toe dat ik wanhopig was vanwege Crawford en al dat gedoe met de familie Curtlee – heb ik de rest van de nacht het internet afgezocht. Novio heeft ongeveer vijftienduizend hits op Google.'

'Vijftien*duizend*?' vroeg Jenkins.

Glitsky knikte en nam een slokje van zijn thee. 'Dus natuurlijk vond ik binnen een minuut of vijf wat ik nodig had.'

Jenkins staarde hem aan. 'Je maakt een grapje.'

'Inderdaad,' zei Glitsky. 'Het duurde zeker drie uur, en dan had ik nog behoorlijk veel mazzel.'

'Sorry, Abe, maar waar zocht je dan naar?' vroeg Lapeer.

'Alles en niets. Ik had geen idee. Maar als iemand me tijdens een onderzoek voorliegt dan is daar doorgaans een reden voor. En deze leugen had te maken met een vrouw van wie ik wist dat ze een buitenechtelijke relatie had.'

Jenkins probeerde ter zake te komen. 'En wat heb je ontdekt?'

Een paar artikelen in een krantje uit New England in 1995, over een schandaal dat toen kennelijk speelde, waarbij Novio werd genoemd als een van de hoogleraren die hoge cijfers uitdeelden in ruil voor seks. Het tweede artikel vermeldde alleen nog maar dat alle aanklachten waren ingetrokken en dat er een schikking was getroffen.'

Jenkins knikte. 'Ze hebben het in de doofpot gestopt, de meisje wat geld gegeven en hem met uitstekende referenties naar San Francisco weggebonjourd.'

'Dat is precies zoals ik vermoed dat het is gegaan,' zei Glitsky. Hij kauwde op een ijsblokje. 'Dus, hoofdcommissaris, ik had de verhouding van Janice, Novio's seksuele escapades met meisjesstudenten in het verleden, de chlamydia en de leugen. Daarmee ging ik naar het bedrijfspand waar Janice praktijk hield en ik ontdekte dat hij daar regelmatig na werktijd had geparkeerd. Dat gaf de doorslag. Het was duidelijk dat hij een verhouding met Janice had gehad. Maar nu moest ik de moord nog bewijzen.'

'Oké,' zei Lapeer. 'Maar daarna wordt het me een beetje onduidelijk. Want toen ging je naar Michael Durbin. Waarom deed je dat?'

'Zijn vrouw was het slachtoffer. Hij was vastbesloten erachter te komen wie haar had vermoord, om het even wie het was. Het klopt dat ik op het idee kwam om hem met een zendertje uit te rusten, maar hij is zelf met dat geweer op de proppen gekomen. Een briljant idee. Vooral als je je realiseert dat Novio de moord absoluut niet zou hebben bekend als we hem gewoon hadden verhoord, zelfs als we ijzersterke bewijzen hadden gehad voor die verhouding. Over de moord zou hij alleen maar iets loslaten tegenover iemand van wie hij niets te vrezen had.'

'Maar hij had hem wel kunnen vermoorden, die Durbin.'

Glitsky schudde zijn hoofd. 'Niet echt. Onmogelijk. Niet met losse patronen. In het ergste geval had hij brandwonden kunnen oplopen.'

'Ernstige brandwonden. Dan had hij miljoenen aan schadevergoeding van de gemeente kunnen eisen.'

'Dat is waar.' Hij keek de hoofdcommissaris recht in de ogen. 'Dat is heel goed mogelijk, maar eerlijk gezegd kon me dat niet zoveel schelen. En zoiets zou Michael toch nooit doen. Ik wist nog uit de tijd van het proces tegen Curtlee dat hij bezeten was van gerechtigheid. Hij was bereid te doen wat nodig was en de consequenties van zijn keuze te aanvaarden. Hij stond volledig achter ons plan zodra hij zich realiseerde hoe het zat tussen Novio en Janice. Hij was er kapot van, maar hij was volledig bereid met ons mee te werken.'

'Maar om nog even terug te gaan naar het begin,' vervolgde Amanda. 'Hoe is Novio eigenlijk op het idee gekomen? Kwam dat door de vrijlating van Ro?'

'Precies,' zei Glitsky. 'Janice had Novio juist verteld wat ze hem ging aandoen. Maar ze heeft er te lang mee gewacht hem daadwerkelijk te ontmaskeren. Die aarzeling – misschien een paar dagen of hooguit een week – heeft haar het leven gekost. Want onze Chuck denkt, waarschijnlijk terecht, dat hij geruïneerd is en achter de tralies verdwijnt. Ondertussen wordt op hetzelfde moment Ro vrijgelaten, die het appartement van Felicia Nuñez verbrandt. Novio is op de hoogte van de connectie tussen Ro en Durbin en dat brengt hem op een geweldig idee: zorgen dat het lijkt alsof Ro het heeft gedaan. En waarom zou hij niet meteen die schilderijen aan repen snijden? Dat was immers typisch iets voor Ro.' Glitsky trok een zuur gezicht. 'En ik heb hem bijna geholpen ermee weg te komen.'

Lapeer boog zich over de tafel en legde een hand op de zijne. 'Dat lijkt me overdreven, Abe. Daar zou ik maar niet al te lang bij stilstaan. En overigens, als deze zaak ter sprake komt in – laten we maar zeggen – de hogere regionen, wat me onvermijdelijk lijkt, kun je je er dan in vinden als ik zeg dat Michael Durbin hierin verzeild is geraakt doordat hij het zelf heeft aangeboden?'

Glitsky knikte afgemeten, dacht een minuut na en knikte opnieuw. 'Dat lijkt me niet onjuist,' zei hij.

Sinds de slachtpartij van afgelopen vrijdag verkeerde men in de burelen van de *Courier* in een staat van ontreddering. Cliff en Theresa Curtlee hadden zich persoonlijk altijd intensief met de dagelijkse gang van zaken bemoeid en zonder hun aanwezigheid was het schip stuurloos. Marrenas voelde dit feilloos aan. De officemanager was al in een machtsstrijd gewikkeld met de hoofdredacteur en de marketingmanager; de koers van het aandeel was gekelderd en iedereen was in de ban van geruchten over een mogelijke overname door de McClatchy Group.

De afgelopen vier columns van 'het Monster Marrenas' waren een lofzang geweest op de Curtlees en hun nalatenschap. Bovendien had ze de politie en de officier van justitie fors de mantel uitgeveegd vanwege hun gewetenloze hetze tegen Ro Curtlee, die je hooguit kon verwijten dat hij behoorde tot een familie die het had aangedurfd de aanval te openen op het juridische establishment van de stad, dat met de meest smerige trucs had geprobeerd hun zoon zijn burgerrechten te ontzeggen.

Via haar netwerk aan informanten in het Paleis van Justitie had ze afgelopen maandagochtend vernomen dat Ro Curtlee Janice Durbin inderdaad niet had vermoord. En het was voor haar niet meer dan een logische gevolgtrekking dat hij daarom ook niets te maken had met de andere moorden.

Nu was ze volop bezig met haar column voor vrijdag, waarin ze het moorddadige optreden van Linda Salcedo in het huis van de familie Curtlee omschreef als 'het werk van een verstandelijk beperkt en haatdragend dienstmeisje; een schoolvoorbeeld van het soort emotionele tirade waarin ze uitblonk'. Terwijl ze nog worstelde met haar zinnen ging de deur plotseling open en stormde er iemand als een woedende windvlaag haar kamer binnen.

Wie heeft deze man binnengelaten? Zaten ze bij de receptie te slapen? Hoe was het mogelijk dat zoiets kon gebeuren?

Ze stond op, reikte naar de telefoon om de beveiliging te bellen en keek woedend naar degene die het had gewaagd haar privacy te schenden. 'Wie denkt u verdomme wel dat u...' Maar binnen een seconde herkende ze hem. Ze legde de hoorn weer op de haak, plaatste haar handen en onderarmen op het bureau en leunde naar voren. 'Jij bent Michael Durbin.'

'Dat klopt.' Durbin was gekleed in een spijkerbroek en een windjack; hij droeg een grote linnen tas van de San Francisco Mystery Bookstore over zijn schouder. 'Hoe gaat het met je, vanochtend?'

'Met mij gaat het prima,' zei ze, 'maar zoals je ziet ben ik aan het werk. Ik maak nooit afspraken voordat ik klaar ben met mijn dagelijkse column.' *Er gaan koppen rollen vanwege dit akkefietje*, dacht Marrenas. *Wie heeft deze gek in godsnaam binnengelaten?* Ze forceerde een geduldig glimlachje en vervolgde: 'Maar nu je er eenmaal bent, wil ik wel een paar minuten vrijmaken. Wat kan ik voor je doen? Wil je misschien gaan zitten?'

'Graag, dank je wel.' Hij trok de caféstoel die aan de zijkant van haar bureau stond naar zich toe.

Nadat hij was gaan zitten deed Marrenas hetzelfde. 'Nou?'

Durbin tuitte zijn lippen en haalde diep adem. 'Nou, Sheila – je vindt het toch niet erg als ik Sheila zeg? – het is me opgevallen dat je de afgelopen dagen je uiterste best hebt gedaan de naam van Ro Curtlee te zuiveren, waarbij je onder meer hebt geprobeerd alle feiten van het politieonderzoek boven water te krijgen.'

'Ja. Dat is nu eenmaal wat ik...'

Durbin onderbrak haar door zijn hand op te steken. 'Ik weet heel goed wat jij doet, Sheila. Dat hoef ik je natuurlijk niet te vertellen. Ik weet het beter dan de meeste mensen. Ik ben hier vandaag omdat ik je wil vertellen hoeveel schade je aanricht, om je te laten weten dat je mij en mijn gezin bijna te gronde hebt gericht en om je te melden dat we er sterker en beter uit tevoorschijn zijn gekomen.'

'Nou, ik ben blij om te horen...'

Durbin onderbrak haar opnieuw. 'Wacht nog even. Dankzij jou en jouw smerige column is mijn zoon Jon er bijna van overtuigd geraakt dat zijn vader in staat was zijn moeder te vermoorden.'

Marrenas keek weg. 'Dat spijt me dan heel erg. Ik ben uitgegaan van de feiten zoals ik die op dat moment kende. Maar ik wil wél benadrukken dat ik geen feitelijke onjuistheden heb gepubliceerd, dus als je van plan was een rechtszaak te beginnen dan kun je dat beter vergeten.'

'Zo zul je die lastercampagnes voor jezelf wel verantwoorden. Je maakt gewoon selectief gebruik van de feiten zodat je de waarheid naar je hand kunt zetten, terwijl je de context buiten beschouwing laat en geen enkele verantwoordelijkheid neemt.'

Marrenas reageerde gepikeerd. 'Ik ben geen onverantwoordelijke journalist, Durbin, ik ben een onderzoeksjournalist.' Ze gebaarde naar de muren van haar kantoor, die vol hingen met prijzen en wapenfeiten. 'Die dingen krijg je heus niet gratis bij een zak popcorn.'

'Nee, dat zal wel niet. Maar laat me je een paar feiten meedelen. Maak gerust aantekeningen als je wilt. Laat ik beginnen met wat natuurlijk het allerbelangrijkste feit is, namelijk dat ik mijn vrouw niet heb vermoord. Ten tweede: ik hou van mijn kinderen. Ten derde: aangezien ik Janice niet heb vermoord kan de zogenaamde verhouding die ik gehad zou hebben met mijn goede vriendin Liza Sato nooit het motief voor die moord zijn geweest. Waar of niet? En waarom ze het voor me opgenomen heeft op het werk? Dat was domweg uit loyaliteit jegens een goede vriend, en geen poging mij te helpen iets onder het tapijt te vegen. Is dit allemaal duidelijk genoeg?'

Marrenas haalde onverschillig haar schouders op.

Durbin was nog niet klaar. 'Ten slotte heb ik nog heel goed nieuws met betrekking tot mijn toekomstplannen. Met het geld van de levensverzekering van Janice en de brandverzekering ga ik een nieuw huis bouwen. Ik ga mijn carrière als schilder weer oppakken. De carrière die jij tien jaar geleden voor mij kapot hebt gemaakt. Wat dacht je daarvan?'

'Goed,' zei Marrenas, wier ogen nu nerveus heen en weer bewogen tussen Durbin en de deur achter hem. 'Dat klinkt goed. Ik ben blij om te zien dat alles goed met je gaat. Maar nu wil ik écht dat je weggaat.'

Durbin ging verzitten in zijn stoel. 'Prima, maar ik wil dat je weet dat ik nog genoeg geld over heb om iemand te betalen om je op te sporen en te vermoorden als ik ooit mijn naam weer tegenkom in een van jouw columns, jij smerige azijnpisser.'

Ze leek verlamd door deze verbale aanval en kon hem alleen maar aanstaren.

'Het kan natuurlijk ook zijn dat je me niet serieus neemt,' vervolgde Durbin. 'En in dat geval doe ik het nu wel meteen zélf.'

Durbin stak zijn hand in de tas van de boekwinkel en haalde er een klein pistool uit.

In paniek sperde Marrenas haar ogen open. 'O, mijn god, niet doen.

Nee, alsjeblieft. Ik heb het net in mijn broek gedaan. Het spijt me zó. Ik wilde helemaal niemand verdriet doen. Ik wilde alleen maar zo goed mogelijk mijn werk doen. Alsjeblieft. Alsjeblieft, doe het niet.'

Durbin veroorloofde zich een zuinig glimlachje. 'Goed,' zei hij. 'Het lijkt erop dat ik je onverdeelde aandacht heb. Laat ik een beroemde frase uit *The Graduate* citeren, Sheila. Ben je er klaar voor? "Plastic."' Hij boog zich voorover en legde het speelgoedpistool vóór haar op de rand van het bureau. 'Bewaar het maar als een aandenken aan mij,' zei hij. 'En als ik jou was zou ik er niet over piekeren de politie te bellen. Wat had ik je tenslotte kunnen aandoen met een plastic pistool? Ik weet bijna zeker dat ze het eens zullen zijn met het standpunt dat jij zelf innam in de column over Ro Curtlee – dat het bedreigen van mensen eigenlijk helemaal niet zoveel voorstelt. Maar vergeet nooit wat ik je heb gezegd. Als mijn naam ooit weer in jouw column verschijnt, laat ik je afmaken.' Hij glimlachte. 'En dan wens ik je verder nog een fijne dag.'

43

Toen Frannie Hardy zondagochtend weer thuiskwam was Dismas, haar echtgenoot, net begonnen met het verorberen van de omelet die hij had gebakken in de gietijzeren, ruim vier kilo wegende pan die altijd klaar voor gebruik aan een vishaak boven het fornuis hing. 'Waar ben je geweest?' vroeg hij. 'Ik was me net aan het beraden of ik me ongerust moest gaan maken.'

'Dat vind ik nou zo schattig,' zei ze, 'dat beraden of je je ongerust moet maken van jou.'

'Ik probeer zulke emoties altijd te doseren,' zei Hardy. 'Het heeft geen zin je onnodig op te winden en je zorgen te maken.' Hij wees naar zijn bord. 'Wil je hier iets van? Er is genoeg.'

'Nee. Eet jij het maar op.' Ze ging tegenover hem aan tafel zitten.

'Waar was je trouwens?' vroeg hij. 'En geef me niet zo'n onmogelijk antwoord als "op de Galapagos Eilanden" of "in de Oekraïne" of zoiets.'

Ze zei: 'Ik ben naar de kerk geweest.'

'Geen grapjes maken, zei ik toch?'

'Het is geen grapje. Ik ben naar de kerk geweest. Ik kan je precies vertellen naar welke kerk, als je dat wilt weten.'

Hardy legde zijn vork neer en keek haar aan. 'Niet dat zoiets op zich niet heel legitiem is, zeker op zondagochtend natuurlijk, maar ik begin nu écht een beetje ongerust te worden. Gaat het wel goed met je?'

'Er is niets aan de hand. Niets met ons. Niets met onze gezondheid. Niets met onze kinderen. Alles gaat goed.'

'Maar...?'

'Maar herinner je je die avond toen jij en Abe hier zaten na te praten over al die toestanden met Ro Curtlee? En dat hij je vertelde dat het allemaal was begonnen met de verbrandingsdood van die arme Felicia Nuñez, die kennelijk ook een van zijn eerste slachtoffers was geweest?'

'Dat herinner ik me maar al te goed. Wat is daarmee?'

'Nou, om de een of andere reden kon ik de gedachte aan haar niet uit mijn hoofd zetten. Ik bedoel, zo'n jong meisje dat vervuld van hoop vanuit Guatemala naar dit land komt. Ze wordt verkracht door de zoon van haar bazen, neemt de juiste beslissing door tegen hem te getuigen, gaat dan werken bij een stomerij, woont alleen, heeft waarschijnlijk nooit een vriendje gehad, misschien uit schaamte over de verkrachting. En ten slotte komt Ro uit de gevangenis en zo ongeveer het eerste wat hij doet is haar vermoorden en haar lichaam verbranden.' Frannie pakte Hardy's servet en bette haar ooghoeken ermee. 'Het is gewoon zo oneerlijk. Zo ondraaglijk.'

'Hé.' Hardy stond op, liep langs de tafel en sloeg een arm om haar heen. 'Hé.' Zachter nu. Hij kuste haar op het hoofd en ze drukte zich tegen hem aan.

Na een minuut zuchtte ze. 'Ik weet niet waarom, maar vannacht schoot het me plotseling te binnen dat Abe zei dat er letterlijk geen mens was die om haar rouwde. Er is zelfs niemand gekomen om haar lichaam op te halen, en dat trof me zó. Dat vond ik zó vreselijk triest. Dus besloot ik naar de kerk te gaan en daar een kaars voor haar aan te steken en voor haar te bidden. Ik weet dat het maar een klein gebaar is, misschien zelfs bijgelovig en een beetje mal, maar ik dacht gewoon...'

Hardy zei: 'Dat is iets heel moois, Fran. Je bent een heel mooi mens.'

'Nou, dat valt wel mee, maar... In ieder geval was het iets, voor iemand die nooit iets heeft gehad, zelfs geen piepkleine kans. Snap je wat ik bedoel? Ik had het gevoel dat ik iets moest doen. Zodat ze misschien eindelijk kan rusten in vrede, als er zoiets bestaat. Begrijp je?'

Hardy trok zijn vrouw dichter tegen zich aan. 'Amen,' zei hij.

Omdat het cadeautje dat ze voor de vierde verjaardag van Zachary Glitsky hadden gekocht een nogal groot elektronisch keyboard was, zette Hardy Frannie uiteindelijk maar af bij de stoep van Glitsky's huis, waarna hij opnieuw ging rondrijden op zoek naar een parkeerplaats. Toen hij eindelijk de voordeur bereikte, drukte Hardy op de bel. Hij hoorde binnen voetstappen naderen, gevolgd door Glitsky's stem. 'Wie is daar?'

'De paashaas,' zei Hardy.

'Dan ben je een paar weken te vroeg.'

'Ik heb een sprongetje door de tijd gemaakt. Voel je hem? Een sprongetje?'

'Leuk bedacht,' zei Glitsky.
'Doe je de deur nou open?'
'Alleen als je "alsjeblieft" zegt.'

Toen Wes Farrell en Sam Duncan tien minuten later arriveerden, zat Hardy nog steeds buiten, op de bovenste tree van de trap.

Farrell droeg een klein pakje dat was omwikkeld met cadeaupapier. Hij keek omhoog naar zijn voormalige partner die daar zat te wachten, gekleed in een spijkerbroek en een buttondown hemd. 'Hé, Diz. Wat doe jij daar? Is Abe niet thuis? Ik dacht dat het feestje hier was.'

'Hij is thuis.' Hardy stond op, gaf Farrell een hand en Sam een knuffel. 'Hij doet kinderachtig. Maar misschien doet hij voor jou wél open.' Hardy drukte op de bel. Opnieuw hoorde hij binnen voetstappen naderen. 'Wie is daar?'

'Niet zeggen dat je de paashaas bent,' fluisterde Hardy.

Farrell keek Hardy verbaasd aan. 'Ik zal proberen de verleiding te weerstaan.' Daarna, tegen de deur: 'Wes Farrell, officier van justitie.'

'Hij kan er geen genoeg van krijgen dat te zeggen,' zei Sam. 'Het geeft hem het gevoel dat hij de hoofdrolspeler is in een actiefilm.'

'Hé!' zei Farrell. 'Ik bén de hoofdrolspeler in een actiefilm.'

De deur ging open. Er werd geglimlacht en gegroet. Ten slotte liet Glitsky zijn blik langs Wes en Sam dwalen en zei verbaasd: 'Hé, Diz, wanneer ben jíj hier aangekomen?'

'Tegelijk met dit stel.'

Frannie verscheen uit de keuken en kwam achter Glitsky staan. Toen ze Hardy zag, zei ze: 'Hé, schat, ik begon me al ongerust te maken. Sta je zó ver weg geparkeerd?'

'Een paar kilometer,' antwoordde Hardy.

Twintig minuten later stonden de mannen op een kluitje achter in Glitsky's achtertuin, terwijl zes vrouwen, Glitsky's vader Nat en een uitgelaten groep kinderen volledig opgingen in een genadeloos spelletje Ezeltje Prik.

'Reken maar dat Novio niet voor borgtocht in aanmerking komt,' zei Farrell.

'Op welke juridische gronden?' vroeg Hardy.

'Hij heeft haar opgewacht. En dat is een verzwarende omstandigheid.'

'Hij heeft haar opgewacht in haar huis?'

'Dat is mijn stelling.'

'Hoe lang heeft hij haar opgewacht?'

'Lang genoeg,' zei Glitsky.

'Typisch het antwoord van een smeris,' zei Hardy. 'Maar hoe weet je dat hij niet gewoon op de deur heeft geklopt, in de wetenschap dat Durbin al naar zijn werk was vertrokken, en binnen is gekomen zoals hij al honderden keren eerder was binnengekomen?'

'Nee, die dag is het anders gegaan. Abe heeft hem zelf verhoord en hij heeft ondubbelzinnig toegegeven dat hij haar heeft opgewacht.'

'Je hebt hem erin geluisd.'

'Zoiets zou ik nooit doen,' zei Glitsky. 'Want dat zou onethisch zijn.'

Hardy keek de beide mannen veelbetekenend aan. 'Als jullie er maar voor oppassen dat jullie deze kerel geen reden geven om in beroep te gaan. Meer wil ik er niet over zeggen.'

'Bedankt voor de goede raad,' zei Farrell. 'Maar ik trek me bij de aanpak van mijn vervolgingen niets aan van de mogelijkheid van een hoger beroep. Want daar hebben mijn kiezers recht op en zo ga ik de boel van nu af aan ook aanpakken.'

'Eindelijk,' zei Hardy. Nu klink je als een échte officier van justitie.'

Farrell leek dit even tot zich door te laten dringen. 'Natuurlijk,' zei hij. 'Want dat bén ik toch ook?'

Alle andere cadeautjes waren al uitgepakt. Farrell pakte zijn presentje en liep ermee naar de andere kant van de woonkamer, waar Zachary op de grond zat te midden van zijn verjaardagsbuit – de draagbare piano, een voetbal, een Gameboy waar Abe duidelijk niet zo blij mee was, diverse boeken en de laatste Disney-dvd. 'Alsjeblieft, Zack. Oom Wes heeft het beste voor het laatst bewaard.'

Zachary maakte de strik los, trok het lint eraf en scheurde het papier open. Toen Sam de vorm en de omvang van de doos zag die onder het papier tevoorschijn kwam, keek ze Wes aan en zei: 'Nee, toch, hè?'

'Hij zal er verguld mee zijn,' zei Wes. 'Gegarandeerd. Toe maar, jongen, pak hem uit en draag hem met trots.'

Zachary kon nog niet lezen, en dat was waarschijnlijk maar goed ook.

Op het T-shirt stond: HOU JE DOCHTERS MAAR BINNEN.

Dankwoord

Sommige boeken zijn meer een product van verbeelding en inspiratie dan andere, en dit boek valt wat mij betreft in deze categorie. Terwijl ik doorgaans veel research moet doen om mezelf op de hoogte te stellen van juridische details, strafrechtelijke procedures en andere elementen van de plots in mijn werk, was ik bij het schrijven van dit boek vanaf het begin al tamelijk goed met de materie vertrouwd. Zodra ik had besloten wat het basisidee van het boek moest worden ben ik meteen gaan schrijven, met de gedachte dat ik op het moment dat er problemen in de tekst ontstonden te rade zou gaan bij kennissen en andere bronnen. Nogal tot mijn verbazing deden dit soort problemen zich echter nauwelijks voor. Afgezien van het beroep dat ik altijd kan doen op de juridische expertise van mijn goede vriend Al Giannini, hoefde ik verder niet veel technische adviezen in te winnen om dit verhaal echt en geloofwaardig te maken.

Deze gelukkige omstandigheid is echter niet geheel of zelfs maar gedeeltelijk aan toeval te danken. Toen ik voor het eerst begon te spelen met de ideeën die zouden uitmonden in *Schade*, heb ik een synopsis gestuurd naar mijn literaire agent Barney Karpfinger, met een kopie naar mijn redacteur bij Dutton, Ben Sevier. Deze beide heren, die vanaf het allereerste begin enthousiast waren over het concept van het boek, hebben gedurende een aantal weken een groot deel van hun tijd besteed aan het gladstrijken van potentiële problemen en struikelblokken in de verhaallijn. In totaal heb ik geloof ik wel vier versies van de synopsis gemaakt, en dankzij de intelligentie en inspanningen van Barney en Ben had ik, toen ik klaar was om de eerste woorden op papier te zetten, een glashelder beeld van hoe het boek eruit zou komen te zien en hoe ik mijn visie zou uitwerken. Vandaar, Barney en Ben, dat een speciaal bedankje aan jullie op zijn plaats is – zonder jullie ijver, intellect en enthousiasme was *Schade* niet tot stand gekomen.

Dit gezegd hebbende, had ik wel wat specialistische kennis nodig met betrekking tot de vraag hoe iemand die dat wil zoek kan raken en blijven. Voor zijn hulp op dit gebied ben ik dank verschuldigd aan privédetective Marcel Myres van Submar Investigations.

Dat ik niet bijzonder vaak beroep hoefde te doen op technische expertise, betekent niet dat talloze vrienden en familieleden er niet toe hebben bijgedragen dat het schrijven vruchtbaar en plezierig verliep. De lijst omvat: mijn broers en zussen Michael, Emmett, Lorraine en Kathy; Don Matheson; Frank Seidl; Max Byrd; Tom Hedtke; Bob Zaro; Facebook-goeroe Aryn DeSantis; webmaster Maddee James; en Andy Jalakas. Mijn assistente Anita Boone zorgt ervoor dat de dagelijkse gang van zaken op mijn werkplek soepel en aangenaam verloopt – zonder haar onmisbare, opgewekte en altijd beschikbare hulp zou ik deze boeken niet kunnen schrijven, omdat ik me dan voortdurend het hoofd zou breken over logistieke details, administratieve beslommeringen en huishoudelijke aangelegenheden; zaken die Anita ogenschijnlijk moeiteloos beheerst. Mijn dochter Justine en mijn zoon Jack geven mijn verhaallijnen, mijn thema's en mijn leven voortdurend nieuwe ideeën en onverwachte wendingen.

Ik ben bijzonder dankbaar voor de hulp van mijn persoonlijke correctoren/redacteuren Karen Hlavacek, Peggy Nauts en Doug Kelly.

Enkele mensen hebben royaal gedoneerd aan liefdadigheidsinstellingen door het recht te kopen hun naam te geven aan een personage in het boek. Deze mensen en de respectievelijke organisaties zijn: Ritz Naygrow, Stacey Leung-Crawford en Leland M. Crawford (The Sacramento Library Foundation); Vincent J. Abbatiello (Brenda Novak's Annual Online Auction to Benefit Diabetes Research); Trisha Stanionis (Yolo Family Service Agency); Gladys Mueller (Notre Dame de Namur University); en Mike en Tina Moylan (University of California, Davis).

De levensloop van een boek hangt in eerste en laatste instantie af van de uitgever, en ik acht me nog steeds buitengewoon gelukkig en trots lid te mogen zijn van de Dutton-familie, een ongelofelijk intelligent, toegewijd, hardwerkend en efficiënt team van mensen die niet alleen creatief en getalenteerd zijn maar bovendien weten hoe ze plezier moeten maken. Mijn dank gaat in het bijzonder uit naar uitgever Brian Tart, het marketingteam van Christine Ball en Carrie Swetonic, Melissa Miller, Jessica Horvath, Susan Schwartz, Rachael Hicks, Kara Welsh van de pocketboekuitgeverij Signet/NAL, Phil Budnick, Rick Pascocello en de briljante omslagontwerper Rich Hasselberger.

Ten slotte hoor ik heel graag van mijn lezers en ik nodig iedereen dan ook uit een bezoek te brengen aan mijn website www.johnlescroart.com, voor commentaar, vragen en informatie. En hebt u een Facebook-account, zoek me daar dan ook op (en word een fan).